ABHANDLUNGEN ZUR KUNST-, MUSIK- UND
LITERATURWISSENSCHAFT, BAND 166

Variation als Prinzip

UNTERSUCHUNGEN AN FRANZ KAFKAS
ROMANWERK

VON PETER RICHTER

1975

BOUVIER VERLAG HERBERT GRUNDMANN · BONN

CIP-Kurztitelaufnahme der Deutschen Bibliothek
RICHTER, PETER
Variation als Prinzip: Untersuchungen an Franz Kafkas Romanwerk.
(Abhandlungen zur Kunst-, Musik- und Literaturwissenschaft; Bd. 166)
ISBN 3-416-01009-4

Gesamtherstellung: wico grafik, St. Augustin 1/Bonn

Karl † und Elfriede Richter
gewidmet

CORRIGENDA

Auf den folgenden Seiten muß es richtig heißen:

S. 6, Z. 3   : überschreiten
S. 30, Z. 12 v. u.: verletzen
S. 34, Z. 21   : den er den
S. 35, Z. 8 v. u.: die ein Element sich der Reihe nach bezieht.
                     „Rund" ist, wie an den
S. 44, Z. 20   : „bergauf
S. 45, Z. 8 v. u.: Gruppen
S. 83, Z. 15   : vermessen."
S. 85, Z. 13   : nun eben
S. 101, Z. 6   : Labyrinthe
S. 101, Z, 7   : Labyrinths
S. 101, Z. 11 :   : Labyrinth
S. 156, Z. 8 v. u.: *salutierte*
S. 159, Z. 16   : ,den
S. 167, Z. 5 v. u.: Aufseher und Wächter
S. 168, Z. 3 v. u.: ohne
S. 183, Z. 9 v. u.: nicht mehr
S. 183, Z. 8 v. u.: Möglichkeit, eine
S. 189, Z. 6 v. u.: Verschwindenmachen,
S. 281, Z. 11   : 235 BC, 236 BC
S. 281, Z. 12   : [statt 236 BC:] 248 BC
S. 281, Z. 5 v. u.: 65 A
S. 285, Z. 6   : 320: *Vz.* vZ. vZ/
S. 285, Z. 8   : 333: x.x.x/
S. 286, Z. 14 v. u.: 170: bfVZ. VZ. vZ/
S. 301, Z. 8 v. u.: (cf. GVII1)
S. 314, Z. 8   : schwarz/unrein [auf Linie mit] Anzug
S. 317, Z. 12 v. u.: ,KREIS'.
S. 345, Z. 2   : x für

INHALT

EINLEITUNG

1. Geisteswissenschaft bedeutet intersubjektive Überprüfbarkeit. Kaum eine Dichtung hat diesem Anspruch den Zugriff zu den Werkinhalten, auch zum Gehalt[1] von Einzel- und Gesamtwerk, entsprechend zum Gesamtgehalt der Einheit ‚Werk und Leben' so erschwert wie die Franz Kafkas. Die Erschwernis gibt sich in einer Aporie der Forschung zu erkennen, historisch und auf dem heutigen Stand (1973)[1]:

Die Inhaltsdeutung ging bereits von Anfang an in einem „Babel der Interpretationen"[2] unter, kam über „Rorschach-Tests der Literatur"[3], „Selbstprojektionen"[4] ihrer Deuter nicht hinaus. Ihre Thesen waren wissenschaftlich nicht zu halten, ihre Verfahrensweisen, falls überhaupt je expliziert, methodologisch unbrauchbar.

Die Deutung des Gehalts sieht sich trotz konstruktiver Strenge nach wie vor genötigt, den Gehalt mit unverbindlicher Begrifflichkeit zu fassen. Ihre Begriffe sind je eigenes Konstrukt, ihre Bestimmungen zwar in sich widerspruchsfrei und mit der je bisherigen Beobachtung verträglich, doch keine Grundlage für eine Einigung.

---

1 Die Termini ‚Inhalt', ‚Form', ‚Gehalt' zunächst wie in: Wilpert, Gero von: Sachwörterbuch der Literatur. 5., verb. u. erw. Aufl. — Stuttgart: Kröner 1969. (= Kröners Taschenausgabe. Bd. 231).
Bei der folgenden Einteilung der Forschung, die übrigens, auf dieser Differenzierungsebene, auch der bisherigen Einteilung durch die Forschung selbst entspricht, gibt den Ausschlag freilich ein Adäquatheitsgrund: Unter dem Aspekt des Problemlösens ist die Einteilung in die vier Forschungszweige (Inhalt, Gehalt, Form, Leben), ist auch die mittelbar entsprechende Einteilung in die vier Kapitel dieser Arbeit (Sprachinhalt, Gesamtinhalt, Werkinhalt, Werkgehalt) integraler Teil der Problemformulierung und damit Voraussetzung der Lösbarkeit des Problems. Der verhältnismäßig geringe Differenziertheitsgrad ergibt sich zwangsläufig aus dem relativ niedrigen Niveau (infra 240), auf dem man unsere zentrale Frage nach den (außerperspektivischen) Inhalten liegen gelassen hat.
2 W. Rohner, l. c. p. 80
3 H. Politzer 3, l. c. p. 43
4 I. Seidler, l. c. p. 178, Anm. 4

Wissenschaftlich blieb und bleibt in dieser Lage allein der Rückzug aufs Beschreibbare, das, was sich wissen und, wie es scheint, als solches deuten läßt: das Leben und die Werkform.

Die historisch-biographische Fachrichtung ist freilich durch den Rückgang auf das Wißbare gehalten, das Leben nicht als Teil der Einheit ‚Werk und Leben‘, sondern bloß als empirisch zu behandeln. Da ihr die Kenntnis der Leben und Werk organisierenden Mitte vorenthalten ist, greifbar nur in der „parallelen Entfaltung der nämlichen geistigen Grundorganisation"[5], beschreibt sie Daten, Fakten, verfolgt sie, *als* Empirie, bis in das Werk, weiß sie jedoch als Werkeinheiten nicht zu fassen, kann sie nicht deuten. Der Dichtungswert des Lebens läßt sich von außen, ‚rein‘ biographisch, nicht erkennen, wie er sich, als Wert, auch nicht beschreiben läßt.

In der Werkformforschung setzt sich dies Dilemma fort. Da man nicht weiß, als was die Empirie den Eingang in das Werk gefunden hat, kennt man nicht den Stoff. Die Werkformforschung ist jedoch auf genaue Stoffkenntnisse angewiesen, denn die Form ist weder als die geformte noch als die formende zu klären in Unkenntnis der Kräfte, mit denen sie sich mißt und deren Art und Ausmaß entscheidend am Ergebnis dieses Kräftespiels beteiligt sind.

Die vier Forschungszweige leiden an derselben Aporie: Die Deutung von Inhalt und Gehalt läßt sich keiner Gegenprobe unterziehen, das Wißbare wird ohne diese Deutung nicht verständlich. Die Deutung weiß der Wissenschaftlichkeit nicht zu genügen, das Wissen nicht der Literatur. Wie löst sich das Problem?

Es gibt, unter dem Primat der Wissenschaftlichkeit, zwei Versuche, nicht das Problem zu lösen, sondern es in eine Streitfrage nach der Berechtigung der einen oder anderen Seite zu verwandeln.

Der eine wird von der Werkformforschung und ihrer theoretischen Begründung am entschiedensten verfochten: Inhalt und Gehalt sind deshalb nicht zu deuten, weil sie nichts mehr *be*deuten. Das Werk selbst ist Wahrheit, hat Bedeutung, sagt aber keine aus. 1952 wies Friedrich Beißner darauf hin, daß Kafka „von innen her erzählt" und ausnahmslos „nicht mehr zu wissen scheint als der Zuhörer oder Leser. Der Erzähler . . . ist nirgends dem Erzählten voraus . . . Das Geschehen erzählt sich selber im Augenblick, . . . aus einseitiger, aber durchaus

---

5 D. Hasselblatt, l. c. p. 160

2

einheitlicher Sicht"[6]. „Der Abstand zwischen dem Geschehen und dem Erzählen ist aufgehoben." Der Dichter ist „mit der Hauptgestalt eines"[7]. Dieser Ansatz an „Einsinnigkeit der Darstellung"[8] und Einheit der Perspektive hatte zunächst nur „legitime Wege"[9] aus der Fülle beliebiger und austauschbarer Inhaltsdeutungen zum werkgerechteren Verständnis weisen wollen, er wurde jedoch in der Folgezeit vereinseitigt zur totalen Gleichsetzung von Held und Roman. Der Grundsatz ‚Held gleich Welt', ineins damit die Formel ‚Held gleich Leser' begründeten die Meinung, die epische Welt sei flächig, zweidimensional, das epische Geschehen in der Linearität verfahren, daher uneinsichtig. Schon Martin Walser hält als wichtiges Ergebnis fest die „fortschreitende Verabsolutierung des Eindrucks im Helden und damit für den Leser" und die „Entfaltung des Werkes von sich selbst her als unumkehrbarer, linearer, kommentarloser . . . Vorgang."[10] Die Konsequenzen, die sich aus dieser Konzeption ergeben, hat Heinrike Peters neuerlich verdeutlicht. Man solle „die Wahrheit nicht mehr in einer Deutung suchen", denn die „Wahrheit der Dichtung liegt allein in ihrer Form, die ihr die Fähigkeit verleiht, viele Bedeutungen zu tragen."[11]

Gegen diese Position hat sich der andere Versuch gewandt. Denn wo „der Interpret in der vermeintlichen Konsequenz der Einsinnigkeit der Darstellung an der Identifikation des Lesers mit der Perspektivgestalt . . . festhält, bringt er sich selber um die Ergebnisse seiner Erkenntnis."[12] Er bringt sich um Erkenntnismöglichkeiten überhaupt. W. Kudszus, K. Leopold, K.-P. Philippi wiesen Ausnahmen zur Einsinnigkeit nach. „Die ständige und völlige Kongruenz von Autor und Held hat erkennbare Bruchstellen"[13]. U. Fülleborn sah Held und Welt von Untersuchungen zur Parabolik her als eigenständige Bereiche.[14] J. Kobs und P. Beicken, L. Ryan und H. Kraft wiesen dem Leser, dem Interpre-

---

6 F. Beißner 1, l. c. p. 32   8 ibid. p. 40
7 ibid. p. 34   9 L. Fietz, l. c. p. 71
10 M. Walser, l. c. p. 45. Zum nämlichen Begriff von Linearität, Gradlinigkeit u. ä. cf. H. Uyttersprot, l. c. p. 376; F. Martini l. l. c. p. 308 ff.
11 H. Peters, l. c. p. 78
12 H. Kraft, l. c. p. 17
13 W. Kudszus, l. c. p. 192ff.; K. Leopold, l. c.; Zitat aus K.-P. Philippi 1, l. c. p. 15; gegen Philippis Begründung außerperspektivischer Inhalte jedoch richtig J. Kobs, l. c. p. 27f.
14 U. Fülleborn, l. c. p. 294f., 299, 303f.

ten eine eigne Perspektive zu. J. Kobs (ähnlich P. Beicken) sah in der Unterscheidung zwischen der Erzähler-Leser-Perspektive und der „Sehweise" des Helden als dessen eigentümlicher „Bewußtseinsform" die einzige Möglichkeit einer Distanz und damit der Erkenntnis.[15] L. Ryan meinte, das begrenzte Dasein sei vom Helden aus zwar nicht zu transzendieren, doch sei dem Leser ein Überblick gegeben, der ihm wenigstens die „Denkbarkeit des Andersseins" ermöglicht.[16] Und H. Kraft führte an: „In der Aufnahme des Erzählten entsteht neben der Perspektive des Helden die ‚Perspektive des Lesers'." „Der denkende Leser wird aus der Identifikation entlassen." In dessen „Distanz zum Geschehen" gelinge der Dichtung alsdann „Bewußtseinserhellung der Wirklichkeit (des Lesers)".[17] Sämtliche Ansätze kommen freilich über die bare „Denkbarkeit des Andersseins" nicht zu Methoden, das Anderssein (als Inhalte außerhalb der Heldenperspektive) auch zu fassen[18], und der wirkungsästhetische Ausweg vom Werk als Träger nichtwerkeigener Bedeutung, als bloß initiativ bei der Bewußtseinserhellung einer Leserwirklichkeit ergibt sich bereits in der Werkformforschung: Die dichterische „Darstellung der Begegnung des menschlichen Innern mit der Welt ... kann allen den Zugang zu ihrem Menschsein öffnen."[19]

Viel- als Uneindeutigkeit und als Unmöglichkeit von Deutung und, im Gegenzug die Negation der These, doch keine Position im Zugriff zu Werkinhalt und -gehalt, diese Versuche beheben nicht die Schwierigkeit, sondern bestätigen nur wieder deren Existenz. Die Frage, ob auf Kafkas Weg zur „Synthese", zu Wahrheit und Bedeutung, wie B. Allemann es sieht, „bereits der erste Schritt auf diesem Wege nicht mehr getan werden"[20] kann oder doch, ob Kafkas Dichtung „stehender Sturmlauf vor dem unerreichbaren Ziel"[21] ist oder nicht, bleibt offen. An diesem Punkt, methodologisch Drehpunkt der vier Forschungszweige, fährt daher alle Diskussion sich fest.

---

15 J. Kobs, l. c. p. 26, cf. auch 25ff., 32ff., bes. 46ff., P. Beicken, l. c.

16 L. Ryan, l. c. p. 166

17 H. Kraft, l. c. p. 17, 19, 17

18 Cf. bes. J. Kobs, l. c. p. 46f., 50—53, 56

19 H. Peters, l. c. p. 50

20 nach B. Allemann. In: [Protokoll der] Aussprache [zu den Vorträgen von B. Allemann u. H. Arntzen]. In: Zeitschrift für deutsche Philologie. 83. 1964, Sonderh. p. 113

21 B. Allemann 2, l. c. p. 106 et passim

2. Das Problem der Kafkaforschung — wir formulieren diese Überlegungen als Einsichten im nachhinein, gewonnen auf dem Wege zum Befund in dieser Arbeit — ist nicht gelöst, weil es auf den versuchten Wegen, das heißt, allein mit Literaturmethodik, nicht zu lösen war, also auch nicht, da der Kafkaforschung Literaturtheorie stets noch ein „Organon von Methoden"[22] war, theoretisch. Nicht freilich darin lag der Problemgrund, daß die Versuche jenseits der in den letzten Jahren allgemein erreichten hermeneutisch höheren Bewußtseinsstände unternommen wurden. Die Aporie rührt vielmehr daher, daß die Literaturwissenschaft (im Sinne der bisherigen Kafkaforschung) zwar konkrete Prozeduren einer Wissensfindung kennt, nicht aber die konkrete Prozedur zu nennen weiß, die über diesen ihren Rahmen, wenn es nötig wird, hinausweist. Das Organon ist eben operational-pragmatisch, Summe der Erfahrung am je bekannten und gelösten Fall. Seine Methoden sind Anleitung der Wiederfindung, nicht des Zugewinns. Stößt die Praxis daher auf Fragen, für die sich wissenschaftsgeschichtlich keine Antwort findet, bleibt die Suche blind, die Lösung Zufall. Damit ist das Versäumnis, das in Kafkas Fall von Folgen war, bereits genannt. Man hat es unterlassen, grundsätzliche Erwägungen zu einer Strategie der Wissensfindung anzustellen. Denn überblicken wir:

Man hat sich in mehr als dreißig Jahren unter fast jedem denkbaren Aspekt beschäftigt mit dem Gesamtwerk im Zusammenhang der literarischen Epochen, innerhalb des Gesamtwerks mit den Einzelwerken, darin mit den Figuren, den Ding-, Tier-, Menschgestalten, von den zentralen bis zu peripheren, mit dem Raum bis hin zu minimalen Weltausschnitten, mit dem Geschehen in jeder Größenordnung von Aktionen, mit epischen Grundformen bis zur kleinsten Redeform, mit äußeren Bauformen von Buch-, Kapitel-, Abschnitt- und Periodengröße, mit der Bildlichkeit vom Einzelbild bis zur gesamten Metaphorik und Symbolik. Und dennoch zeigt ein Blick auf die Extensionsskala der anwendbaren Analysegrößen zwischen Einzelwerk und Einzelwort, -silbe, -laut, daß die Arbeiten über diese Skala ungleichmäßig aufgeteilt sind. Sie nehmen in Richtung einer Grenze ab — und hören fast vor dieser Grenze auf —, hinter welcher, sprachwissenschaftlich, der Bereich der lexikalischen Bedeutung, der Wort- als Wortschatzinhalte beginnt.

22 Wellek, René, und Austin Warren, l. c. p. 16

Wohl gibt es in der Kafkaforschung im Bereich der kleinen Größen bis hin zum Einzelworte Arbeiten, die sich der Grenze nähern, sie zuweilen überschritten. Marlis Gerhardt etwa untersucht Wortschatzeigentümlichkeiten, sprachstatistisch und in Stilcharakteristika.[23] E. Frey beschreibt den Stil als „System sprachlicher Hervorhebungsmittel" und „Verteilung dieser Stilmittel im Text"[24] mit Hilfe der von Michael Riffaterre so genannten „stilistic devices", die Frey unter „gebräuchlichen Termini der traditionellen Rhetorik und Grammatik"[25] begreift. H. Glinz bezieht sich „auf die kleinsten vom Verfasser gesetzten ... Einheiten, d. h. auf Kapitel, Abschnitte und Sätze", und versucht „jeweils diejenige ‚Portion des Gemeinten' möglichst neutral zu fixieren, die je in einer solchen Einheit gegeben ist". Seine kleinste Größe ist, unterhalb des Einzelsatzes, die „einzelne verbale Wortkette", „in infiniter Form" notiert.[26] J. Kobs, der eine Ersatzprobenmethode von Glinz aufgreift[27], arbeitet an Sätzen und „mehrwortigen Satzgliedern"[28]. Ihm wird auch „der Bereich der Lexeme (der Worte und Wörter) ein fruchtbares Beobachtungsfeld" beim Vergleich des dichterischen mit dem allgemeinen Sprachwortschatz, in der Frage nämlich, ob der Wortschatz einer Dichtung sich eher aus mono- als aus polyvalenten Lexemen zusammensetze, ob die vom Dichter verwendete Bedeutung der polyvalenten dem zentralen oder peripheren Bereich der Sprache entnommen sei, und inwieweit das durch die Ersatzprobe gewonnene Variantenfeld aufschlußreich werden könne.[29] Wichtig an den Arbeiten von Glinz und Kobs ist, daß sie sich als Lösungsvorschlag für die Inhaltsforschung meinen, die eine als „Inhalts-Kennzeichnung nach Abschnitten, in möglichst gleichbleibender Abstraktionsrichtung und Abstraktionshöhe"[30], die andere als Methode, „nach der sich mit und in der Frage nach dem inhaltlich Verstehbaren zugleich eine dichterische Individualität beschreiben läßt"[31], und daß sie den Versuch auf dem einzigen Wege unternehmen, der der Inhaltsforschung auf ihrem jetzigen Stand zunächst noch einzig nützen kann, nämlich an äußerst kleinen Einheiten, weit unterhalb der

---

23 M. Gerhardt, l. c.
24 E. Frey, l. c. p. 299
25 ibid. p. 143, Anm. 1
26 H. Glinz, l. c. p. 93
27 J. Kobs, l. c. p. 60ff.

28 ibid. p. 61
29 ibid. p. 62
30 H. Glinz, l. c. p. 104
31 J. Kobs, l. c. p. 25, cf. p. 56ff.

Zugriffsschwelle jener, wie wir sagen, ‚groben' Vorverständnisse der Inhaltsdeutung, denen es, apoetisch, auf dichtungsspezifische Bestimmungen von vornherein nicht ankommt.

Wichtig ist freilich auch, daß alle Arbeiten an kleinen Größen, sofern sie nicht von vornherein nur sprachstatistisch die Bearbeitung pauschaler Wortschatzmengen angehen, sich im Bereich des Satzes halten, auch wo sie sich ums Wort bemühen. Denn Wort kann, sprachlich und sprachwissenschaftlich, vieles sein: unter Aspekten der Wortbildung und der Syntax Morphem und Satzbaueinheit, unter dem Aspekt der Satzsemantik Aussage-, Satzsinneinheit, unter Gesichtspunkten der Lexik, im Hauptsinn des Begriffs ‚Semantik'[32], ein Lexem — als Inhaltseinheit, Bauelement des Wortschatzes, von Wort- bis Wortgruppenumfang —, dabei zugleich auch Gegenstand der Etymologie, dann unter Aspekten der Pragmatik (im semiotischen Sinn von Ch. W. Morris) Kommunikationseinheit, unter denen der Phonetik Laut-, der Graphematik Buchstabenfolge. Was Wort als Satz(teil)einheit meint, zeigt die Ersatzprobe besonders deutlich. Man braucht selbst bei Beschäftigung mit dem Einzelwort den Satzsinn nicht restlos bis zum Wortinhalt zu unterschreiten. Der Satz „Er schaute aus dem Fenster", im Ersatzverband von „Der Mann sah hinaus", „Der Junge blickte nach draußen", „Karl guckte" bzw. „blinzelte", läßt einen „Generalnenner" der verschiedenen Wörter als Satzeinheiten bilden, die den Wortinhalt fast spurenlos im Satzsinn tilgen, etwa für „Er", „Der Mann", „Der Junge" und „Karl" den Nenner „Perzeptionsfähiges, geistig-sinnlich beteiligtes Wesen als Urheber des Vorgangs".[33] Als Inhaltseinheit wäre dieser Nenner zunächst nur (jung) bzw. (männlich).

An dieser Grenze wird freilich mehr, es wird die Selbstbegrenzung einer ganzen Forschung deutlich. Denn nicht nur jene Arbeiten an kleinen Größen, vielmehr die Forschung insgesamt hat sich beim Durchgang durch die Analysegrößen zwischen Einzelwerk und -wort fast ausnahmslos im Satzsystem gehalten. Die Grenze zum ‚Werk als System von Wortinhalten' ist nur selten, und stets nur in Richtung auf zwei Möglichkeiten, unterschritten worden. Der Eigenschaft des Worts,

---

32 Wir übernehmen, mit H. Geckeler, l. c. p. 23, Anm. 1, „die nunmehr fast allgemein angenommene Bezeichnung der Gesamtdisziplin der Wissenschaft von den sprachlichen (vorwiegend lexematischen) Inhalten als *Semantik*, die *Onomasiologie* und *Semasiologie* einschließt."

33 J. Kobs, l. c. p. 60

eine Geschichte zu haben, ist Kurt Weinberg[34] nachgegangen, sein (zudem unmethodischer) Versuch am Etymon war jedoch unergiebig und ist Einzelfall geblieben. Ebenfalls auf Grundlage des einzelnen Lexems als größter Untersuchungseinheit hat man Mono- und Polyvalenzzustände, Worthäufigkeiten u. ä. statistisch für ausgewählte Wortschatzteile ausgewertet. Die dritte Möglichkeit, die Zugehörigkeit des Worts zu Feldern, ist bislang nirgends auf Eignung für die Werkerschließung hin geprüft.

Das Versäumnis mag verschiedene Gründe haben. Gewiß machen Zweckerwägungen sich geltend, alle Untersuchung soll Leer- und Unbestimmtheitsstellen im Verständnis schließen, Untersuchungen zu Wortinhalten tun dies zumeist nicht. Auch legt man einer umfangreicheren Größe wie der des Satzes zumindest in der Epik und Dramatik oft von vornherein wie selbstverständlich mehr Wert bei als einer kleinen. Die Gründe liegen auf der Hand. Einzel- wie Gesamtwerk, Figuren, Raum, Geschehen, Szenen, Redeformen, Sehweisen bauen zuvörderst in Satzsinn und -form sich auf. Und es kam, drittens, das Wort des längeren auch in der Theorie in seiner möglichen Relevanz nur unvollständig in Betracht. Offenbar drängte die theoretisch größere Nähe von Werk und Sprache im Begriff des Wortkunstwerks zu einer Distanzierung, und daß das Werksein nicht im Sprachsein aufgeht, ließ Abstand nehmen auch zum Übergangsbereich, in dem Sprachliches als Literares, Sprach- als Literaturwissenschaftliches noch fruchtbar werden kann. Man betrachtete den Wortinhalt oft nicht in all seinen sprachlichen Erscheinungsweisen, sondern von vornherein nur unter einem linguistisch (nicht poetologisch) unzureichend differenzierenden Begriffe von Bedeutung, der Wortinhalt im Sinne von Feldzugehörigkeiten bisweilen gar nicht kannte.[35]

Ausschlaggebend aber — und damit kehren wir zum Ausgangsargument zurück — ist schließlich, daß man auch von der Literaturwissenschaft eine Prozedur des Zugewinns, so scheint es, fordern kann. Denn letztlich hat die Aporie der Kafkaforschung offensichtlich darin ihren Grund, daß seit gut zwei Jahrzehnten, will sagen, seitdem man in der Werkformforschung die Konsequenzen aus der Unmethodik exzessiver

34 K. Weinberg, l. c.
35 Cf. Ingarden, Roman: Das literarische Kunstwerk. Dritte, durchges. Aufl. — Tübingen: Niemeyer 1965; Wellek/Warren, l. c.: aber auch Kayser, Wolfgang: Das sprachliche Kunstwerk. — Bern u. München: Francke[5] 1959.

Inhaltsdeutung zog, grundsätzliche Erwägungen zu einer Strategie der Wissensfindung ausstehen, deren erste Regel lauten sollte: Bei sonst verstelltem Zugang ist der Griff zu immer kleineren Größen, der Weg zu Elementen zu versuchen. In unserem Falle also: Wann immer die Inhaltsfrage ein scheint's unlösbares Problem bereitet, ist die Suche nach immer kleineren Inhaltseinheiten jedweder Art zu unternehmen.

Gemeint ist, daß ein Schichtenmodell von möglichen Begriffen, möglichen Analysegrößen in Ansatz zu bringen ist und daß man sich, stets also auf der Suche nach Konstanten, darin ‚von oben nach unten' bewegt, selbstredend im hermeneutischen Zirkel, das heißt, ohne auf der Suche nach *kleinsten* Einheiten in den (allerdings seit Dilthey fast wie selbstverständlichen) Verdacht zu geraten, wie ein Naturwissenschaftler nach kleinsten *selbständigen* Einheiten zu suchen. Man beginnt, auf der obersten Stufe, etwa im Bereich der Größenordnung des Gesamtwerks als eines Teils (neben den Gesamtwerken anderer) im Zusammenhang einer literaturgeschichtlichen Epoche; man betrachtet dann, auf der nächsten Stufe, beispielsweise den Bereich um die Einzelwerke als Teile im Zusammenhange des Gesamtwerks, sucht so systematisch auf allen möglichen Zwischenstufen weiter, arbeitet etwa im Umkreis der Einheiten von Kapitelumfang im Rahmen des Einzelwerks, dann an einzelnen Episoden, Handlungsschritten innerhalb eines Kapitelganzen u. v. m., endet schließlich bei einzelnen Wörtern (Wortinhalten), könnte, wenn auf der Suche nach möglichen Konstanten nicht nur inhaltlicher Art, sogar noch ‚tiefer' gehn, zu Silben, Lauten. Auf jeden Fall verfährt man *systematisch* − früher oder später hätte man Kafkas sog. Elementengruppen zwar gefunden, aber nur, weil irgendwann aus der Linguistik zufällig auch einmal eine Methode übernommen worden wäre, die sich geeignet hätte −, und man verfährt *unbedingt*, das heißt zuvörderst, ohne Rücksicht darauf, daß in den literaturwissenschaftlichen Begriff vom Inhalt als „nacherzählbarer" Tatsächlichkeit[36] stillschweigend die Satzgrenze hineindefiniert ist: Erzählen kann man nur auf Satzniveau.

Die − in Kafkas Fall erfolgreiche − Anwendung dieser Regel bedeutet den Rekurs von geistes- auf *allgemein*wissenschaftliche Findungsregeln. Denn man verfährt ja naturwissenschaftlich stets bewußt so: Von Erscheinungen, die sich aus Natur und Struktur der Materie

36 Cf. Fußnote 1

ergeben, sind nur einige im Rahmen der Physik der festen Körper klärbar, andere erst auf dem Niveau je der Moleküle, Atome, Atomkerne und Elementarteilchen; man ändert Schritt um Schritt den zur Erklärung erforderlichen Umfang der je kleinsten Einheit, verändert, was relativ als Element zu gelten hat.

In diesem Rekurs auf generelle Findungsregeln und in der *unbedingten* Anwendung des heuristischen Prinzips der Teilung eines Ganzen besteht, gewinnstrategisch, der erste Ansatz dieser Untersuchung.

3. Es ist sinnvoll, anzunehmen, daß der dichterische Zugriff in der Gestaltung, die Werk und Leben sind, bei jedem Dichter auf einer charakteristischen Ebene solcher Begriffsbildung und mit einer Zugriffseinheit von charakteristischer Art und Größenordnung geschieht und daß diese Spezifika Werk und Leben auf eine solche Weise prägen, daß sie entsprechend nur von der Bestimmtheit von Begriffsart, -umfang und -ebene her angemessen zu erschließen sind.

In der Praxis ist stets nur eine Teilerschließung dieser dichterischen Konstituente zu erreichen. Ob sie es auch im Falle Kafkas ist, stellt diese Arbeit von einem Befund aus (Kapitel I und Anhang) neu zur Diskussion, der obschon im fast vorästhetischen Bereich des Wortkunstwerks gewonnen, zwei Grundlagen für den Versuch, das Teilziel zu erreichen, bietet: Er ist in einem Teil mit Sicherheit und in den andern Teilen mit Wahrscheinlichkeit Gelenk — und wissenschaftlich ‚missing link‘ — in den Bezügen zwischen Werk und Leben (Kapitel II). Er legt damit für die Erforschung von Werkform und Leben den Zugang frei zu Fragen nach dem Stoff, dadurch dem dichterischen Stellenwert von Empirie wie Werkform. Er legt, zweitens, mit der Zuordnung von Textpassagen auf *Wort*inhaltsbasis einen — freilich ungewiß, wie großen — Teil der Grundlage frei, auf der das Werk die Zuordnung der *Werk*inhalte vornimmt (Kapitel III und IV). Er gibt damit eine erste Antwort auf die zuvor gänzlich ungelöste Frage, wie die logisch-empirischen Zuordnungskriterien der bisherigen Gehalts- und Inhaltsforschung durch wo nicht werkeigene, so doch werknahe zu ersetzen seien. Und er zeigt drittens, daß die Vieldeutigkeit, die durch diese — wie bisher alle — Zuordnung entsteht, von ganz bestimmter Art ist; sie ist in sich widersprüchlich, doch gleichwohl geordnet, gegliedert, zu einer höheren Begrifflichkeit gefügt und damit aus der Noetik jener dichterischen Wahrheitsfindung schon bekannt, welcher die Goethesche Symbolkunst dient. Dies ist besonders Gegenstand der letzten Untersuchung (Kapitel IV).

Endlich: Die Wahl der drei Romane ergab sich aus der Eigenart des Befundes und seines Wertes für die Werkerschließung. Untersuchung und Auswertung brauchen Texte, die zusammenhängend und so umfangreich wie möglich sind.

I. DER ZUGRIFF ZU DEN WORTINHALTEN
DIE ELEMENTENGRUPPEN

Die Welt der Epik Kafkas scheint nicht auf eine vorgegebene Welt bezogen, sie scheint absolut. Kafkas Menschen, schreibt M. Walser, sind daher „nicht ‚wahr' im psychologischen Sinne, sie sind nicht ‚wirklich' im empirischen, nicht ‚menschlich' im anthropologischen und nicht ‚natürlich' im biologischen Sinne. Sie sind lediglich notwendig innerhalb ihrer Welt. Sie zeichnen sich, wie diese, vorwiegend durch ihre Geschaffenheit aus." „Völlig empiriefrei"[37] nennt Walser „Prozeß" und „Schloß", „nahezu gegenstandslos"[38] das Gesamtwerk.

Es bleibt freilich die Frage, ob diese Geschaffenheit nicht anders sich bestimmen ließe denn als Funktionszusammenhang zweier Größen, des Sehenden und des Gesichteten. Ist allein der Funktionswert des Verhältnisses von ‚K. zu X' erkennbar, Notwendigkeit allein in dieser Interdependenz zu greifen? Walser erhellt für dieses Wechselspiel die „Leerform": Störung durch Karl und die K. s, Aufhebung durch die Gegenordnung, die amerikanische, die „Prozeß"-, die „Schloß"-Welt. Doch ist die Form der Werke leer? Gibt es, fragt in gleichem Sinn bereits P. Heller, nirgends Welt bei Kafka?[39] Denn um die inhaltliche Vielfalt der Romanwelt, den „unerschöpflichen Reichtum von Detail"[40] ist es getan, wenn alles über die Funktion, nichts jedoch, außer ihrer Beschreibung, über die scheint's einheitlich fungierenden, aber höchst verschiedenartigen Größen zu erfahren ist, ganz zu schweigen von den Stellen, wo es schwerhält darzutun, welche Funktion die Welt hat, wenn sie die K. s weder bestätigt noch widerlegt, der quälende Widersinn bloßer Unbegriffenheit Platz macht, die K. s zwar Einsicht nicht bekommen, doch auch nicht verlangen, Fragen nicht gestellt sind und von Existenzgefährdung keine Rede sein kann, wie beispielsweise beim Blick aus dem Fenster in „Prozeß"-Kapitel 1:

---

37 M. Walser, l. c. p. 49, 98
38 ibid. p. 120

39 P. Heller, l. c. p 264
40 E. Heller, l. c. p. 9

„An der Klinke des offenen Fensters hing eine weiße Bluse. Im gegenüberliegenden Fenster lagen wieder die zwei Alten, doch hatte sich ihre Gesellschaft vergrößert, denn hinter ihnen, sie weit überragend, stand ein Mann mit einem auf der Brust offenen Hemd, der seinen rötlichen Spitzbart mit den Fingern drückte und drehte." P19f.

„Verrät" Kafka wirklich „niemals die Methode der epischen Notwendigkeit der Geschehnisse"[41], so wird man sich begnügen müssen mit der bloßen Feststellung jener nur gereihten und gezeigten Inhalte, die mit unbekannter Folgerichtigkeit und unkenntlicher Funktion, außer der pauschalen, aufreizend Öffentlichkeit darzustellen, kommentarlos aus dem Nichts vor den Blick und zurück ins Nichts treten, denn sie erscheinen nach Kapitel I nicht mehr. Zu einem ähnlichen, einem „Vorstadtstraßenbild" (P47f.) schreibt J. Schillemeit, es bleibe „eingebunden in den Augenblick, in dem es erblickt wird, läßt sich aus ihm nicht herauslösen, bleibt Element dieses Augenblickes und weigert sich, Element einer Welt, einer dargestellten Welt zu werden. Und so wie dieses ‚Bild' auf dem Wege zum Gericht erblickt wird, so werden es im Grunde alle ‚Bilder'".[42] Alle stehen nur in dem „Bezug zu einem, sich freilich nicht zeigenden Gegenüber, und zwar allein dadurch, daß der Augenblick, in dem sie erblickt werden, durch dieses Gegenüber bestimmt ist."[43] Andere Bezüge sind offenbar nicht greifbar. Und doch wäre gerade an solchen Stellen, sogar dringender als anderwärts, zu fragen, wie es mit einer Konsequenz gleich welcher Art bestellt sein könne und ob nichts über die Modalitäten der epischen Weltgestalt und Weltgestaltung zu erfahren sei.

Wie, fragte schon Adorno, „soll der Leser zu Kafka sich verhalten"? Er soll „auf den inkommensurablen, undurchsichtigen Details, den blinden Stellen beharren. Daß Lenis Finger durch eine Schwimmhaut verbunden sind, oder daß die Exekutoren wie Tenöre aussehen, ist wichtiger als die Exkurse übers Gesetz."[44] Adorno formuliert so einen Auftrag, dem man noch nicht nachgekommen ist. Aufgegriffen, zeigt er sich als neuerliche Frage nach einem „Fixpunkt für sachgemäße Interpretation".[45] Gestellt an den zitierten Text:

41 M. Bense 1, l. c. p. 86
42 J. Schillemeit 2, l. c. p. 592f.
43 ibid.
44 Th. W. Adorno, l. c. p. 307
45 H. Binder 1, l. c. p. 121

Auf welche Weise ist innerhalb der Romanwelt dieser „Mann"
notwendig? Warum sind es, folgerichtig, die „zwei Alten"? Aus
welchem Grund, zu welchem Zweck sind sie durch Stehen und Liegen
unterschieden? Weshalb der Bart, als „Spitzbart", „rötlich" und
gedrückt, gedreht? Warum die offene „Brust"? Bestimmt kein Prinzip
die Bestimmtheit der unterschiedlichen Teile? Und reiht nur K. s Blick
sie zufällig so, sind sie Treibgut von Bildern oder Sequenz?

Die Frage nach dem Werkinhalt nimmt eine unverhoffte Wendung,
wenn man sie bis aufs Einzelwortniveau verfolgt, zur Frage nach dem
Wortinhalt herabstuft.

1. DIE ELEMENTENGRUPPEN

Beim Durchgang durch die anwendbaren Analysegrößen zwischen
Einzelwerk und Einzelwort, -silbe, -laut stößt man im Wortbereich von
Kafkas Werk auf eigenartige Gruppierungen. Eigenartig ist auch ihr Ort.
Denn ‚Wort' meint hier unter lexikalischem Gesichtspunkt ein Lexem,
als semantische, als Inhaltseinheit, Bauelement des Wortschatzes, von
Wort- bis Wortgruppenumfang, in praxi hauptsächlich das Substanz-
wort (im Unterschied zu den Funktoren), also die Substantive, Verben,
Adjektive und Adverbien. Dieser Wortbereich ist vorästhetisch, das
Werk hier nurmehr Korpus von Lemmata, an welchem literarisch allein
die freilich wesentliche Reihenfolge noch zu nennen ist, die der Text
den Wörtern gibt. Als Beispiel für den Befund sieben Textproben aus
dem „Prozeß" (infra 15 f. und Tabelle 1).

Wir erkennen: Beim Vergleich der Texte hält sich von allen
denkbaren Konstanten in dieser Deutlichkeit allein konstant eine
Invarianz semantischer Art. Bereits die im 14-Zeilen-Bereich von (1)
benachbarten Vergleichseinheiten kehren in (2) auf 6 Zeilen noch enger
benachbart zwar fast alle wieder, jedoch zumeist nicht mehr als
Vorstellungs-, als Bild- und Sinneinheiten, sondern reduziert aufs
Tertium des Wortinhalts: Das ‚auf die Spitze treiben' kehrt als
„Spitzbart" wieder, „Überlegenheit" als körperliches ‚Überragen', das
„niedergeworfen", „warf sich auf sein Bett" als ‚Liegen', „die beiden"
Wächter, die K. hoch „überragen" (P 11), werden zu „zwei Alten", hoch

Textproben zur Extrahierung von Elementen
Elementenvarianten kursiv
Aus: GB im „Prozeß"

1. „Vielleicht würden ihn *die beiden,* wenn er die *Tür* des folgenden Zimmers oder gar die *Tür* des Vorzimmers *öffnete,* gar nicht zu hindern wagen, vielleicht wäre es die einfachste Lösung des Ganzen, daß er *es auf die Spitze trieb.* Aber vielleicht würden sie ihn doch *packen* und, war er einmal *niedergeworfen,* so war auch alle *Überlegenheit* verloren, die er jetzt ihnen gegenüber in gewisser Hinsicht doch wahrte. Deshalb *zog* er die Sicherheit der Lösung vor". „Er *warf sich auf sein Bett* und *nahm* vom Waschtisch *einen* schönen *Apfel".* P 16 f.

2. „An der Klinke des *offenen Fensters* hing eine weiße Bluse. Im gegenüberliegenden *Fenster lagen* wieder *die zwei Alten,* doch hatte sich ihre Gesellschaft vergrößert, denn hinter ihnen, sie weit *überragend,* stand *ein Mann* mit einem auf der *Brust offenen* Hemd, der seinen *röt-lichen Spitz*bart *mit den Fingern drückte* und *drehte."* P 19 f.

3. K. tritt durch „die *offene Tür"* ein. „*Zwischen zwei Männern* hin-durch, die sich unmittelbar bei der Tür unterhielten — der eine machte *mit beiden,* weit *vorgestreckten Händen* die Bewegung des Geldaufzäh-lens, der andere sah ihm *scharf* in die Augen —, *faßte eine Hand* nach K. Es war ein *kleiner, rotbäckiger Junge."* „Zweimal hatte er schon, auf den *Fußspitzen* stehend, etwas auszurichten versucht, ohne von dem Mann *oben* beachtet worden zu sein." „Dann *zog er seine Uhr".* „Man-che hatten Polster mitgebracht, die sie zwischen den *Kopf* und die Zim-merdecke gelegt hatten, um sich nicht *wundzudrücken."* P 51—53

4. „K. stand noch vor dem Anschlagzettel, als *ein Mann* die Treppe her-aufkam, durch die *offene Tür* ins Wohnzimmer sah". „Wäre ich nicht so abhängig, ich hätte den *Studenten* schon längst hier an die Wand *zer-drückt."* „Hier, ein wenig über dem *Fußboden,* ist er *festgedrückt,* die *Arme gestreckt,* die *Finger gespreizt,* die krummen Beine *zum Kreis gedreht,* und *ringsherum Blut*spritzer." P 77 f.

15

TABELLE 1

Extrahierung von Elementen
Aus: GB im „Prozeß"

ELEMENTE aus Textproben	1 (P16f.)	2 (P19f.)	3 (P51–53)
zwischen ZWEI ÄLTEREN/GRÖSSEREN	die beiden Wächter	die zwei Alten	zwischen zw« Männern
KLEINERer/ JÜNGERer	K.	Mann	kleiner Jung«
Tür/Fenster OFFEN	Tür öffnen	offenes Fenster	offene Tür
SPITZes/ SCHARFes	auf Spitzetreiben	Spitzbart	auf Fußspitz« scharf ansehe«
LIEGEN/AUF BODEN LEGEN/ betten	niederwerfen aufs Bett	liegen	
ÜBERragen/ ÜBERLEGEN	Überlegenheit	überragen	Mann oben
ZIEHEN	vorziehen		Uhr ziehen
HERZ/BRUST OFFEN UND TIEF		Brust offen	
ROT: BLUT/ROT		rötlicher Bart	rotbäckig
ARMe STRECKEN			Hände streck«
FINGER SPREIZEN		mit Fingern drücken	
MIT HÄNDEN FASSEN	packen		mit Hand fass«
DRÜCKEN		Bart drücken	wunddrücken«
RINGS am/ums GESICHT		Bart	Kopf
HAND UND KREIS/rund	Apfel nehmen	Bart drehen	Uhr ziehen

16

(P77f.)	5 (P103,107f.)	6 (P174–177)	7 (P271f.)
			die beiden
und Mann	die Wächter	K. und Maler	Herren
udent		Richter	K.
	Prügler		
ene Tür	Tür, Fenster öffnen		Fenster [öffnen]
	Spitze der Rute	Spitzen der Stifte	langes, dünnes Messer geschärft, Schärfe
Fußboden	auf Boden, Erde	auf Boden	auf Erde niedersetzen betten
			in der Höhe
	beherrschen		
		anziehen	Messer aus Scheide
	Brust	mit Hemd verhüllt	Herz
	bis zur Brust nackt		Messer ins Herz
	bis tief zur Brust		tief ins Herz stoßen
tspritzer	[blutig peitschen?]	rötliche Farbe	[Blut]
e strecken	Arme		Arme strecken
er spreizen			Finger spreizen
	mit Händen fassen	Lehne festhalten	Hände an Gurgel legen
festdrücken			
um [Körper]	Hals	am Kopf	Gurgel, Kopf
e zum Kreis		umgebenden Strah-	Messer drehen
en		lenrand malen	

5. „Der eine *Mann, der die* [sc. *zwei*] *anderen* offenbar *beherrschte* . . . , stak in einer Art dunkler Lederkleidung, die den *Hals* bis *tief* zur *Brust* und die ganzen *Arme* nackt ließ." Er „*faßte* die Rute *mit beiden Händen*". K. „stieß . . . an Franz, . . . daß der Besinnungslose *niederfiel* und im Krampf *mit den Händen* den *Boden* absuchte; den Schlägen entging er aber nicht, die Rute fand ihn auch *auf der Erde;* während er sich unter ihr wälzte, schwang sich ihre *Spitze* regelmäßig auf und ab." „K. hatte schnell die *Tür* zugeworfen, war zu einem Hof*fenster* getreten und *öffnete* es." P 103, 107 f.

6. „In der Mitte des Zimmers war auf einer Staffelei ein Bild, das *mit einem Hemd verhüllt* war, dessen Ärmel bis zum *Boden* baumelten." Auch „hier wollte sich gerade der Richter von seinem Thronsessel, dessen Seitenlehnen er *festhielt,* drohend erheben." „K. sah zu, wie unter den zitternden *Spitzen* der Stifte *anschließend an den Kopf* des Richters ein *rötlicher* Schatten sich bildete, der *strahlenförmig gegen den Rand* des Bildes verging. Allmählich *umgab* dieses Spiel des Schattens den Kopf". „Die Arbeit des Malers *zog* K. mehr an, als er wollte". P 174,177

7. „Die [sc. *zwei*] *Herren setzten K. auf die Erde nieder,* lehnten ihn an den Stein und *betteten* seinen *Kopf* obenauf." Der eine Herr „*nahm aus* einer Scheide . . . ein *langes, dünnes,* beiderseitig *geschärftes* Fleischermesser, hielt es hoch und prüfte die *Schärfe* im Licht." Es „fuhren die *Fensterflügel* eines Fensters dort *auseinander,* ein Mensch, schwach und dünn *in der* Ferne und *Höhe, . . . streckte die Arme."* K. „*hob die Hände* und *spreizte alle Finger.* Aber *an K.* s *Gurgel legten sich die Hände* des einen Herrn, während der andere das *Messer* ihm *tief* ins *Herz* stieß und zweimal dort *drehte."* P 271 f.

an Jahren, und das ‚Apfel nehmen‘ wird, über den Nenner ‚Hand und Rund‘, zum Drehen des Bartes mit den Fingern. Die Reduktion auf sprachinhaltliche Wiederkehr erfaßt mit jeder weiteren Probe mehr Vergleichseinheiten. Bei allen, nicht nur diesen sieben, Textvorkommen ist sie schon pro Roman total.

Wir nennen solche gruppierten semantischen Konstanten ‚Element‘ und die Spracheinheit, in der ein Element bzw. seine ganze Gruppe sich realisiert, ‚Elementen-‘ bzw. ‚Gruppenvariante‘.

Mit jeder weiteren Gruppenvariante wächst zugleich die Zahl derjenigen semantischen Konstanten, die sich als Mitglieder der Gruppe, also als Element erweisen. ‚Brust, Herz‘ z. B. kommt nie allein, vielmehr stets in Nachbarschaft zu zumindest einigen Elementen aus dieser Gruppe vor, desgleichen ‚Rot‘, das ‚Ziehen‘ von Spitzem oder Scharfem, auch als ‚Ziehen aus der Westentasche, von der Hüfte her‘, desgleichen ‚Arme strecken‘ und ‚mit Fingern, Händen greifen, fassen‘ u. a. m.

So entstehen oft lange Variantenreihen zahlreicher Elemente selbst in wenigen und kleinen Textausschnitten. ‚Spitz‘ erscheint nach „auf die Spitze trieb“ und „Spitzbart“ in „Fußspitzen“, dann je als „Spitze“ der Rute des Prüglers, „Spitzen“ der Stifte des Malers, spitzes, weil „langes, dünnes, beiderseitig geschärftes“ Messer, mit dem K. getötet wird. ‚Rot‘, in (1) zu schwach, um im vielleicht rotbäckigen, weil „schönen“ Apfel als Varianz notiert zu werden, erscheint nacheinander als „rötlicher“ Bart, „rotbäckiger“ Junge, „Blut“, assoziativ als wahrscheinlich ‚blutig peitschen‘, dann als „rötliche“ Schattierung mit Pastellfarben, dann assoziativ als ‚Blut‘. ‚Hand und Rund‘ setzt sich fort von der Taschen-„Uhr“ in der Hand über die bei der Mißhandlung „zum Kreis gedrehten“ Beine und den gemalten Strahlenkranz rund um den Kopf des Richters bis zum Messer, zweimal in K. s Herz gedreht. ‚Brust, Herz‘ erscheint als „Brust“, „Brust“, „Herz“, doch auch, „auf einer Staffelei“, als „Bild, das mit einem Hemd verhüllt war, dessen Ärmel bis zum Boden baumelten.“ Wo unter einem Hemd sonst eine Brust, befindet sich hier das Richterbild.

Mit diesen Variantenreihen wird zugleich die Frage nach der methodischen Bestimmung eines Elementes dringlich, nach dem Kriterium der Abstraktionshöhe, der In- und Extension des Elements, der Grenze seines Variantenfeldes. Hier entscheidet die Gruppierung, als Definitionsmerkmal des Elements.

Die Untergrenze der Abstraktionshöhe ist gegeben, in der semantisch singulären Wort- und Grundformengleichheit wie z. B. bei „Brust", „Brust" oder „rötlichen", „rot(bäckig)er", „rötlicher". Die Obergrenze jedoch ist nur zu setzen und als Setzung allererst methodisch durch das Gruppenmerkmal, das heißt hier: durch das Optimalprofil der Gruppe als den maximalen Unterschied zwischen größtmöglichen Höhen (Dichte- oder Ballungsvorkommen) und Tiefen (bis Null) der Vorkommensverteilung im gesamten untersuchten Text. Wird die Obergrenze überschritten, löst sich die Gruppe auf, verflacht sich das Profil im ununterteilten Dauervorkommen allzu weit umgrenzter Elemente, die, da definitorisch Einheiten im Gruppenverband, aufgehört haben, Element zu sein. Die Gruppierung also entscheidet, daß etwa nicht jedes ‚Ziehen' in gleich welcher Form, Bedeutung und Verbindung, sondern, sehr viel enger, nur das ‚Ziehen' im Zusammenhange mit (also als Ziehen ‚von', ‚an', ‚mit' usw.) Spitzem oder Scharfem oder in Verbindung mit der Hüfte als Element gerechnet werden, daß im umgekehrten Fall ein Element wie ‚Brust, Herz' auch das Merkmal ‚unter einen (Ober-) Hemd' besitzen darf und ein anderes mit ‚Hand und (kreis-, kugel-)rund' intensional keineswegs zu umfangreich bestimmt ist.

Aus „Amerika", „Prozeß" und „Schloß", genauer: aus insgesamt etwa 1030 Seiten sind auf solche Weise 10 Gruppen extrahiert (Anhang I). Die Gruppen sind unterschiedlich groß, im Durchschnitt elementenreich. Jede Gruppe ist in sich noch einmal unterteilt, denn die meisten Elemente zeigen die Tendenz, mit überdurchschnittlich starker Adhäsion sich zu Untergruppen, zu ‚Komplexen' zu vereinen.

Die Variation der 10 Gruppen prägt ungefähr die Hälfte des Romanwerks.

Wir halten fest:

Genannt sei ‚Element' diejenige semantische Konstante, die der Vergleich von Textpassagen extrahiert und die zudem stets oder in der Mehrzahl ihrer Gesamtvorkommen in enger Nachbarschaft zu bestimmten Konstanten ebensolcher Art auftritt. Es sei zugleich diejenige Konstante, deren Abstraktionshöhe in Unter- und Obergrenze definitorisch durch das Optimalprofil gesetzt ist, das einer jeden Gruppe möglich ist.

Notiert sei ein ELEMENT: mit seinen Varianten, wenn nötig in HAUPT-, Neben- und (Zusatz-)Varianten, diese unterschieden je nach ihrem sprachinhaltlichen Haupt-, Neben- oder Zusatzbeitrag zum semantischen Gesamtbestand des Elements. ‚Rot' wird also fortan so notiert: ‚ROT: BLUT/ROT/rötlich/rote Zunge/GLÜHen/rohes Fleisch (essen/fressen/schlucken/schlingen)'.

Genannt sei ‚Gruppe' derjenige Verband der stets selben Elemente, welcher, *als* Verband, hinreichend oft im gesamten untersuchten Text vorkommt. Die hier angesetzte Untergrenze liegt bei 10 Vorkommen im Romanwerk. Die Vorkommensverteilung einer Gruppe zeige ein optimales Profil durch einen maximalen Unterschied zwischen größtmöglichen Höhen (Dichte- oder Ballungsvorkommen) und Tiefen (bis Null). Beachtet werde, daß sich aus dem Verfahren der Gruppenextraktion ergibt, daß die Gruppe in der Regel nicht mit vollzähliger Elementenzahl zur Varianz kommt (Beispiele: Tabelle 1). ‚ROT' z. B., das nie allein, immer in Nachbarschaft zu Elementen — und dadurch selbst als Element — einer bestimmten Gruppe (hier: GB) auftritt, kommt dennoch nicht jedesmal, wo Elemente dieser Gruppe variiert sind, vor.

Notiert sei eine Gruppe mit Gruppensiglen, Numerierung von Elementen bzw. Untergruppen von Elementen (Komplexen) und mit Digitalzählung von Elementen im Komplex. Wir schreiben künftig: GB 19.1 ‚ROT' bzw. GB-Komplex 19.

Zu Element und Gruppe ausführlich im Kapitel zur Methodik infra 42 ff. Zur Technik von Verbalisierung und Notierung infra 248 ff.

Zu Elementen wie Gruppierungen fehlt in der Forschung (Stand 1973) jeder Hinweis. Wo liegt der Grund?

Ein erster, literaturtheoretischer Art, wurde in der Einleitung erwähnt. Ein zweiter, später zu erwähnen, ist die Bewußtseinsfeindlichkeit der Gruppen. Ein dritter gibt sich so:

Wenn H. Politzer Kafka-Texte durch ihre so unaufhaltsame wie scheinbar endlose Folge von Satz auf Satz gekennzeichnet sieht[46], F. Martini die „ruhelose Bewegung" vermerkt, „deren syntaktischer Ausdruck der verwickelte Satzbau mit seiner starken Zielstrebigkeit zum Ende hin ist"[47], und J. Margetts zu „Auf der Galerie" das

46 H. Politzer 2, l. c. p. 16
47 F. Martini 1, l. c. p. 310

„zunehmende Tempo" beschreibt — „denn die wiederholte Aufschiebung unserer satzsyntaktischen Erwartungen führt hier dazu, daß wir immer schneller weiter nach vorn der erhofften Befriedigung dieser Erwartungen entgegeneilen", stets „wieder immer weiter gezogen" werden und der Aufbau der Sätze ein Tempo schafft, „das zu der Atemlosigkeit ihres Inhalts gut paßt"[48] —, so ist damit als Hauptkennzeichen dieser Prosa ein logisch-syntaktischer Sog vermerkt, der sich gleich stark auch klanglich-rhythmisch dartut. Einem Hinweis Beißners folgend, führt M. Heidinger die rhythmische Eigenart des Prosastücks *„Heimkehr"* (B 140) auf vier dem Repetitionsprinzip verbundene Faktoren zurück, auf (1) Alliteration und Konsonanz, (2) Assonanz, (3) Wiederholung oder leichte Variation von Einzelwörtern bzw. (4) Satzteilen, Sätzen:

„Meines$_1$ Vaters$_1$ Haus$_{1\,1}$ ist$_1$ es, aber kalt steht$_1$ *Stück*$_{1,3}$ neben *Stück,*$_{1,3}$ als wäre jedes mit seinen$_2$ eigenen$_2$ Angelegenheiten$_2$ beschäftigt, die ich *teils*$_{2,3}$ vergessen habe, *teils*$_{2,3}$ niemals kannte. *Was*$_3$ kann *ich ihnen*$_4$ nützen, *was*$_3$ bin *ich ihnen*$_4$ und sei ich auch des$_1$ Vaters, des$_{1\,2}$ alten$_2$ Landwirts$_1$ Sohn. Und ich$_2$ wage nicht$_2$, an der *Küchentür*$_{1,2}$ zu$_2$ klopfen$_1$, *nur von der Ferne horche*$_4$ ich, *nur von der Ferne horche ich*$_4$ stehend, nicht so, daß ich als *Horcher*$_3$ überrascht werden könnte. Und weil ich *von der Ferne horche*$_4$, *erhorche*$_3$ ich$_2$ nichts$_2$, nur einen$_2$ leichten$_2$ Uhrenschlag *höre*$_3$ ich oder glaube ihn$_3$ vielleicht nur zu *hören*$_3$, *herüber*$_3$ aus den Kindertagen$_2$."[49]

Solch vielfacher Sog — ihm entspricht Kafkas eigenes Vorlesen „in zuweilen schwindelerregendem Zungentempo"[50] — schafft starkes Gefälle. „Da ist noch die schiefe Ebene in mir", sagt Kafka einmal zu Janouch, und in diesem Bekenntnis bekennt sich zugleich stillschweigend das Werk: „Ich rolle wie eine Kugel der Ruhe entgegen." (J 163) Der Sog erschwert die Sicht auf die Gruppen, sie entziehen sich auch aus diesem Grund ihrer Entdeckung.

---

48 J. Margetts, l. c. p. 78f., 80; cf. ferner D. Naumann, l. c. p. 295
49 M. M. Heidinger, l. c. p. 33f.
50 M. Brod 2, l. c. p. 132

2. VARIABILITÄT

Ein Element ist Konstante, wenn man von den Varianten aus den invarianten Nenner sieht. Es ist in umgekehrter Richtung, sprachlich wie dichtungsgenetisch, Platzhalter in einer Leerstelle, die, innerhalb ihrer Grenzen, allererst zu füllen ist: es ist ‚Variable‘, seine Grenzen sind die eines Variationsspielraums.

Jedes Element ist, so gesehen, bei aller Konstanz eine Variable höchstgradigen Spielwerts. Eben dies Prinzip der Dauer im Wechsel, in größter Vielfalt, Mannigfaltigkeit, macht Kafkas Kunst zur Variationskunst, im strengen Sinne einer Kunstart sui generis. Und diese Kunst rückt Meinungen zurecht.

„Verewigte Gesten bei Kafka sind ein erstarrt Momentanes", schreibt Adorno zu Repetitionen im „Prozeß", die gleich bei erster Durchsicht zu erkennen sind, etwa die zeitlos gleichen Szenen in der Rumpelkammer — „Alles war unverändert, so wie er es am Abend vorher beim Öffnen der Tür gefunden hatte." (P 110) —, auch Titorellis „völlig gleiche" Bilder (P 197). Es sei der Zug des „Immergleichen", bekunde „Monotonie des Wiederholungszwangs", „Gesetz zeitfremder Wiederholung"[51]. Und: „Unter den Mängeln, die in den großen Romanen obenauf liegen, ist der empfindlichste die Monotonie. Die Darstellung des Vieldeutigen, Ungewissen, Versperrten wird endlos wiederholt, oft auf Kosten der überall angestrebten Anschaulichkeit. Die schlechte Unendlichkeit des Dargestellten teilt sich dem Kunstwerk mit."[52] „In Kafkas Schriften wiederholen sich", notiert K. Weinberg, „erstaunlich wenige Themen"; sie deuten „hartnäckig und monoton immer wieder auf die selben unergründeten Tiefen".[53] M. Bense vermerkt eine „gewisse pathetische Wiederkehr des gleichen Wort- und Bildbestandes", sie sei „charakteristisch", gehöre zur „Struktur der Kafkaschen Monotonie der Sprache".[54] „Die zur Gemeinschaft tendierenden Emotionen", so G. Kaiser, „sind reduziert auf eine enge Skala gleichsam genormter und ständig parater Reaktionen".[55] B. Allemann sagt zum „Prozeß":

51 Th. W. Adorno, l. c. p. 314, 328, 332
52 ibid. p. 316
53 K. Weinberg, l. c. p. 14
54 M. Bense 1, l. c. p. 93
55 G. Kaiser, l. c. p. 25

TABELLE 2

GV-Elemente		1.2 SCHIEF/1.2.1 GLATT und	1.1 FLÄCHE	
Daten:	Texte: (Traumtexte: Anhang V)	Varianten (kursiv):		Seiten:
1904/05	Gespräch mit dem Betrunkenen	auf Treppe ausgebreitete	Schleppe	E 19
Okt. 1911	Traum 1	schiefe	Wand	T 90
Nov. 1911	Traum 2	stark abfallender	Platz	T 153
Nov. 1911	Traum 3	hinuntersteigen	[im] Zuschauerraum	T 165f.
Nov. 1911	Traum 4	langsam ansteigend	Zweig, Band, Kette	T 168
Mai 1912	Traum 5	sehr steile, steilere	Wand	T 276
		aufwärtssteigen	Wand	T 276
Sept. 1912	Das Urteil	schiefe	Fläche	E 67
Sept. 1912	Amerika	von Hüfte abstehender	Degen	A 20
		quer hängen	über der Weste	A 65
		gleiten	vom Fensterbrett	A 79
		[sich von] ganz unten hinauf-	arbeiten [= Laufbahn]	A 109
		Blicke: abgleiten	von Häusern	A 124
		Anhöhe	Anhöhe	A 131
		heraufsteigen	[auf Anhöhe]	A 143
		Abhang	Abhang	A 147
		glatte	Wangen	A 163
		Schnee	auf der Straße	A 171
		hinaufsteigen	die Leiter	A 175
		Steigerung	des Griffes	A 205
		glatter	Boden	A 228
		ein wenig sich senkende	Straße	A 234
		quer vor sich halten	den Stock	A 236
		hinablaufen	die Gasse	A 245
		immer mehr sich senkende	Straße	A 245
		tief unten auslaufende	Straße	A 246
		herabströmen, herauflaufen	die Straße	A 286
		Laufbahn	Laufbahn	A 306
		hinaufsteigen	die Treppe	A 3?0

		ansteigender	Weg, Steigung	T 328
Nov. 1913	Traum 8	quer fahren	über den Weg	P 47
Juli 1914	Der Prozeß	Treppenaufgänge	Treppenaufgänge	P 49
		hinaufsteigen	die Treppe	P 49
		der Quere nach aufstellen	Tisch	P 52
		hinaufsteigen	auf Podium	P 53
		Aufgang	Aufgang	P 76
		lehnen	Stange an der Wand	P 86
		in der Quere schaukeln	Gang	P 91
		durchqueren	das Vorzimmer	P 96
		schief aufstellen	Schränke an der Türseite	P 98
		vor [= auf]wärtskommen	[auf] Laufbahn	P 105
		schief geneigt	Kopf	P 116
		kreuzen	die Vorhalle	P 117
		glätten	das Leintuch an der Wand	P 124
		rollen	Flasche von Nachttischchen	P 126
		glätten	den Rock	P 133
		ausgleiten	[vom] Schoß	P 135
		senken	den Kopf [über] Tischplatte	P 137
		einsinken	[im] Loch im Fußboden	P 140
		von selbst abrollen	Prozeß auf seiner Bahn	P 143
		Rangordnung, Steigerung	des Gerichts	P 144
		emporarbeiten	zu hoher Stellung [= Laufbahn]	P 152
		Aufstieg	Aufstieg	P 155
		Schnee	auf Platz	P 159
		Laufbahn	Laufbahn	P 160
		weiterrollen	der Prozeß	P 160
		glatt vor sich gehen	Verkäufe	P 163
		weitersteigen	die Treppe hinauf	P 170
		glätten	Schürzen	P 171
		weitersteigen	[auf] Treppe	P 171
		schief eingesetztes	Fenster	P 171

Forts.	GV-Elemente	1.2 SCHIEF/1.2.1 GLATT und	1.1 FLÄCHE	
Daten:	Texte:	Varianten (kursiv):		Seiten:
bis Jan.? April 1915	Der Prozeß	*steigen*	*ins Bett*	P 173
		der Quere nach	*im Zimmer* Schritte machen	P 174
		mit Schnee bedeckt	*Dach*	P 174
		steigen	*über Bett*	P 188
		steigen	*auf Bett*	P 197
		steigen	*über Bett*	P 198
		Aufstieg	*Aufstieg*	P 213
		steigen	*ins Bett*	P 218
		glatte	*Sätze*	P 240
		steigen	ein paar Stufen	P 246
		halb liegend	Kreuze auf *Dach*	P 246
		sich überqueren	Kreuze, mit ihrer Spitze	P 246
		geschweift steigen	Einwölbung [zum] *Dach*	P 248
		aufsteigen	[auf] *Treppe*	P 249
		hinaufsteigen	die Kanzel[*treppe*]	P 249
		glattes	*Gesicht*	P 249
		steigern	die Wirkung	P 250
		scharf gesenkt	Zeigefinger	P 251
		neigen	den Kopf [unter] Über-dachung	P 253
		emporsteigen aus tiefer ansteigende	*Gasse, auf Treppe*	P 268
			Gassen	P 270
Nov. 1915	Traum 9	leicht *geneigtes*	*Pflaster*	T 485
Apr. 1916	Traum 10	stark *abfallende*	sehr breite Fenster-*brüstung*	T 492
Febr. 1918	Traum 11	vom Podium bis zur Decke	große Blumen[*schicht*] halten	Br 232
Jan. 1919	Traum 12	*schiefer*	*Zweig*	Br 250
Jan.?				

glatte	*Mauer*	S 44
unmerklich *ansteigender* [auf]	*Weg*	S 46
ausgleiten [auf] *abwärtsgehendem*	*Weg*	S 46
schief aufgesetzter	*Zwicker*	S 56
gleiten	vom *Faß*	S 59
gleiten	unter den *Tisch*	S 61
glattes	*Gesicht*	S 70
Blicke: *abgleiten*	an *Schloß*[seite]	S 145
auf Hof- *höher als* Vorder- *seite*: Haus		S 149
schief gegenüber		S 150
hinuntersteigen		S 155
im Schnee quer über	den *Hof* gehen	S 157
gleiten	[auf] *Holz*[haufen]	S 228
herabkommen	den *Weg*	S 235
Schnee hoch- *schichten*		S 237
steigen	auf [Sitzfläche von] *Sessel*	S 297
aussteigen	auf der *Straße*	S 313
aussteigen	[auf der *Straße*]	S 317
ein wenig *sich senkender*	*Gang*	S 352
herabsteigen		S 354
Abhang	*Abhang* des Schloßbergs	S 362
glatt vonstatten gehende	Verteilungsarbeit	S 399
ein wenig *sich senkender*	*Gang*	S 400
gleiten	vom Wägelchen	S 402
sich steigernder	Lärm	S 407
nach oben	*Weg*	S 419
Aufstieg	**Aufstieg**	S 420
Aufstieg	**Aufstieg**	S 428
hinaufsteigen	in *Korridor*	S 438
schiefer	*Dachbalken*	S 541

GV-Elemente 1.1 und 1.2 ansonsten überall als ‚schneebedeckter Schloßberg' romandominant

bis
Sept. 1922

27

„Jedes Kapitel hat die Tendenz, wieder vorne anzufangen".[56] Genauso M. Robert zum „Schloß": der Roman stelle sich „als eine Reihe von Episoden dar, die einander nahezu vollkommen ähnlich sind"; es stehe fest, „daß *Das Schloß* sich nicht durch stetigen Fortgang seiner Handlung auszeichnet . . ., sondern durch ein fortwährendes Neueinsetzen, bei dem der schwache Faden der Romanhandlung immer wieder abzureißen droht." Das Werk bleibe „dem Prinzip der ewigen Wiederkehr unterworfen".[57] — Mit einem Wort:

Man hat bislang bei Kafka die Wiederholung nicht als Wesensmerkmal einer Kunst begriffen, deren andres Merkmal Variabilität ist, sondern stets nur die Konstanz gesehen, zudem nur Sonderfälle der Konstanz, wenn nämlich Elemente sich zu Welt-, Aktions- und Bildausschnitten kombinieren, die dann als solche wiederholt sind. Leicht glitt man so in Werturteile ab — der Begriff ‚Monotonie' ist eines —, die dem Additionsprinzip des ständig Neuen höchsten Wert zuweisen. Was Schwäche scheint, konstituiert jedoch das Wesen eines solchen Werks. Man rügt nicht vermeidbare Fehler, sondern verwirft im Werk die Kunstart, wenn man ein Repetitionsprinzip abwertet, das es den variationsgeprägten Texten, und das ist die Hälfte des Romanwerks, allererst ermöglicht, eine Variabilität der — und durch die — Elemente zu bekunden, die bereits auf Lexemniveau ihre Spielraumgrenze erst an der der allgemeinen Sprache, des lexikalisch Möglichen, erreicht.

2.1. Spielraum im Variantenfeld

Einige Beispiele aus dem „Schloß" zu den GB-Komplexen *12—14,* 19, hauptsächlich zu 12.1 ‚SPITZes/SCHARFes', 12.4.2 ‚SCHNEIDEN', 13 ‚HAND UND KREIS', 14.1 ‚HERZ/BRUST', 19.1 ‚ROT' und 19.2 RINGSherum im/am/ums GESICHT/ an Brust/Leib'.

Ob als juwelenrot und Spitzen auf der Bluse, ob als feuerrot an mit der Axt geholtem Holz, um dieses Feuer dann (im Feuerschein)

---

56 B. Allemann 1, l. c. p. 264, cf. 280ff.
57 M. Robert, l. c. p. 200f. — Im gleichen Sinne M. Walser, l. c. p. 123; W. Emrich 3, l. c. p. 262; Emrich 6, l. c. p. 291f.; F. Martini 1, l. c. p. 291, 293, 297; Martini 2, l. c. p. 298; H. Richter 1, l. c. p. 36, 292; H. Hillmann, l. c. p. 273; W. H. Sokel 1, l. c. p. 29; W. Muschg 3, l. c. p. 116; E. Heller, l. c. p. 37; A. Jaffe, l. c. p. 73; J. Schubiger, l. c. p. 16, 82ff.; Th. Ziolkowski, l. c. p. 58 — u. a.

gelagert, mit scharfen Katzenkrallen auf der Brust, ja ob als Rot der Zunge durchs Gesicht, mit Hundekrallen an den Körpern und Grimassenschneiden an der Brust, ob mit spitz gezackten Zinnen und (Negation von) roten Ziegeln an entweder Gesicht, Brust, Leib, die Elemente erscheinen in fast immer neuer, unverhoffter Form:

Das Kleid Amalias z. B., „die weiße *Bluse* vorn hoch aufgebauscht, eine *Spitzenreihe* über der anderen, die Mutter hatte alle ihre *Spitzen* dazu geborgt", dazu „*hing*" Olga ihr ein „*Halsband* aus *böhmischen Granaten*" um (S 273 f.). Der Granat ist, so der Duden, „am bekanntesten als dunkelroter Halbedelstein."

Oder: K. bricht mit der „*Axt*" in den Holzschuppen ein, „alle lagerten sich um den Ofen", man macht „Feuer", nachts springt „ein großes Tier, eine *Katze* wahrscheinlich", Frieda „auf die *Brust*", und K. versetzt dem Gehilfen einen „*Faust*schlag" (S 187 f.). Dieselbe „*fleischige Katze*" mit der „*verletzten* Pfote" kratzt später „mit den *Krallen* einen Strich über den Handrücken" K. s, „*blutige* Striemen" entstehen, Frieda schreit „beim Anblick des *Blutes*" auf (S 191 f.).

Oder: Frieda hat „das elektrische *Licht ausgedreht*", legt sich zu K. auf den Boden. „Sie umfaßten einander, der kleine *Körper brannte* in K.s *Händen*, sie *rollten*", es „vergingen Stunden ... gemeinsamen *Herzschlags*" (S 62 f.). Später, „wütend, Grimassen *schneidend*, sich mit dem *Kopf* einbohrend in der *Brust* des anderen, suchten sie, ... wie Hunde verzweifelt im Boden *scharren*, so *scharrten* sie *an ihren Körpern*", und „um noch letztes Glück zu holen, fuhren manchmal ihre *Zungen* breit *über* des anderen *Gesicht*." (S 69)

Sogar der Vergleich von Kirch- und Schloßturm: jener nicht rund, sondern spitz, weil „*geradewegs nach oben sich verjüngend*, breitdachig, abschließend mit *roten Ziegeln*", dieser hingegen ein „*Rundbau*", dessen Zinnen, „wie *von* ... Kinder*hand gezeichnet*, sich in den blauen Himmel *zackten*", der Turm ganz wie ein „*Hausbewohner*", der „*das Dach durchbrochen* und sich erhoben" hat (S 15). Der Vergleich macht deckungsgleich: ein Dach, ziegel-,Rot' beim ersten und ,RINGS an/um GESICHT/Brust/ Leib' beim zweiten Turm. (Genauso für GZ-Komplex 37 der Vergleich der großen und der kleinen Kanzel in „Prozeß"-Kapitel 9)

Oder: Pepi „*drehte das* elektrische *Licht an*", ist „klein, *rot*, gesund, das üppige, *rötlichblonde Haar* ... krauste ... sich *rund um das Gesicht*" (S 146). Später sind „*die Stirn entlang und an den Schläfen*" ihre „Haare sorgfältig *gebrannt* und *um den Hals* hatte sie ein *Kettchen*, das in den *tiefen Ausschnitt* der *Bluse* hinabhing." (S 418)

Das war zugleich für ‚HAND UND KREIS': ‚Halsband, -kettchen umhängen', ‚Faust ballen', ‚Licht an-, ausdrehen', ‚mit Händen umfaßt am Boden rollen', ‚Rundbau zeichnen', ist im weiteren noch ‚Teller bringen', ‚Schnee ballen', ‚Flaschenverschluß aufschrauben'. Es war für SPITZ/SCHARF': ‚Klöppelspitzen', ‚Axt', ‚Katzen-, Hundekrallen', ‚Zinnenzacken', wird dann noch ‚Zungenspitze', ‚Glasscherben', ‚Nähnadel', ‚Ohren spitzen'. Es war für ‚ROT': juwelen-, dunkel-, feuer-, blut-, fleisch-, brand-, zungen-, ziegelrot, rothaarig, wird auch noch rotgesichtig. Es ist „SCHNEIDEN" als ‚Ausschnitt einer Bluse', ‚Grimassen schneiden', jedoch auch (rot-, fleischfarbene?) Wurst als ‚Aufschnitt':

Frieda „*brachte* bald *einen Teller* mit *Aufschnitt*", und K. „machte sich mit gutem Appetit ans Essen." (S 361)

Gerstäcker dann, „mit magerem, *rotem*, verschnupftem Gesicht", „fest *um den Kopf* gewickelten Wollschal", mit seinem „Husten" (in der *Brust*). K. „*ballte etwas Schnee* . . . und traf Gerstäcker damit *voll ins Ohr*" (S 25 f.).

K. „*schraubte den Verschluß auf*", der Kognac „*brannte* und wärmte" (in *Hals, Brust*), und es erscheint ein „junger Herr, äußerst wohlaussehend, weiß und *rot*", schweigt, als sei „nicht genug Atem in seiner überbreiten *Brust*" (S 152 f.), „*umlief*" dann „mit der *Zungenspitze* die Lippen" (S 155).

Olga, „nicht, um mein *Herz* zu erleichtern", erzählt von Barnabas, am Botendienste zweifeln, hieße für ihn, „Gesetze grob *verletzen*", denn er „hat etwas von Amalia *im Blut*" (S 256 f.).

Bürgel liegt mit „*entblößter Brust*" im Bett, K. träumt vom Kampf gegen einen Sekretär, der sich mit „*geballter Faust*" vergeblich wehrt. Nach der Siegesfeier ist K. allein, „nur das Champagner*glas* lag zerbrochen auf der Erde. K. zertrat es völlig. Die *Scherben* aber stachen" (S 383 f.).

Wenn Pepi daran denkt, wie die Freundinnen ihr „*beim Nähen*" des Kleides halfen, „*fällt es ihr* immer schwerer *aufs Herz*, daß alles vergeblich war" (S 433), z. B. als sie auf Klamm wartete, „vor *Herzklopfen*" halb erstickt, „beide Hände am *Herzen*". Frieda dagegen weiß sich geheimnisvoll Verbindungen zu schaffen, „flüstert . . . dem

Türen waren", in der Nase den Rauch einer Zigarre von nie gesehener
„Dicke" (A 74). Umfangreicher wird GZ 19 in: Karl, der im „fremden
Haus zu so später Stunde keinen *Lärm* machen" will und der vergeblich
hofft, „im gleichen *Kreisgang in der Runde"* zu gehen und so die *„Tür
seines Zimmers* vielleicht wiederzufinden"; ihm hilft der Diener mit
dem *„großen, weißen Vollbart,* der erst auf der Brust in *seiden*artige
Ringel ausging", Karl sieht den Bart „der *Länge* und Breite nach an"
(86 f.); der Diener setzt sich wenig später wartend „auf ein niedriges
Postament" (90). Hauptsächlich nur in ‚SPIEL' und ‚WEISS' zeigt er
sich dann, als Karl nach dem *„Spiel"* auf dem Klavier sich „über die
Klavierbank" schwingt und durch die *„Tür"* zu Mack eintritt: „die
Bettwäsche und Macks *Hemd* waren so *weiß,* daß das über sie fallende
Kerzenlicht in fast blendendem Widerschein von ihnen strahl-
te" (104 f.). Dominanter wird er in Kapitel 4: „der erste *Saal* des
Hotels, den Karl *betrat,* war von einer *lauten* Menge erfüllt, und an dem
Büfett . . . liefen unaufhörlich viele Kellner mit *weißen Schürzen* vor der
Brust und konnten doch die ungeduldigen Gäste nicht zufriedenstellen,
denn immer wieder hörte man an den verschiedensten Stellen *Flüche
und Fäuste,* die auf den Tisch schlugen . . . Einigemal hatte Karl einen
Kellner über den Tisch hin bei der Schürze gefaßt, aber immer hatte sich
der mit verzerrtem Gesicht *losgerissen. . . .* sie *liefen nur und liefen
nur."* (132 f.) Rezenter dann, als Karl die Oberköchin trifft: „‚Dann
kommen Sie mit mir, *Kleiner',* sagte sie . . . . Sie war *sehr dick,* ihr Leib
schaukelte sich" (135 f.). Im nächsten Kapitel bei Therese: „Da *trat*
auch schon *aus ihrem* dunklen *Zimmer* die *kleine* Schreibmaschinistin",
setzte sich auf einen „*Sessel"*: „Sie hatte ein *rundes,* gleichmäßiges
Gesicht . . . Ihr Anzug war *sehr rein* und sorgfältig" (156 f.). Gewichtig
wird der Komplex im „Schlafsaal der Lift*jungen"*, die stets „Lust
bekamen, in ihren Betten auf einem zwischen sie gelegten Brett Karten zu
spielen"; „man konnte sicher sein, wenn man in der Nacht, mitten aus
dem Schlaf durch großen *Lärm* geweckt, aufsprang, auf dem Boden . . .
zwei *Ringkämpfer* zu finden und *bei greller Beleuchtung* auf allen
Betten in der *Runde* aufrecht stehende Sachverständige *in Hemd und
Unterhosen."* (167 f.) Weniger dominant prägt er den Anfang des
Berichts Thereses: sie war damals „etwa *fünf Jahre alt",* eilte mit der
Mutter durch die Straßen, und der Wind „*dreht sich im Kreise,* . . .
immerfort zerreibt einem der Wind den *Schnee* auf dem Gesicht"; ein
„Kind" freilich „läuft unter dem Wind durch und hat ein wenig *Freude*

an allem." (171) Nach einer Rezession — Robinson in *weißer Weste*",
mit *"rundem*, hartem Hut"*, will *"gerade ein Lied in hohen Tönen
singen"* (182, 184, 187) — dominiert er dann, auf 8 Seiten hin, die
Eingangsszene zu Kap. 7: *"am Trottoirrand* hockten *Kinder* und
spielten" (234), es *"machte durch die Straße ein Polizeimann die
Runde"*, die Kinder *"liefen* im Trab herbei" (235), ein *"Bursche . . .*
setzte sich auf einen *Torstein"* (236); Karl war bereit, *"mit den Fäusten
sich die Freiheit zu verschaffen"*; der Polizist, der übrigens *"schon fast
ganz weißes* Haar" hat (238), sieht nachdenklich *"im Kreise* umher", und
die *"Kinder standen in einem Halbkreis* hinter Karl" (239); Gepäckträger *"setzten sich auf den Trottoirrand"*, sind *"in dichtem Ring* hinter
Karl versammelt" (214 f.) usf. Weniger verstreut, erheblich dichter
entfaltet der Komplex sich dann — nach kurzer Rezession (die Frauen
auf dem Korridor 250 f.) — zu einer selbständigen Episode; Robinson
berichtet: *"wir sind also betteln gegangen, und ich habe . . .* vor den
Wohnungstüren *gesungen"*, *"kaum sind wir vor der zweiten Wohnung
gestanden, . . .* da kommt die Dame, der diese Wohnung gehört, eben
Brunelda, die *Treppe* herauf" in *"ganz weißem Kleid"*; es sind *"das
Mädchen* und der Diener ihr gleich entgegen*gelaufen"*; Robinson
berührt die *"riesig breite"* Frau, und Delamarche gibt ihm *"eine solche
Ohrfeige*, daß ich sofort meine beiden Hände für die Wange brauchte." (262 f.) Nach abermaliger Rezession — Grammophonspiel und sich
jagende Kinder auf den Balkons (266) — entwickelt der Komplex,
besonders 4.2 ,SPIELEN/KÄMPFEN', alsdann die bislang größte Domi-
nanz; die Wahlszene ist ganz von ihm beherrscht: *"Da ertönten aus der
Ferne von der Gasse her stoßweise Trommeln und Trompeten.* Einzelne
Rufe vieler Leute sammelten sich bald zu einem allgemeinen *Schreien"*;
Karl sieht, *"wie sich alle Balkone* von neuem belebten"; unten *"auf
dem Trottoir* marschierten *junge Burschen"*, *"traten die Trommler und
Trompeter* in breiten Reihen ans Licht" (277); der Kandidat erscheint:
"Rings um ihn wurden offenbar Holztafeln getragen, die, vom Balkon
aus gesehen, *ganz weiß* erschienen . . . und von allen Seiten sich förmlich
an den Herrn anlehnten, der aus ihrer *Mitte* hoch hervorragte (278); im
"weiteren Umkreis" stehen seine Anhänger (279); schließlich *"war die
Kapelle, die bisher im Gasthaus gespielt* hatte, *auf die Gasse* getreten,
ihre großen *Blasinstrumente strahlten* aus der dunklen Menge, aber ihr
Spiel verging fast im allgemeinen *Lärm"* (285 f.), wie denn die ganze
Szene in alles übertönendem Gesang und Kampfgeschrei gipfelt. Noch

einmal, im letzten Kapitel, prägt der Komplex das Geschehen: „Als er in Clayton ausstieg, hörte er gleich den *Lärm* vieler *Trompeten.* . . . Vor dem Eingang zum Rennplatz war ein langes, niedriges *Podium* aufgebaut, auf dem Hunderte von Frauen, als Engel gekleidet, in *weißen Tüchern* mit großen Flügeln am Rücken, auf langen goldglänzenden Trompeten bliesen. . . . jede stand auf einem *Postament*, das aber nicht zu sehen war, denn die *langen* wehenden Tücher der Engelkleidung hüllten es vollständig ein" (307) usf. Dann erscheint er nurmehr beiläufig: „Gerade *liefen* einige Herren, *lebhaft* miteinander sprechend, . . . die *Treppe* hinunter", Karl steigt hinauf, oben sitzt „ein Herr, dem ein breites *weißes Seidenband* mit der Aufschrift: ‚Führer der zehnten Werbetruppe des Theaters von Oklahoma' quer über die Brust hing." (320) Und: „vor dem *Podium* standen jetzt überhaupt keine Erwachsenen mehr, nur ein paar *Kinder kämpften* um eine *lange weiße Feder*, die wahrscheinlich aus einem Engelsflügel gefallen war." (325) Schließlich kommt Karl zur „Zuschauertribüne": „Auf dieser *Tribüne* war nämlich eine große, *lange* Bank, mit einem *weißen Tuch* bedeckt, alle Aufgenommenen saßen . . . und wurden bewirtet. Alle waren *fröhlich* und *aufgeregt*", es „standen viele mit erhobenen Gläsern auf, und einer hielt einen Trinkspruch auf den Führer der zehnten Werbetruppe, der er den ‚*Vater* der Stellensuchenden' nannte." (326)

Verglichen mit der Entfaltung in „Amerika" sind die „Prozeß"-Vorkommen an Zahl und Gewicht gering. In Kap. 2: K. „störte im Hinaufgehen viele *Kinder*, die auf der *Treppe spielten* und ihn . . . *böse* ansahen", mußte „warten, bis eine *Spielkugel* ihren Weg vollendet hatte, zwei *kleine Jungen* . . . hielten ihn indessen an den Beinkleidern: hätte er sie abschütteln wollen, hätte er ihnen wehtun müssen, und er fürchtete ihr *Geschrei*"; „fast alle Türen standen offen und die *Kinder liefen ein und aus*. . . . Halbwüchsige, scheinbar nur mit *Schürzen* bekleidete *Mädchen liefen* am fleißigsten hin und her." (49 f.) Und zu Leni in Kap. 6: „ein *junges Mädchen* . . . stand in *langer, weißer Schürze* im Vorzimmer"; während „der Onkel, ohne sich aufzuhalten, *auf eine Tür zueilte*", staunt K. das Mädchen an: „es hatte ein *puppen*förmig [zu: ‚SPIELEN'] ger*und*etes Gesicht, nicht nur die *bleichen* Wangen und das Kinn verliefen *rund*, auch die Schläfen und die Stirnränder." (122, cf. Therese A 155) In Kapitel 7 tritt K. in einen „*Torgang*", inmitten „alles übertönenden *Lärms*" aus einer „Klempnerwerkstätte". „Die Tür der Werkstätte war offen, drei Gehilfen standen *im Halbkreis* um irgendein Werkstück, auf das sie mit den Hämmern *schlugen. Eine große Platte Weißblech*, die an der Wand hing, warf ein *bleiches Licht*, das ... die *Gesichter und Arbeitsschürzen erhellte.*" (169 f.) Etwas umfangreicher dann in der Szene mit den Mädchen: „Gerade als K. ein wenig stehenblieb, *liefen* ein paar *kleine Mädchen aus einer Wohnung* heraus und *eilten lachend* die *Treppe* weiter hinauf", unter ihnen „ein kaum dreizehnjähriges, etwas *buckliges* Mädchen", die „*lief* ... hinter den andern Mädchen her, deren *Geschrei* schon undeutlich in der Höhe sich verlor" usw. (170 ff.) Nach einer Rezession — Leni, die „*im Hemd*" ins Innere der Wohnung „davon*lief*" (201), dann „*in weißer Schürze*" in der „jetzt nur von einer kleinen Lampe beleuchteten" Küche gefunden wird: sie „leerte *Eier* in einen Topf aus" und „*quirlte* die Suppe (203 f.) — dominiert der Komplex den Anfang von Blocks Auftritt bei Huld. Block bittet „durch *lebhafte*, aber stumme Zeichen", Leni möge sich für ihn einsetzen; das „*junge Mädchen*" setzt sich „*auf den Bettrand*", streicht über Hulds „*langes, weißes Haar*" und beginnt mit ihm ein „*einstudiertes Gespräch*", eine „*Vorführung*", eine „*Szene*" (zu: ‚SPIELEN') (232 f.). Höchst rezent zeigt der Komplex sich dann im Dom als „große ·*Kanzel*" mit ihrem „*runden* Dach": „Die Außenwand der Brüstung und der Übergang zur tragenden Säule war von grünem Laubwerk gebildet, in das *kleine Engel* griffen, bald *lebhaft*, bald ruhend." (246 f, cf. die Engel A 307) Und endlich: „Einmal blinkte gerade vor ihm das *silberne Standbild* [zu: ‚ABSATZ: auf Postament'?] eines Heiligen nur mit dem *Schein des Silbers* und *spielte* gleich wieder ins Dunkel über." (265)

2.3. Spielraum im Mensch-, Tier-, Dingbezug

Variabel sind, drittens, zunächst die Typen, die Figurentypen etwa, auf köchin, teils Helferin Karls, teils Vertreterin der Gegenordnung, dann Dominanz-Rezession-Beispielen zu ersehen, die „sehr dicke" Oberköchin, teils Helferin Karls, teils Vertreterin der Gegenordnung, dann Therese mit „rundem" Gesicht, sie ist Teil der Ordnung, Paralellfigur Karls, dann die „Runde" der Liftjungen, die „Runde" des Polizisten, der „Kreis" der Kinder, der „Ring" der Gepäckträger, der „Kreis" politischer Anhänger, dann wieder, Mittlerin wie die Oberköchin, Leni mit völlig „rundem" Gesicht und gleichfalls vermittelnd, das Mädchen mit dem Buckel. Vor allem aber ist der Bezug auch variabel in der Wahl z. B. zwischen Mensch und Ding: „rund" sind Körper, Gesicht, Rücken, Figurenanordnung, „rund" jedoch auch Spielkugel, Hut und Kanzeldach. Den Wechsel verdeutlicht exemplarisch, für diese Umgestaltung zwischen Ding und Mensch, Brunelda, die — wie Block im „Prozeß" — interessanteste, weil für das Verhältnis des Helden und seines Schicksals unter dem Aspekt der Gruppenvariation aufschlußreichste Neben- und Parallelfigur in „Amerika":

Brunelda ist als einzige Romangestalt restlos personifizierte Variante zu GV-Komplex 2, hauptsächlich 2.2 ‚MASSE', 2.3 ‚SCHWARZ', ‚WEISS',ROT', 2.4 ‚BEWEGT/BEWEGBAR'. Der Komplex wird in- und außerhalb des „Amerika"-Romans kaum je so häufig und ausgedehnt variiert wie in den ca. sechzig direkt auf Brunelda bezogenen Seiten (A 236, 252—293, 335—355) (Anhang III).

Als solch Person gewordenes Ding bezeugt Brunelda die Grundbefindlichkeit einer Welt — der Epik, aber auch des Dichters —, in der es keinen Unterschied mehr gibt, denn hier ist weder Mensch noch Tier noch Ding, die Grenzen fließen. „Oft — und im Innersten vielleicht ununterbrochen — zweifle ich daran, ein Mensch zu sein", schreibt Kafka an seine Braut. „Du weißt nicht, Felice, was manche Literatur in manchen Köpfen ist. Das jagt beständig wie Affen in den Baumwipfeln statt auf dem Boden zu gehn. Es ist verloren und kann nicht anders." (F 424 f.) Das Romanwerk zeigt aufs Ganze Ding-Tier-Mensch-Übergänge in jeder Richtung als Prinzip. Die Forschung hat dies teils schon eingesehen. Schon Walser etwa sieht die „Grenze zwischen Lebendigem und Leblosem" in der „Verdinglichung", „Mechanisierung der Körperlichkeit" u. a. m. verschoben[58], und Emrich weist auf die „Empörung" die „befreiende", „heilende", „tödliche" Rolle der Dinge und Tiere hin[59]. Noch nicht gesehen ist freilich, daß die Grenzverschiebung sich nicht bloß hie und da, expressis verbis und dem Augenschein bekundet, sondern, sichtbar oder nicht, als ein Prinzip: Die Gruppenvariation löst überall, in der höheren Einheit der Größe ‚Gestalt', den Unterschied von Mensch und Tier und Ding grundsätzlich auf.

---

58 M. Walser, l. c. p. 70f.
59 W. Emrich 4, l. c. p. 87ff, 109 ff. et passim; ferner H. Politzer 3, l. c. p. 144

2.4. Spielraum in der Verbindung zwischen Elementen

Variabel sind, viertens, die Verbindungen, die die Elemente miteinander eingehen. Denn die Elemente gehorchen hier, soweit ersichtlich, nur einem einzigen Gesetz, dem der Gruppierung. Stabil bleibt von allen denkbaren Verbindungen allein die Addition, genauer: die bare Adhäsion der Elemente bei sonst unbegrenztem Spielraum aller anderen Verbindungsmöglichkeiten. Einige Beispiele zu GK 3.1 ‚SCHMUTZ' und GK 10 ‚KNIEn':

Gewiß, K. und Frieda wälzen sich „in den kleinen Pfützen Biers und dem sonstigen Unrat", und hier mag es noch natürlich sein, daß K., als er sich „erhob", zunächst neben Frieda „kniete" (S 63 f.). Physiologisch richtig ist es auch, wenn man „mit aufgerissenen Augen, erhitztem Gesicht" Klamm, der niemandes „Anblick . . . ertragen" kann (und hier vielleicht sogar selbst ‚Schmutz' oder ‚Unerträgliches' vertritt), „durchs Schlüsselloch" beobachten und dies nur „tief gebückt, fast kniend" tun muß (S 159–161). So auch, wenn Frieda, um den schmutzigen Boden des Schulzimmers mit Lappen und Eimer „reinzuwaschen", „zur Arbeit bereit, niedergekniet war" (S 193 f.), oder, schwach angedeutet, wenn K. von der Mauer auf die „Erde" springt: „Beim Absprung verletzte sich K. am Knie" (Blut- und Schmutzwunde) (S 45). Aber warum sind, wenn die Wirtin vom unerträglichen Anblick (S 74) K.s und Klamms spricht, beim Sitzen ihre „mächtigen Knie vorgetrieben durch den dünnen Rock"? (S 72)

‚SCHMUTZ' und ‚KNIEn' sind zumeist nur irgendwann und -wie einander beigegeben. Der Zusammenhang der Elemente unterliegt einer Folgerichtigkeit, nicht mehr der Logik oder Empirie, sondern des bloßen Additionszwangs. Kommt erst einmal ein Element zu Wort, so fällt damit ein Stichwort: Das Gruppen-, jedenfalls Komplexprogramm läuft ab und häuft. Das Muster ‚a – (offener, variabler Nexus) – *und* b' ist die einzige Konstanz des Gruppenauftritts:

Amalia erhält von Sortini einen „Brief", der „in den gemeinsten Ausdrücken gehalten" ist (wobei die Beleidigung Amalias nicht einmal das „allerhäßlichste an der Geschichte ist") – *und* hält ihn so, nämlich „in der schlaff hinabhängenden Hand", daß man ihn nur im Knien lesen kann: „Ich kniete neben ihr nieder und las so den Brief." (S 279 f.) Daß der Name ‚Barnabas' „verhaßt" ist, hat als Verbindung nur die Adhäsion zu Friedas Worten, sie wolle, wenn etwas vom Mißtrauen der

Wirtin gegen K. auf sie übergegangen sei, ihn „auf den Knien um Verzeihung bitten" (S 232 f.). Daß K.s Onkel seinen Hut „aufs Knie" drückt, steht unverbunden vor seinem Wortwechsel mit Leni: er „machte ein finsteres Gesicht, als schluckte er etwas Abscheuliches hinunter" (P 123 f.). Oder: Block berichtet, wie „widerlich" die Hilfe der anderen Advokaten sei — und es kommt Leni, die ihm die Kerze aus der Hand nimmt, „dann neben ihm niederkniete, um etwas Wachs wegzukratzen, was von der Kerze auf seine Hose getropft war." (P 215 f.) Ein andermal ist, wieder logisch, das „Knien" selbst „entwürdigend", Block wie ein „Hund des Advokaten" (P 229 ff.). Dann jedoch liegt er zwar noch immer „auf den Knien", doch das hat mit Hulds Bemerkung nichts zu tun, Block habe „häßliche Umgangsformen", sei „schmutzig" (P 234 f.). Kaum hat der Untersuchungsrichter in einem so „alten", „fleckigen" Heft geblättert, daß K. es „nur mit zwei Fingern anfassen und ... nicht in die Hand nehmen" würde, gibt K. ihm eine Antwort, daß die Leute sich vor Lachen „mit den Händen auf ihre Knie" stützen müssen (P 54–56) usf.

Zur Variabilität der Elementenverbindung gehört, fünftens, die offene Reihenfolge der Elemente, sie bedarf jedoch, da überall sinnfällig, keiner Exemplifizierung.

3. KAFKAS WORTKUNST

Man hat seit längerem, wenngleich pauschal, für Kafkas Werk erkannt, in welchem Ausmaß diese Epik Wortkunst ist. Wagenbach schreibt: „Die überragende Bedeutung hat das *Wort*, als direkte Assoziationsursache des Bildes."[60] „Die Explikate tragen sich selbst", heißt es bei Bense: „Es handelt sich um Dichtung, die allein über das Wort und durch das Wort, nie durch Gegenstände entsteht."[61] Und Adorno merkt an: „Die Autorität Kafkas ist die von Texten. Nur die Treue zum Buchstaben, nicht das orientierte Verständnis wird einmal

---

60 K. Wagenbach 1, l. c. p. 95
61 M. Bense 1, l. c. p. 92; cf. Bense 3, l. c. p. 69f. et passim

helfen".[62] Jedoch wofern nicht lediglich am Wortspielphänomen[63] gewonnen, erwuchs die Einsicht nur aus einer Not — Kafkas Texte weisen jeden anderen Zugriff unweigerlich zurück — und blieb ein Schluß in Leere. Wie und zu welchen Graden Kafkas Kunst in ihrem letzten Grunde Sprachkunst ist, läßt sich erst unter dem Aspekt der Gruppenvariation konkret belegen, wird solcherart zum erstenmal für die Hälfte des Romanwerks, für ein gut Teil der schätzungsweise fünfunddreißig-, vierzigtausend Substanzwörter pro Roman, bis ins Detail beweisbar.

Bei Kafka führt der Weg des Helden und der Welt durch Wörter. Sicherlich läßt dieser Weg ein Maß an Freiheit, doch es ist Freiheit *innerhalb* der Sprache, der — in unserem Sinne — Elemente. Wohl stehen z. B. einmal im fünften Stockwerk eines Hauses Leute auf einer vollbesetzten Galerie, gebückt, mit Kopf und Rücken an die Zimmerdecke drückend (P 51), sitzt ein andermal, im Bilde oben und oben an der Wand, ein Richter wie im Sprung, eigentlich auf einer alten Pferdedecke, im Bild jedoch an Rücken- und Seitenlehne eines vergoldeten Throns gedrückt (P 131 f.), steht oben und dauernd vorgebeugt ein Mann, statt auf der großen Kanzel mit den goldenen Kreuzen, unter der niederdrückenden Überdachung der allzu kleinen Nebenkanzel (P 246 ff.), muß oben in einem Wirtshauszimmer ein junger Mann, den Kopf auf den Tisch gelegt, schlafend die Nacht auf einem Stuhl verbringen, weil die Betten schon besetzt sind von zwei Männern, die in den Goldwäschereien Kaliforniens Arbeit suchen (A 112, 118, 127), liegt oben im fünften Stockwerk des Hotels, unter der Bettdecke eng an die Mauer gerückt, ein junger Mann im Dachzimmer einer Frau, die einst in Prag im Restaurant ‚Die Goldene Gans' beschäftigt war (A 139, 149 f., 156) u. a. m., fast immer aber führt der Weg des Helden und der Welt durch: ‚OBEN im Haus/Raum/über der Treppe', ‚VOLL/besetzt/ausgefüllt', ‚SICH NICHT RÜHREN können/NICHT AUFRECHT/gebückt/gebeugt', ‚auf/unter Zimmer-/Bett-/PferdeDECKE/DACH/ÜberDACHung, ‚RÜCKEN', ‚DRÜCKEN', ‚GOLD' usf. (cf. GZ-Komplexe 36, 37).

62 Th. W. Adorno, l. c. p. 305f.; ferner G. Braun, l. c. p. 116
63 Cf. K. Wagenbach 1, l. c. p. 94ff.; W. H. Sokel 2, l. c. p. 4ff.; W. Muschg 3, l. c. p. 123ff.; ferner H. Binder 3, l. c. p. 545; H. Politzer 3, l. c. p. 158; M. Pasley 2, l. c. p. 306; J. Schubiger, l. c. p. 78 u. a.

So ist auch, wir griffen sie eingangs auf, Adornos Frage nach Leni und den Exekutoren klärbar. Zu Leni heißt es: „Hat sie [sc. Elsa] irgendeinen körperlichen Fehler? ' ‚Einen körperlichen Fehler? ' fragte K. ‚Ja', sagte Leni, ‚ich habe nämlich einen solchen kleinen Fehler, sehen Sie.' Sie spannte den Mittel- und Ringfinger ihrer rechten Hand auseinander, zwischen denen das Verbindungshäutchen fast bis zum obersten Gelenk der kurzen Finger reichte . . . ‚Was für ein Naturspiel', sagte K. und fügte, als er die ganze Hand überblickt hatte, hinzu: ‚Was für eine hübsche Kralle!'" (P 134 f). Lenis Kralle ist Variante zu GZ 23 als, generell, ‚KÖRPERFEHLER dessen, der Weg sagt/zeigt/führt und/oder derer des Spaliers', speziell: 23.1 ‚an/durch KOPF/GESICHT' und/oder 23.2 ‚RATTE (Kralle)/ZERFRESSEN/ZERFLEISCHT'— so im „Prozeß" neben Leni ein „kaum dreizehnjähriges, etwas buckliges Mädchen": „Weder ihre Jugend noch ihr Körperfehler hatte verhindern können, daß sie schon ganz verdorben war" (P 170); dann als „Kirchendiener": der „hinkt davon. Mit einer ähnlichen Gangart, wie es dieses eilige Hinken war, hatte K. als Kind das Reiten auf Pferden nachzuahmen versucht" (P 247); speziell als 23.1 bei den Tenören — Adorno nannte sie intuitiv im selben Zusammenhang —: „‚Theater? ' fragte der eine Herr mit zuckenden Mundwinkeln den anderen um Rat. Der andere gebärdete sich wie ein Stummer, der mit dem widerspenstigsten Organismus kämpft" (P 267), unter dessen „Prozeß"-Vorformen bereits das „zu diesem dicken Körper gar nicht passende trockene, knochige Gesicht mit starker, seitlich gedrehter Nase" des zweiten Wächters zählt (P 12), auch „Kaminer mit dem unausstehlichen, durch eine chronische Muskelzerrung bewirkten Lächeln" (P 25); in „Amerika" sind es die Kellner „mit verzerrtem Gesicht" (A 133), die Oberköchin: „Sie war sehr dick, ihr Leib schaukelte sich, aber ihr Gesicht hatte eine, natürlich im Verhältnis, fast zarte Bildung" (A 136), auch sie „verzog das Gesicht" (A 138); schließlich die Frauen im „Theater von Oklahoma": „Da nun die Postamente sehr hoch, wohl bis zwei Meter hoch waren, sahen die Gestalten der Frauen riesenhaft aus, nur ihre kleinen Köpfe störten ein wenig den Eindruck der Größe, auch ihr gelöstes Haar hing zu kurz und fast lächerlich zwischen den großen Flügeln und an den Seiten hinab." (A 307) Kontaminiert zeigen sich 23.1 und 2 als „kleiner Liftjunge . . ., hat schon kein Fleisch im Gesicht" (A 152) und „junger Bursche mit zerfressener Nase" (A 235). — Zugleich gehören Leni und die Exekutoren — „Naturspiel" dort,

„Theater", „Schauspieler" und „Tenöre" hier — zu GB 5 ‚vor Zu-
schauer(n) mörderisches SPIEL/unterbrochener ERNST/sich abSPIE-
Lender Vorgang', zu dessen Formen im „Prozeß" die Verhaftung als
„grober Spaß", „Komödie" zum „Mitspielen" (P 12 ff.) ebenso gehört
wie das „mörderische" Grammophonspiel, das „böse" Spiel der
„Strolche" mit der „Spielkugel" auf der Treppe und die „Verstellung"
der Beamten beim Verhör in der Vorstadt (P 48 ff.), das „Spiel des
Schattens" auf dem Richterbild (P 177), „Christi Grablegung" als
„Vorgang", der sich „abspielte" (P 246) u. v. m., in „Amerika" sind es
das Spiel der Schiffskapelle, deren Instrumente „klirren wie . . .
Waffen" (A 17), das Spiel mit dem „Griff des Degens" (A 20), die
„Krippenspiele . . . auf dem Christmarkt" (A 51), Greens „spaßige
Absicht" und sein Spiel mit Karl (A 74 ff.) u. v. a., im „Schloß" etwa
K.s „Komödie . . . spielen" mit Frieda (S 228), das Spiel der Behörde
mit K. (S 289), das „schreckliche Kinderspiel" der Verstoßung von
Amalias Vater (S 294), das „Spiel" des Jeremias, „so wie ein hungriger
Hund spielt" (S 361), das Glocken-„Spiel" der von K. behinderten
Beamten (S 407).

Solcherart lassen sich erstmals Textmodalitäten klären, geben sich
Konsequenzen — als solche der Textwerdung, der sprachlichen Weltgestaltung — zu erkennen. Wenn es z. B. im „Prozeß" am Ende heißt:
„Dann öffnete der eine Herr seinen Gehrock und nahm aus einer
Scheide, die an einem um die Weste gespannten Gürtel hin, ein langes,
dünnes, beiderseitig geschärftes Fleischermesser, hielt es hoch und prüfte
die Schärfe im Licht"(P 271), so ist der Modus dieser Hinrichtung von
allem Anfang an in GB 12.1 ‚SPITZes/SCHARFes', 2+ ‚zum ZIEHEN',
2.1 ‚AN HÜFTE . . . GREIFEN' und 4 ‚LEIBESMITTE' enthalten und
in jeder voraufgegangenen Spielart potentiell gegenwärtig: bei K.: er
wählte „ein Jackettkleid, das durch seine Taille [sic!] unter den
Bekannten fast Aufsehen gemacht hatte, zog nun auch ein anderes
Hemd hervor und begann, sich sorgfältig anzuziehen" (P 19); bei Frau
Grubach: K. sah „auf ihr Schürzenband nieder, das so unnötig tief in
ihren mächtigen Leib einschnitt. Unten entschloß sich K., die Uhr in
der Hand, ein Automobil zu nehmen" (P 26); beim Auskunftgeber, den
man „des würdigen ersten Eindrucks halber auch elegant anziehen"
muß, sein „Vorzug" ist besonders die „graue Weste", die „in zwei
langen, scharfgeschnittenen Spitzen endigte" (P 87); beim Italiener, der
„öfters an seinem kurzen, scharf geschnittenen Röckchen zupfte",

schließlich „sah der Italiener auf die Uhr" (P 241); auch beim „Ausländer" im unvollendeten Kapitel „Das Haus": „er war gekleidet ähnlich einem Stierkämpfer, die Taille war eingeschnitten, wie mit Messern, sein ganz kurzes, ihn steif umgebendes Röckchen bestand aus gelblichen, grobfädigen Spitzen" (P 293). Nicht daß und warum K. stirbt, wohl aber, weshalb er auf diese Weise stirbt, ist vom konstanten Sprachbestand der Gruppe BETTEN prädeterminiert. Der Modus ergibt sich folgerichtig als die endliche entfaltete schärfste aller angelegten Möglichkeiten, ist textgenetisch konsequent.

Wir halten fest: Überall erhellt, daß und warum nicht psychische noch physische, soziale, religiöse, nichts, nicht einmal logische Gegebenheiten primär das Schicksal der Gestalten prägen, leuchtet ein, warum die Welt der Kafka-Texte oftmals unverständlich, fremdartig, „phantastisch" und „bizarr"[64] erscheint. Der Rahmen dieses Schicksals ist die Sprache, das Schicksal ist in seinem eigentlichen Grunde wortgebunden, sprachbedingt. Der Weg führt durch oftmals vielschichtige Worträume, Sprachgehäuse, manchmal auf gleicher, meist auf neuer Ebene, immer aber *innerhalb* derselben Räume und Raumgruppen.[65] Die Elementenvariation kann dabei, muß jedoch nicht, der Logik oder Empirie sich anbequemen, denn jedes Element gehorcht letztlich nur einem einzigen Gesetz, dem seiner (fünffachen) Variabilität.

4. ZUR METHODIK (I)

4.1. *Prozedur*

4.1.1. Textmaterial von Romanumfang (hier: „Prozeß") wird in ersten Arbeitsschritten zunächst auf vorläufige ‚Pro-Gruppen' durchgesehen, um zu Erfahrungs-, zugleich Durchschnittswerten in jenem Spielraumbereich der ungefähren Abstraktionsrichtungen und -höhen zu gelangen, in welchem überhaupt Gruppen allererst erscheinen:

64 B. v. Wiese 1, l. c. p. 233
65 Manche Interpreten klären die Voraussetzung zu dieser Art von Sprachhandhabung biographisch mit Kafkas Fremdheit in der deutschen Sprache. G. Steiner, l. c. p. 167f., vergleicht Kafkas Situation im Deutschen mit der eines Reisenden in einem Hotel. Dieses Haus der Wörter sei im eigentlichen nicht das seinige gewesen. — Cf. J. Schillemeit 1, l. c. p. 190f.; K. Wagenbach 1, l. c. p. 77ff., bes. 80ff., 94ff.

4.1.1.1. Pro-Gruppen: Von Einzelwörtern (Homographen, Homophone scheiden dabei vorerst aus) werden jeweils diejenigen notiert, die, sagen wir, fünfmal im Roman deutlich gruppiert vorkommen, an den Stellen A—E. Dieser gruppierte Bestand an wort- oder grundformengleich wiederholten Einheiten — also, stets eng benachbart, u. a. „rötlicher" und „Spitz(bart)", „rot(bäckig)er" und „(Fuß)spitzen", „Spitzen" von Stiften und „rötlicher" Schatten — wird erste Ausgangsbasis. Es sind die von H. Schwarz so genannten „Aufschlußwerte", die „unter einer Lautung vereinigt" sind und bestenfalls einen Hinweis auf den Zeicheninhalt[66] geben.

4.1.1.2. Pro-Elemente$_1$ (Aufschlußwerte gleicher Lautung): Die Wörter u. a. „rot" und „spitz" fungieren als vorläufige ‚Pro-Elemente$_1$‘, deren Vorkommen im Gesamttext des Romans aufgesucht und an den Stellen F—N gefunden werden. Die Umgebungen von F—N werden mit den Umgebungen von A—E verglichen, weitere Pro-Elemente$_1$ werden gefunden. Semantische Konstanten werden extrahiert. Der Übergang — semasiologisch — vom Wortlaut zum Wortinhalt beginnt. Am (auch von H. Schwarz benutzten, später aufgegriffenen) Beispiel aus dem Befund (zu GV 11):

4.1.1.3. Pro-Elemente$_2$ (Semasiologische Suche nach Inhalten): „flieg", „Flug", „Flügel" u. dgl. gelte als Wort der gleichen Lautung. Es erscheine, wir konstruieren die Gruppierung, in der Pro-Gruppe in A—N als ‚Fensterflügel‘, ‚Rockflügel‘, ‚fliegendes Band‘, ‚fliegende Beine‘, ‚an den Hals fliegen‘, ‚im Tanz fliegen‘, ‚ich beim Fliegen‘ (sc. im Sitzen, Br 250 f.), ‚Bettdecke im Fluge‘, ‚fliegender Pelz‘ (infra 328) und als „Seitenflügel" des Hauses (S 150, 156), es erscheine ferner als ‚Flügel des Vogels‘, ‚Flügel des Heeres‘ und ‚Flügel der Schraube‘. Extrahiert man die semantischen Konstanten, so zerlegt sich der Aufschlußwert des Wortes „fliegen" in drei singuläre Inhalte: Fliegen als Fähigkeit (1) ‚zum Schweben‘, (2) ‚zum gleichzeitigen und/oder beidseitigen‘ (2.1.1) erst ‚Auf‘, dann ‚Ab‘ oder (2.1.2) ‚Auf und Ab‘ oder analog differenziertem (2.2) ‚Hin und Her‘ und (3) ‚von einer bestimmten Mitte aus nach/auf zwei entgegengesetzten Seiten flächig abzustehen‘. Die Vorkommen von „fliegen" beinhalten dann je: nur (1) in ‚an den Hals fliegen‘, ‚ich beim Fliegen‘ (sc. im Sitzen), ‚Bettdecke im Fluge‘, ‚fliegender Pelz‘; nur (2) in ‚fliegende Beine‘; nur (3) in ‚Rockflügel‘;

66 H. Schwarz, l. c. p. 426, Anm. 2, und p. 428, Anm. 5

ferner die Verbindung von (1) und (2) in ‚im Tanz fliegen‘; die Verbindung von (2) und (3) in ‚Fensterflügel‘, ‚Seitenflügel des Hauses‘, ‚Flügel des Heeres‘, ‚Flügel der Schraube‘ (2 hier als 2.1.2 bzw. 2.2.2); schließlich die Verbindung von (1), (2), (3) in ‚Flügel des Vogels‘. (Bei der späteren Optimierung der Gruppe müssen die Ungenauigkeiten solcher Inhaltsbestimmung und Vorkommenszuordnung, muß durchweg das besondere Zustandekommen eines jeden Elements stets bewußt sein.)

Diese Inhalte werden, weil sie auf dargelegte Weise zur Verselbständigung tendieren, als drei Pro-Elemente$_2$ verbalisiert (zu verbalisierungsbedingten Ungenauigkeiten infra 249 f.): Inhalt (1) als ‚FLIEGEN: schweben‘, (2) als ‚AUF UND AB‘ und (3) als ‚SPREIZEN: ausbreiten/-strecken‘. Wären z. B. auch „Flügel“ (Musikinstrument) und „Flügelschnecke“ (mit einseitig flügelförmigem Rand) vorgekommen, wäre als weiteres Element (4) ein schon in ‚Flügel des Vogels‘ vorkommendes ‚FLÜGELFÖRMIG‘ einzurichten.

4.1.1.4. (Onomasiologische Suche nach Bezeichnungen:) Die drei Pro-Elemente$_2$ werden in nicht-lautgleichen Zeichen aufgesucht. (1) wird in „schweben“ vorgefunden, (2) in „auf- und zugewehte“ Fensterflügel, „hinauf- und hinab-“fliegen, bergauf, bergab“ fliegen, „ihn umflatternde“ Enden des Schlafrocks, „auf- und zuklappende“ Tür, (3) in „ausgebreitete“ Rockflügel, „sehr ausgebreitete“ Einheit von Armen, Röcken, Beinen (wie zum Fliegen), deshalb, allerdings bruchstückhaft und schon im Übergangsbereich von (3) zu (2), auch in „gespreizte“ Beine, „ausgestreckte, gespreizte“ Arme und ‚weit auseinandergehaltene‘ Hände.

Die drei Felder gelten damit als komplett.

4.1.1.5. Das Verfahren wird auf dieselbe Weise wie in 4.1.1.2–4 auf alle, auch die durch Homonyme gegebenen semantischen Konstanten dieser und einiger weiterer Pro-Gruppen angewendet. Die Erfahrung bei der Bestimmung dieser Felder gibt im Verlauf der Arbeit einen wenngleich groben Durchschnitt an die Hand. (Das Feldbeispiel von 4.1.1.3–4 erweist sich später als ein Durchschnitt.)

4.1.2. Textmaterial von ähnlichem Umfang, jedoch eines anderen Romans (hier: „Amerika“), wird anhand dieses Durchschnittswerts auf Gruppierungen hin untersucht. Diese Gruppen sind in Textlokalität und Profil Rohmaterial beim letzten Schritt.

4.1.3. Optimierung der Gruppe: Es gelte ein Seitendrittel des Romans mit weniger als 3 Elementen einer Gruppe als Leerzone dieser Gruppe (mit ‚isolierten' Elementenvorkommen), mit 3 und mehr Elementen als Vorkommenszone, dabei mit 3—5 als Normal-, mit 5 und mehr als Dichtezone (infra 253 f.).

Es gelte, zweitens, ein Feld noch als Gruppenmitglied, wenn es im (zu vermeidenden) Extrem zweimal isoliert und nur noch dreimal in Nachbarschaft zu Elementen seiner Gruppe vorkommt (Verteilung der Elementenvorkommen auf Leer- und Vorkommenszonen im Verhältnis von ‚2 : 3 und mehr', hinfort ‚L-V-Verhältnis',)

Drittens geschieht, schon in der Vorarbeit bis 4.1.2, die Versuchsbestimmung eines Elementeninhalts — und dadurch auch der Gruppe — immer zweifach, nämlich positiv, von den Vorkommenszonen einer Gruppe aus, und negativ, von den Leerzonen aus. Der Elementbestimmung müssen daher genug Leerzonen erhalten bleiben.

Dadurch liegt, viertens, die Zahl der Vorkommenszonen einer Elementengruppe zwischen einer Unter- und Obergrenze der Möglichkeit von Elementbestimmung, d. h. zwischen einer Mindestzahl (u. a. gesetzt durchs Definitionsmerkmal des beendeten Abbaus der Konstanz je bestimmter Verbindungen zwischen Elementen) und einer Höchstzahl. Diese Höchstzahl gilt hier bei einem 40 %-Anteil der Vorkommenszone am Romantext als erreicht (vgl. GP im „Schloß" infra 297).

4.1.3.1. Optimierung des Gruppenprofils: Wir nennen dann Optimalprofil das Profil derjenigen Vorkommensverteilung einer Gruppe, welche, zwischen diesen Grenzen, erstens nach Maßgabe ihrer Elementenzahl größtmögliche Höhen zeigt und zugleich zweitens einen größtmöglichen Anteil der Dichte- an den Vorkommenszonen insgesamt aufweist. Das Profil hat, grob vereinfacht, ein maximales Auf und Ab zu zeigen. Die Optimierung des Profils bedeutet damit zugleich:

4.1.3.2. Optimierung der Elementeninhalte: Die $Element_2$-Inhalte einer jener erst grob profilierten Gruppe müssen dann stets so verändert werden, daß sie so häufig wie möglich allgemein in den Vorkommens- und besonders in den Dichtezonen dieser Gruppe auftreten. Da zugleich, als Kriterium der Gruppenzugehörigkeit, das L-V-Verhältnis als absolute Untergrenze eines Elementes gilt, bedeutet dies:

Inhaltsoptimierung ist regelmäßig eine probeweise Vergrößerung der Intension, wenn z. B. die Gruppenzugehörigkeit eines $Elements_2$ neu zu prüfen ist, dessen Varianten höchstens zur Hälfte in den Vorkommenszonen der Gruppe erscheinen. Die Varianten in diesen Zonen sind auf ebensolche Weise auf neuen Elementenstatus hin zu untersuchen wie wenn von den Dichtezonen aus das Profil optimiert wird. Gesetzt, es seien zu Element$_2$ ‚FLIEGEN: schweben' insgesamt erschienen: isoliert ‚an den Hals fliegen', ‚ich im Fluge', ‚fliegender Pfeil', hingegen innerhalb der Vorkommens- und, sagen wir, zugleich der Dichtezonen der Gruppe ‚Bettdecke im Fluge', ‚fliegender Pelz', so wären die letzteren unter Element ‚FLÄCHIG SCHWEBEN' neu zu subsumieren, die ersteren als Vorkommen wenn möglich gleichfalls eines neuen Elements, hier ‚ZIELGERICHTET FLIEGEN', auf Zugehörigkeit zu einer anderen Gruppe zu prüfen.

Inhaltsoptimierung bedeutet, umgekehrt, die Verringerung der Intension, wenn die Feldgrenzen experimentell erweitert werden im Versuch, die romaneigenen Felder in ihrer Eigenart so vollständig wie möglich zu erfassen. Ein Element$_2$ wird dabei solange in seine Inhaltsmerkmale zerlegt — und jedes Merkmal probeweise zu einem Element erklärt —, bis solche Abstraktion sich den Grenzen dieses neuen Elementes nähert (Untergrenze des optimalen Vorkommens- als Dichtezonenanteils bzw. Untergrenze der Gruppenzugehörigkeit), fürs Beispiel ‚Fliegen' etwa so, daß Elementeninhalt (2) in einfaches ‚Auf und Ab' und ‚gleichzeitig und/oder beidseitig', Element (3) in einfaches ‚von einer bestimmten Mitte aus', ‚flächig' u. a. m. zerfallen würde. Auf solche Weise wurde aus mehreren Elementen$_2$ — jetzt Variationstypen zu GV 1.2 — das Element ‚SCHIEF' gebildet.

Je weiter auf solche Weise die Wörter des Romantexts auf ihren semantischen Hintergrund von Inhaltsmerkmalen hin durchschritten werden, d. h. je geringer die Elementenintension, desto größer der Grad möglicher Gruppenmischung durch Variantenpolyvalenz (infra 251). Denn Element meint ‚Inhalt in', meint Teilinhalt in einem Wort. Je durchschnittlich kleiner solch ein Teil, desto zahlreicher insgesamt die Teilinhalte desselben Worts, welche Varianten ebenso vieler verschiedener Elemente aus verschiedenen Gruppen werden können.

4.1.3.3. So entsteht die in ein und derselben Gruppe unterschiedlich große Extension der Elemente. Ein Durchschnittsbeispiel für das Maximum gibt Tabelle 2 (infra 24 ff.). Ein absolutes Minimum verdeutlicht GZ 37.6 ‚GOLD'; sein Feld hat nur ein einziges Mitglied, „gold", und seine Varianten sind die Formen dieses Worts; das Feldglied ist sein eigener Oberbegriff, der Inhalt als ‚dieses bestimmte Edelmetall' bzw. ‚dessen Farbe' so groß wie möglich; die Abstraktionshöhe ist nullter Ordnung statt von erster, zweiter, nter wie bei denkbaren Subsumtionen unter ‚Metallfarbe' oder ‚Edelmetall' oder, noch abstrakter, unter ‚Metall' bzw. ‚Farbe'.

4.1.3.4. Die Kriterien der Gruppenoptimierung ermöglichen es auch, den Feldcharakter probeweise zu verändern. Wenn wir (unter den 4.2.1 gegebenen Vorbehalten) die Termini von O. Ducháček[67] verwenden, so ist zwar das Durchschnitts- in aller Regel ein „Begriffsfeld". Doch GP 15 ‚KÖRPERLICHE GEWALTANWENDUNG' hat den Charakter eines „Kontextfeldes". Für GZ 29.4 gehören wie zu einem Stammorphem-, einem „morphologischen Feld" Homographen: „Gericht" als ‚Gerichtswesen' und zugleich als ‚Mahlzeit'. Zu GB 10 ‚AKT' gehören auf dieselbe Weise ‚Liebesakt' wie, als Dokument, die ‚Akte'. Zu GB 12.4 ‚LEIB' gehört auch homophones ‚LAIB' (allerdings tritt „Brotlaib" wie in A 127 als Wort und In halt nicht häufig genug auf, um im L-V-Verhältnis als eigentliches Element bestimmt zu sein).

4.1.3.5 Elementengruppen: Um die Abhängigkeit der Gruppen von der Länge des untersuchten Textes zu verringern, wird die Arbeit an der Optimierung von Profil und Elementeninhalt auf einen zweiten Roman ausgedehnt (hier wiederum: „Prozeß"), auf den zuerst bearbeiteten deshalb, weil die Gruppen so verglichen werden können mit den Gruppierungen durch die Pro-Elemente$_1$.

Die in den zwei Romanen eruierten Gruppen gelten als endgültig.

4.1.3.6. Das Ergebnis der Profiloptimierung in „Amerika" und „Prozeß" zeigt (infra 297) einen Dichtezonenanteil am Gruppenvorkommen insgesamt: für die einzelnen Gruppen zwischen 0.3 und 0.5, für die Durchschnittsgruppe bei 0.4. Das Optimum ist dabei unabhängig von der Elementenzahl pro Gruppe: Die großen Gruppen — GB, GP, GV, GZ — zeigen in ihrem Anteilswert von 0.43 keinen nennenswerten Unterschied zu dem der kleinen bei 0.38.

Bei den z. T. großen Schwankungen im einzelnen ist nicht zu unterscheiden, ob sie bedingt sind je durch den Roman, die Gruppe oder Untersuchungsmängel (ein übersehenes Vorkommen schlägt bei kleinen Gruppen, d. i. wenigen Vorkommenszonen, besonders stark zu Buch). Feststellen läßt sich nur, daß der Dichtezonenanteil bei den

---

67 O. Ducháček, l. c. p. 438ff.

großen Gruppen am geringsten (zwischen 0.38 und 0.48) und bei den kleinen am stärksten (zwischen 0.1 und 0.67) schwankt. Die Schwankung bei den kleinen ist freilich teilverursacht dadurch, daß der stets absolute Meßwert für Dichtezonen (pro Seitendrittel 5 und mehr Elemente) die stets relativen Dichten bei den kleinen Gruppen zuweilen nicht mehr registriert.

4.1.4. Ein weiterer Roman („Schloß"), in den die Gruppendaten eingetragen werden, dient der letzten Gegenprobe (Tabellen infra 290 ff.)

Die Probe verdeutlicht u. a., daß der Dichtezonenanteil für die großen Gruppen sich verringert, und zwar durchschnittlich von 0.45 in „Amerika" über 0.41 im „Prozeß" auf 0.3 im „Schloß", dabei für GB von 0.43 über 0.39 auf 0.28, für GP von 0.48 über 0.38 auf 0.22, für GV von 0.47 über 0.41 auf 0.36 und für GZ von 0.43 und 0.46. auf 0.34. Ob die Gruppenoptimierung in „Amerika" und „Prozeß" nur zum Teil (dann also durchschnittlich zu 50—75 %) geglückt ist oder ob der Dichtezonenanteil tatsächlich im Verlaufe des Romanwerks abnimmt, bleibt dabei unentschieden.

4.2. Methode

4.2.1. Element:

Als „sprachliches Feld" ist das Element — terminologisch nach O. Ducháček — in aller Regel (Ausnahmen s. 4.1.3.4) nicht im strengen Sinne „Wortfeld" (als „morphologisches" oder „syntagmatisches"), sondern ein „Gedanken"-, genauer ein „Begriffsfeld". Die „Art des Begriffes" ist dabei je nach Bezug verschieden. Der Begriff kann sich, wie regelmäßig hier, „auf einen konkreten Gegenstand oder ein konkretes Wesen beziehen (Arbeiter, Pferd, Tisch)" oder aber „auf ein Abstraktum (Liebe, Bewegung)". „In manchen Feldern besteht zwischen den Feldgliedern vorwiegend eine synonymische Beziehung (z. B. im Schönheitsfeld: *schön, hübsch, charmant, reizend, glänzend, herrlich*...); in anderen Feldern herrscht sowohl Unter- als auch Nebenordnung (z. B. im Farbenfeld: *weiß, schwarz, gelb, blau, rot,* ...; *rot: scharlach, karmin, rosa, purpur, zinnober*...); in wieder anderen dominieren Oppositionen".[68]

Der Feldbegriff der wissenschaftlichen Feldlehre unterscheidet sich freilich von unserem Begriff erheblich:

68 ibid. p. 442f.

Unser Begriff vom Inhalt meine *nicht* den „aus den Anschauungen W. v. Humboldts und F. de Saussures Lehre von der Sprache als Zeichensystem erwachsenen Leitgedanken", der sich in der Erkenntnis der Feldtheorie verdichtet, „daß der Inhalt des einzelnen Sprachmittels stets abhängig ist von seinem *Stellenwert* in der begrifflichen Ordnung des jeweiligen Sprachzustandes, d. h. nach Schwerpunkt und Reichweite entscheidend bestimmt wird von seinen unmittelbaren Sinnverwandten".[69]

,Inhalt' meint im Gegenteil statt der „sprachbegrifflichen Nachbarschaft", die überhaupt erst die „genaue Geltung" eines Zeichens festlegt, den von H. Schwarz, den wir zitieren, so genannten „Aufschlußwert": „Der mit der Lautung gesetzte Aufschlußwert gibt — soweit vorhanden — bestenfalls einen Hinweis auf den Zeicheninhalt. So deutet z. B. die Insektenbezeichnung nhd. *Fliege* mit ihrem Aufschlußwert, den sie aus dem geläufigen Rückgriff auf das Verb *fliegen* bezieht, lediglich darauf hin, daß es sich um ein Insekt mit Flugfähigkeit handelt. Man darf aber doch niemals den Hinweis auf einen Inhalt mit dem Inhalt selbst verwechseln. Daher ist die Unterscheidung zwischen *Aufschlußwert* und Begriff mit *Stellenwert* für die gesamte Semantik grundlegend."[70]

,Feld' meint daher nicht den von G. Kandler so genannten „prägnanten Feldbegriff" der Wordfeldtheorie[71], derzufolge nach H. Schwarz „ausschließlich begriffsverwandte Sprachmittel zum gleichen Feld gerechnet werden dürfen und von den Bedeutungen eines Sprachzeichens immer nur jene in Betracht kommen, die unter einen einheitlichen Begriff fallen: Die ,Flügel des Vogels' und die ,Flügel der Tür', die ,Flügel des Heeres' und die ,Flügel der Schraube' usw. tun das nicht und gehören daher in völlig verschiedene Felder."[72]

Solche Aufschlußwerte gehören hier, im Gegenteil, am Anfang der Feldbestimmung prinzipiell und an deren Ende in praxi oft genug zum selben Feld. Tun sie es nicht, so deshalb, weil das Gruppenoptimum mehreren in einem Aufschlußwert gegebenen Teilinhalten Elementenstatus gibt und diesen Elementen verschiedene Gruppenzugehörigkeiten

69 H. Schwarz, l. c. p. 426
70 ibid. p. 426, Anm. 2
71 G. Kandler, l. c. p. 354 et passim
72 H. Schwarz, l. c. p. 428, Anm. 5

zuweist, nicht weil von vornherein die Aufschlußwerte unter verschiedene„einheitliche Begriffe" im von Schwarz gemeinten Sinne fallen.

Nicht die „sprachbegriffliche Nachbarschaft", der Stellenwert im Begriffsfeld, legt also hier den Inhalt fest. Fest legt ihn experimentell die Arbeit an der Optimierung jeder Gruppe.

‚Inhalt' meint daher nicht ‚ist Gesamtbestand der Stellenwertmerkmale von', sondern stets ‚ist (auch) Inhalt in', meint damit Teil-, nicht Vollinhalt. Und statt des feldwissenschaftlichen Unterschieds zwischen Feldkern als Ober-„Begriff" und dem Feldmitglied als Wort-„Inhalt" meint Inhalt hier zugleich Wort(-Teil)inhalt und Feldkern.

‚Inhalt' meint ineins damit nicht das Gesamt systemimmanenter Richtigkeiten in einem Feld. Die Inhaltsbestimmung setzt vielmehr, in erkenntnistheoretisch naivem Realismus, einen Grundbestand an Begriffen von ‚vorgegebenen', regelmäßig sinnlich-konkreten elementaren Tätigkeiten, Eigenschaften, Substanzen, Formen, Farben, Bewegungen u. a. m. an. Dieser Bestand ist mit innersprachlichen Methoden nicht mehr zu fassen. Was ‚GOLD' ist, zeige ich. Was ‚FLIEGEN' ist, mache ich mit beiden Händen vor.

Dennoch wird eine obschon nicht große Nähe zum prägnanten Feldbegriff gesehen, weil der Abstand zum vorwissenschaftlichen Begriff vom Feld noch größer ist. Wohl wird auch hier zunächst nur um einen Begriff ein Feld gesammelt, in dessen Mitgliedern der Begriffsinhalt präsent gesehen wird, doch die eigentliche Inhaltskennzeichnung beginnt, hier wie in der Feldforschung, erst mit dem zweiten Schritt: Die Feldlehre bestimmt den Inhalt der Feldglieder aus ihrem Stellenwert im Feldganzen, unsere Methode bestimmt den Inhalt des Feldkerns (zugleich: der Elementenvariante als Wortteilinhalt) durchs Optimum der Gruppe. Insofern es allgemein um solche zusätzliche Inhaltsbestimmung geht, ist das Gruppenoptimum dem prägnanten Felde leistungsanalog.

Also: Element ist ein vorzugsweise über Aufschlußwerte gleicher Lautung gesuchter Begriff aus einem Grundbestand an Begriffen, die sich auf vorsprachliche, sinnlich-konkrete, elementare Inhalte beziehen. Über seine Intension entscheidet das Optimum der Gruppe.

4.2.2. Gruppe:

Kriterium für Gruppierung kann eine konstante Reihenfolge sein. Dabei sind dann sogar abstandsgleiche 12341234 oder, verschachtelt,123142314 u. ä. schon Gruppe. Bei Kafka deutet jedoch nur eine kleine Zahl von Varianten derartige Konstanz an.

Kriterium kann auch ein Wechsel zwischen Vorkommens- und Leerzonen sein. Die Zahl solcher Gruppen ist freilich infinit. Schließlich sind dann auch, wir konstruieren, so gruppiert die Elemente 1, 2, 3 auf den Seiten 10, 15, 25, dann 85, 105, 125, dann 300, 350, 400.

Eine finite Zahl von Gruppen gibt einzig das Kriterium des Gruppenoptimums als der größtmöglichen Höhen der Vorkommensverteilung der Gruppe und als des maximalen Vorkommens- und Dichtezonenanteils ihrer Elemente.

Der Umfang einer Gruppe hat eine Untergrenze im Kriterium der evidenten Gruppennachbarschaft. Zu klein angesetzte Gruppen treten stets eng benachbart auf. Unzureichend gelöste Probleme auf dem Niveau konstanter Elementennachbarschaften treten so auf dem nächsthöheren Niveau konstanter Gruppennachbarschaften wieder auf (GB und GZ sind Lösung jeweils solcher Gruppengruppierung). Die Obergrenze ist gegeben dadurch, daß der Elementeninhalt positiv von den Vorkommens-, negativ von den Leerzonen einer Gruppe aus bestimmt wird. Für die Elementbestimmung müssen daher ausreichend Leerzonen erhalten bleiben. (Bei GZ, die zu freilich sehr verschiednen Graden durchschnittlich jede 4. Seite des Romanwerks prägt, gilt diese Obergrenze als erreicht.)

Was in Profil und Umfang einer bestimmten Gruppe als optimal zu gelten hat — und experimentell als Optimum gefunden wird —, läßt sich dennoch nicht explizieren. Es ist ein operationaler, ein Erfahrungs- wie Annäherungswert.

4.2.3. Setzungscharakter

4.2.3.1. Setzung ist, selbst bei Einigung in jedem einzelnen Fall, ein Feld, weil es von Interpreten, nicht vom Dichter stammt. Kein Kriterium entscheidet, ob und inwieweit die Begriffe ‚SCHIEF' und ‚FLÄCHE' der Felder GV 1.1 und 1.2 mit denen Kafkas übereinstimmen. Seine Sprache ist Ideolekt, seine Begriffe sind autorenspezifisch, gegenüber dem Üblichen exzentrisch versetzt auf einen Feldkern zu, der bestenfalls, wie hier, nur angedeutet werden kann. Das Feld von GV 1.1 ‚Wand/Platz/Boden/Weg/Pflaster/Brüstung/Zweig/Band' ist offenbar nur Teil — auch das Element ‚FLÄCHE' einzig Teil — in einem Feld von Funktionsäquivalenzen um den Begriff ‚VERKEHRS-/TRANSPORT-

WEG/-MITTEL' (vgl. Traumtexte zu Anhang V), weshalb hier auch der schiefe „Stock" hinzugehört (u. a. Br 250 f). Doch selbst in diesem seltenen evidenten Fall läßt sich das wahre Ausmaß von Begriffsinhalt und Feldumfang mit unserer Prozedur nicht fassen. Vielleicht liegt der Schwerpunkt der tatsächlichen Variation überhaupt nicht bei Substanzen (cf. 4.2.1), sondern bei Tätigkeiten, Eigenschaften u. a. m. als Funktionen, im übrigen derselben Funktionalität, wie sie, wir greifen vor, die Kafkaforschung längst auf anderem Wege als Wesensmerkmal etwa der Romanfiguren feststellt.

Eine Lösung wäre nur in einem nichtgegebenen Falle zu erreichen. Kafka schreibt 1913 von der „Reihenfolge des Guten, Halbguten und Schlechten" in „Amerika". Er sei überzeugt, „daß als Ganzes nur das erste Kapitel aus innerer Wahrheit herkommt, während alles andere, mit Ausnahme einzelner kleinerer und größerer Stellen natürlich, gleichsam in Erinnerung an ein großes aber durchaus abwesendes Gefühl hingeschrieben und daher zu verwerfen ist" (F 332). Wären, was sie nicht sind, die „guten", „halbguten" und „schlechten" Stellen genau lokalisiert, könnten die Angaben womöglich ein erster Anhalt werden, da, wie später darzulegen, die Qualität von „guten" Stellen mit großer Wahrscheinlichkeit auch abhängt von einer Textgestaltung durch Elementenvariation. Gesetzt, man hätte eine Antwort auf die Frage nach Kafkas dichterischen Wertmaßstäben (infra 132 ff.), so wären diejenigen Methoden der Elementbestimmung die bestmöglichen, mit denen man, bei überall gleich gut gelungener Konzeption, an „guten" Stellen reichlich, an „schlechten" kaum oder gar nicht fündig würde.

4.2.3.2. Im Verhältnis des Elements zu seinen Varianten ist die Erhaltenheit eines Elements als Inhalt in einer bestimmten Variante Setzung. Gehören, im Beispiel von 4.1.1.4, die ‚gespreizten/ausgestreckten/weit auseinandergehaltenen Beine/Arme/Hände' auch bruchstückhaft noch zu Element (3), ist dessen Inhalt ‚von einer bestimmten Mitte aus nach/auf zwei entgegengesetzten Seiten flächig [sic!] abstehen' noch in den Beispielen enthalten oder nicht? Ist „glitt . . . vom Faß" (S 59) Varianz nicht nur zu GV 2.1 ‚GLATT' sondern auch zu 1.1 (sonst immer plane) ‚FLÄCHE' und 1.2 ‚SCHIEF'?

4.2.3.3. Generell bestimmt ein logischer Zirkel das Verhältnis von Element und Varianten, wie er schon feldwissenschaftlich das Verhältnis zwischen Kern und Gliedern eines Felds bestimmt. Man erkennt eine

Einheit als Element aufgrund von Varianten und erkennt Einheiten als Varianten durch das Element.

4.2.3.4. Ein Zirkel bestimmt auch das Verhältnis, in welchem wechselweise die Evidenzen der Vorhandenheit einmal einer Gruppe als Ganzem, zum anderen eines einzelnen Gruppenteils aufeinander bezogen sind. Im konstruierten Beispiel: Wenn zwei Elemente einer Gruppe an den Stellen A, B, C jeweils als zweifelhaft erhaltenes (1) und evidentes 2, dann als 1 und (2), dann als 1 und 2 auftreten, löscht C die Zweifel an 2 in B und 1 in A, zugleich bestätigen sich gegenseitig A, B und C die Tatsache einer sonst zweifelhaften Gruppierung. Die Evidenzen schaukeln sich gleichsam gegenseitig hoch. Ursache ist, daß sich von allen Größen diejenige einer durchschnittlichen Untergrenze der Erhaltenheit des Elementeninhalts schon für ein und dasselbe Feld am wenigsten stabil erhalten läßt. Wäre sie stabil, so wären Gegenproben möglich durch die positive Ein- und negative Abgrenzung des Elementeninhalts je von den Vorkommens- und Leerzonen einer Gruppe aus.

4.2.3.5. In solchem Zirkel sind auch Element und Optimalprofil verbunden: Das Element als Inhalt ist abhängig vom Optimalprofil der Gruppe, und dies Profil hängt wiederum vom Elementeninhalt ab.

4.2.3.6. Setzung sind insbesondere Einzelgruppenstatus und Zahl und Umfang der verschiedenen Gruppen.

Die (hier nicht errechnete) Wahrscheinlichkeit einer Zufallsverteilung auf Leer- und Vorkommenszonen einer Gruppe setzt der Zahl der Elementvorkommen eine relative Untergrenze, denn eine Zufallsverteilung ist um so wahrscheinlicher, je niedriger die Frequenz des Elements und je größer die Zahl der Vorkommenszonen seiner Gruppe ist.

Eine zweite von Fall zu Fall verschiedene Untergrenze setzt der Definitionsanspruch des Elementenstatus: Daß die Konstanz einer bestimmten logisch-empirischen Verbindung zwischen Elementen abgebaut sein soll, verhindert, daß jeder so konstante Variationstyp derselben Gruppe als eigene Einzelgruppe registriert wird.

Oberhalb dieser Grenzen gelten im Gesamtdurchschnitt der Erfahrung mit allen Gruppen in „Amerika" und „Prozeß" folgende Relationen:

Je geringer das Mindestvorkommen einer Gruppe als Kriterium selbständiger Gruppenexistenz, desto größer die Wahrscheinlichkeit zu klein bestimmter Felder und ineins zu großer Intension dadurch, daß schon Gruppierungen der stets selben Variationstypen von Elementen als selbständige Gruppen registriert sind. Dadurch steigt zugleich die Zahl der Einzelgruppen, sinkt im Durchschnitt ihr Bestand an Elementen. Zugleich verkompliziert sich die Suche nach weiteren Elementen einer Gruppe, denn je höher die Frequenz der Elemente$_2$, desto wahrscheinlicher eine notwendige größere Differenzierung bei der Elementbestimmung. Wenn, sagen wir, 90 Vorkommen eines Elements$_2$ auf 30 Einzelgruppen aufgeteilt wären, so wären 30 neue Elemente in ebenso vielmaliger Inhaltsdifferenzierung einzurichten. Die Intension wird dadurch abermals vergrößert.(Statt einfachem ‚HAND‘ oder sogar ‚HAND UND RUND‘ erhielten wir ‚HAND UND RUND UND SCHARF‘ usw.).

Wenn, andererseits, probeweise die Feldgrenzen erweitert, d. h. die Intension verringert, und dabei zugleich das Gruppenoptimum gewahrt oder noch verbessert wird, so schieben sich die Vorkommenszonen derjenigen Einzelgruppen ineinander, die Gruppierung von stets denselben Variationstypen von Elementen waren. Die Gruppen mischen sich (infra 250ff.), teils durch sog. Variantenpolyvalenz, die dann durch Subsumierung alter unter ein neues Element gelöscht wird — wenn nämlich a 1 und a 2 als Varianten auch von B, b 1 und b 2 als Varianten auch von A auftreten, und A und B alsdann in einem so vollständiger erfaßten Feld vereinigt werden —, zum größeren Teil durch sog. Variantenwechsel, denn die Zahl der vermeintlich oder tatsächlich nicht weiter subsumierbaren Elemente wächst verhältnismäßig schneller. Auf solche Weise verringert sich die Zahl der Einzelgruppen, erhöht sich ihre durchschnittliche Elementenzahl, steigt ihr Vorkommensumfang. Gleichzeitig jedoch beginnen in gleicher Weise alle Gruppen sich zu mischen. Je vollständiger also (wieviele?) Gruppen erfaßt werden, desto stärker verwischen sich die Unterschiede zwischen allen, und zwar Unterschiede zwischen sowohl den Elementen wie den Vorkommenszonen der einzelnen Gruppen. (Die Höchstgrenze solcher Gruppenmischung gelte bei 1,67 Gruppen pro variationsgeprägter Texteinheit als erreicht.) Die Erhaltung wenigstens der Elementenunterschiede — ineins der Variantenpolyvalenz — bedeutet freilich Elementeninhalte in einer Art und einem Ausmaß, wie sie nicht mehr innerhalb der Lexik, sondern nur syntaktisch-satzsemantisch noch zu leisten sind (Systemgrenze, vgl. Tanzszenenbeispiel infra 252). Wird diese Grenze überschritten und mißlingt die Verbalisierung der Inhaltsdifferentia, so wächst die Zahl der scheinbaren, weil verbalbedingten Mehrfachzugehörigkeiten (Grenze darstellbarer Einzelgruppenunterscheidung). Sind hingegen Differentia nicht auszumachen, so muß entweder das Element gelöscht werden, oder es wächst die Zahl von echten Mehrfachzugehörigkeiten (Grenze der Einzelgruppenunterschiede).

Diesen Relationen parallel geht eine weitere, in einem andersartigen Problem: Je höher die Zahl der Einzelgruppen und je geringer durchschnittlich ihr Bestand an Elementen, desto größer die Wahrscheinlichkeit hoher Werte konstanter Gruppennachbarschaften. Je höher dieser Wert, desto deutlicher der Hinweis darauf, daß eine Gruppe wohl in ihrer Elementenart, nicht aber in der Zahl ihrer Elemente adäquat erfaßt ist (an der Untergrenze evidenter Gruppengruppierung besteht dann umgekehrt die Gefahr, Gruppenteile für selbständig zu halten). Je vollständiger jedoch die Lösung des Problems, je kleiner also die Zahl und je größer der Umfang der so entstandenen Gruppen, desto näher die Obergrenze eines Umfangs, von der aus eine Gruppe für die Lösung von Gruppennachbarschaften nicht mehr in Betracht kommt (vgl. GZ infra 284ff.), desto näher gleichzeitig die Grenze möglicher Elementbestimmung: ihr müssen genügend Leerzonen erhalten bleiben.

Diese Unter- wie Obergrenzen, besser: recht verschwommenen Grenz- als Übergangsbereiche zwischen lexikalischem und Satzsystem, zwischen maximalen und minimalen Einzelgruppenunterschieden und -unterscheidungen und, drittens, der obre Grenzbereich möglicher Elementbestimmung und lösbarer Gruppierungsfragen, umschließen das Gebiet, in dem die dargebotenen 10 Gruppen festgestellt sind. Es ist ein Gebiet der offenen Fragen, das sich lediglich von außen und nur sehr grob umgrenzen läßt. Es fehlt an Kriterien, um systematisch jenen Punkt zu orten, an welchem die Entfernung von gleichzeitig allen diesen Grenzen qualitativ gleich groß ist. Das heißt, Koordinaten fehlen für den Ort des gemeinsamen Optimums an zugleich Lexik, Einzelgruppenunterschied und -unterscheidung, drittens Anzahl, Umfang und Vorkommenshäufigkeit als Maß selbständiger Einzelgruppenexistenz. Jede der 10 Gruppen, zuweilen sogar einzelne Teile innerhalb derselben Gruppe, sind in je verschiedener Entfernung von diesem postulierten Optimum gewonnen, und jede der Entfernungen ist Setzung, deren Grund nicht explizierbar ist. Die Ungleichmäßigkeit kann freilich einen Zweck erfüllen. Eine Darstellung der verschiedenen Lösungsstadien und

-möglichkeiten kann für zunächst wichtiger erachtet werden als eine gleichförmige, doch in jedem Fall gesetzte Lösung. Darum sind Gruppen an der Untergrenze des Gruppen- und Elementenstatus ebenso vermerkt wie einmal, im anderen Extrem, eine Gruppe (GZ) an der Obergrenze lösbarer Gruppen- und Elementbestimmung. Eine, so will es scheinen, vergleichsweise ausgewogene Mitte nehmen GB und GV ein, auch, fast schon im Übergangsbereich zu jeweils kleinst- und größtmöglichen Gruppierungen, GK bzw. GP.

4.2.4. Setzungsgrenzen

Daß die Setzung nicht zu willkürlich gerät, verhindern Anhaltspunkte:

4.2.4.1. Der Zugang zum Befund hält sich durch den Einstieg über Aufschlußwerte gleicher Lautung (ohne Homonyme) an den einzigen unmittelbar im Text selbst gegebenen Anhaltspunkt fürs Gruppenphänomen. Das Vorkommensrelief einer Gruppe ‚wandert' zwar im Verlauf der Arbeit, doch sind die Pro-Elemente$_1$ vorwiegend innerhalb der Dichtezonen aufzufinden.

4.2.4.2. Gruppen werden überhaupt erst sichtbar, wenn die Suche sich im Spielraum einer bestimmten Abstraktionsrichtung und zwischen bestimmten Ober-, Untergrenzen der Abstraktionshöhe hält.

Hierbei sei hingewiesen auf das größte anfängliche Hindernis auf dem Wege zum Befund.Teilverursacht durch den Einstieg über Aufschlußwerte gleicher Lautung, fällt der Unterschied zwischen der primären und einer Art von sekundären Variation über Variation nicht leicht auf, welche sich in ihrem vollen Umfang als Stammorphem-Variation (unter Einschluß polysemer und homonymer Stämme) über die eigentliche, die semantische Elementenvariation erweist, also als das, was man geläufig ‚Wortspiel' nennt. „Banknoten" werden sogleich „Noten" der Musik (A 103), „verdeckt" − als Verstecktsein wird „Hinterdeck" des Autos (P 27), „Anziehungskraft" „Kanzleikraft" (P 38),„Gang" als Korridor wird „Gang" der Angelegenheit und „Seegang" (P 90 f.) und „fröhliches Treiben" „Schneetreiben" und „vertrieben"-werden (S 412 f.). Durchschnittlich zieht ein jedes Element, zieht jede Gruppe einen Schweif solcher (in unserem Sinne) uneigentlichen Varianten nach sich, dergestalt, daß von einer sehr niedrigen Obergrenze des Gruppenumfangs an jedes Profil eingeebnet wird. Erst ein auf diese Weise mißlingender Versuch der Elementen- als Morphemfeldbildung macht den wesentlichen Unterschied zwischen den beiden Arten der Variation bewußt. (Das Phänomen der sekundären Variation ist so verbreitet, daß wahrscheinlich eine Zählung aller homographen Stammorpheme und die Berechnung des Anteils aller ihrer Vorkommen an der Gesamtzahl aller Wortvorkommen im Romanwerk ein im Vergleich mit einem anderen Dichter oder einer Norm erstaunliches Ergebnis zeigen würde.)

4.2.4.3. Wie werkimmanente Gegenproben zeigen (4.1.4), bleibt ein Optimalprofil, im zwei Romanen eruriert, über die weiten Strecken der Gruppenvarianz in einem weiteren Roman zum größten Teil erhalten. Die Erhaltenheit ist Hinweis darauf, daß Optimalprofil und Gruppe tatsächlich vorhanden und zum freilich ungewiß wie großen Teil erfaßt sind.

4.2.4.4. Vor allem ermöglicht ein Glücksfall der Belegbarkeit eine wenn auch ungefähre Gegenprobe.

Die logisch zirkuläre Interdependenz bei der Elementen- und Gruppenbestimmung ist innerhalb des Werks nicht aufzulösen, denn es müßte entweder Element oder Gruppe vorgegeben sein. Erst ein Rückgriff auf Belege außerhalb des Werks grenzt die Setzung — und zwar nicht nur in diesem Punkte — ein: GV war in der Gruppierung nicht erst zu bestimmen, sondern lag als Gruppe vor, deren Umfang, Inhalt und Profil das Romanwerk dann nurmehr geringfügig veränderte (vgl. Anhang V mit Anhang I: GV). GP, zuerst im Romanwerk extrahiert, wurde auf ebensolche Weise wenigstens zum Teil von außerhalb des Werks bestätigt (infra 69ff.). Generell erlauben beide Fälle die Überprüfung der Kriterien bei der Bestimmung (a) des In- und Extensionsspielraums der Elemente, (b) der Elementenart (Inhalte sinnlich-konkreter, nicht begrifflich-abstrakter Art) und (c) des Gruppenumfangs.

4.3. Textmaterial

„Nur die Treue zum Buchstaben, nicht das orientierte Verständnis wird einmal helfen", schrieb, wie zitiert, Adorno. Das „Prinzip der Wörtlichkeit" soll die Methode, wie des Dichters, so des Deuters sein.[73] Doch so zwingend das Werk Buchstabentreue gebietet und die Forschung sie fordert, so wenig läßt die Forderung sich ganz erfüllen, weil die sichere Textgrundlage fehlt.

73 Th. W. Adorno, l. c. p. 305 f.

Zum „Prozeß"-Text etwa — das Beispiel gelte abgewandelt für die anderen Romane[74] — vermerkt E. Marson im Vergleich, nicht mit der im Privatbesitz unzugänglichen Handschrift, sondern, indirekt, zwischen der für ihn manuskriptnäheren Erstausgabe (= S) von 1925 und der Ausgabe in den Gesammelten Werken (= G) von 1935 insgesamt 1. 778 Varianten, in der Mehrzahl solche der Hinzufügung von *e* in der Wortendung *-en*, der Zeichensetzung, Ausschreibung von Zahlen, Modernisierung der Rechtschreibung, Zusammen- und Getrenntschreibung u. dgl. Zu 118 Abweichungen notiert Marson indes, „daß fast alle Varianten in dieser Gruppe erhebliche Sinnverschiebungen im Romantext verursachen könnten"[75]. Etwa 30 von ihnen wären für die Elementbestimmung von Belang: z. B. S „Statue" zu G „Heiligenstatue", S „stöhnte" zu G „tönte", S „Bericht" zu G „Gericht" usf.

Das Problem löst sich durch Ausrichtung der Untersuchung auf das Gestaltungs- und Deutungs*prinzip*, durch, nicht den Verzicht auf Deutung der Einzelstelle, wohl aber den allen Einzeldeutungen grundsätzlich beizugebenden Vorbehalt, der Deutungsversuch sei intentionell methodisch und korrekt, sein konkretes Resultat hingegen Approximation.

Der Grad der Annäherung will trotzdem hoch erscheinen. Um den Befund der Gruppen zu verfälschen, hätte der Text bei der Herausgabe systematisch nach dem Prinzip der Elementenvariation verfälscht werden müssen. Nichts jedoch deutet darauf hin, daß der Herausgeber von dem Prinzip gewußt hat. Die Gefahr besteht nicht so sehr darin, daß er neue Varianten hinzugeschaffen, sondern eher darin, daß er unwissentlich vorhandene Varianten verändert und damit unterdrückt hat. Doch erst wenn die meisten Vorkommen eines Variantentyps gelöscht sind, wird die Bestimmung eines Elementes falsch, und es müßten die meisten Vorkommen der meisten Typen unterdrückt sein, um das Element zu löschen.

---

74 Cf. zur Problematik allgemein W. Emrich 5, l. c. p. 417ff.; G. Kaiser, l. c. p. 23f. — Zur Editionskritik schon F. Beißner 1, l. c. p. 44f. Cf. zu „Amerika" W. Jahn 2, l. c. p. 544ff.; K. Hermsdorf, l. c. p. 250ff., Anm. 4
75 E. Marson, l. c. p. 771

Man wird dennoch das Gruppenphänomen erst dann zufriedenstellend feinbeschreiben, es vor allem literaturwissenschaftlich erst dann in allen seinen Möglichkeiten auswerten können, wenn die kritische Romanausgabe vorliegt.

4.4. Untersuchung

Zwischen feldtheoretischer Leistungsstärke bei geringem Material und theoretisch anspruchsloser Untersuchung großer Mengen bleibt einer Arbeit keine Wahl, die ihre Prozedur (bei knapp zweieinhalbtausend Arbeitsstunden) auf 1030 Seiten und schätzungsweise 120.000 relevante Substanzwörter anzuwenden hat.

An eine maschinelle Lösung durch die LDV ist kaum zu denken. Einmal müßten zumindest zwei Romane ganz eingelesen werden, weil es nicht auf Stichprobenresultate zu Gruppierungsgraden ankommt, sondern auf bestimmte Gruppen und die bestimmten Stellen ihrer Vorkommen im Text. Zum andern müßte, weil Gruppe, Element und Variante auf die dargetane Art (4.2.3) sich wechselweise vielfältig bedingen und in je ihrer relativen Optimalität nicht programmierbar sind, die Feldbildung manuell so vorbereitet sein, daß in den erwähnten Spielraumgrenzen jede Möglichkeit der Feldart, der Abstraktionshöhe und -richtung u. a. genutzt ist.

Eine manuelle Durchführung ist andererseits kaum noch zu bewältigen, vor allem wegen der Gruppenzugehörigkeitsbestimmung und der Arbeit an der Optimierung der Profile. Zu welchen Graden der Genauigkeit die Gruppen eruiert sind, muß daher offen bleiben. Nicht einmal Irrtumswahrscheinlichkeiten lassen sich exakt angeben.

4.5. Der Befund als Interpretationsgrundlage

Die zur Methodik aufgeworfenen Fragen waren solche im Versuch an einer Quantifizierung. Sie blieben, wie nicht anders zu erwarten, ungelöst, und ihre Darstellung hatte nicht zum Ziel exakte Resultate, sondern die Beschreibung des Problems. Denn die Elementengruppen lassen sich als sprachliche und erst recht als literare Größen lediglich bewerten:

Erstens sind allgemein Gruppe wie Element innerhalb gewisser Grenzen unbestimmbar. Nur bewertet werden können auch, pro Einzelgruppe, die Stärken der Zuordnung unter den Varianten derselben Gruppe. Denn diese Stärken hängen von Faktoren ab, die in ihrer Gewichtigkeit gegeneinander aufzurechnen durchaus nicht möglich ist: Es sind Konstanzen jeweils von Reihenfolge, Zahl, Dichte, Nexus, Gleichheit bzw. Ähnlichkeiten der einzelnen Elementenvarianten, ferner von Abstand und Kontext der ganzen Gruppenvarianten.

Zweitens: Schon sprachlich erschöpft sich ein Lexem nicht darin, Variante eines Felds zu sein. Der Elementeninhalt ist nur Teil des Lexeminhalts, erfaßt ihn nicht in der Gesamtheit seiner Zugehörigkeit zu allen Feldern, und selbst ganz erfaßt ist das Lexem nur *eine* Qualität des Worts (infra 7). Dieses Wort ist wiederum in allen seinen Qualitäten nur Teil jenes Worts, das als ästhetische Einheit eines Kunstwerks u. a. Träger eines Werkinhaltes ist. Es kann nur unterstellt werden, daß der Elementeninhalt qualitativ bis in den Werkinhalt erhalten bleibt und, so erhalten, hinreicht, um eine Zuordnung der Werkinhalte auf der Grundlage der Gruppenvariation rechtfertigen zu können. Wie gewichtig dieser Teil ist, bleibt der Bewertung überlassen.

Und selbst abgesehn von beiderlei Bewertung: Die Erwägungen des Unterschiedes zwischen dem gesetzten und dem, so unterstellten wir, texteigenen Feld münden in die Unterscheidung zwischen der *Wirkung* des Variations- als Bauprinzips der Epik und dem Prinzip selbst. Das zugängliche Feld ist nie das Kafkas — dessen Individualität ist wortgetreu unteilbar, unmitteilbar —, sondern bestenfalls das Feld des Durchschnitts aller Leser. Darstellung der Variationskunst Kafkas meint daher: Deskription der Wirkung des Bauprinzips der Epik auf einen Durchschnittsleser, der Begriffsfelder zumindest unbewußt registriert.

5. ZUSAMMENFASSUNG UND NEUE FRAGEN

5.1. Der Text von etwa eintausend Seiten des Romanwerks besteht ungefähr zur Hälfte aus den Varianten gruppierter semantischer Konstanten. Dieser Bestand an — hier: zehn — sogenannten ‚Elementengruppen‘ ist von vergleichsweise geringer Menge und größtmöglicher Variationskraft. Der Zusammenhalt in jeder Gruppe unterliegt einer Konsequenz, nicht der Logik oder Empirie, sondern der Adhäsion. Allein die Elementennachbarschaft im Text hält sich konstant.

Jede Elementengruppe wird auf fünffache Weise variiert: Hochgradigen Spielwert haben erstens das Einzelelement in seiner lexikalischen

Bedeutung, seinem Geltungsbereich — der Spielraum reicht von beiläufiger Erwähnung bis zu kapitelbeherrschender Dominanz — und in seinem Mensch-, Tier-, Dingbezug, zweitens die Gruppe als Ganzes in der Reihenfolge und Verbindung unter ihren Elementen.

Im Verhältnis zwischen dem Element und seiner Variante gibt sich eine elementen- wie gruppenimmanente Konsequenz der Textwerdung, der epischen Weltgestaltung zu erkennen. Jede Variante ist textgenetisch folgerichtige Entfaltung einer in ihrem Element angelegten, überall stets gegenwärtigen Potenz. Darüber hinaus deutet, als spezifisch gruppenimmanente Konsequenz, das Prinzip eines Additionszwangs sich an: Fällt das Stichwort, läuft das (Unter-)Gruppenprogramm konsequent ab.

Die Variation der Elementengruppen weist Kafkas Werk als Variationskunst aus, im strengen Sinne einer Kunstart sui generis.

5.2 Wie kommt es zu diesem eigenartigen Befund von Elementen? Wie sind sie entstanden? Was hat sie gruppiert? Was und wieviel von ihrer Variation ist dem Stoff, ist der Gestaltung zuzurechnen? Sind die Elemente literarischer, sind sie natürlicher Abkunft? Und unbeschadet der stets primären Frage nach dichtungsspezifischen Sachverhalten: Wie steht es um die menschliche Bedeutsamkeit des Phänomens? Was bedeutet es für Kafka?

Selber nennt Kafka seine Romane ,,solche ,sogar' künstlerisch mißlungenen Arbeiten" (P 320). Sind sie demnach ,schon menschlich' mißlungen? Anders: Was hätte in ihnen oder durch sie menschlich gelingen sollen, überhaupt gelingen können?

II. BIOGRAPHIE UND DICHTUNG: DER GRIFF ZUM STOFF

Zu Elementenherkunft, -eigenart, -gruppierung sind zunächst verschiedene Klärungsmöglichkeiten denkbar, von Beliebigkeit der Auswahl bis zu Vorgegebenheit, von freiem Spiel bis zu naturnotwendigen Zwängen.

Ein Text von W. Benjamin, betitelt „Brezel, Feder, Pause, Klage Firlefanz", beginnt: „Dergleichen Wörter, ohne Bindung und Zusammenhang, sind Ausgangspunkte eines Spieles, das im Biedermaier hoch im Ansehen stand. Aufgabe eines jeden war, sie derart in einen bündigen Zusammenhang zu bringen, daß ihre Reihenfolge nicht verändert wurde. Je kürzer dieser war, je weniger vermittelnde Momente er enthielt, desto beachtenswerter war die Lösung. Zumal bei Kindern fördert dieses Spiel die schönsten Funde. Ihnen nämlich sind Wörter noch wie Höhlen, zwischen denen sie seltsame Verbindungswege kennen."[76] Spielt, bei freier Reihenfolge, Kafka solchein Spiel, wie man sich auch in seinem Fall die Möglichkeit dazu, zumal die Herkunft dieser ‚Wörter' denken mag?

Ein Nachweis von H. Binder zeigt, wie in Kafkas „Forschungen eines Hundes" zwar autobiographisches Material einging (Kafkas Erlebnis einer ostjüdischen Schauspieltruppe), dessen Einarbeitung aber erst durch Kafkas Lektüre von E. T. A. Hoffmanns „Nachricht von den neuesten Schicksalen des Hundes Berganza" ausgelöst wurde.[77] Binder weist zahlreiche, z. T. wörtliche Übereinstimmungen mit Hoffmanns Text nach. „Das hat Konsequenzen für Kafkas Realitätsbezug: Offenbar konnte er die Umsetzung der darzustellenden Gegebenheiten in Sprache (selbst im Falle eigener Erlebnisse) nur vermittels vorgeprägter sprachlicher Einheiten leisten. Sein Verhältnis zur Wirklichkeit war also gebrochen, literarisch."[78] — Bedient Kafka sich fremder literarischer

---

76 W. Benjamin 1, 1. c. p. 332f.
77 H. Binder 1, 1. c. p. 151ff.
78 ibid. p. 154

Vorlagen, deren Kernelemente er in Gruppen umspielt? Nutzt er gar eigene, etwa z. T. „Amerika"-Kap. 4 für „Prozeß"-Kap. 10? (Anhang IV)[79]

In diesem wie dem von Binder aufgezeigten Fall ist freilich gleich zu fragen nach dem Grund, nicht nur dem Resultat, der Beeindruckbarkeit. Wo liegt der Grund?

Ein Maßstab ist vonnöten, der zunächst entscheiden hilft, welcher Faktor bei Zustandekommen, Existenz der Gruppen *primär* den Ausschlag gibt: bewußtes Spiel und freie Gestaltung; literarischer Einfluß, auch Selbstbeeinflussung; innere Zwänge, Unbewußtes.

Ein Mittel ist gegeben: Kafkas Träume, in Briefen, Tagebüchern oft verzeichnet. Zwar ist in ihnen Gestaltung, überhaupt Bewußtsein nicht ganz aufgehoben – es sind *nachträgliche* Traum*aufzeichnungen*, nicht die Träume selbst –, doch ist es so gering wie möglich. Sind auch sie, wie die literarischen Texte, Varianten gruppierter Variablen, ist das Problem entschieden, denn es ist ausgeschlossen, daß Gruppenphänomen und Elemente zugleich innerer und zufällig, weil unabhängig davon, äußerer Herkunft sind.

1.1. Traum und Epik

Es gibt im ganzen etwa vierzig Träume. Zwölf, des Zeitraumes Oktober 1911 – Januar 1919, sind Varianten ein und derselben Gruppe. Die Homogonie ist evident (Anhang V).

Sieben Jahre träumt er fünfzehnmal den gleichen Traum. Genauer: Jeder Traum ist sicherlich auch eine, wie Altenhöner mit C. G. Jung dartut, „Selbstdarstellung der aktuellen Lage der Unbewußten in symbolischer Form".[80] Auch zeigen Briefe, Tagebücher, wie sehr der einzelne Traum geprägt ist von der Situation des Tages: Traum 1 von Kafkas Reisen im August, September (T 597 ff., bes. 614 f.), die Träume 2 und 3 von Theaterbesuchen dieser Zeit, 6 und 7 von Kafkas Braut Felice, Traum 10 vom Krieg. Doch die Aktualität der Lage, sei's des Tages, sei's des Unbewußten, ist keineswegs primär. Das Grundmuster, der eigentliche Kern des Traums ist überall die eine einzige

---

79 Zur dortigen Datierung cf. J. Born, L. Dietz u. a. (künftig zitiert ‚Symposion'), l. c. p. 63

80 F. Altenhöner, l. c. p. 40, cf. 26f.

Gruppe. Die Realia vom Tage, so heterogen sie sind, werden von ihr anverwandelt und insgeheim normiert.

Wichtiger noch ist, daß dieses Traumextrakt als Elementengruppe auch die Epik prägt. Als drittgrößte, als Gruppe VERKEHR prägt sie – unwesentlich verändert, weil kaum noch optimierbar – etwa jede fünfte Seite des gesamten und jede dritte des variationsgeprägten Textes der Romane; bruchstückhaft kommt sie schon 1904/05 im „Gespräch mit dem Betrunkenen" vor („Und die Häuschen, die oft . . ." bis „. . . nebligen Morgen wünscht." E 18 f.). Wichtig zugleich, daß sie sich in nichts von den Gruppen unterscheidet, die einzig und allein werkimmanent bestimmt sind. Denn diese Gleichgeartetheit läßt darauf schließen, daß der innere Ort aller Gruppen gleich tief anzusetzen ist: Jedenfalls bei der Gruppenvariation und damit für die Hälfte des Romanwerks schreibt Kafka dort, wo andere träumen. Schreibend und bei Bewußtsein erreicht er innere Ebenen, die anderswo, weil fürs Normalbewußtsein viel zu tief, allein kurz vor, zumeist im Schlaf zugänglich sind. „Ich brauche zu meinem Schreiben Abgeschiedenheit", schreibt er an Felice, „nicht ‚wie ein Einsiedler', das wäre nicht genug, sondern wie ein Toter. Schreiben in diesem Sinne ist ein tieferer Schlaf, also Tod, und so wie man einen Toten nicht aus seinem Grabe ziehen wird und kann, so auch mich nicht vom Schreibtisch in der Nacht." (F 412) Kafkas Zustand beim Schreiben wird sich nicht sehr unterschieden haben von seiner paradoxen Fähigkeit, wachen Sinns zu schlafen und zu träumen. „Schlaflose Nacht", schreibt er ins Tagebuch. „Schon die dritte in einer Reihe. Ich schlafe gut ein, nach einer Stunde aber wache ich auf, . . . bin vollständig wach, habe das Gefühl, gar nicht oder nur unter einer dünnen Haut geschlafen zu haben . . . Und von jetzt an bleibt es die ganze Nacht bis gegen fünf so, daß ich zwar schlafe, daß aber starke Träume mich gleichzeitig wach halten. *Neben mir schlafe ich förmlich*, während ich selbst mit Träumen mich herumschlagen muß . . . Kurz, ich verbringe die ganze Nacht in dem Zustand, in dem sich ein gesunder Mensch ein Weilchen lang vor dem eigentlichen Einschlafen befindet." (T 73 f.)

Zugleich erhellt, wie das noch immer strittige Verhältnis von Traum und Epik zu erklären sei:

Für Thomas Mann war Kafka „ein Träumer, und seine Dichtungen sind oft ganz und gar im Charakter des Traumes konzipiert und

gestaltet; sie ahmen die alogische und beklommene Narretei der Träume
. . . nach."[81] W. Haas ist überzeugt, „daß Kafka seine Werke mindestens
im Keime ‚träumte', das heißt, daß sein Genie funktionell, in seinem
spezifischen Traumrealismus, seiner spezifischen Traum-Dichte, seiner
Traum-Logik und sogar in seiner ganzen Architektur oder Textur
wesentlich in der Art eines ‚Traumes' arbeitete" (M 277). Für F.
Beißner blickt die „Verwandlung" „von ihrem ersten Satz an in die
traumhaft verzerrte Einsamkeit des erkrankten Helden", ist sie
„Wahnidee".[82] Adorno spricht von „aus den Träumen geschöpfter"
Wirklichkeit[83], von „Liquidation des Traums durch dessen Allgegenwart".[84]

Gegen Beißner macht I. Henel geltend, er leiste „falscher Auslegung"
Vorschub: „Er zitiert Kafkas Tagebucheintrag vom 6. August 1914:
‚Der Sinn für die Darstellung meines traumhaften innern Lebens hat
alles andere ins Nebensächliche gerückt' — eine Lieblingsstelle aller
Interpreten, die jedoch eher zu Mißverständnis als zu Verständnis
geführt hat. . . . Die Stelle bedeutet nicht, daß Kafka seine Träume . . .
wiedergegeben habe. . . . Kafka hat Träume einerseits zum Zweck der
Selbstanalyse aufgeschrieben, andrerseits, um sich einen Vorrat an
Bildern anzulegen, die er in seinen Werken zur Darstellung innerer
Vorgänge gebrauchen konnte. . . . Kafka war kein Träumer, wie Thomas
Mann behauptet."[85] (Von ‚Selbstanalyse' und ‚Bildervorrat' ist aller-
dings bei Kafka nie die Rede). Ähnlich verwahrt sich D. Hasselblatt
dagegen, „im Zusammenhang mit Kafkas Dichtung von quälend realer

81 Zitiert nach K. Wagenbach 2, l. c. p. 144 (ibid. zu Alfred Döblin)
82 F. Beißner 1, l. c. p. 36
83 Th. W. Adorno, l. c. p. 307
84 ibid. p. 327. — Im gleichen Sinne: ausführlich F. Altenhöner l. c.; ferner J.
A. Asher, l. c. p. 50f.; W. Baumgartner, l. c. p. 29ff.; W. A. Berendsohn, l. c. p. 630;
A. P. Foulkes 1, l. c. p. 57 ff.; Foulkes 2, l. c. p. 323 ff., 328; K. Gunvaldsen, l. c. p.
2, 12; H. P. Guth, l. c. p. 427; M. Hamburger, l. c. p. 162f.; N. Kassel, l. c. p. 30 ff.; T.
Komlovszki, l. c. p. 93; P. K. Kurz S. J., l. c. p. 434f.; E. Lachmann, l. c. p. 267f.;
E. Marson u. K. Leopold, l. c. p. 157ff.; F. Martini 1, l. c. p. 304f.; W. Muschg 2,
l. c. p. 106; Muschg 3, l. c. p. 105, 110, 113, 123; H. Pongs, l. c. p. 47ff.; F.
Schaufelberger, l. c. p. 37; W. H. Sokel 1, l. c. p. 11; Sokel 2, l. c. p. 4; W. Y. Tindall, l. c. p. 174ff.; F. Tramer, l. c. p. 252; B. v. Wiese 1, l. c. p. 233f.
85 I. Henel 2, l. c. p. 304

Phantastik, von Traum . . . zu sprechen.“[86] Kafkas Texte handelten „von nichts ‚Unwirklichem‘, ‚Traumhaftem‘“.[87]

Was aber bedeutet jene Stelle vom „traumhaften inneren Leben“? Warum nennt Kafka das „Urteil“ „Gespenst einer Nacht“ (J 54), den „Heizer“ „Erinnerung an einen Traum“ (J 53), die „Verwandlung“ „Traum“ (J 55)? Wie ist zwischen Traum und Epik die Kausalität auszuteilen?
Wie zwischen zwei Fassungen eines mittelalterlichen Texts, die, die eine auf die andere, jedoch auch beide auf eine verlorengegangene dritte, die Urfassung zurückgehen können. Kausalitätsverteilung bei zwei Größen hat eben drei, nicht zwei Möglichkeiten, und die dritte hat man bislang nicht beachtet. Die Gruppe VERKEHR ist solch ein ‚Urtext‘, Traum und Epik sind seine Fassungen. Sie sind verschwistert, zugleich jedoch, in so verschiedenem Medium, ganz passiv dort, aktiv gestaltend hier, mit Akribie zu unterscheiden.
Doch die zweite Frage: Was sind die Elemente? Woher stammen sie?

1.2. Erlebnis und Erlebnisdichtung

Selma Fraiberg verdankt die Forschung einen seither nicht nach Gebühr genutzten Hinweis. Sie verwies auf die Homogonie der sog. Pawlatsche-Episode (PE) und der Tagebuchskizzen vom 24. November 1913 „Traum gegen Morgen“ (= TM) und ‚Meßner-Kette‘ (= MK) — wir fügen hinzu „Die städtische Welt“ (= SW) vom 21. Februar 1911 und die Bürstner-Szene (= P) von „Prozeß“-Kap. 1 aus dem zweiten Halbjahr 1914[88] — und erklärte sie mit der Entstehung der Skizzen aus einem Kindheitserlebnis. In Kafkas „Brief an den Vater“ (Nov. 1919) heißt es zu den „Erziehungsmitteln in den allerersten Jahren“, d. h. bis etwa 1890:

„daß Du damals jünger, daher frischer, wilder, ursprünglicher, noch unbekümmerter warst als heute und daß Du außerdem ganz an das

---

86 D. Hasselblatt, l. c. p. 98
87 ibid. p. 78. — Zu gleichgearteter Kritik cf. I. Feuerlicht 2, l. c. p. 348; M. Bense 3, l. c. p. 91; H. Politzer 3, l. c. p. 11 f.; B. v. Wiese 2, l. c. p. 322
88 Zu weiteren Belegen cf. T 532 f. (21. 9. 1917): „Traum vom Vater“; und F 714 (1. 10. 1916): „Angsttraum“

Geschäft gebunden warst, kaum einmal des Tages Dich mir zeigen konntest und deshalb einen um so tieferen Eindruck auf mich machtest, der sich kaum je zur Gewöhnung verflachte. Direkt erinnere ich mich nur an einen Vorfall aus den ersten Jahren ... Ich winselte einmal in der Nacht immerfort um Wasser, gewiß nicht aus Durst, sondern wahrscheinlich teils um zu ärgern, teils um mich zu unterhalten. Nachdem einige starke Drohungen nicht geholfen hatten, nahmst Du mich aus dem Bett, trugst mich auf die Pawlatsche und ließest mich dort allein vor der geschlossenen Tür ein Weilchen im Hemd stehn. Ich will nicht sagen, daß das unrichtig war, vielleicht war damals die Nachtruhe auf andere Weise wirklich nicht zu verschaffen, ich will aber damit Deine Erziehungsmittel und ihre Wirkung auf mich charakterisieren. ... ich hatte einen inneren Schaden davon. Das für mich Selbstverständliche des sinnlosen Ums-Wasser-Bittens und das außerordentlich Schreckliche des Hinausgetragenwerdens konnte ich meiner Natur nach niemals in die richtige Verbindung bringen. Noch nach Jahren litt ich unter der quälenden Vorstellung, daß der riesige Mann, mein Vater, die letzte Instanz, fast ohne Grund kommen und mich in der Nacht aus dem Bett auf die Pawlatsche tragen konnte und daß ich also ein solches Nichts für ihn war." (H 166 f.)

„Noch nach Jahren litt ich unter der quälenden Vorstellung", noch nach Jahrzehnten, Kafka ist unterdes dreißig, bilden die Einzeleindrücke der Episode fast vollzählig Material und kompositorisches Gerüst von Träumen, Skizzen, Romankapiteln. Brod nennt die Episode „unauslöschlich".[89] Auf ihre Elemente hin geprüft zeigt sie sich so: (infra 69 ff.)[90].

Selma Fraiberg beschränkt sich zwar, im Gegensatz zu uns, auf nur drei kurze Texte, untersucht sie zudem nicht, wie wir, systematisch auf semantische Konstanz, greift auch nur wenige Einzelheiten auf: das ‚Kind' und den ‚Älteren', den ‚Bescheid' als ‚Störung', die ‚Gewaltanwendung' und ‚Vertreibung' hinter die geschlossene Tür. Der Beobachtung entgeht daher, daß das homogone Material umfangreicher und detaillierter ist schon beim Vergleich mit wenigen weiteren Texten,

89 M. Brod 2, l. c. p. 30
90 „Die städtische Welt" dabei aufgeteilt als SW 1 und 2 in das Geschehen um den Vater, dann um Franz.

DIE GRUPPE PAWLATSCHE

Elementennamen wie Anhang I: GP
Elemente in Auswahl

1 DUNKEL: MitterNACHT/trüber Tag:
PE „in der Nacht"/SW 1 „Winternachmittag mitten im Schneefall"/
TM „trüber Tag"/MK „elf Uhr nachts vorüber", „in der Nacht"/
P „halb zwölf vorüber" 34, „um Mitternacht" 35, „späte Nacht-
zeit" 38

2.1 ÄLTER/GRÖSSER: alter MANN (Frau) mit fleischigem Gesicht/
VATER (Mutter) 1.1 + RIESIG schwer/groß/hoch
PE „der riesige Mann, mein Vater"/SW 1 „Vater", „alter Mann",
„mit schwerem Fleischgesicht" (cf. T 216 „das riesige Gesicht aller
Verwandten von Vaters Seite") — 2 Oskar, „älterer" Student/TM
„Ich" (sc. Mann)/MK „der alte Kaufmann, ein riesiger Mann"/P
„ein Hauptmann" 40, später: „großer, etwa vierzigjähriger Mann mit
. . . fleischigem Gesicht" 100

3.1 EBEN/spät ANgeKOMMEN IM/ZU HAUSE
PE „ganz an das Geschäft gebunden", „kaum einmal des Tages", d.
i. noch nicht lange zu Hause/SW 1 „Heimweg", Oskar öffnet „die
Tür des elterlichen Wohnzimmers" — 2 Oskar, „in Franzens Wohnung
angekommen"/TM „vor kurzem angekommen"/MK „stieg . . . die
Stiege zu seiner Wohnung hinauf"/P „Bürstner, die gekommen war"
35; (Lanz, erst „seit gestern" im Hause? 40)

4.1 bald ESSEN/TRINKEN
PE „Ich winselte . . . um Wasser"/SW 1 bald „Abendessen" — 2
„nachtmahlen"/TM „Man soll gerade das Essen auftragen"/MK „füllte . . . ein Gläschen, trank"/P (fehlt)

5.1 BEI TISCH/sich zu(m) Tisch setzen/IN BETT/auf Kanapee/Ottoma-
ne sitzen/liegen/schlafen
PE Kind im „Bett" (Vater bei Tisch/im Bett?)/SW 1 Vater sitzt „an
einem leeren Tisch" — 2 Franz liegt auf dem „Kanapee"/TM „sitze
. . . beim langen Tisch"/MK im Bett, „an die hohen Kissen gelehnt"/
P Lanz „schläft" 40; Bürstner „saß auf der Ottomane" 38; K. „setzte
sich" hinter B. s „Nachttisch" 39; „lag K. in seinem Bett" 42

6.1 BESCHEID: Brief/Nachricht/Einfall/Neuigkeit/Mitteilung 2+ miß-/
UNVERSTANDEN/NICHT MITGETEILT /ungesagt /ungelesen /Geheimnis
PE „Ich winselte", „sinnloses Ums-Wasser-Bitten", „teils um zu ärgern, teils um mich zu unterhalten" (bleibt unverstanden)/SW 1 und 2 „Einfall", „Neuigkeit" (bleibt ungesagt)/TM „Brief" in „fremder Schrift", „sehr wichtig" (bleibt ungelesen)/MK „Mitteilung", „Nachricht" (bleibt ungesagt)/P „ein paar Worte mit Ihnen [sc. Bürstner] sprechen" 35, aber „worum es sich handelt", „das weiß ich selbst nicht" 38; „an sich keines Wortes wert", „Geheimnis", „uninteressant" 36

7 BESCHEID UNERWARTET/UNERWÜNSCHT/uninteressant/ungewollt/unnötig
PE (unerwünscht)/SW 1 „Geschwätz", „Lumperei", „Einfall einfach weggeblasen", „Schweig, ich will gar nichts wissen" — 2 „daß mich deine Neuigkeit sehr wenig interessiert"/TM „kann nicht der Brief sein, den ich erwarte"/MK „ich wüßte von keiner derartigen Nachricht, die ich zu bekommen hätte", „will keine Nachrichten haben. Jede Nachricht, die mir erspart bleibt, ist ein Gewinn"/P „muß es jetzt sein? Es ist ein wenig sonderbar" 35, „höchst unnötig" 38, „notwendig war es ja auch nicht" 39

8.1 JÜNGER/KLEINER: Kind/Sohn/junger Mann/Student
PE Kafka in „den ersten Jahren"/SW 1 „Sohn" Oskar, ein „Student" — 2 Franz, „ein schwacher Mensch", „wischte sich mit beiden kleinen Fingern die geschlossenen Augen aus"/TM „wahrscheinlich ein Kind"/MK „junger Mann", „Student", „wie Kinder"/P K., junger Mann, „in seiner Hilflosigkeit" 35

9 RUHESTÖRUNG: Den Älteren aufregen/ÄRGERN/REIZEN/RUHE des Schlafs, Alters u. ä. STÖREN/unruhig/rücksichtslos/laut/frech/unfolgsam/trotzig/winseln/murmeln
PE „Nachtruhe" stören, „teils um zu ärgern"/SW 1 Ruhe des Alters: Oskars „Lotterleben", „ärger als alle meine [sc. des Vaters] Krankheiten", kein „Trost des Alters"; „daß ich [sc. Oskar] dich lieber ärgerte" — 2 Ruhe des Schlafs: „es ärgert mich schon, wie wenig

Rücksicht du auf mich [sc. Franz] nimmst"/TM „Ich fange mit Begierde zu lesen an, da sieht mir . . . ein Kind über meinen Arm in den Brief"/MK „Gerade wollte er eine Zeitung zu lesen beginnen", da stört Kette „zudringlich", „wie Kinder"/P K. „im Vorzimmer . . . laut auf und ab" 34, „wir wecken ja alle" 35, K. s. „Schrei" stört Lanz, der „schläft" 40

10.1 des Älteren STARKE DROHUNG/WUT/BÖSEsein 2 an-/auf-SCHREIen/-RUFen
PE „einige starke Drohungen"/SW 1 „bleib . . . bei der Tür, ich habe nämlich eine solche Wut auf dich, daß ich meiner nicht sicher bin"; Vater „schrie", hat „dich doch angeschrien" — 2 (fehlt)/TM „Ich schreie: ‚Nein!'"/MK „trat mit dem Stock vor die Tür. ‚Schlagt mich nicht', sagte der Student . . . ‚Dann geht!' sagte Meßner"/P Lanz klopft „stark" an die Tür; K. s. „Schrei" 40

11 RUHEBEDÜRFTIG/MÜDE [impliziert seit 3]
PE tags „ganz an das Geschäft gebunden"/SW 1 „Ruhe befehle ich", „Ich bin ein alter Mann", „alle meine Krankheiten" — 2 Franz „schläft", „gestern Nachtdienst gehabt", „heute schon um meinen Mittagsschlaf gekommen"/TM im „Sanatorium", bei „Tisch", nach „Ausflug", beim „Lesen"/MK Meßner „alt", „mit einknickenden Knien", „stöhnend von der Anstrengung des Steigens", „elf Uhr nachts", im Bett beim „Lesen" der „Zeitung"/P Bürstner „zum Hinfallen müde" 35

12 NachtRUHE verSCHAFFEN/beRUHIGen/STILLE
PE „Nachtruhe . . . verschaffen"/SW 1 „‚Ruhe', schrie der Vater" — 2 (fehlt)/TM „Ich schreie: ‚Nein!'"/MK „endgültig Ruhe verschaffen"/P Lanz „klopfte" 40

13 AUFSTEHEN vom Tisch/Bett
PE (Vater?)/SW 1 Vater „stand auf" vom Tisch — 2 „Franz, aufstehn" vom Bett/TM (fehlt)/MK „werde aufstehn müssen", steht vom Bett auf/P K. „sprang" vom Tisch auf; K. und Bürstner stehn von der „Ottomane" auf 40

14 AUS DEM BETT/SCHLAF NEHMEN/reißen

PE „nahmst . . . mich aus dem Bett"/SW 1 (fehlt) — 2 Oskar faßt Franz, der auf dem „Kanapee" liegt, „vorn beim Rock und setzte ihn auf"/TM (als: aus dem Schlaf reißen?) „erwache ich unweigerlich, wie von meinem eigenen Schrei geweckt"/MK (fehlt)/P Aufseher „ruft, als ob er mich wecken müßte" 39; K. nötigt Bürstner, von der Ottomane aufzustehn; K. stört Lanz, der „schläft" 40

15 KÖRPERLICHE GEWALTANWENDUNG

PE „das außerordentlich Schreckliche des Hinausgetragenwerdens"/ SW 1 Oskar „schluckte an seinem Atem", „drehte den Kopf, als halte man ihn am Halse", „zuckte im Genick", „Du bohrst . . . in mich hinein", „daß du mein Ende richtig voraussagen kannst", „durchgehaut" — 2 Franz „rabiat vom Kanapee gerissen": „Also jetzt auf! Keine Widerrede."/TM „zwinge mich . . . mit Gewalt wieder in den Schlaf"/MK „faßte den Studenten bei seinem dünnen Überrock und schob ihn ein Stück fort", „daß ich den Jungen eigenhändig die Treppe hinunterwerfe", „trat mit dem Stock vor die Tür"/P „Anschein eines Überfalls" auf Bürstner, „sehr erschrecken" 35, „Wie Sie mich [sc. Bürstner] quälen" 40, „überfallen" 41, K. „lief vor, faßte sie", küßte sie „auf den Hals, wo die Gurgel ist, und dort ließ er die Lippen lange liegen" 42

16 TRAGEN/(bei) TISCH (Essen/Geschirr auf-/ab-) TRAGEN/an Tisch rücken/drücken

PE „trugst mich auf die Pawlatsche"/SW 1 Vater nahm „den Tisch mit beiden Händen und trug ihn" — 2 (fehlt)/TM „Man soll gerade das Essen auftragen"/MK (fehlt)/P Bürstners „Nachttisch": „K. stellte das Tischchen in die Mitte des Zimmers" 39

17.1 ALLEIN HINAUS/nach DRAUSSEN 1.1 VOR DIE/der GESCHLOSSENEn TÜR

PE „ließest mich dort allein vor der geschlossenen Tür . . . stehn"/ SW 1 „spazierengehen", „Ich werde gehen", draußen „Alleinsein" — 2 (fehlt)/TM (fehlt)/MK Student „draußen" vor „der geschlossenen Tür"/P K. allein vor Bürstners geschlossener Tür wartend 34; „lassen Sie mich [sc. Bürstner] allein" 42

18.1   IN   Hemd/DÜNNEM   Überrock/Schal u.ä.   ZITTERN/FRÖ-
STELN 1.1 vor KÄLTE/ANGST/SCHRECK
PE „in der Nacht" auf der Pawlatsche „ein Weilchen im Hemd stehn"/
SW 1 (fehlt) — 2 „die Glastür, die, als sei sie an einer empfindlichen
Stelle gefaßt, . . . erzitterte"/TM „Die Tafelrunde nervöser Leute
fängt zu zittern an"/MK Student, im „dünnen Überrock", wartete
seit „drei Stunden" im „dunklen", „kalten Flur"/P Bürstner „frö-
stelnd" im Vorzimmer 35

19.1.1+ VON NEBENAN/-raum her 1.2+ KLOPFEN an Tür/Tisch/
Wand 2 AN ([halbdurchsichtige]Matt-) GlasTÜR/Türschloß DRÜK-
KEN/FASSEN/schlagen
PE (fehlt)/SW 1 Vaters „Beklopfen der Tischplatte", Oskar „trat
auch ganz eng an den Tisch heran", „drängte . . . mit der Schulter
gegen die leicht aufgehende Tür, als habe er sich vorgenommen,
sie einzudrücken" — 2 „die Glastür . . . in seiner Hand erzitterte"/
TM (fehlt)/MK Student draußen vor der „vergitterten Glastür": „als
klopfte jemand leise an der Tür", „klopfte es wieder, und zwar ganz
leise und förmlich ganz unten an der Tür", „nun klopfte es stärker
und polterte geradezu gegen die Tür. Wie Kinder zum Spiel die
Schläge über die ganze Tür verteilen, so klopfte es, bald unten dumpf
ans Holz, bald oben hell ans Glas"/P Lanz „klopfte" an „die Tür des
Nebenzimmers", „einigemal, stark, kurz und regelmäßig" 40

20.1+ UNBEGREIFLICHen 2 SCHADEN/UNGLÜCK/Schlimmes AN-
GERICHTET/LEID/Qual/Not angetan/Sorgen/Gefahr bereitet [im-
pliziert seit 12]
PE „ich hatte einen inneren Schaden davon"/SW 1 „vielleicht noch
kein unmittelbares Leid" der Mutter, die „langsam zugrundegeht"
— 2 (fehlt)/TM „Ich habe wahrscheinlich ein Unglück angerichtet"/
MK (fehlt)/P „als füge man" K. „unermeßlichen Schaden zu" 39;
K. macht sich „für Fräulein Bürstner ernstliche Sorgen" 43

umfangreicher noch bei der Bestimmung dieser Gruppe im Romanwerk. Doch immerhin ist ein erster Hinweis auf derartige Konstanz gegeben, erstmals auch belegt, daß ein und dieselbe Menge von Konstanten zweifach — in Traum und Epik — existieren kann, zugleich ein terminus a quo entdeckt, der uns die maximale Lebensdauer einer Gruppe sichtbar macht: Die Gruppe PAWLATSCHE bleibt nachweislich von Kafkas Kindheit bis ans Ende seines Lebens, von etwa 1890 bis ins „Schloß" erhalten, erscheint auch, einmal noch, am Ende als ein Traum. Der Brief an Milena, der diesen Traum enthält, stammt aus dem ersten Halbjahr 1920 (ab April). Die Gruppe ist im ganzen noch nach drei Jahrzehnten unversehrt, so wirksam wie in „allerersten Jahren", erhaben über jede Korrosion, der Zeit enthoben, der Entwicklung:

„Es war in Wien, . . . gegen Abend [1], naß, dunkel [1], ein unkenntlich großer Verkehr: das Haus, in dem ich wohnte, trennte eine lange viereckige öffentliche Gartenanlage [27.2.1] von dem Deinen. Ich war plötzlich nach Wien gekommen [3.1], hatte eigene Briefe [6.1] überholt, die noch auf dem Weg zu Dir waren (das schmerzte [20.2] mich später besonders) [6.2]. Immerhin warst Du verständigt und ich sollte Dich treffen. Glücklicherweise (ich hatte aber dabei gleichzeitig auch das Gefühl des Lästigen [9]) war ich nicht allein, eine kleine Gesellschaft, auch ein Mädchen, glaube ich [27.4], war bei mir, . . . sie galten mir gewissermaßen als meine Sekundanten [23]. Wären sie nur ruhig gewesen [11], sie redeten aber immerfort, wahrscheinlich über meine Angelegenheit, mit einander, ich hörte nur ihr nervös machendes Murmeln [9], verstand aber nichts [6.2] und wollte auch nichts verstehn [7]. Ich stand rechts von meinem Haus auf dem Trottoirrand und beobachtete Deines [17.1]. Es war eine niedrige Villa mit einer . . . Loggia [17.2] vorn in der Höhe des Erdgeschosses. Nun war es plötzlich Frühstückszeit [4.1], in der Loggia war der Tisch gedeckt [16], ich sah von der Ferne, wie Dein Mann [2.1] kam [3.1], sich in einen Rohrstuhl rechts setzte [5.1], noch verschlafen war [11;14] und mit ausgebreiteten Armen sich streckte. Dann kamst Du [3.1] und setztest Dich hinter den Tisch [5.1], so daß man Dich voll sehen konnte. Genau allerdings nicht, es war so weit, die Umrisse Deines Mannes sah man viel bestimmter, ich weiß nicht warum, Du bliebst nur etwas Bläulich-Weißes, Fließendes, Geisterhaftes [27.4] . . . Kurz darauf, nun war aber wieder der frühere Abend [1], warst Du auf der Gasse bei mir, . . . und nun begann ein unsinnig schnelles kurzsätziges Gespräch [6.1] ... Nacherzählen kann ich es nicht [6.2], ich weiß eigentlich nur die zwei ersten und die zwei letzten Sätze, das Mittelstück war eine einzige, näher nicht mitteilbare [6.2] Qual [20.2]. Ich sagte ...: ‚Du hast mich Dir anders vorgestellt‘ [2.2], Du antwortest: ‚Wenn ich aufrichtig sein soll, ich dachte, Du wärest fescher‘ [8.2?] ... nun begannen die Verhandlungen wegen eines Wiedersehns, allerunbestimmteste [6.2] Ausdrücke [6.1] auf Deiner Seite, unaufhörlich drängende Fragen auf meiner [9?]. Jetzt griff meine Begleitung ein, man erzeugte die Meinung, daß ich nach Wien auch deshalb gekommen sei, um eine landwirtschaftliche Schule in der Nähe Wiens zu besuchen [26], ... offenbar wollte man mich aus Barmherzigkeit fortschaffen [12]. Ich durchschaute es, ging aber doch mit zur Bahn, wahrscheinlich weil ich hoffte, daß so ernsthafte Abfahrts-Absichten auf Dich Eindruck machen würden ... Wir standen vor den großen Fahrplänen, immerfort lief man mit den Fingern die Stationennamen ab [5.2] ... Du warst Dir ziemlich unähnlich [2.2], jedenfalls viel dunkler, mageres Gesicht, mit runden Wangen hätte man auch nicht so grausam sein können [15]. ... Dein Anzug war merkwürdiger Weise ... sehr männlich [2.1] ...; es war Dir bis zur Widerlichkeit [9] unbegreiflich [20.1], wie ich annehmen konnte, daß Du Sonntag für mich Zeit haben könntest ... Schließlich fragte ich: ‚Soll ich vielleicht den ganzen Tag warten? ‘ [aus 21] – ‚Ja‘, sagtest Du ... ‚Ich werde nicht warten‘, sagte ich leise, und da ... es doch mein letzter Trumpf war, schrie ich es Dir verzweifelt nach [10.2]. Aber Dir war es gleichgültig, Du kümmertest Dich nicht mehr darum [15]. Ich wankte [27.4] irgendwie in die Stadt zurück [20.2].“ (M 58 ff.)

Im „Brief an den Vater“ ist einmal von „Bemerkungen“ die Rede, „die in meinem Gehirn förmlich Furchen gezogen haben müssen“. (H 183) Und im „Prozeß“: „Einzelheiten drückten sich ihm mit schmerzlicher Deutlichkeit immer wieder ins Hirn, ein Ausländer zum Beispiel“ ließ sich „unaufhörlich von K. bestaunen. Gebückt umschlich ihn K. und staunte ihn mit angestrengt aufgerissenen Augen an. Er kannte alle Zeichnungen der Spitzen, alle fehlerhaften Fransen, alle Schwingungen des Röckchens und hatte sich doch nicht satt gesehen. Oder vielmehr, er hatte sich schon längst satt gesehen, oder, noch richtiger, er hatte es niemals ansehen wollen, aber es ließ ihn nicht.“ (P 293)

Einzelheiten graben sich „schmerzlich" ein, „drücken" sich „ins Hirn". Druckmuster bilden sich, Ein-Drücke im Sinne des Wortes schreiben, gravieren, kerben, prägen sich ein. Für ‚eingekerbtes, eingeprägtes (Schrift-)Zeichen' — des Erfahrens, Erlebens — verwendet man das Wort ‚Charakter', als Gepräge, deshalb, geprägt und prägend, Eigen-, Sinnes-, Wesensart. Das will sagen:

Die Elemente des epischen Spiels sind, ursprünglich und stofflich, die konstitutiven Bestandteile eines Charakters, verstanden im Wortsinn: als Summe von Gruppen von Engrammen, Inschriften, als buchstäbliche Bio-graphie, als Summe der Signaturen des Lebens, der Erlebnisgravuren. In diesem Sinn sind Kafkas Werke alle biographisch. Oder anders: Die gruppierten Variablen sind Rückstand ein für allemal charakterisierender Vorfälle. Die Einzelgruppen sind je als Aufprallfeld derjenigen Eindrucksmenge unauslöschlich, aus welcher ein Erlebnis insgesamt besteht. Das erklärt ihre langlebige, jahrzehnte-, ja lebenslang unveränderte Gültigkeit. Sie sind integrierte Bestandteile der geprägten Person.

Mithin: Kafkas Werk ist eine Erlebnisdichtung eigener Art — eigenartig, insofern primär orientiert, nicht an den je verschiedenen Erlebnissen vom Tage, sondern an deren je ein und selben Determinanten. Fixpunkt sind die frühen Gründe späterer Erlebbarkeit, das heißt, die Elemente. Konkret: Wenn es im Tagebuch vom 19. April 1916 unvermittelt heißt:

„Er wollte die Tür zum Gang öffnen, aber sie widerstand. Er blickte hinauf, hinunter, das Hindernis war nicht zu finden. Auch versperrt war die Tür nicht, der Schlüssel steckte innen, hätte man von außen zuzusperren versucht, wäre der Schlüssel herausgestoßen worden. Und wer hätte denn zusperren sollen? Er stieß mit dem Knie gegen die Tür, das Mattglas erklang, aber die Tür blieb fest. Sieh nur. Er ging ins Zimmer zurück, trat auf den Balkon und blickte auf die Straße hinab. Er hatte aber das gewöhnliche Nachmittagsleben unten noch nicht mit einem Gedanken erfaßt, als er wieder zur Tür zurückkehrte und nochmals zu öffnen versuchte. Aber nun war es kein Versuch, die Tür öffnete sich sogleich, es bedurfte kaum eines Druckes, vor dem Luftzug, der vom Balkon her strich, flog sie geradezu auf; mühelos wie ein Kind, das man zum Scherz die Klinke berühren läßt, während ein Größerer sie in Wirklichkeit niederdrückt, erlangte er den Eintritt in den Gang" (T 491), so bedarf es der Faktoren, die das hinzugehörige Ereignis erlebbar, das Erlebnis dieses Tages möglich machen. Es ist determiniert von den, in diesem Fall, GP-Elementen 19.1 und 2; 20.1; 17.2; 8.1; 2.1. *Sie* stehen im Vordergrund, wenn in allem Wandel der immer wieder variierten Textwelt einzig sie dieselben bleiben, Fixpunkte, Haltepunkte des Geschehens.

Entweder hat es derartige Erlebnisdichtung vor Kafka nicht gegeben, oder die Wissenschaft hat sie noch nicht erkannt. So oder so neu ist jedenfalls die äußerste Entfernung einer Elementengruppe von dem zugehörigen Ereignis- und Erlebnis*ganzen*, dessen Eigenart, Gehalt. Im „Prozeß" ziehen „schwarz angezogene" Männer von der Leibesmitte her, „aus einer Scheide, die an einem um die Weste gespannten Gürtel hing, ein langes ... Fleischermesser" und stoßen es dem „schwarz angezogenen" K., der unter ihnen den noch freien Hals „dreht" (anderwärts „wälzen" sich die Opfer), tief in den Leib, drehen es dort zweimal (P 266, 271 f.); in „Amerika" sitzt man beim Essen über „schwarzen" Broten, sie haben eine „walzenartige Form", „in jedem Brotlaib steckte ein langes Messer", man ißt dazu „fast rohes Fleisch", das man „mit Messer und Gabel nicht zerschneiden, sondern nur zerreißen" kann (A 127). Was war das ursprüngliche Ereignis, das Erlebnis? Schwarze Brote? Schwarze Männer? Messer vom oder im (sich wälzenden) Leib oder walzenartigen Laib? Realiter kann es nur eins gewesen sein, und gewohnte Erlebnisdichtung hätte sich, ereignisnah, ans eine oder andere gehalten.

Erlebnisdichtung, im Doppelsinne von Erlebnisdarstellung und Darstellung als Erlebnis: Kafka selbst faßt es so auf. Seine „Stücke", schreibt er an Max Brod, „bedeuten für mich wesentlich gar nichts, ich respektiere nur den Augenblick, in dem ich sie geschrieben habe" (Br 191). „Das ist ein großes Glück", sagt er zu Janouch, „wenn man die innere Bewegung so glatt nach außen stoßen kann ... Das Geschriebene ist ja nur Schlacke des Erlebnisses." (J 67) Und ebendort: „Die Materie muß durch den Geist bearbeitet werden. Was ist das? Das ist das Erleben, nichts als das Erleben und Bewältigen des Erlebten. Darauf kommt es an." (J 215)

Es ist das Selbstverständnis eines Schaffens, das sich vom Innern her begreift, als „äußerste Hingabe" an die „Tiefe", als „Aufreißen" seiner selbst. Schon vor dem „Durchbruch"[91] heißt es: Ich glaube, diese

91 Cf. M 214: „damals [sc. bei der Niederschrift des ‚Urteils' in der Nacht vom 22. zum 23. 9. 1912] brach die Wunde zum erstenmal auf in einer langen Nacht".

Schlaflosigkeit kommt nur daher, daß ich schreibe . . ., ich werde doch durch diese kleinen Erschütterungen empfindlich, spüre besonders gegen Abend und noch mehr am Morgen das Wehen, die nahe Möglichkeit großer, mich aufreißender Zustände, die mich zu allem fähig machen könnten" (T 74 f.: 1911). Oder: „Ich habe . . . ein großes Verlangen, meinen ganz bangen Zustand ganz aus mir herauszuschreiben und ebenso wie er aus der Tiefe kommt, in die Tiefe des Papiers hinein . . . niederzuschreiben" (T 185: 1911). Und danach, zum „Urteil": *Nur so kann geschrieben werden, nur in einem solchen Zusammenhang, mit solcher vollständigen Öffnung des Leibes und der Seele"* (T 294: 1912); „die Geschichte ist wie eine regelrechte Geburt mit Schmutz und Schleim bedeckt aus mir herausgekommen" (T 296: 1913). Über die „Verwandlung" schreibt er an Felice: „Wärest Du doch nicht in der Höhe, wie es leider wirklich ist, sondern da bei mir in der Tiefe" (F 116), „ekelhaft" sei die Geschichte, „und solche Dinge, siehst Du, kommen aus dem gleichen Herzen, in dem Du wohnst . . ., je mehr ich schreibe und je mehr ich mich befreie, desto reiner und würdiger werde ich vielleicht für Dich, aber sicher ist noch vieles aus mir hinauszuwerfen" (F 117: 1912). Und entschiedener noch: „Schreiben heißt ja sich öffnen bis zum Übermaß; die äußerste Offenherzigkeit und Hingabe, in der sich ein Mensch im menschlichen Verkehr schon zu verlieren glaubt und vor der er also, solange er bei Sinnen ist, immer zurückscheuen wird — denn leben will jeder, solange er lebt — diese Offenherzigkeit und Hingabe genügt zum Schreiben bei weitem nicht. Was von dieser Oberfläche ins Schreiben hinübergenommen wird — wenn es nicht anders geht und die tiefern Quellen schweigen — ist nichts und fällt in dem Augenblick zusammen, in dem ein wahres Gefühl diesen obern Boden zum Schwanken bringt." Deshalb: „die beste Lebensweise für mich wäre, mit Schreibzeug und einer Lampe im innersten Raum eines ausgedehnten, abgesperrten Kellers zu sein . . . Was ich dann schreiben würde! Aus welchen Tiefen ich es hervorreißen würde!" (F 250: 1913) — „denn Schreiben hat das Schwergewicht in der Tiefe" (F 412 f.: 1913). Und es hat seinen Preis; er ist sich „bewußt, auf was für einem schwachen oder gar nicht vorhandenen Boden ich lebe, über einem Dunkel, aus dem die dunkle Gewalt nach ihrem Willen hervorkommt und, ohne sich an mein Stottern zu kehren, mein Leben zerstört . . . Das Schreiben ist ein süßer wunderbarer Lohn, aber wofür? In der Nacht war es mir mit der Deutlichkeit kindlichen

Anschauungsunterrichtes klar, daß es der Lohn für Teufelsdienst ist. Dieses Hinabgehen zu den dunklen Mächten, diese Entfesselung von Natur aus gebundener Geister, fragwürdige Umarmungen und was alles noch unten vor sich gehen mag, von dem man oben nichts mehr weiß, wenn man im Sonnenlicht Geschichten schreibt. Vielleicht gibt es auch anderes Schreiben, ich kenne nur dieses; in der Nacht, wenn mich die Angst nicht schlafen läßt, kenne ich nur dieses." (Br 384: 1922)

J. Born legt hierzu dar: „Kafka beurteilte den Wert seiner Dichtungen, so will es scheinen, auch in späteren Jahren weitgehend nach der Art und Weise ihres Entstehens. Verhältnismäßige Zufriedenheit empfand er fast nur jenen Arbeiten gegenüber, die auf die ihm gemäße Art des Schaffens, ‚im Feuer zusammenhängender Stunden' [vid. F 153: 1912], entstanden waren." Born verweist in diesem Zusammenhang auf ähnliche Erwägungen Helmut Richters, „der mit Recht die Abhängigkeit des Kafkaschen Schaffens von der ‚Intensität der Erfahrung' hervorhebt".[92]

Freilich sei bedacht, daß Kafka nie expressis verbis von — hier so genannten — Elementengruppen spricht. Wohl heißt es, in bezeichnender Verbindung (wiewohl auch Unterscheidung) von Biographie und Traum: „Meinem Verlangen, eine Selbstbiographie zu schreiben, würde ich jedenfalls in dem Augenblick, der mich vom Bureau befreite, sofort nachkommen ... Dann aber wäre das Schreiben der Selbstbiographie eine große Freude, da es so leicht vor sich ginge wie die Niederschrift von Träumen und doch ein ganz anderes, großes, mich für immer beeinflussendes Ergebnis hätte" (T 194 f.). Und an anderer Stelle, nicht minder aufschlußreich in der Verbindung zu „möglichst kleinen Teilen", zugleich als Hinweis auf die insgeheime Interdependenz von Biographie und Dichtung: „Das Schreiben versagt sich mir. Daher [sic!] der Plan der selbstbiographischen Untersuchungen. Nicht Biographie, sondern Untersuchung und Auffindung möglichst kleiner Bestandteile. Daraus will ich mich dann aufbauen, so wie einer, dessen Haus unsicher ist, daneben ein sicheres aufbauen will, womöglich aus dem Material des

---

92 J. Born 2, l. c. p. 188, Anm. 3 (cf. H. Richter 1, l. c. p. 336 f., Anm. 12). — Zu diesem Aspekt besonders ausführlich J. Born 4, l. c.; cf. ferner J. M. Pasley 1, l. c. p. 44

alten." (H 388) — Jedoch: von Erlebnisgravuren, -signaturen ist weder in dieser noch in anderer Weise je die Rede; nirgends ein ausdrücklicher Hinweis auf die Homogonie seiner Träume; nirgends ist gesagt, daß er des Gruppenphänomens bewußt gewesen sei.

Und zweitens: Die Möglichkeit, die Erlebnisgrundlage jeder einzelnen Gruppe autobiographisch aufzuweisen, ist gering. Die Beweislage ist mißlich. Von selbstbezeugten Erlebnissen — aus der Kindheit — liegen kaum zwanzig Seiten vor, gut drei davon sind nicht von Kafka selbst notiert (Janouch teilt sie mit) und daher nur bedingt verwertbar, denn hier kommt es auf Kafkas Wortwahl an. Auch sind es, erheblicher als bei den oft am selben Tag notierten Träumen, nicht die Erlebnisse selbst — aus der Zeit vom wahrscheinlich vierten, fünften bis zum zwölften, dreizehnten Lebensjahr —, sondern deren sehr viel spätere Niederschrift, oft erst von 1919 an, zwanzig, dreißig Jahre später. Manche Erlebnisse mögen zudem bewußt nicht aufgezeichnet, ihre Aufzeichnungen vernichtet worden sein. Dergleichen mindert die Belegbarkeit. So ist die Gruppe VERKEHR nicht zu belegen, sie bleibt Extrakt von Träumen (wenngleich die Vorkommen der Gruppe PAWLATSCHE beweisen, daß ein Erlebnis lebenslange Träume schafft und daher auch, im Umkehrschluß, GV auf einem freilich unzugänglichen Erlebnis gründet).

Von allen Gruppen ist allein für die Gruppe PAWLATSCHE eine Entstehung aus einem besonderen Erlebnis nachweisbar. Doch selbst gesetzt den nichtgegebenen Fall, daß jeder Nachweis biographischer Begründetheit unmöglich wäre: Der Quantität jahrzehntelanger Existenz der Gruppen muß schlechterdings die Qualität einer Prägekraft entsprechen, die gar nicht anders denkbar ist denn als Erlebnisprägung der beschriebenen Art. Und drittens: Auch die wesentlichen Eigenschaften aller Elementengruppen weisen auf denselben Weg. Wir wissen, daß Element wie Gruppe, soweit zu sehen, unbegrenzt variabel sind. Der Grund für diese Variabilität ist ein zusätzlicher Aufweis der Entstehung nicht nur im Erlebnis allgemein, sondern spezifischer noch in jener schockartigen Erlebnisform, zu der allein die Kindheit normal prädisponiert und für die bereits das Pawlatsche-Erlebnis des jungen Kafka Musterbeispiel war. Noch einmal sein Bericht:

Ein erlebnisbewältigendes Bewußtsein hätte die Einzeleindrücke der Episode in richtigem Zusammenhang sehen und erkennen können, etwa daß die Reizbarkeit des Vaters zu relativieren sei, das Hinaustragen sich weder gegen Bedürfnis noch gar Existenz des Kindes richte, vielmehr der dringend benötigten Nachtruhe diene u. dgl., aber dieser Nexus hat nie bestanden. Statt seiner stellt sich ein „beherrschendes Gefühl der Nichtigkeit" ein, die „quälende Vorstellung, daß der riesige Mann, mein Vater, . . . fast ohne Grund [sic!] kommen und mich in der Nacht aus dem Bett auf die Pawlatsche tragen konnte und daß ich also ein solches Nichts für ihn war." Denn „das für mich Selbstverständliche des Ums-Wasser-Bittens und das außerordentlich Schreckliche des Hinausgetragenwerdens konnte ich meiner Natur nach niemals in die richtige Verbindung bringen." Selbst spätere, nach Jahrzehnten versuchte „richtige Verbindungen" mißlingen in bloßer Mutmaßung: „Ich will nicht sagen, daß das unrichtig war"; „wahrscheinlich" war das Bedürfnis des Kindes nicht wichtig; „vielleicht" war die Nachtruhe nicht anders zu verschaffen. Allein Einzelheiten drücken sich mit schmerzlicher Deutlichkeit ins Hirn. Das Erlebnis prägt sich auf als bloße Gruppe von Einzeleindrücken, für deren akausalen Zusammenhalt sich nie „die richtige Verbindung", sondern allemal nur erlebnisbedingte Adhäsion geltend macht.

Adhäsion statt Kausalität; Lokalität statt Logik. Begriffenheit hätte der amorphen Menge Form, der Summe Gestalt verliehen. Das Gepräge wäre Gefüge, geschlossenes Ganzes, von eindeutigem Sinn. Bedeutung, Geltungsbereich und Nexus wären fest. Doch welchem Element kommt Ursächlichkeit zu? Dem „Winseln" oder dem „Kind"? Der Tatsache, daß es „Nacht" war? Geschieht das „Schreckliche", weil der Mann „riesig", weil er „Mann", weil er „mein Vater" war? Jeder Nexus ist möglich, jeder verändert Bedeutung und Geltungsbereich.

Labilität in Bedeutung, Nexus, Geltungsbereich aber bedeutet, positiv, Variabilität: Die Elemente der Gruppe PAWLATSCHE schwanken zwischen dunkler Nacht und trübem Tag (1), altem und etwa vierzig- bzw. dreißigjährigem Mann (2.1), Essen und Trinken (4.1), Tisch und Bett (5.1), Kind und jungem Mann (8.1), Rekonvaleszenz, Schlafen, Essen, Lesen (11). Das grundlegende semantische Merkmal — im vorigen: ‚dunkler', ‚älter', ‚sich stärken', ‚Ruhe', ‚jünger' — läßt Raum für oft reiche Modifikation: für Element 11 ist das Ruhebedürfnis begründet mit anstrengender Arbeit (PE, SW 2, MK), Alter (SW 1, MK), Krankheit (SW 1, TM), Hunger (TM), Müdigkeit nach langem Tag (PE, MK, P), Ausflug (TM), Theaterbesuch (P) —, Spielraum auch in der Elementenverbindung: die Ruhestörung des Jüngeren (9) und die

Drohung des schreienden Älteren (10) vereinen sich in Josef K.s Schrei; das sonst eigene Zittern (18.1) verbindet sich (SW 2) mit der Tür (19); Tür, Tisch, Klopfen und Drücken (19) gehen freie Bindungen ein.

Das Beispiel ist typisch. Auf nämliche Weise dokumentieren alle Gruppen, da alle höchst variabel, durchgängige Unbegriffenheit erlebter, nicht aber bewältigter Ereignisse.

So führt auf drei verschiedenen Wegen die Frage nach der Entstehung der Elementengruppen in die Kindheit.

1.3. Kindheit und Kindlichkeit

„Zumal bei Kindern", so wurde Benjamin zitiert, „fördert dieses Spiel die schönsten Funde. Ihnen nämlich sind Wörter noch wie Höhlen, zwischen denen sie seltsame Verbindungswege kennen." — Kindheit, Kindlichkeit, kaum ein Thema — die Wunde, die Verwundung ausgenommen — , das Kafka, seine Freunde, zum Teil auch die ihn kannten, deuten, häufiger erwähnten[93]. Dorthin führe, so Adorno, die „Verwandlung": „Was wird aus einem Menschen, der eine Wanze ist, so groß wie ein Mensch? So groß aber müßten einem Kind die Erwachsenen aussehen und so verschoben, mit riesigen, zertretenden Beinen und fernen, winzigen Köpfen, wenn der kindliche Blick des Schreckens ganz isoliert, festgebannt würde." Oder: „Ein ganzes Leben reicht bei Kafka nicht aus, um ins nächste Dorf zu kommen, und das Schiff des Heizers, das Wirtshaus des Landvermessers sind von so unmäßigen Dimensionen, wie nur in verschollener Frühe dem Menschen das von Menschen Gemachte dünkt. Der so blicken will, muß sich ins Kind verwandeln und vieles vergessen."[94] H. Binder sieht vorformende Erlebnisse als „Keimzellen" der aktuellen Erlebnis- und Erzählsituation: „Man muß annehmen, daß längst vorhandene seelische Strukturen durch das augenblickliche Leid Kafkas . . . konstelliert wurden."[95] Und K. Wagenbach hält gegen jeden Einwand, der derlei „Realien so nebenbei als ‚vermeintlich' erklärt"[96], an der Überzeugung fest, die „Beschreibung der Realien" zum „Schloß" habe mit der des Dorfes

---

93 Cf. u. a. M. Hamburger, 1. c. p. 160; W. Muschg 3, 1. c. p. 114; W. H. Sokel 2, 1. c. p. 15, 19
94 Th. W. Adorno, l. c. p. 317 et passim
95 H. Binder 2, l. c. p. 412
96 Symposion, p. 180

Woßek zu beginnen[97], Wohnort der väterlichen Vorfahren, zuletzt des Großvaters väterlicherseits. „Kafka kannte mit Sicherheit Woßek, wahrscheinlich schon von Besuchen des Großvaters her, gewiß aber sah er es anläßlich des Begräbnisses [sc. nach dem 10. 12. 1889], damals sechseinhalb Jahre alt, Schüler der Prager Deutschen Volksschule am Fleischmarkt."[98] Damals erlebe er Dorf und Schloß, „kompliziert für einen Volksschüler der ersten Klasse, ein Stadtkind, fremd, zudem mit kindlicher Perspektive und kindlichem Maßstab, dem kleinere geographische Umständlichkeiten zu riesigen Entfernungen sich verschieben"[99], vorbereitet durch „Bemerkungen" des Vaters, die „in meinem Gehirn förmlich Furchen gezogen haben müssen" (H 183) und die, nach Wagenbach, für „den knapp vierzigjährigen . . . noch fast ein Trauma sind"[100]. Was bedeutet das fürs „Schloß"? „Ein Vierzigjähriger erinnert sich . . . Ein Vierzigjähriger versucht, einen Traum, eine Geschichte, eine Erinnerung zu vermessen.[101]

Kafka, so Wagenbach, sei „äußerlich und innerlich stets ‚juvenil'" geblieben[102]; „knabenhaft"[103], von „ephebenhaftem Aussehen" (Br 506), wie ein „stiller, vergnügter Junge" (J 53), so Otto Pick, Max Brod und Janouch, die ihn kannten. Den Kollegen der Arbeiter-Unfall-Versicherung war er „unser Amtskind"[104]. 1911, so Kafka selbst, hält man ihn für „fünfzehn- bis sechzehnjährig" (T 107), 1920 „für ein Kind" (Br 274). „Kindliches Aussehen" (T 134: 1911) kennzeichne ihn, „Knabenhaftigkeit" (T 511: 1916): „im Gesicht unter den grauen Haaren", sagt er noch 1920 zu sich selbst, „hast du dich ja kaum verändert seit deinem sechsten Jahr" (M 68). Es war ihm stets ein Zeichen der inneren Kindlichkeit, seiner, wie Milena sagt, „rührend reinen Naivität"[105]. Er sei, so 1909, „ein bischen langsamer aus der vorigen Generation herausgekommen" (Br 76). „Wie spät hole ich jetzt mit achtundzwanzig Jahren meine Erziehung nach" (T 59). Und, gegen Ende seines Lebens: „Wenn sie so anéinandergereiht sind, die Nachrichten über Dich [sc. Brod], Felix und Oskar, und ich mich damit vergleiche, so scheint es mir, daß ich umherirre wie ein Kind in den Wäldern des Mannesalters" (Br 313:1921), „ohne Entwicklung jungbis

97 ibid. p. 166ff.
98 ibid. p. 170
99 ibid. p. 172   102 K. Wagenbach 1, l. c. p. 183
100 ibid. p. 176f.   103 ibid.
101 ibid. p. 178   104 M. Brod 2, l. c. p. 102
                                    105 ibid. p. 281

zum Ende, richtiger als jung ist der Ausdruck konserviert"(T 559: 1922). „Gibt es eine Seelenwanderung, dann bin ich noch nicht auf der untersten Stufe. Mein Leben ist das Zögern vor der Geburt." (T 561: 1922) Ist Zeichen und Folge zugleich von Kafkas erstaunlicher, wie Brod sie nennt, „Bindung ans Infantile", und zwar nicht als „episodische ‚Heimkehr ins Kinderland'", vielmehr als „echter Infantilismus, die Schicksalsbestimmtheit durch Jugenderlebnisse, von denen ein bestimmter Typus sein ganzes Leben lang nicht mehr loskommt."[106]

„Bindung an Jugenderlebnisse, Bindung an Familie"[107], an Unselbständigkeit. „Es ist die einzige gute Wirkung der Unselbständigkeit, daß sie jung erhält", schreibt Kafka 1914 an die Eltern. In Prag sei „alles darauf angelegt, mich, den im Grunde nach Unselbständigkeit verlangenden Menschen, darin zu erhalten."[108] Es ist die Bindung eines Menschen, den man, nach Wagenbach, „um seine Kindheit betrogen hatte".[109] „Kindliche Freude", schreibt Kafka 1920, „ich habe sie schamlos. Das Kind ist offenbar nicht befriedigt worden und klettert die Leiter der Jahre zum Schwindligwerden hinauf" (Br 273) Und ein Jahr später: „Letzthin die Vorstellung, daß ich als kleines Kind vom Vater besiegt worden bin und nun aus Ehrgeiz den Kampfplatz nicht verlassen kann, alle die Jahre hindurch, trotzdem ich immer wieder besiegt werde." (T 550)

Es gehört als Kehrseite zum selben Sachverhalt, daß Kafka sehr früh, kaum erst erwachsen, systematisch aus dem Leben sich zurückzieht. „Diese Entscheidung für die Zurückziehung auf das begrenzte Ich unter Überspringung aller gesellschaftlichen Vermittlungen hat Kafka sehr langsam, immer wieder retardierend, aber schließlich vollständig und endgültig getroffen."[110] Daher fehlt seinem Leben „der fortwährende Wechsel, der so viele Biographien von Autoren des zwanzigsten Jahrhunderts bestimmt. Es fehlen der Ortswechsel und die weiten Reisen, es fehlt das, was man als Bildungserlebnisse zu bezeichnen gewohnt ist, es fehlen die großen Begegnungen mit den Kollegen – nicht einmal seine bedeutenden österreichischen Zeitgenossen kannte Kafka", er „beschränkte seinen Umgang auf wenige Freunde. Ein provinzielles Dasein – ‚lokal'"[111]. Sein ganzes „nichtgelebtes Leben"

106 ibid. p. 43f.
107 ibid. p. 49
108 ibid. p. 180

109 K. Wagenbach 1, l. c. p. 183
110 ibid. p. 111
111 K. Wagenbach 2, l. c. p. 9

lang (Br 195), so sagt er einmal von sich selbst, „geistig nicht transportabel" (Br 418), späterer Erlebnisprägung fern.

Warum diese Bindung an Prag und die Eltern, an alte Wunden, längst vergangne Kämpfe? Man hat bisher ausschließlich nach dem Grund gefragt, zumal dem psychischen, nicht nach dem Zweck.[112] Hat diese Bindung keinen? Solche Bindung nicht? „In wie vielen Gesprächen", schreibt Max Brod, „versuchte ich, dem Freunde, dessen tiefste Wunde ich schon zu seinen Lebzeiten, noch ohne Kenntnis der Tagebücher, hier wußte, die Überschätzung des Vaters, die Unsinnigkeit der Selbstmißachtung klarzumachen ... Ich fühle auch heute, daß die Grundfrage ‚Was konnte Kafka an der Zustimmung des Vaters liegen? ‘ nicht im Sinne Kafkas, sondern von außen gestellt ist. – Die Tatsache dieser Bedürftigkeit bestand nur eben einmal als unwiderlegbar gegebenes Gefühl, wirkte bis in die letzten Jahre nach"[113].

Brod, bester Kenner des Menschen Kafka, ist zur Erklärung nicht imstande. Er stellt auch, wie sich zeigen wird, die Frage nicht allein von außen, sondern falsch. Was Wunder, daß die Lektüre der Lebenszeugnisse, der Briefe, Tagebücher späterhin die Ansicht schuf, die noch immer, implizite oder ausdrücklich, als Apologie oder Zurechtsetzung, das Verständnis zumindest des Dichters beschwert: Kafkas Bindung sei einzig pathologisch zu erklären, allenfalls sozialpsychologisch als Prager Sonderfall. Und seine Lage sei nicht ausweglos, wäre vielmehr zu lösen gewesen. Kafka selbst leistet dieser Ansicht Vorschub. „Immer diese hauptsächliche Angst: Wäre ich 1912 weggefahren, im Vollbesitz aller Kräfte, mit klarem Kopf, nicht zernagt von den Anstrengungen, lebendige Kräfte zu unterdrücken!" (T 489: 1915) Sein Tun straft freilich seine Wünsche Lügen, er ist geblieben. Und die Kenntnis von den Elementengruppen, von deren Herkunft, Eigenart, vermag neben allen, auch den psychisch zweifellos vorhandenen Gründen in dieser beibehaltenen Bindung einen Zweck zu sehen, der alles andere als

---

112 Vergleiche wie die zwischen Kafka und Strindberg (K. Baumgartner l. c., bes. p. 47f.) oder Kafka und Dickens (M. Spilka, l. c. p. 27ff.) sollten wachsam machen, sie zeigen psychologisch gleiche Ausgangslagen; dennoch geht jeder als Mensch und Dichter seinen eignen Weg. Die Frage nach den psychischen Realien greift also auch deshalb überall zu kurz, weil die Realia längst individuell zweckdienlich umfunktioniert, organisiert, integriert erscheinen. Dieser Verdienlichung ist als der Zweckursache nachzufragen, dem Systemwert der Realia ist nachzugehen.

113 M. Brod 2, l. c. p. 32

krankhaft ist. Die Stärke, ja Gewalt der Prägekraft, abzulesen an der jahrzehntelangen Existenz der Gruppen und an der Tatsache, daß Kafka zwei der Gruppen träumt, alsdann die an der Variabilität der Gruppen ablesbare Unbegriffenheit als Paradigma einer Reaktion, bei welcher der Verstand stille steht angesichts der Übermacht eines nicht mehr zu bewältigenden Erlebens, dann die Herleitung einer Gruppe aus einem frühkindlichen Erlebnis, endlich die extensive Prägung des Romanwerks durch die Gruppen — in jeder Richtung deutet sich ein und dieselbe Einsicht an: Kafka entnimmt Stoff und Kraft zur Dichtung seiner Kindheit.

Der Zweck der Bindung ist damit schon genannt: *Er braucht die Eltern, weil er die Kindheit braucht, und er gebraucht die Kindheit als Mittel zum Zweck, als Zugang zu seiner Art von Dichtung.* Dies ist — niemand vermöchte auszumachen, ob aus Not, aus Neigung, ob er die Bindung schuf, ob er die längst geschaffene nur seinen Zwecken dienstbar machte — der Zweck: Zugang zu frühstmöglichen Erlebnissen der Kindheit, zu Grundgeprägen, Elementengruppen. Das heißt: Die Bindung an die Eltern ist auch, vielleicht sogar zuvörderst Folge, nicht Ursache der späteren beibehaltenen Kindlichkeit, wie diese Kindlichkeit sich vielleicht ihrerseits ergibt aus Kafkas dann sogar primärem Drang zu dichten. Fast will es scheinen, als habe Kafka sich hier selber mißverstanden. Er entdeckt und entwickelt eine neue, jedenfalls noch nicht bekannte Art zu dichten. Sein Wortkunstwerk ist Variationskunst im strengen Sinne einer Kunstart sui generis, es ist zugleich Erlebnisdichtung eigener Art, denn es ist unmittelbar gegründet auf das Schockerlebnis — die zudem womöglich kennzeichnende Erlebnisform des 20. Jahrhunderts —, und dennoch hält er die biographisch hohen Kosten des Erwerbs nicht rechtens für in jedem Falle unvermeidlich.

Nachtragsweise werfe die Erlebnisdichtung ein Licht auf seine „Einsamkeit", die solcherart erheblich paradoxer, als man ihr bisher zugestanden. Brod schreibt: „Zwei entgegenstrebende Tendenzen bekämpfen einander in Kafka: die Einsamkeitssehnsucht und der Wille zur Gemeinschaft ... Einsamkeit brauchte Kafka allerdings um seiner dichterischen Arbeit willen, einen hohen Grad von Versunkenheit in sich selbst"[114]. Es ist zu fragen, ob nicht Kafkas Schreiben auf seine Weise die zwei Tendenzen eint. Denn dieser Einsamkeit, gar der beim

114 ibid. p. 119

Schreiben, ist immanent die Leistung, den Zustand ungeselliger, doch kindlicher, also gleichwohl *totaler* Betroffenheit durch Mensch und Welt niemals, und damit auch Welt- und Menschengemeinschaft im Grunde nie verlassen, sie im Gegenteil systematisch aufgesucht zu haben! Kafkas „Angreifbarkeit", sagt treffend E. Canetti, „ist die eigentliche Bedingung für sein Schreiben. So sehr es oft aussieht, als ob er sich um Schutz und Sicherheit gegen diese Verletzlichkeit bemühe, alle diese Bemühungen täuschen, er braucht seine Einsamkeit als *Ungeschütztheit.*"[115]

1.4. Ich bin Literatur

Daß Kafkas Werk, besonders seines, nicht welt-, nicht sach-, nur sprachbezogen ist, daß Empirie nur sehr bedingt, höchst mittelbar, nach kompliziertem Schlüssel in die Dichtung Einlaß findet, gehört seit längerem zum Grundbestand der Deutung. Auch, daß ein nämliches Verhältnis zur Wirklichkeit nicht minder stark sein Leben prägt, mutatis mutandis als Bedürfnis, menschliche Beziehungen zu literarisieren.

„ . . . ich, der ich auf Worte angewiesen bin, hier und von Natur aus", schreibt Kafka an Felice (F 342). Und: Sie, seine Braut, ganz zu erwerben, „dazu gehören andere Kräfte, als das Muskelspiel, das meine Feder vorwärtstreibt . . . Scheint mir doch manchmal, daß dieser Verkehr in Briefen, über den hinaus ich mich fast immerfort zur Wirklichkeit sehne, der einzige meinem Elend entsprechende Verkehr ist . . ., und daß die Überschreitung dieser mir gesetzten Grenze in ein uns gemeinsames Unglück führt." (F 304) In ihrer Ehe wäre es nicht anders: „Mir widerstrebt das Reden ganz und gar. Was ich auch sage ist falsch in meinem Sinn . . . Ich bin deshalb schweigsam, nicht nur aus Not, sondern auch aus Überzeugung. Nur das Schreiben ist die mir entsprechende Form <der> Äußerung, und sie wird es bleiben, auch wenn wir beisammen sind. Wird Dir aber, die Du von Deiner Natur auf das Sprechen und Zuhören angewiesen bist, das, was mir zu schreiben gegönnt sein wird, als meine wesentliche, einzige (zwar vielleicht nur an Dich gerichtete) Mitteilung genügen? " (F 448) „Wortstürme der Liebe" (F 30) nennt E. Heller Kafkas Briefe. Und er verlange auch Felice mehr und mehr Geschriebenes ab, „um sich der ‚Wirklichkeit' dieser Liebe in

115 E. Canetti 2, l. c. p. 592

der ihm einzig gemäßen Form zu versichern" (F 23), als „Umarmung in der Phantasie und auf dem Papier".[116] 1912 regt Felice eine persönliche Begegnung an, die Kafka „mit der Begründung ausschlägt, daß er die kärglichen Ferientage zum Schreiben benützen müsse. Das tut er auch; was er aber vor allem schreibt, sind Briefe an sie" (F 31), Briefe als, so Canetti, „erweitertes Tagebuch", „Dialog, . . . den er über sie mit sich selber führt".[117] „Als die drei wichtigsten Frauen in seinem Leben", schreibt Canetti, „muß man Felice, Grete Bloch und Milena nennen. Bei jeder der drei entstanden seine Gefühle durch Briefe."[118] So entstand oder hielt sich bei anderen überhaupt der Kontakt. Dem Vater etwa, mit dem Kafka in späteren Jahren kaum noch sprach, schrieb er im November 1919 jenen Brief „von mehr als hundert Seiten"; er war, wie Brod „aus den Gesprächen mit Franz bezeugen kann, dazu bestimmt, dem Vater wirklich übergeben zu werden", er sollte „eine Klärung der peinlich stockenden, schmerzhaft verharschten Beziehung" herbeiführen.[119] „Kafkas Verhältnis zur Wirklichkeit war", so wurde Binder zitiert, „gebrochen, literarisch".

Literarisch in diesem wie freilich auch in anderem Sinn: nicht allein aufs Wort, auf Sprache, auch — spezieller — *buchbezogen*, nicht auf dieses oder jenes (so meinte Binder es), vielmehr aufs Buch schlechthin. Ein neuer Aspekt, dem, auf der Suche nach dem Alten im Neuen, von Don Quichote zu Franz Kafka, Marthe Robert ausführliche Beachtung schenkt. Nun läßt sich für Cervantes' Helden dieses Buch wohl nennen (der ‚Amadis'), nicht — so konkret nicht — für etwa K. im „Schloß", doch Buch ist hier wie dort in erster Linie ‚anderes als Leben', das „Alte" als vorgeprägte Bilder, geistige ‚patterns', ethische, religiöse, ästhetische Rechtfertigungen aus der Vergangenheit, durch Erziehung und Bildung weitergereichte alte, kollektive Vorstellungen[120] u. ä. in Form von Literatur. K. etwa wird, „nachdem er der Held eines Sittenromans, eines Feuilletonromans, eines Märchens und einer mittelalterlichen *Geste* gewesen ist, schließlich ein Gefolgsmann des Odysseus", genauer: Held eines Epos, denn um bestimmte Werke geht es nicht. K. spielt „buchmäßig überlieferte Rollen", um „über die Wesensart des Schlosses und somit über die Natur seiner eigenen Bestrebungen" gültige „Erklärungen"[121] zu erlangen.

116 Cf. H. Politzer 6, l. c. p. 197
117 E. Canetti 1, l. c. p. 191f.
118 ibid. p. 217

119 M. Brod 2, l. c. p. 23; cf. H 449
120 M. Robert, l. c. p. 234f.
121 ibid. p. 180

Literarisch präzidierte Rollen, präformierte Spiele also — als Bewältigung wovon? Des Neuen, der Welt hier und jetzt, die, so M. Robert, präzedenzlos erfahren und bewältigt werden will?

K.s „tiefster Charakterzug" sei der: „er ist und bleibt dem Tatsächlichen fremd, er berücksichtigt keine Erfahrung, mag diese noch so schmerzhaft und enttäuschend sein, so daß seine Geschichte sich als eine ständige Wiederholung der gleichen Vorfälle, als eine Folge gesonderter Episoden darstellt, die man sich wohl ohne Ende denken könnte. Und tatsächlich führt Cervantes den *Don Quichote* nicht zu Ende . . ., und Kafka läßt *Das Schloß* unvollendet. So zwingt die donquijoteske Suche ihre Notwendigkeit und ihre Unabschließbarkeit sogar dem Buch auf, das von ihm erzählt; so ist das Buch etwas Unmögliches, das immer zu machen und immer wieder von neuem anzufangen ist."[122]

Befreit von ihrem wenig werkgerechten Begriff von Welt- und Wirklichkeitsbezug führt diese Einsicht fast zum Kern, der Klärung nämlich, *warum* Kafka „auf Worte angewiesen" ist.

Es geht gar nicht primär um das Verhältnis ‚Buch zu Welt' und ‚Wort zu Wirklichkeit'. Der Unterschied ist aufgehoben — die Frage danach falsch gestellt —, wo beides eins, Buch Welt, Wort Wirklichkeit geworden ist. Konkret:

PAWLATSCHE-Element 6.1 als ‚BESCHEID' in „winseln um", „bitten um", „Neuigkeit", „Brief", „Mitteilung", „Nachricht", „ein paar Worte sprechen mit": Kafkas „Hirn", um in Ermanglung richtiger Bezeichnung ein Bild von Kafka zu benutzen, ist mit diesem Element nicht nur ‚beeindruckt', es ist regelrecht ‚bedruckt', sprachlich, mit dem Wort ‚BESCHEID' mit allen siebenundzwanzig sprachlich fixierten Komplexen dieser Gruppe (d. h. einem Zwei- bis Dreifachen an solchen Wörtern), mit den zweiundzwanzig Komplexen der Gruppe VERKEHR, mit den fünfundvierzig der Gruppe ZIEL, mit zahlreichen anderen.

Längst gilt in der Forschung als unanfechtbar, daß die Frage nach dem bei Kafka nicht vorhandenen Unterschied von Ich und Welt, Innen und Außen falsch gestellt sei.[123] Emrich schreibt, daß „bei Kafka eine

---

122 ibid. p. 10
123 Cf. E. Heller, l. c. p. 15f.; F. Martini 1, l. c. p. 300

Spaltung zwischen einer ‚transzendenten' und immanenten Sphäre überhaupt nicht vorliegt, sondern — wie in jeder Dichtung von Rang — die einander widerstreitenden Mächte im Inneren des Menschen selbst liegen", daß „Identität des Außerzeitlichen und Zeitlichen, des ‚Transzendenten' und ‚Immanenten', des ‚Unzerstörbaren' und des ‚Zerstörbaren'" herrsche[124]; I. Henel, daß Kafkas Welt „kein Abbild einer beliebigen äußeren Welt ist, sondern Darstellung des eigenen ‚traumhaften inneren Lebens'. Beißners wichtige Erkenntnis sollte ein für allemal alle Versuche unterbinden, der Welt Kafkas andere als innere Realität zuzuschreiben."[125] Und real, wie Walser[126] hervorgehoben habe, sei diese „Innerlichkeit des Menschen" in der Tat: „keine subjektive, keine Traum- und Wahnwelt, ... sondern eine intrasubjektive. Denn der Mensch, der seine Situation erkennt, erkennt zugleich die menschliche Situation schlechthin. Die Welt, die ein solcher Dichter darstellt, ist unabhängig von der Subjektivität, die sie erschuf. Walser bezeichnet sie einmal als transzendental"[127], W. H. Sokel als „Welt-Innenraum".[128]

Hinzuzufügen ist allein: diese intrasubjektive Wirklichkeit, *dies Innere besteht aus Wörtern. Die Innenwelt ist Wortwelt, Druck.* Gemeint ist dabei nicht, daß ein Erlebnis einzig eine Wortwelt schafft; gemeint ist aber, daß die Ebene der Elemente die tiefste noch zugängliche Schicht des in Kafka durch Erlebnisse Bewirkten ist. Für den Dichter ist mit der Schicht der Elemente die Grenze, die zugleich die der Sprache ist, gezogen.

Deshalb heißt es bei Kafka: „immer drängen sich in meine Briefe Sätze hinein, die ich nicht haben will, die wie von außen kommen und doch wohl ihre Quelle in einem verborgenen Inneren haben müssen." (F 305) Oder: man müsse „niemals um die Sprache Sorge haben, aber im Anblick der Worte oft Sorge um sich selbst ... Dieses stürmische oder sich wälzende oder sumpfige Innere sind ja wir selbst, aber auf dem im geheimen sich vollziehenden Weg, auf dem die Worte aus uns hervorgetrieben werden, wird die Selbsterkenntnis an den Tag gebracht" (F 306). Oder er klagt: „Es kommt mir auch fast kein Wort vom Ursprung her". (F 341)

Deshalb hat Kafka mit allem Nachdruck stets betont, daß er nicht Literatur betreibe, sondern sei. „Gott will nicht, daß ich schreibe, ich

124 W. Emrich 8, l. c. p. 106f.
125 I. Henel 2, l. c. p. 251
126 Cf. M. Walser, l. c. p. 113ff.

127 I. Henel 2, l. c. p. 153ff.
128 W. H. Sokel 1, l. c. p. 15; cf. G. Kaiser, l. c. p. 41

aber, ich muß." (Br 21) Weil „Schreiben meine einzige innere Daseins-
möglichkeit ist." (F 367) „Ich habe kein literarisches Interesse, sondern
bestehe aus Literatur, ich bin nichts anderes und kann nichts anderes
sein." (F 444) „Nicht ein Hang zum Schreiben, . . . kein Hang, sondern
durchaus ich selbst. Ein Hang ist auszureißen oder niederzudrücken.
Aber dieses bin ich selbst" (F 451). „Mein ganzes Wesen ist auf
Literatur gerichtet, die Richtung habe ich . . .genau festgehalten; wenn
ich sie einmal verlasse, lebe ich eben nicht mehr." (F 456) „Schreiben
ist mir in einer für jeden Menschen um mich grausamsten (unerhört
grausamen, davon rede ich gar nicht) Weise das Wichtigste auf Erden,
wie etwa einem Irrsinnigen sein Wahn (wenn er ihn verlieren würde,
würde er ‚irrsinnig' werden) oder wie einer Frau ihre Schwangerschaft."
(Br 431)[129]

Er hat dies weiter nie konkret erläutert, und doch sind diese und alle
ähnlichen Bemerkungen nicht nur glaubhaft, als Metapher, sondern
erweislich wahr, konkrete Sachbeziehung. „Es ist unmöglich", schreibt
J. Ebner, bei ihm, „der ‚ganz und gar Literatur ist', Leben und Werk zu
trennen."[130] Kafka schreibt sein Leben, lebt sein Schreiben. Die
Elemente sind ihm als Wörter eingeschrieben; der Druck macht,
wörtlich und übertragen, den Charakter aus, ihn selbst. Kafkas Bezug ist
literarisch, aber tatsächlich und konkret ist er die Literatur. Daß er
dann diese - potentielle — Literatur mit Hilfe literarischer Vorbilder zu
schreiben sucht, ist unbestreitbar, aber sekundär.

Damit kehren wir zu M. Robert zurück. Der Druck ist kein
zusammenhängender Text, er besteht aus Einzelwörtern, unverbunden,
bloß gruppiert. Aus *diesem* Grund „weiß Don Quichote stets ohne
Zögern, was er zu tun hat. K. dagegen niemals"[131], ist bei Kafka, wie sie
es treffend sagt und anders meint, „das Buch etwas Unmögliches, das
immer zu machen und immer wieder von neuem anzufangen ist." Kafka
ist — und seine Helden leben — ein Buch, das er nicht kennt, das zwar ge-
druckt, nicht aber schon geschrieben ist. Er kennt die Wörter, nicht den
Text. Sein Werk dient — stofflich — dem Versuch, den Text zu finden.

Warum? Versuch aus welchem Grund? Und Text zu welchem
Zweck? Die Frage führt zu einem weiteren Aspekt.

129 Zu weiteren Belegen cf. M. Walser, l. c. p. 11f.
130 J. Ebner, l. c. p. 435
131 M. Robert, l. c. p. 213

Zuvor *halten wir fest*:

Die Elemente des epischen Spiels sind ursprünglich, stofflich, die konstitutiven Bestandteile eines Charakters. Dieser Stoff erscheint in den Texten in Form von Gruppen sprachlich fixierter Ausgangspunkte. Die Gruppierung der Elemente ist erlebnisbedingt. Das einer Gruppe zugrundeliegende Erlebnis hatte sich als Gruppe zusammengehöriger Einzeleindrücke eingeprägt.

Die Variabilität der Elemente ist bedingt durch die Unbegriffenheit der Erlebnisgepräge. Da deren Sinnzusammenhang fehlt, sind Bedeutung, Geltungsbereich und Nexus der Einzeleindrücke offen, das heißt, variabel.

Diese Befindlichkeit weist auf eine Entstehung der Gruppen vorzüglich in der Kindheit.

2. DAS LOGISCHE BEDÜRFNIS UND DIE SUCHE NACH DEM SINN

Variation ist Repetition. Um die Eigenleistung des dichterischen Werks nicht mit präpoetischen Vorleistungen zu verwechseln: Der Grund des Variierens ist zunächst in Art und Zweck eines naturgegebenen Repetitionszwangs zu suchen. Noch einmal zu S. Fraiberg:

Quälend ungelöst, da unbegriffen, drängen die Gruppen als Erlebnisse auf ständige Wiederholung, eine dank ihrer Variabilität hoffnungsvollere Wiederaufnahme unter stets wechselnden Bedingungen und solange, bis das Erlebnis bewältigt, der offene Konflikt gelöst ist. So etwa beim PAWLATSCHE-Erlebnis: „Der ursprüngliche Konflikt führte zum Scheitern, weil die Antagonisten ein kleiner Junge und sein mächtiger Vater waren. In der Neuauflage des Konflikts (Meßner-Kette) probt er den Vorfall aufs neue durch, die Antagonisten diesmal ein junger Mann und ein alter stöhnender Kaufmann, als ob diesmal Hoffnung auf einen anderen Ausgang bestünde." Jedoch „der junge wird vom alten Mann wieder besiegt, als könne es für das Problem auch in der Imagination keine Lösung geben."[132] Derartige Erklärungen — auch etwa A. v. Gronicka spricht von einer Repetition, die nicht von souveränem

132 S. Fraiberg, l. c. p. 65f. (in Übers. d. Verf.)

künstlerischem Willen zeuge, sondern völlige Unterwerfung unter Zwänge sei[133] — berücksichtigen neben anderem den Lösungswert der Lösungsmittel nicht, den Wert des Variierens selbst. Doch dazu später. Festzuhalten ist: Unbegriffenheit führt zu Wiederholungszwang, naturbedingt zwanghafter Suche nach dem Sinn, besser: einem guten Ausgang, einer Variante, welche löst.

2.1. Die Bilanz der Heirats- und Romanversuche

Auf eigenartige Weise gehören zum Umkreis dieses Tatbestands die drei Romane, selbstredend nicht als solche, wohl aber durch den Menschen, der sie schrieb. Denn die Romane haben, als Repetitionsversuche von besonderem Ausmaß und zu besonderem Zweck, eine bestimmte biographische Funktion im Zusammenhang der Heiratsversuche.

Daß zwischen Heiratsversuchen und Bilanz seiner selbst immer ein Nexus bestand, hat Kafka selber bezeugt, im „Brief an den Vater": „Bis zu den Heiratsversuchen bin ich aufgewachsen etwa wie ein Geschäftsmann, der zwar mit Sorgen und schlimmen Ahnungen, aber ohne genaue Buchführung in den Tag hineinlebt. Er hat ein paar kleine Gewinne, die er infolge ihrer Seltenheit in seiner Vorstellung immerfort hätschelt und übertreibt, und sonst nur tägliche Verluste. Alles wird eingetragen, aber niemals bilanziert. Jetzt kommt der Zwang zur Bilanz, das heißt der Heiratsversuch. Und es ist bei den großen Summen, mit denen hier zu rechnen ist, so, als ob niemals auch nur der kleinste Gewinn gewesen wäre, alles eine einzige große Schuld." (H 220 f.) — Daß weiterhin zwischen den Heirats- als Bilanz- und den Romanversuchen (der Produktion Kafkas überhaupt[134]) seinerseits ein immerhin zeitlicher Nexus besteht, bezeugen die Daten, sehr deutlich bei zweien der eigentlich, soweit bekannt, fünf versuchten Romane („Amerika" wurde zweimal begonnen, die Erzählfragment gebliebenen „Hochzeitsvorbereitungen auf dem Lande" waren als Roman intendiert):

Unter die „unübersehbaren Hinweise auf die außerordentlich ‚stoßweise' Produktion Kafkas" zählen Pasley und Wagenbach, ohne freilich

---

133 [Rezension:] André von Gronicka: Franz Kafka, Gesammelte Schriften. Dritte Ausgabe. Hg. v. Max Brod. In: The Germanic Review. 23. 1948, 1. p. 73 – 77. – Hier p. 75
134 Cf. Symposion, p. 56

den Unterschied zwischen der Epik allgemein und den Romanen im besonderen darzutun, daß dem „ersten Bruch" mit Felice, der Entlobung Mitte Juli 1914, die Niederschrift des „Prozeß"-Romans Ende Juli 1914 — Januar? /April 1915 folgt[135] (alle Daten als termini a quo et ad quem).

Die Niederschrift der zweiten „Amerika"-Fassung, Text der späteren Buchausgabe, findet von Ende September 1912 — Januar 1913 statt, außer fürs letzte Kapitel, das Anfang Oktober 1914 zusammen mit dem „Prozeß" entstand (für Fragment II wahrscheinlich ebenfalls 1914). Bisher unbeachtet blieb, daß auch diese Niederschrift einer schweren, von Kafka fast bis zum Bruch getriebenen Krise parallel geht, die kurz nach der ersten Begegnung mit Felice im August 1912 entsteht. Brod schreibt: „schon der 28. Oktober bringt die unheilverkündende Bemerkung, daß Franz einen zweiundzwanzig Seiten langen Brief an Fräulein F. geschrieben habe und von Zukunftssorgen bewegt sei. Damit setzte die Tragödie dieser Beziehung ein."[136] Und: „Schon mit dem Datum 9. XI. 1912findet sich im Nachlaß ein Briefentwurf, von dem ich nicht weiß, ob der entsprechende Brief abgeschickt worden ist, der aber jedenfalls die Stimmung des ersten Erschreckens und Zurückweichens scharf genug wiedergibt. ‚Liebstes Fräulein! Sie dürfen mir nicht mehr schreiben, auch ich werde Ihnen nicht mehr schreiben. Ich müßte Sie durch mein Schreiben unglücklich machen, und mir ist doch nicht zu helfen. . . .'".[137]

Die erste, nicht erhaltene Fassung steht in ähnlichem Zusammenhang. Im März 1913 berichtet Kafka von etwa zweihundert „im vorigen Winter und Frühjahr geschrieben" Seiten (F 332). Das datiert sie auf den Winter 1911/12 und das folgende Frühjahr. Für Oktober/Anfang November 1911 vermerkt das Tagebuch seine „Liebe" zu zwei Frauen, besonders Frau Tschissik, die beide Anfang November abreisen. Am 1. November ist im Tagebuch vom „Schmerz über meine Verlassenheit" die Rede (T 136), am nächsten Tag von der im Gesamtwerk einzigen, daher sehr aufschlußreichen Entsprechung zum Ende im „Prozeß": „Heute früh zum erstenmal seit langer Zeit wieder die Freude an der Vorstellung eines in meinem Herzen gedrehten Messers."

---

135 ibid.
136 M. Brod 2, l. c. p. 157
137 ibid. p. 171 (cf. F 83f.)

Die „Hochzeitsvorbereitungen" stellt bereits ihr Titel in diesen Zusammenhang. Brod notiert, Kafka habe ihm den Text als „Anfang eines Romans" vorgelesen[138]. Wagenbach zitiert als weitere Notiz Brods: „Ein Roman. Beängstigungen eines, der heiraten will." — und verweist als „wichtig" für die Datierung auf Kafkas „Begegnung in Zuckmantel und die ‚Hochzeitsvorbereitungen', die Kafka wohl tatsächlich erwogen hat."[139] Gemeint ist eine der beiden, wie Kafka später sagt, einzigen Frauen seines Lebens, mit denen er je „vertraut" war (Br 139, cf. T 505).

Fügt man hinzu, daß für Kafka Heirats- und Lebensversuch stets eins war — „Heiraten, eine Familie gründen, alle Kinder, welche kommen, hinnehmen, in dieser unsicheren Welt erhalten und gar noch ein wenig führen, ist meiner Überzeugung nach das Äußerste, das einem Menschen überhaupt gelingen kann" (H 209 f.), ist „Bürgschaft für die schärfste Selbstbefreiung und Unabhängigkeit" (H 216) — , so ergibt sich:

Die typische Entstehungssituation eines Romans ist in allen fünf Fällen die, in der ein konzentrierter Heirats-, sprich: Lebensversuch auf seinen Sinn, seine Möglichkeit, besser: die Gründe seiner Unmöglichkeit in noch nicht versuchter Weise befragt wird. Dies erklärt zugleich, weshalb die zweite Entlobung mit Felice (1917) und der Bruch mit Julie Wohryzek (1920) der Notwendigkeit neuerlicher Roman-Bilanzierung enthebt: die Situationen dieser Jahre wiederholen nur die des Jahres 1914; dessen „Prozeß"-Bilanz gilt auch und im voraus schon für sie. Erst der Bruch mit Milena erfordert in neuer Lage eine neue Gesamtaufnahme. So schreibt Kafka über sein Verhältnis zu Julie, ihm sei zumute wie einem, der „bei der ersten richtig treffenden Berührung in die schlimmsten ersten Schmerzen zurückgeworfen wird". Es sei „das Formelle der Schmerzen übriggeblieben, förmlich ein alter Wundkanal und in diesem fährt jeder neue Schmerz gleich auf und ab, schrecklich wie am ersten Tag"[140]. Und Brod, über das Verhältnis zu Felice: „Der ganze mißlungene Eheversuch war ja, wie sich noch zeigen sollte, für Kafkas Leben als Schema und nicht individuell bedeutsam, . . . ein Schema, das, wie das letzte Lebensjahr zeigte, nur durch eine besonders

---

138 ibid. p. 77
139 K. Wagenbach 1, l. c. p. 238, cf. 131ff.
140 Symposion, p. 45 (aus einem Brief an eine Schwester Julie Wohryzeks vom 24. November 1919)

geartete Frauenpersönlichkeit durchbrochen werden konnte."[141] Er meint Dora Dymant.

Die Romanversuche, vorzüglich „Amerika", „Prozeß" und „Schloß", sind in ihrer biographischen Funktion zeit- und thematisch ergebnisgleich den mißlingenden Heirats- und Lebensversuchen. Gehen wir fehl in der Annahme, daß die Romane Versuche der Bilanz, der „Buchführung" der sonst zwar schon „eingetragenen", doch immer nur einzeln oder, gemessen am Zweck, unzulänglich behandelten Erlebnisgepräge sind? Daß die Romane, stofflich, eine Gesamtabrechnung mit seinem Charakter bezwecken?

So oder so sind jedenfalls, wie sich zeigt, die Romane Versuche an einem „gordischen Knoten".

2.2. Der gordische Knoten

„Allerdings ist hier noch die Wunde, deren Sinnbild nur die Lungenwunde ist. Du mißverstehst es", schreibt er nach Ausbruch der Tuberkulose (1917) an Brod, „aber ich mißverstehe es auch vielleicht und es gibt (so wird es auch bei Deinen innern Angelegenheiten sein) überhaupt kein Verständnis solchen Dingen gegenüber, weil es keinen Überblick gibt, so verwühlt und immer in Bewegung ist die riesige, im Wachstum nicht aufhörende Masse. Jammer, Jammer und gleichzeitig nichts anderes als das eigene Wesen, und wäre der Jammer endlich aufgeknotet (solche Arbeit können vielleicht nur Frauen leisten), zerfielen ich und Du." (Br 161)

„Wäre der Jammer endlich aufgeknotet": Nichts anderem dient, stofflich, die Variation. Alles Variieren zerspielt sein Variiertes. Jede Variante ist — bei Gefahr zu „zerfallen", denn der Charakter ist zugleich Schutz, die geprägte Person hält das Selbst zusammen — der Versuch, die zugrundeliegende Erlebnistextur aufzuknüpfen, den Knoten zu lösen. Darin sind Skizzen und Romane, freilich im Ausmaß unterschieden, Versuche grundsätzlich gleichen Werts. Noch die kleinste Form zerspielt „einen kleinen Teil meines großen gordischen Knotens", wobei noch der kleinste Teil gleichermaßen unlösbar, daher „jeder Teil auch das Ganze" ist (Br 295).

„solche Arbeit können vielleicht nur Frauen leisten": Die aufknotende Frau, ein in dieser Konkretheit seltsames Bild und doch, in Europa

---

141 M. Brod 2, l. c. p. 179

seit dreitausend Jahren, vertraut wie das Schicksal, zu dem es gehört: die Vermählung, so dringend gewünscht wie gefürchtet; Gefährdung des Selbst, ob durch Alleinsein oder durch Heirat; Auftrennen eines übergroßen Gewebes, das Leichengewand wird; durchwachte Nächte bei einsamer Arbeit, die für den Tod bestimmt, doch zugleich Rettung bedeutet: die List der Penelope:

„Unter anderen Listen ersann sie endlich auch diese:
Trüglich zettelte sie in ihrer Kammer ein feines
Übergroßes Geweb und sprach zu unserer Versammlung:
Jünglinge, die ihr mich liebt nach dem Tode des edlen Odysseus,
Dringt auf meine Vermählung nicht eher, bis ich den Mantel
Fertig gewirkt (damit nicht umsonst das Garn mir verderbe!),
Welcher dem Helden Laertes zumLeichengewande bestimmt ist,
Wann ihn die finstere Stunde mit Todesschlummer umschattet:
Daß nicht irgend im Lande mich eine Achaierin tadle,
Läg er uneingekleidet, der einst so vieles beherrschte!
Also sprach sie mit List und bewegte die Herzen der Edlen.
Und nun webete sie des Tages am großen Gewebe;
Aber des Nachts dann trennte sie's auf beim Scheine der Fackeln."

Die Antike kennt innermenschlichen Widerspruch nicht, daher, objektiviert, die Verteilung von Vermählungswunsch und -furcht auf Freier und Frau. Ansonsten passen Homers Verse für die Zeit der Romane, der Heirats- und Lebensversuche, passen — Kafka schrieb nachts — bis ins Detail. Zeigt das Bild menschliches Elementarverhalten in einer auf besondere Weise bedrohlichen Lage, deuten alte Listen auf uralte Nöte? „Der Mensch", sagt Kafka in aufschlußreicher Gleichsetzung zu Janouch, „wird sich seiner selbst eigentlich nur in der Liebe und in der Todesgefahr voll bewußt." (J 71) Offenbar setzt das Leben, in der Liebe tödlich bedroht, sich stets mit den gleichen wenigen alten Mitteln wirksam zur Wehr. (Übrigens gibt ein gleiches Bild, hier aber modern und treffend wie eine Paraphrase der Kafkaschen Situation, Selma Lagerlöf in Gösta Berlings Saga: Auktionen på Björne.)

Unter dem Druck der Verhältnisse, dem „Zwang zur Bilanz", ein im und vom Leben gewirktes übergroßes Gewebe, und damit ihn selbst, zu zertrennen, ihn also entselbsten: Solche Arbeit können tatsächlich vielleicht nur Frauen leisten. Ihm nämlich gerät sie, so zeigt sich, zur „systematischen Zerstörung meiner selbst im Laufe der Jahre" (T 544);

ihm kommt die Erlösung, „wenn ich im Bett bin und wird mich auf den Rücken legen, so daß ich schön und leicht und bläulich-weiß liege, eine andere Erlösung wird nicht kommen" (T 452); ihm ist der Charakter im wahrsten Sinne „zum Leichengewande bestimmt", die „Arbeit" zur „Folter", der er, zerschnitten, schließlich erliegt:

2.3. Das Foltern des gordischen Knotens

„Ja, das Foltern ist mir äußerst wichtig", schreibt Kafka 1922 an Milena, „ich beschäftige mich mit nichts anderem als mit Gefoltert-werden und Foltern. Warum? Aus einem ähnlichen Grund wie Perkins und ähnlich unüberlegt, mechanisch und traditionsgemäß: nämlich um aus dem verdammten Mund das verdammte Wort zu erfahren. Die Dummheit, die darin liegt (Erkenntnis der Dummheit hilft nichts), habe ich einmal so ausgedrückt: ‚Das Tier entwindet dem Herrn die Peitsche und peitscht sich selbst, um Herr zu werden, und weiß nicht, daß das nur eine Phantasie ist, erzeugt durch einen neuen Knoten im Peitschenriemen des Herrn.' Natürlich, auch kläglich ist das Foltern. Alexander hat den gordischen Knoten, als er sich nicht lösen wollte, nicht etwa gefoltert." (M 244)

Das Alexanderbild ist Teil einer für das Verständnis, auch Kafkas Selbstverständnis von Leben und Werk unüberschätzbar bedeutsamen Konzeption, die, als Inhalt oder Form, in Wort oder — auch wörtlich genommenem — Bild, zum Kaleidoskop ihrer Aspekte zerspielt doch nur e i n e Erkenntnis umgreift: Es gibt keinen Schwertschlag mehr, nur Vertiefung der (und in die) Schrift. So im „Neuen Advokaten", in Briefen und Tagebüchern — auch, konträr, in Brods „Tod den Toten!" —, bildhaft in der „Strafkolonie", formal in den Romanen, im Gesamtwerk.

Schwertschlag bedeutet Handeln, Siegen, Herrschen. Vertiefung ist Nachdenken, Fragen, ist der Versuch, sich aufzuknoten, zu foltern, zu peitschen, bedeutet „immer wieder in gleichen Wundkanal aufgerissen werden, die zahllos operierte Wunde wieder in Behandlung genommen sehn" (T 530):

In Brods „Tod den Toten!" (1906), dessen Lektüre Kafka zweimal (1906, 1912) bezeugt (Br 33, 94), steht die Erzählung „Ein Schwertschlag".[142] Alexander wird von einem Priester gefragt:

142 Hinweis auf die Erzählung (in anderem Zusammenhang) bei H. Binder 1, l. c. p. 48f.

„Und Du glaubst doch nicht, König, daß Du bei den Verständigen
zukünftiger Zeiten Ruhm davon haben wirst. Kannst Du ihnen mehr
sein als ein schwacher Mensch, der zu dieser gleichgiltigen, geringfügi-
gen Veränderung notwendigerweise bestimmt war; . . . Nun bedenke:
Diesem Weltlauf zu Liebe willst Du auch nur die Hand erheben! Deine
Bücher und Deinen Lehrer verlassen! Das ruhige Anschauen aufgeben
und eine klägliche Rolle als Puppe des Schicksals spielen! Nein, Du
willst es nicht. Du kannst es nicht. – Du kannst Asien nicht erobern;
denn Du mußt über diesen Einwurf nachdenken."[143]

Alexander antwortet: „Nein, Priester! Ich kann über diesen Einwurf
nicht nachdenken; denn ich will Asien erobern." Dieser Vorfall, so
endet die Erzählung, werde seither als die Geschichte vom gordischen
Knoten überliefert.[144]
Vertiefung und Schwertschlag, Suchen und Finden, Denken und
Handeln. Dennoch wäre Brods Stelle ein peripherer Beleg, gäbe nicht
Kafka die gleiche Alternative im umgekehrten Fall. In der Skizze „Der
Neue Advokat" (1917) heißt es: „Heute – das kann niemand leugnen –
gibt es keinen großen Alexander." (E 145) Daher, so fügen wir bei, gibt
es auch keinen Schwerthieb mehr, bleibt folgerichtig seinem Streitroß
nur die Vertiefung in die Schrift: „Vielleicht ist es deshalb wirklich das
beste, sich, wie es Bucephalus getan hat, in die Gesetzbücher zu
versenken." So „liest und wendet er die Blätter unserer alten
Bücher." (E 146)
Doch am aufschlußreichsten ist die ganz vom Bild der Vertiefung der
(und in die) Schrift beherrschte „Strafkolonie". Die während der Arbeit
am „Prozeß" geschriebene Erzählung ist in wesentlicher Hinsicht nichts
als die bildhaft-konkrete Thematisierung der forma formans dieses
Romans. Mehr: Die wörtlich gemeinten Formulierungen der „Strafkolonie" sind, in deren erklärendem Teil, Metaphern einer hier ein für
allemal thematisierten lebenslangen Stoffbehandlung[145]:
Ein „Apparat" zeichnet maschinell nach vorgeschriebenen „Hand-
zeichnungen" einer vergangenen kommandierenden Instanz, des „alten

143 M. Brod 1, l. c. p. 51
144 ibid. p. 51f.
145 Zum Gedanken der „Strafkolonie" als der Metapher für Kafkas Schreiben
cf. schon H. Politzer 3, l. c. p. 164ff.; W. H. Sokel 2, l. c. p. 26

Kommandanten" – wie die Variation mechanisch die Erlebnisgravuren eines vergangenen übermächtigen Lebens repetiert, dessen erster, zugleich paradigmatischer Repräsentant der Vater war[146]. Hier wie dort sind es stets neue Wunden nach stets unveränderten alten Mustern. Beidemal ist es blutige „Inschrift im Körper", bei der man immer wieder „die Blutung stillt", doch nur, damit „zu neuer Vertiefung der Schrift vorbereitet" ist. Beidemal ist es unverstandene Schrift: der Verurteilte „kennt sein eigenes Urteil nicht", und Kafka konnte die „Einzelheiten" der „quälend" ungelösten „inneren Schäden" nie „in die richtige Verbindung bringen". Kenntnis wäre auch überflüssig, jeder „erfährt es ja auf seinem Leib". In der Tat kommt bei der Variantenrepetition das Spiel mit Bedeutung, Nexus, Geltungsbereich stofflich dem Unterfangen gleich, die schmerzlichen Ein-Drücke abzutasten wie eine Blindenschrift auf eigenem Leibe, dabei „immer wieder" den „gleichen Wundkanal" aufreißend, um in Art und Zeichnung der Wundformen einen Sinn zu entziffern. Und weiter:

Die Wunden der „Strafkolonie" sind „labyrinthartig", sind „einander vielfach kreuzende Linien, die so dicht das Papier", alsdann den Leib, „bedeckten, daß man nur mit Mühe die weißen Zwischenräume erkannte". Wie die Erlebnisgepräge in ihren Varianten, so ist auch diese Schrift, in ihren „Zieraten", bis zur Unkenntlichkeit variiert. Daher ist es „nicht leicht", ja durchweg unmöglich, „die Schrift mit den Augen zu entziffern; unser Mann entziffert sie aber mit seinen Wunden." Er vertieft sich in die Schrift. Es ist die einzige Lösung, als zwölfstündige „Folter" bis zur „versprochenen Erlösung", einer „Vollendung", in welcher tiefste Vertiefung und volle Erkenntnis eins sind. Nicht anders bei der Stoffbehandlung: Der Charakter, geprägtes Selbst und unlösbar gordisches Wundgeflecht, wird „Leichengewand", weil der Zweck aller inneren Wunden der Tod. Denn diesen Wunden wohnt inne der Zwang zu lebenslanger, stets „neuer Vertiefung" der (und in die) Schrift, zu letztlich tödlicher Befragung der Gravuren des Lebens. Mit einem Wort: Der Charakter, ständig befragt, wird zur Ornamentik eines ‚Leben' genannten kunstgerechten Sterbens. Kunstgerecht, denn die Schrift, heißt es in der „Strafkolonie", „soll ja nicht sofort töten, sondern durchschnittlich erst in einem Zeitraum von zwölf Stunden. Es müssen also viele, viele Zieraten die eigentliche Schrift umgeben; die wirkliche Schrift umzieht den Leib nur in einem schmalen Gürtel" (E 211).

146 Cf. W. H. Sokel 2, l. c. p. 18f.

Der gordische Knoten ist Labyrinth.[147] H. Ladendorf bringt aus peripherer kunstgeschichtlicher Sicht einen zentralen Hinweis. Er rückt die Schriftbeschreibung der „Strafkolonie" in die Nähe „verrätselnder Kalligraphie"[148] — was Kafka als „labyrinthartige Linien beschrieben hat, ist auf vielen Schreibmeisterblättern dargestellt, von denen einige als echte Lebyrinthe ausgebildet sind"[149] —, erkennt sie als Teil des Kafkaschen Labyrinthe — wie in „Prozeß" (u. a. „Das Haus"), „Kaiserliche Botschaft" (1917), „Beim Bau der chinesischen Mauer" (1917), „Der Bau" (1923/24) — und das Labyrinth als Grundform des Denkens und Dichtens:

„Das Labyrinthe wird bei ihm zum Symbol der Unverständlichkeit, der Undurchdringlichkeit der Welt, ja, es wird in seinen Dichtungen geradezu zur Methode. Die Versuche, mit verschiedenen Denkansätzen in eine Frage einzudringen, ein Stück zurückzukehren, in anderer Richtung neu anzusetzen und weiterzusuchen, bleiben in der dunklen Unauflösbarkeit des Problems stecken, für das es keinen Leitfaden gibt. Ständig werden neue Möglichkeiten abgesucht, angstgehetzt begonnene Gedankengänge abgebrochen, halbvollendete Erwägungen fallengelassen, andere wiederaufgenommen ... Solche Gedankenlabyrinthe als eine eigene, kunstvoll entwickelte Denkform, als ein besonderes Stilmittel und als bewußte Kunstform, als ein quälendes non finito unaufhörlicher Mutmaßungen und Erwägungen im abstrakten Bereich des Denkens finden sich in Kafkas Dichtungen häufig".[150]

So in „Urteil" (1912), „Dorfschullehrer" („Riesenmaulwurf") (1914), „Nachbar" (1917) und „Hungerkünstler" (1922), auch in „Prozeß" und „Schloß". „Mit furchtbarer Unabwendbarkeit geraten Beobachtungen und Vorstellungen wie in sich verzweigenden Gedanken-Gängen vom Hundertsten ins Tausendste. Da sie einem unbegreiflichen und unenträtselbaren Zusammenhang gelten, können sie kein einheitliches Bezugssystem eigener, freier Entschlüsse haben. In den vorbestimmten

147 Zum Labyrinth-Begriff der Kafka-Forschung cf. besonders H. Politzer 3, l. c. p. 330ff.; ausführlich auch H. Pongs, l. c. p. 9ff. et passim (freilich im allgemeinsten Sinn zur Kennzeichnung von Epoche, Zeitalter, Geisteshaltung); ferner F. Martini 1, l. c. p. 292, 294; F. Billeter, l. c. p. 186, 197; E. Heller, l. c. p. 50
148 H. Ladendorf, l. c. p. 241
149 ibid. p. 245
150 ibid. p. 244

Möglichkeiten bleiben sie bei aller bohrenden Schärfe isoliert ... Die Aussichtslosigkeit, die Rätsel der Welt zu entwirren, wird schmerzhaft deutlich."[151] Wir fügen hinzu:

Das Labyrinth ist Modell, auch des Lebens und Handelns, ist zentrales Bild und Thematisierung der Stoffbehandlung in eins, gleichviel, in welcher Funktion, ob zu richten, zu strafen, das „verdammte Wort" zu hören („Strafkolonie") oder die kaiserliche Botschaft, sich einzumauern, zu schützen, zu wehren („Chinesische Mauer", „Bau"). Und es erlebt eine bezeichnende Wandlung! Wohl heißt es schon 1913 in einem Brief: „das ... ist natürlich nur der Vorgang in einem Stockwerk des inneren babylonischen Turms, und was oben und unten ist, weiß man in Babel gar nicht." (B 119) Doch Labyrinth sind noch, bis 1917, Messerschnitte von außen, riesige Häuser, Städte, Türme, Mauern über der Erde. Dann hat sich die Qual tiefer gefressen, nach innen verlagert, ist längst nicht mehr sichtbar. „Wir graben den Schacht von Babel", heißt es lakonisch in den Fragmenten (H 387, wahrscheinlich Sommer 1922). Und aus der gleichen Zeit, an Milena, die Übersetzerin seiner Geschichten: „daß ich das Gefühl habe, als führte ich Sie an der Hand hinter mir durch die unterirdischen, finstern, niedrigen, häßlichen Gänge der Geschichte, fast endlos (deshalb sind die Sätze endlos, haben Sie das nicht erkannt?) fast endlos" (M 47 f.). Sein vorletztes Werk schließlich , „Der Bau", ist bildgenetische Fortsetzung der „Strafkolonie"; die einst nur „bis zur Qual eingebrannten labyrinthartigen Linien" (T 465 f.: 1915) sind Wühlgänge geworden, der Dichter ist „Tier aus dem Abgrund".[152]

2.4. Die Suche in den Wunden nach dem Sinn

Die Elemente sind, stofflich wie biographisch, Wunden, die Unbegreifliches, Un-Sinn, dem Bewußtsein und Übermächtiges, qualvoll Unbewältigtes, dem Unbewußten schlug. Es sind Wunden, die das Leben oder, was dasselbe ist, die dem Kind der Vater schlug. „Freud zufolge", schreibt Adorno, „widmet die Psychoanalyse ihre Aufmerksamkeit dem ‚Abhub der Erscheinungswelt'. Er denkt dabei an Psychisches, an Fehlleistungen, Träume und neurotische Symptome. Kafka versündigt sich gegen eine althergebrachte Spielregel, indem er

151 ibid.
152 H. Politzer 4, l. c. p. 41. – Cf. M 164f.

Kunst aus nichts anderem fertigt als aus dem Kehrricht der Realität ...
Anstatt die Neurose zu heilen, sucht er in ihr selbst die heilende Kraft,
die der Erkenntnis: die Wunden, welche die Gesellschaft dem Einzelnen
einbrennt, werden von diesem als Chiffren der gesellschaftlichen
Unwahrheit, als Negativ der Wahrheit gelesen." Und: „Kafka nimmt die
Schmutzspuren unter die Lupe, welche von den Fingern der Macht in
der Prachtausgabe des Lebensbuchs zurückbleiben."[153] „Genie der
Schwäche" nennt E. Fischer ihn"[154], und Kafka selbst bezeugt: „Ich
habe von den Erfordernissen des Lebens gar nichts mitgebracht, so viel
ich weiß, sondern nur die allgemeine menschliche Schwäche. Mit dieser
– in dieser Hinsicht ist es eine riesenhafte Kraft – habe ich das Negative
meiner Zeit, die mir ja sehr nahe ist, die ich nicht zu bekämpfen, sondern
gewissermaßen zu vertreten das Recht habe, kräftig aufgenommen."
(H 120 f.)

Um solche Wunden zu heilen, muß man sie befragen, *muß* sie öffnen
und vertiefen. Der Wunsch nach Heilung, nach dem Sinn, führt daher
paradox, doch notwendig zur Selbstzerfleischung. Deshalb sind Heilung,
Wahrheit, Tod bei Kafka stets im letzten Grunde eins.

Das bedeutet, daß Literatur, *diese* Art der Literatur, lebensgefährlich
ist. Kafka verblutet daran. Als am 9. August 1917 mit einem „Blutsturz
aus der Lunge" (F 753) die Tuberkulose ausbricht, ist sie ihm „Sinnbild nur" (Br 161)[155] des wunden Innern. „Die körperliche Krankheit ist
hier nur ein Aus-den-Ufern-Treten der geistigen Krankheit" (Br 242).
„Manchmal scheint es mir, Gehirn und Lunge hätten sich ohne mein
Wissen verständigt. ‚So geht es nicht weiter' hat das Gehirn gesagt und
nach fünf Jahren hat sich die Lunge bereit erklärt, zu helfen"
(Br 161)[156]. Die Lunge hilft beim „Blutverlust" in jenem „Kampf", der
sei 1912 in seinem Innern tobt. Gewiß, damals beginnt die verhängnis-
volle Bekanntschaft mit Felice. Doch 1912 ist auch das Jahr eines nicht
minder verhängnisvollen dichterischen „Durchbruchs"; denn erst bei
der Niederschrift des „Urteils" bricht „die Wunde zum erstenmal auf
in einer langen Nacht" (M 214) und Wunden werden später beim Schreiben immer wieder aufgebrochen werden. Bedenkt man, daß „Familie *und*
literarische Arbeit", so K. Wagenbach, sich Kafka stets als „unvereinbar"

153 Th. W. Adorno, l. c. p. 312, 319
154 E. Fischer, l. c. p. 280

155 Cf. T 529
156 Cf. M 13, Br 159f.

darstellten[157], so erscheinen die Heiratsversuche, zumal der mit Felice, in besonderem Licht. Jeder Versuch zu heiraten bedeutet dann den Versuch zu überleben, also: nicht zu schreiben, nicht zu fragen. Kafka, so bereits H. Politzer zum Jahre 1912, „scheute das Feuer, das er in sich ausbrechen fühlte, und Felice war der Name, den er dieser Scheu verlieh", was nicht besagen solle, „daß die ‚Durchbruch'-Theorie aufzugeben wäre; wohl aber, daß die Rolle, die Felice bei diesem ‚Durchbruch' spielte, nicht, wie Max Brod meinte, eine ‚auslösende', sondern im Gegenteil eine retardierende war. Kafka hielt sich an Felice fest, als wäre sie das liebe Leben selbst."[158]

Und es bedeutet zweitens: Allein aus solcher, wie M. Hamburger es ausdrückt, „Psychotherapie durch Selbstzerstörung"[159] sind Kafkas sonst paradoxe Aussagen über sich und sein Werk bündig zu klären. Denn ohne die Erklärungsstärke des Nexus von Heilung, Verwundung (erst durch den Vater, das heißt, durch die Welt, dann durch sich selbst beim Fragen, Schreiben) und Suche in den Wunden nach dem Sinn bleibt jeder Ansatz einer Dichtungstheorie in Widersprüchen stecken. „Was uns zur Verfügung steht", schreibt beispielsweise P. Foulkes, „ist eine Reihe von Aussagen des Dichters über seine literarischen Absichten und über Wesen und Zweck der Kunst im allgemeinen; aber auch in diesem Zusammenhang wird man sich mit Schwierigkeiten und Widersprüchen abfinden müssen. In einem Brief an Milena . . . schrieb Kafka, seine Dichtung befasse sich ‚mit nichts anderem als mit Gefoltert-werden und Foltern' [M 244], – eine Bemerkung . . ., die aber mit einem späteren Brief an Milena schwerlich in Einklang zu bringen ist, wo es heißt: ‚Ich suche immerfort etwas Nicht-Mitteilbares mitzuteilen, etwas Unerklärbares zu erklären' [M 249]. Und keine von diesen Briefstellen läßt sich mit der . . . Bemerkung im *Brief an den Vater* in Übereinstimmung bringen, wo Kafka behauptet: ‚Mein Schreiben handelte von Dir' (H 203). Kafkas Äußerungen über seine Kunst enthalten aber auch glatte Widersprüche. Im Juli 1914 bezeichnete er seine Dichtung als einen ‚Kampf um die Selbsterhaltung' [T 418]. Einige Monate später jedoch lesen wir, daß das Beste, was er geschrieben habe, in der Fähigkeit liege,

157 Symposion, l. c. p. 42
158 H. Politzer 6, l. c. p. 201 u. Anm. 26
159 M. Hamburger, l. c. p. 160

‚zufrieden sterben zu können' [T 448]"[160]. – In Wahrheit sind dies:
Aussagen Beschreibung ein und desselben Sachverhalts.

Drittens bedeutet es, daß sich der Streit erübrigt, welche Seite bei
Kafka überwiege oder die entscheidende sei[161], das Heile oder das
Kranke, „das Positive, Lebensfreundliche, liebevoll Wirkende" oder
„Selbstverlorenheit, Lebensabgekehrtheit, Verzweiflung", so Brod[162],
ob, so Beißner, Kafka „Prediger abgrundtiefer Verzweiflung" sei oder
eher Dichter des „Reinen, Wahren, Unveränderlichen" mit einem „Sinn
auch für das heile Ganze des Lebens und der Zeit"[163]. Die Seiten sind
eins, und das Eine ist doppelgesichtig:

Forma formans von Leben und Werk ist das alle Kräfte übersteigende
Bedürfnis nach Logos, letztlich tödliche Suche nach heilendem Sinn. Es
ist, neben dem Erlebnis, die zweite Grundkraft im Leben und im Werk.

2.5. Die Suche nach dem Sinn des Verwundetseins

Das ‚pathos' Kafkascher Psychopathie ist, so taten wir dar, allein der
Preis der Suche nach dem Sinn. Selbst Strafwunsch und Gerichtserwar-
tung krankhaft zu nennen, ist schon logisch falsch; man verwechselt
Ursache und Wirkung. Nicht Krankhaftigkeit bezeugt sich, sondern das
einem jeden eingeborene, auch latent grundsätzlich übermächtige
Bedürfnis, zu denken, das heißt, einen Zusammenhang, einen Sinn zu
sehen. Mit einem Wort: hier werden nicht triebhafte Lüste befriedigt,
sondern Bedürfnisse nach Logos gestillt. Strafe und Gericht also, um ein
bekanntes Wort abzuwandeln, nicht weil sie ‚gut zu fühlen' wären,
sondern weil nur sie ‚gut zu denken' sind.[164] „Ich habe vollständiges
Vertrauen zu Dir", schreibt Kafka in gleicher Unterscheidung an Felice.
„Daß ich fragte und doch wieder fragen werde, geht mehr auf ein mir
fremderes logisches Bedürfnis als auf ein Bedürfnis des Herzens zurück."
(F 548)

Wunden sind nur als Strafe sinnvoll. Doch wo Strafe ist, muß Schuld,
wo aber Schuld ist, muß Freiheit sein, selbstverantwortliches Handeln,

160 P. Foulkes 2, l. c. p. 322
161 Cf. H. Binder 3, l. c. p. 551; J. Born 1, l. c. p. 389ff.; B. B. Kurzweil,
l. c. p. 422; W. Muschg 3, l. c. p. 121f.; F. Strich, l. c. p. 150f.; E. Heller, l. c. p. 12
162 M. Brod 2, l. c. p. 207
163 F. Beißner 2, l. c. p. 11f.
164 C. Lévi-Strauss, l. c. p. 128: „On comprend enfin que les espèces naturelles
ne sont pas choisies parce que ‚bonnes à manger' mais parce que ‚bonnes à penser'."

freier Wille, menschenwürdig sinnvolles Leben. Die Schönheit sogar der — selbstgewollten — Todesstrafe, Friedrich Dürrenmatt sagt es in der „Panne" besser, ist die der Freiheit, der einzig möglichen Sinngebung in einer sonst sinnentleerten Welt. Mögen Schuld und Freiheit auch unfaßlich, schlechterdings unausdenkbar sein, es muß sie geben, wo es Strafe gibt, sie lassen sich fassen an ihrer, der unabdingbaren Voraussetzungen, logischen Folge, der konkreten, faßlichen Strafe. So heißt es denn, etwa im Tagebuch: „Mein Verhältnis zu der Familie [sc. Bauer] bekommt für mich nur dann einen einheitlichen Sinn, wenn ich mich als das Verderben der Familie auffasse. Es ist die einzige organische, alles Erstaunliche glatt überwindende Erklärung, die es gibt." (T 445) Aus ähnlichen Gründen — der Logik — führt er Tagebuch, und darin oft genug Gericht über sich selbst: „Das Tagebuch ein wenig durchgeblättert. Eine Art Ahnung der Organisation eines solchen Lebens bekommen." (T 440)

Verbrechen, Gericht, Strafe sind der Preis, der für den einzig faßbaren „einheitlichen Sinn" bezahlt sein will — und selbstredend nicht zu bezahlen wäre, gälte es, gedanken- und fraglos zu leben. Das Verhängnis beginnt somit dort, wo vorgefertigte Pseudo-Antworten und stillschweigende Begütigungen verworfen werden und rücksichtslos gefragt wird, ob und was im Grunde zu begreifen, sprich: zu denken ist. Kafka fehlte es nicht an ‚normaler' Gesundheit, nur fehlt es normalerweise an seinem Mut, sich nicht an der Lüge zu sättigen — „Lüge ist entsetzlich, ärgere geistige Qualen gibt es nicht" (M 250) —, lieber nicht, statt falsch, zu denken, auf die Gefahr hin, daß kein anderer Sinn den Hunger aufs Denken-können zu stillen übrig bleibt als der eines an sich unbegreiflichen Verderbens. Alles andere ist sekundär, bloß logische Konsequenz: Das Verderben zieht das Gericht, dieses die Strafe, diese den Verfall von Leib und Seele nach sich. Angesichts dieser — wie jeder logischen Kette muß, wer das erste will, auch das letzte wollen. Anders: Der Untergang ist in den Erkenntniswillen wörtlich einbedungen.

Dies wird besonders deutlich im „Prozeß".

2.5.1. Der Sündenfall des Denkens: Josef K. im Prozeß

Denn es ist der gleiche Preis aus gleichem Grund, den vorzüglich Josef K. zu zahlen hat. Das Gericht und seine Organe sind prinzipiell unbegreiflich, unfaßbar, namenlos. K. mag es hypothetisch benennen,

106

bezeichnen, per Analogie zu erschließen und zu befragen suchen, und das Unbekannte, als „Gericht" gedacht, ‚richtet sich', seinem Namen getreu, nach K., übernimmt dessen Begriffe, Vorstellungen, Erwartungen: „Es nimmt dich auf, wenn du kommst, und es entläßt dich, wenn du gehst." (P 265) (Dies — und nicht irgendwelch psychisches Projizieren — ist einer der Gründe für die Spiegelbildlichkeit von K. und dem Gericht.) Das alles ändert nichts an seiner schier unausdenkbaren Wesensart, deren Grund ‚Schuld' und deren Kern ‚Freiheit' heißt. Es ist und bleibt recht eigentlich ein Es, ein Un-Ding. „In Gegenwart dieser Leute" kann K. „nicht einmal nachdenken". (P 12)

K. indes will wissen, muß denken: „. . . viel wichtiger war es ihm, Klarheit über seine Lage zu bekommen; . . . Was waren denn das für Menschen? Wovon sprachen sie? Welcher Behörde gehörten sie an? " (P 12) Der Anfang — vom Ende — wird im „Prozeß" schon dort gesetzt, wo K. fragt „Wer sind Sie? " (P 9) und natürlich bis zu seinem Tode nicht von dieser Frage läßt. Er stirbt, angesichts des „Menschen" im Fenster, mit der Frage „Wer war es? " (P 272) auf den Lippen. Sie ist seine erste und letzte, sein Alpha und Omega. Nicht einmal nur diese bestimmte, sondern das Fragen schlechthin[165]. Daher bedarf der Roman auch keiner Vorgeschichte. Selbstverständlich wird gefragt; denken, wissen wollen, bedeutet, fragen müssen, ist A und O des Menschen.

Der Sündenfall Josef K.s bedarf sowenig eines Grundes wie das Essen vom Baum der Erkenntnis. Wissensdurst ist ultima causa, Anfang aller Dinge, Spontan-Beginn der Menschheitsgeschichte. Das Verhängnis beginnt, nicht weil K. verhaftet wird, sondern weil er sich nicht damit begnügt, einfach „verhaftet" zu sein, d. h. schier Unausdenkbares, das sich ihm zeigt und dem er verhaftet bleibt[166], einzig hinnehmen, allein anstarren zu müssen. Folgerichtig kreisen daher K.s letzte, für ihn und uns wichtigste Gedanken, doppeldeutiger, als es zunächst den Anschein hat, um die „Logik": „Die Logik ist zwar unerschütterlich, aber einem Menschen, der leben will, widersteht sie nicht." (P 272) Dieser Satz, eigentlich einzige Aussage unter so vielen Fragen des Endes, ist nur dann schlüssig, die Logik nur dann zugleich unerschütterlich und überwindbar, wenn sie nicht gebogen — biegbare Logik ist Contradictio in adjecto —, sondern in ihrer Gänze zerbrochen und vernichtet wird.

165 Cf. B. Allemann 1, l. c. p. 284ff.
166 ibid. p. 247

Also bedeutet der Satz: Wer leben will, darf nicht denken wollen. Wer denken will, muß sterben. Denn denken läßt sich das Unausdenkbare nur als Schuld, Gericht und Todesstrafe. Mit einem Wort:

Es geht nicht um Erkenntnis des Gerichts, sondern darum, daß Erkenntnis, genauer: Erkennen-wollen Gericht bedeutet. Das gilt von K. und Kafka. Daß Wunden nur als Strafe sinnvoll, heißt nichts anderes als: Strafe, und somit Schuld, ist nur, nicht weil Wunden sind, sondern weil Kafka diese Wunden begreifen will. Nähme er sie fraglos hin, gäbe nichts um den Sinn, begnügte sich mit Begütigungen, er käme straflos davon. So geht es primär nicht um ein Schuldbewußtsein, sondern darum, daß das Bewußtsein die Schuld selber verschuldet. „Zum Schluß aber", sagt K., der zu fragen, begreifen zu wollen nicht mehr aufgehört hat, vom Gericht, „zieht es von irgendwoher, wo ursprünglich gar nichts gewesen ist, eine große Schuld hervor." (P 110) Tatsächlich ist es so. Wo jetzt, seitdem er fragt, eine große Schuld ist, war ursprünglich, als er fraglos lebte, gar nichts.

Schuld, Gericht und Strafe sind Früchte vom Baum der Erkenntnis. Aus paradiesischer Fraglosigkeit gedankenlosen Daseins vertreibt ein Sündenfall von Erkenntnis, der ein Bewußtsein beschert, zu groß, um nicht zu fragen, zu klein, um Antwort geben zu können. Und da seit alters Erkenntnis- und Sexualfall, „Wissen" und „Gewahr"-werden, „daß sie nackt waren" (1. Mose 3,5,7), eins sind, zieht der Wissensdurst, das Fragen Josef K.s, mit Konsequenz, also gar nicht plötzlich, den „Durst" (P 42) auf Fräulein Bürstner nach sich. Da auch der Todesgedanke schon zu Anfang erscheint (P 17), ist bereits im ersten Kapitel die gesamte Sequenz vom Erkennen (des Sinns, des Weibes) bis zum Tode in effigie durchlaufen und abgeschlossen.

So gesehen erscheinen dann auch vermeintliche Nebensächlichkeiten in neuem Licht. Der Sündenfall reicht bis zum absoluten Romanbeginn zurück, zum ersten Augenblick dieses Morgens. Josef K. erwacht im Bett, er schlägt die Augen auf; „da wurden ihnen die Augen aufgetan", heißt es zum Fall. Er hat „Hunger". Er ißt einen Apfel[167]. Es kommt nicht auf objektive Realität, sondern auf subjektive Realitätswerte an. Das Erlebnis, nicht das Ereignis, entscheidet. „Weltgeschichte", schreibt Kafka 1921 an Brod, seinen Kampf mit dem der Griechen um Troja

167 ibid. p. 287

108

vergleichend: Doch ein Glück, daß es noch andere Griechen gegeben habe, „die Weltgeschichte wäre eingeschränkt geblieben auf zwei Zimmer der elterlichen Wohnung und die Türschwelle zwischen ihnen." (Br 314) Und an Milena: „einer kämpft eben bei Marathon, der andere im Speisezimmer, der Kriegsgott und die Siegesgöttin sind überall." (M 174). Alltagsereignisse werden bei stärkster Erlebnisintensität zu weltbewegenden, geschichtsentscheidenden Wendepunkten. Solcherart der Banalität des Geschehens mit der Freiheit der Auffassungsweise zu begegnen, bedeutet den Sieg über die Monotonie der eigenen Existenz, über die Nichtigkeit des Immergleichen, ist Triumph der Form über den Stoff. Doch solche Freiheit verunmöglicht zugleich simpelsten Lebensvollzug. Wo bei jeder Alltagsverrichtung Weltgeschichte statthat, ist selbst einfachstes Leben kaum möglich.

2.5.2. Schuldspruch und Tod: „Prozeß" und „Strafkolonie"

Mag Josef K. dreißig Jahre unter vermeintlichen Selbstverständlichkeiten gedankenlos existiert haben, an diesem Morgen, in seiner Daseinsmitte, mit Unverständlichem konfrontiert, das zum Denken zwingt ¬ ohne es doch zu ermöglichen –, wird er im Sündenfall zum Menschen: Ihm gehen die Augen auf; er beginnt zu denken, das heißt, zu leben; er muß fragen; der Prozeß beginnt.

Doch ein Prozeß könnte Jahre, Jahrzehnte dauern, sein Ende das natürliche Ende des Lebens sein. Blocks Prozeß dauert „schon länger als fünfeinhalb Jahre" (P 207). „Scheinbare Freisprechung" und „Verschleppung" (P 184) würden „eine Verurteilung des Angeklagten verhindern". Verschleppung etwa ermöglicht, „daß der Prozeß dauernd im niedrigsten Prozeßstadium erhalten wird", „über sein erstes Stadium nicht hinauskommt" (P 193). K. indes endet rasch, fast überstürzt. Kaum hat das Verfahren begonnen, wird er erstochen. Wo liegen die Gründe?

K. teilt dieses Schicksal mit dem Offizier der „Strafkolonie", dem – wie Kafka – sich selbst folternden Folterknecht einer alten Kommandantur. Roman und gleichzeitige Erzählung stehen konzeptionell unter dem gleichen – ob zum Perspektiv ‚Josef K.', ob zur Bilderwelt der Erzählung gestalteten – Aspekt, unter dem Kafka Stoff und Stoffbehandlung auf ihre Folgen befragt. Die „Strafkolonie" ist die bildhafte Thematisierung der sich aus dieser Behandlung ergebenden Gründe für Josef K.s plötzlichen Tod:

Über K.s und des Offiziers Schicksal bestimmt nicht allein Kafkas repetitive Suche nach dem in den Wunden, dem Un-Sinn verborgenen Sinn, sondern auch und am Ende vor allem die Suche nach dem Sinn des Verwundetseins, das heißt zugleich, der Selbstverwundung:

Verwundetsein ist nur als Strafe sinnvoll. Strafe setzt Schuld voraus. Wie lautet der Schuldspruch? — Daß sich hinter allen bis zur Unkenntlichkeit variierten Gravuren ein darin seinerseits bis zur Unleserlichkeit variierter einziger Spruch verbirgt, ist die Entdeckung des Jahres 1914. Die „Strafkolonie" existiert nachgerade in diesem Bild. Dabei ist der Spruch selbst — in der Erzählung: „Ehre deinen Vorgesetzten!" (E 205) und „Sei gerecht!" (E 228) — bezeichnender- weise kein Todesurteil. „Unser Urteil klingt nicht streng." (E 205) Jedoch: Dieser Spruch, er allein, gibt den labyrinthischen Linien Zusammenhang, dem Chaos der Gravuren Form; er bildet es zum sinnvollen Ganzen, und *dorthin* zu finden, bedeutet den Tod. Tod als Antwort auf die Frage: Wohin führt und worin endet die unaufhörlich vertiefende Behandlung des Stoffs, die Suche nach der Erkenntnis? — Folge dieser Einsicht ist offenbar Kafkas Vorwegnahme[168] des Todeser- lebnisses, in Roman und Erzählung gleich zweimal gestaltet: statt zwölfstündiger Folter bzw. eines lebenslänglich verschleppten Prozesses wird der Offizier fast sofort und K. schon nach einem Jahr erstochen. „Die Egge schrieb nicht, sie stach nur." Das bedeutet, statt der „Vollendung" von vertiefender Beschriftung und Erkenntnis, „unmit- telbaren Mord" ohne „Zeichen der versprochenen Erlösung". Anders als das Todeserlebnis, ist Erkenntnis, Erlösung, falls es sie gibt, nicht antizipierbar; auch ist sie, in bestimmter Sicht, zweitrangigen Werts, denn:

Wenn den Romanversuch der Bilanz im Falle des „Prozeß" das logische Bedürfnis nach der Urschrift hinter allen Gravuren bewirkt, dieser Wunsch jedoch, nämlich „die Aufschrift zu buchstabieren" und dann die Buchstaben „noch einmal im Zusammenhang" zu lesen (E 228), Erkenntnis, Heilung und Selbstvernichtung ineins bedeutet, weil es nur am eigenen Leibe gelingt, daher der Weg zum Zusammen- hang in den Tod führt, so ist dies für einen „Menschen, der leben will" (P 272), die entscheidende Antwort. Die unaufhörliche Vertiefung löst unter diesem Aspekt nichts. „Ich beschäftige mich mit nichts anderem

---

168 Zur Antizipation bei Kafka ausführlich H. Binder 2, l. c. p. 416ff.

als Gefoltert-werden und Foltern", so schrieb er an Milena, „um aus dem verdammten Mund das verdammte Wort zu erfahren". Im Jahre 1914 wird, statt repetitiv Lösung zu suchen, nach der Wahrheit der Repetition gefragt und „das verdammte Wort" hier und jetzt gefordert und erfahren: Das Fragen, Selbstfolter in Namen und Auftrag der Welt, zielt immer auf den Tod; unmittelbar selbst, auf sein Endziel, befragt, antwortet es daher mit „unmittelbarem Mord" so konsequent, wie die Maschine der „Strafkolonie" ungekünstelt tötet, wo sie nicht mehr kunstvoll schreibt. Sie enthüllt nur ihre wahre Natur.

„Prozeß" und „Strafkolonie" sind offensichtlich in einer Zeit geschrieben, in der für Kafka die Eigenart der stofflichen – zugleich: persönlichen – Grundlagen von Leben und Werk, besonders die Art der Stoffbehandlung und ihrer Folgen zum erstenmal greifbar wird und das antizipierende Interesse an dieser Einsicht zur Gestaltung drängt. „Die ersten sechs Stunden lebt der Verurteilte fast wie früher, er leidet nur Schmerzen", heißt es in der „Strafkolonie". „Wie still wird aber der Mann um die sechste Stunde! Verstand geht dem Blödesten auf." Der Mann beginnt, „die Schrift zu entziffern, er spitzt den Mund, als horche er." (E 212 f.) 1914, als er Roman und Erzählung schrieb, war Kafka, wie der dreißigjährige Josef K., in der Mitte eines Lebens. Dies ist der ausschlaggebende Nexus zwischen Kafka und Josef K. Unter diesem Aspekt ist der Romanheld gestaltet.

3. ERLEBNIS UND LOGIK: DIE BEIDEN GRUNDKRÄFTE IN WERK UND LEBEN

Als Anfangs- und Endpunkt der Betrachtung in biographischer, besser: im Sinne Hasselblatts „tropographischer"[169], Traum und Epik, Leben und Werk umfassender Sicht wurden zwei Kräfte sinnfällig: Erlebnis und Logik. Es ist ein Gegensatz im Widerstreit. Aus allen Fugen die Elemente, amorph und ohne jeglichen Zusammenhang, gewesene Erlebnistrümmer, die sich der Addition bequemen, der Logik nie, denn sie sind vieldeutig bis zumWiderspruch, bewußtseinsfeindlich

169 D. Hasselblatt,l. c. p. 155

— und fugenlos, aus einem Guß die Logik, gestaltend, klar, eindeutig, ein komplizierter Bau. Es ist das Muster eines Gleichgewichts, Kräftespiel wie zwischen freiem Atom und molekularem Verband. Extreme halten sich die Waage: Chaos, Kosmos. Es sind, in dieser Form, die Grundkräfte in Werk und Leben.

Die Forschung hat seit je betont, daß *zwei* Kräfte wirksam sind; freilich hat sie nur die eine, Logik, stets erkannt, sich mit der anderen schwergetan. „Auch seinem dichterischen Stil ist eigentümlich", schreibt W. Muschg, „daß er mit haarscharf erfaßten Details arbeitet. Sie treten überdeutlich und seltsam isoliert aus ihrer unbestimmten Umgebung hervor, denn sie dienen Kafka als magische Zeichen, mit denen er Irreales heraufbeschwört... Die Wirkung von Kafkas Bildern beruht nur zum Teil auf der Präzision der Beobachtung, zum größeren Teil auf der Mischung von Schärfe und Unschärfe der Zeichnung, auf der unheimlichen Mischung von Realem und Irrealem, Vertrautem und Fremdem."[170] Des Werkes „Spannungsfeld" wird nach H. Pongs von „zwei kontrastierenden Bild- und Sprachkräften geleistet: von den Schreckbildern des Unbewußten, in denen sich Traummetaphern in Szenen umsetzen, und vom Schalten mit einer nüchternen, scharf beobachtenden, gefühlskalten Alltagssprache".[171] „Da aber", heißt es bei F. Martini, „das letzte Ziel des Beziehungsraumes im Vieldeutigen liegt, d. h. im beständigen Hinweisen auf das Unausdeutbare, erhält auch die Sprache trotz ihrer Konsequenz und gerade in ihr die Vieldeutigkeit und den Charakter von Chiffren, die im Aussprechen verbergen. Die Genauigkeit des Sprechens ist ein beständiger Kampf gegen diese Vieldeutigkeit, welche eine komplizierte Syntax der Vermutungen, Möglichkeiten, Befürchtungen, Erwartungen usw. spiegelt."[172] Ähnlich sieht W. Emrich die „erstaunliche Präzision, mit der alle Einzelheiten ... erläutert" werden, in „groteskem Mißverhältnis zu dem Sinn des Ganzen, der nirgends aufgeklärt und formuliert wird"[173], nennt E. Fischer den „Widerspruch von deutlichem Detail und verdunkeltem Zusammenhang"[174], nennt H. Politzer den Dichter „Visionär und Analytiker zugleich"[175], H. Broch die beiden Kräfte den „Logos

170 W. Muschg 3, l. c. p. 109f.
171 H. Pongs, l. c. p. 64
172 F. Martini 1, l. c. p. 303

173 W. Emrich 5, l. c. p. 75
174 E. Fischer, l. c. p. 323
175 H. Politzer 3, l. c. p. 36

und das Leben"[176], D. Naumann „punktuelle Beobachtung" und „universelles Rätsel"[177], D. Hasselblatt „Zauber und Logik"[178], J. Pfeiffer „magischen Realismus"[179] usw. — Doch „Zauber", „Vision", „Irreales", „Unbewußtes", „Traum", „Dunkel", „Rätsel", „Vieldeutigkeit", „Leben", „Magie": das ist Ausdruck der Verlegenheit, Beschreibung eines subjektiven Eindrucks, bestenfalls Bezeichnung von Symptomen, Teilaspekten. Allein der Aufweis der gruppierten Elemente, ihres Ursprungs, der zugleich ihre Eigenart — im Werk, im Leben — klärt, also allein die Gruppe, als Erlebnis, wird dem wahren Sachverhalt gerecht.

3.1. Die Kräfte im Werk

Der Gegensatz bekundet sich im kleinen, etwa syntaktisch. Kafka ist zwar „Hypotaxe par excellence"[180], doch — Hasselblatt verweist darauf — es gibt, im anderen Extrem und bezeichnenderweise in der unmittelbaren Erlebniswiedergabe, parataktische Passagen wie in den Reisetagebüchern (T 589—682), die in ihrer additiven Reihung der Erlebnispartikel Wortlisten näher stehen als Texten.[181]

Und er bekundet sich im großen. Gewiß zeigt Kafka „eine überaus kritische Haltung gegenüber den Roman-Fragmenten"[182], vielleicht ist er tatsächlich nur „Meister der kleinen Form"[183], ist die größte funktionstüchtige aller Kafkaschen Formen ein „syntaktisches Ordnungsschema", das sich „am deutlichsten in kürzeren Texten verwirklichen und an ihnen ablesen" läßt, von woher Hasselblatt, den wir zitierten[184], Kafkas Tagebuchnotiz versteht, daß er sich mit seinem „Romanschreiben in den schändlichen Niederungen des Schreibens" befindet (T 294). Dennoch hat er es, wie erwähnt, fünfmal versucht,

176 Hermann Broch: James Joyce und die Gegenwart. In: Essays I, Dichten und Erkennen. Gesammelte Werke VI. — Zürich 1955. S. 183—210. Hier p. 209

177 D. Naumann, l. c. p. 285

178 D. Hasselblatt l. c., cf. Titel der Studie

179 J. Pfeiffer, l. c. p. 107

180 D. Hasselblatt, l. c. p. 76

181 ibid. p. 76ff.

182 J. Born 2, l. c. p. 188, Anm. 3

183 W. Muschg 2, l. c. p. 101; Muschg 3, l. c. p. 103, 106, 116; ferner K. Batt, l. c. p. 33; F. Billeter, l. c. p. 203; H. Deinert 2, l. c. p. 199f.

184 D. Hasselblatt, l. c. p. 85

und jeder Versuch an der Großform bekundet ein Streben nach Gleichgewicht, ein Bemühen um Ebenmaß: Dem sichtbarlich angestrebten größtmöglichen Ganzen entspricht weniger sichtbar, ebenso wirksam, im anderen Extrem der Aufstand der Teile gegen das Ganze, vom kleinsten, dem Element, bis zum größten, dem Romanteil ‚Kapitel'. Was M. Robert vom „Schloß" feststellt, gilt für alle Romane; jeder stellt sich „als eine Reihe von Episoden dar, die einander nahezu vollkommen ähnlich sind, aber untereinander nur in schwacher oder überhaupt keiner logischen Verbindung stehen ... Die Ereignisse knüpfen sich gleichbleibend aneinander, ohne den Fortgang der Handlung zu fördern, und da keine feste Ursächlichkeit sie miteinander verbindet, bilden sie eine offene Reihe, der ohne weiteres Glieder zugesetzt oder von der Glieder abgezogen werden könnten"; so entstehe der „episodische und relativ selbständige Charakter der einzelnen Abschnitte", durch den „der schwache Faden der Romanhandlung immer wieder abzureißen droht."[185] Notwendig, denn je größer die epische Form, desto wirksamer, sichtbarer zugleich diejenige Kraft, die wir ‚Erlebnis' nannten. Sie wird Übermacht. Und dann tritt deutlicher als anderwärts zutage, wie die Gruppen einzig dem Gesetz der eigenen Variabilität gehorchen, nicht den Forderungen konsequenter Handlungsführung, Werkgestaltung. Die Kraft ist auch in den kleinen Formen nicht vom Inhalt her, in den großen aber schon formal nicht zu bewältigen; sie sprengt die Form, die Werkeinheit zerfällt in eine Summe von Kapiteln und Fragmenten.

Gleiches gilt vom Element. Der Ablauf des Romangeschehens bedeutet nicht im Grunde die Sichtung ständig neuer Rätsel. Denn die sind Wiederkehr des immergleichen Gruppenfundus, werkimmanent: derselben Teilinhalte einer einzigen Welt. Das bedeutet Atomisierung: Erste Zusammensetzung der Teile, erster Versuch ihrer logischen Sichtung; Rearrangement und zweiter Versuch; Rearrangement und dritter, so unaufhörlich weiter, bis in allmählicher Zertrümmerung der Welt allein Atomen, nur Elementen noch Substanz verbleibt. Nicht jede Zusammensetzung wird dabei ganz, nicht jede auch sofort zerstört. Der Auskunftgeber sei „nicht verpflichtet, kranke Parteien hinauszuführen", sagt das Mädchen in „Prozeß"-Kap. 3 zu K., „und *tut es doch* ..., wir wollten vielleicht alle *gern helfen*'. ‚Wollen Sie sich nicht hier ein wenig

185 M. Robert, l. c. p. 200f.

setzen? ' fragte der Auskunftgeber, sie waren *schon im Gang"*, und K. fällt das Gehen schwer. „,„Nein', sagte K., ,ich *will mich nicht ausruhen.""* (P 90 f.) — „Du weißt", sagt der Onkel in Kap. 6 zu K., „daß ich *für dich alles tue* ... Ich werde dir *natürlich* auch jetzt noch *helfen*, nur ist es jetzt, wenn der Prozeß *schon im Gange* ist, sehr schwer. Am besten wäre es jedenfalls, wenn du dir einen *kleinen Urlaub* nimmst und zu uns aufs Land kommst", was K. nicht will. (P 118) Doch derlei Regelmäßigkeit ist keineswegs die Regel.

Auf solche Weise entsteht jene durchläufige Fremdheit ungeklärter Sachverhalte, die in der Forschung mit „Inversion" (wir fügen bei: doch nahezu totaler, Um- und Umkehr) erklärt und als Inversion in ihrem ganzen Umfang bislang erst teilweise erfaßt wird: „Die Paralysierung der Zeit geht so weit, daß Kafka", so G. Anders, „die Reihenfolge von Ursache und Effekt umkehren kann", z. B. in einer „Inversion von Schuld und Strafe". „*In der Kafkawelt fliegen die Furien der Tat voraus*, nicht hinter der Tat her. Ja, sie zwingen die Täter zur Tat: der Verbrecher folgt der Strafe auf dem Fuße."[186] — Zu der von uns gemeinten elementbedingten Inversion ein Beispiel im „Prozeß":

K.s „Niederlage" durch den Studenten, weil dieser ihm den „Körper" (der Frau) fortträgt, und zwar ins Gerichtszimmer (Bett) des Untersuchungsrichters, wiederholt sich auf dem Dachboden (cf. Dublette 3a–b, Anhang XI), erscheint aber nicht mehr als „Unwohlsein" a u f g r u n d des Auskunftgebers, w e i l dieser ihm den (eigenen) Körper forttragen will, und zwar ins „Krankenzimmer" (Bett), sondern als spontaner, selbst für K. fast nicht erklärter „Anfall": „Solche Überraschungen hatte ihm sein sonst ganz gefestigter Gesundheitszustand noch nie bereitet." (P 92) Die Inversion ändert die Reihenfolge, kehrt sie um, löscht die bisherigen Verknüpfungen und stiftet neue: Der Auskunftgeber erscheint als zwar „ungeduldiger", aber harmloser „Zuschauer", der im Grunde „kein hartes Herz" hat und K. „gern helfen" will; das Krankenzimmer ist einzig deshalb „ärgere" Alternative, weil es K.s Erholung verzögern würde. Erst eine Bestandsaufnahme des ganzen Romans, genauer: der romanspezifischen Variantentypen seiner Gruppen und Gruppenreihen (Auswahl in Anhang XII) kann zeigen, daß eine Reihe, die die Kap. 3(a)b, 6 b und 10 sonst nahezu gemeinsam haben, in 3 b eine aufschlußreiche Lücke läßt: wo der Gang zum Krankenzimmer fehlt, ,fehlen' die entsprechenden GB-Komplexe

186 G. Anders, l. c. p. 36f.

(7, 8, 10, 12, 13, 16—19). Das umgangene Krankenzimmer ist Funktionsäquivalenz von Herzkrankenlager und Hinrichtungsstätte. Ohnehin ist K.s Ende situationsstrukturiert wie eine ärztliche Untersuchung und Behandlung, von den wörtlichen Hinweisen — „Krankenwärter", „betten" — abgesehen besonders dort, wo der eine Herr das Messer nimmt, es hochhält und seine Schärfe im Licht prüft; so mag ein Arzt die Spritze prüfen, bevor er sie setzt. Der Auskunftgeber, „der übrigens elegant gekleidet war und besonders durch eine graue Weste auffiel, die in zwei langen, scharf geschnittenen Spitzen endigte" (P 87), ist ein eleganter, im Doppelsinn ‚schnittiger' Todesengel (cf. GB). Sein Gelächter bekommt dadurch höllischen Hintersinn, womöglich gar sein Amt, denn er „gibt wartenden Parteien alle Auskunft, die sie brauchen", und im gleichen Sinne, wichtiger noch, weil anscheinend harmlos, statt „Er weiß auf alle Fragen eine *Antwort*" — Er weiß auf *alle* Fragen *eine* Antwort, den Tod. Das heißt, da die Gruppe ‚fehlt': noch ist er nicht der Todesengel, hier geht der Kelch an K. vorüber. — Solch ein Deutungsweg zur Inversion vermeidet die Unmethodik jener sog. „Rückübersetzung", die, freilich auf Kafkas ‚Übersetzung' von Zeit- in Raumstrecken einschränkend, G. Anders vorschlägt: „Die Rätsel der Geschichten in ‚Beim Bau der chinesischen Mauer' lösen sich, wenn man diese Übersetzungen rückübersetzt, von selber."[187] — K.s Verhalten in Kap. 3 a war Re-Aktion, Wirkung voraufgegangener Ursache, demnach verständlich: Der Student trägt die Frau fort, K. ist und fühlt sich wie der Unterlegene. K.s anfallartige Niederlage auf dem Dachboden hingegen ist Aktion, die Wirkung geht der Ursache vorauf, hört mithin auf, Wirkung zu sein, wird auch nicht neue, etwa die wahre Ursache, weshalb sie unverständlich wird und für Leser wie Interpret zu bleiben hat. Die Inversion stellt Kausalitäten nicht richtig, sondern vernichtet sie, lädt demnach nicht dazu ein, sie selber rückgängig zu machen. Abgesehen davon, daß ein Kunstwerk kein Rebus ist: Der Konflikt zwischen K. und seiner Welt ist in wichtiger Hinsicht der Konflikt zwischen Negation und Postulat des wie sich zeigt notwendig falschen Kausaldenkens, Rückübersetzung wäre Umdichtung, würde mit der Inversion zugleich diesen Konflikt aufheben.

Derlei Handhabung läßt letztlich alles unbegreiflich scheinen. Alltägliches wird numinos, Banales Spuk und Selbstverständlichkeit zu Widersinn, so chaotisch wie, im anderen Extrem, die Logik streng.

187 ibid. p. 36

3.2. Die Kräfte als Zwang und Spiel

Beide Kräfte sind zunächst, wie dargetan, naturbedingt, sind Zwang. *Daß* sie in Spiel, in Freiheit übergehen, ist auszumachen, der Übergang, die Art und Weise nicht[188], auch der Grund nicht, auch nicht für Kafka selbst: „Mir immer unbegreiflich, daß es jedem fast, der schreiben kann, möglich ist, im Schmerz den Schmerz zu objektivieren, so daß ich zum Beispiel im Unglück, vielleicht noch mit dem brennenden Unglückskopf mich setzen und jemandem schriftlich mitteilen kann: Ich bin unglücklich. Ja, ich kann noch darüber hinausgehn und in verschiedenen Schnörkeln je nach Begabung, die mit dem Unglück nichts zu tun haben scheint, darüber einfach oder antithetisch oder mit ganzen Orchestern von Assoziationen phantasieren. Und es ist gar nicht Lüge und stillt den Schmerz nicht, ist einfach gnadenweiser Überschuß der Kräfte in einem Augenblick, in dem der Schmerz doch sichtbar alle meine Kräfte bis zum Boden meines Wesens, den er aufkratzt, verbraucht hat. Was für ein Überschuß ist es also? " (T 530 f.)

Freilich ist dieser Sieg, selbst für Kafka, kaum mehr von einer Niederlage unterscheidbar: „Das Tier entwindet dem Herrn die Peitsche und peitscht sich selbst, um Herr zu werden, und weiß nicht, daß das nur eine Phantasie ist, erzeugt durch einen neuen Knoten im Peitschenriemen des Herrn." Gefoltert-werden und Foltern: Kafka zieht sich früh aus dem Leben zurück und befragt es statt dessen auf seinen Sinn. Doch das verkürzt nur die Qual, beendet sie nicht. Statt des Lebens

---

188 Als Eigenschaft derjenigen Kraft, die wir ‚Erlebnis‘ nannten, wird freilich die Zusammenhanglosigkeit — die primäre, ursprünglich zwanghaft vorgegebene — im nachhinein zuweilen, in der Art und Weise nachweislich, zum Spiel. J. Winkelman, l. c. p. 204 ff., z. B. weist die „Forschungen eines Hundes" als von der Konzeption her völlig realistische Beschreibung des konkreten Haustierdaseins aus, einzig vermindert um die Menschenwelt, die sonst dem Tierverhalten Sinn gibt, da sie Zusammenhang verleiht. Künstlich, freiwillig hergestellt, verliert die Zusammenhanglosigkeit dennoch nicht an Wert und Ernst. Solch Unterschied von Zwang und Spiel nennt Kafka: „Das Tier entwindet dem Herrn die Peitsche und peitscht sich selbst, um Herr zu werden" (M 244). Bereits aus diesem Grund lädt solches Spielen nicht zu Rückübersetzung ein, so als müsse, wie J. Ryan, l. c. p. 569, fordert, zum besseren Verständnis „der Leser die Teilwelt des Hundes durch die Menschenwelt ergänzen." — Gleich starker Einwand ist aus diesem Grund auch gegen J. M. Pasley 1, l. c. p. 44, zu erheben, der zu Kafkas gleichem Spiel in u. a. „Ein Besuch im Bergwerk" meint, derlei Technik sei schwerlich zu rechtfertigen, würden doch dem Leser Nicht-Geschichten („non-messages") unterbreitet, die, da der Kodeschlüssel fehle, nahezu an Unsinn grenzten.

foltert lebenslänglich er selbst, „unüberlegt, mechanisch und traditions-gemäß". Bosheit einer Welt, die ihn sich selbst überläßt, ohne ihn entlassen zu haben, da er ihr Handlanger bleibt, auch wo er ihrer Herr wird.

Und doch ist ein Unterschied. Niemand entledigt sich seiner Eigentümlichkeit, befreit sich von seinem Charakter, und wäre es möglich, man würde „zerfallen"; aber dennoch ist Freiheit. Zwar wird sie als — sogar charakterbedingte — „Phantasie", als bloßer Wunsch-traum, nie die Notwendigkeit aufheben können. Doch es läßt die Not-wendigkeit selber sich zu Freiheit umfunktionieren. Das Tier ist nicht mehr nur Opfer, die Peitsche liegt in seiner eignen Hand. Stofflich, vom Repetitionszwang her, dient das kombinatorische Rearrangement bloß dem Zweck, sich bequem, sich gütlich zu arrangieren. Doch charakterliche Größen werden zu funktionellen und grausamer Zwang zu grausamem Spiel, wo dem Repetitionszwang — der Stoff drängt sich ja nach wie vor auf — zwar nachgegeben, dieser charakterbedingte Zwang aber zum Spiel mit und gegen den Charakter verwandelt wird:

Alle Prinzipien der Stoffbehandlung subsumieren sich nämlich einem einzigen Prinzip, sind Paraphrasen der stets doppelseitigen Grundent-scheidung gegen Zwang, für Spiel, genau: gegen Charakter, für Funk-tion. Das Prinzip gilt, weil im allgemeinen, so auch für die Figuren im besonderen. Die bekannte Funktionalität Kafkascher Figuren ist mithin ein, aber keineswegs einziger Teil der Entscheidung. Wie figürlich gegen Charaktere, für Funktionäre, so wirkt das Prinzip im ganzen gegen charakterbedingten Zwang und Zweck der Repetition und für freie, spielerische Funktionalität, gegen charaktergerechte Lösung durch Varianten und für funktionsgerechte Lösung durch das Variieren selbst.

Denn die Variation wird Mittel *und Zweck* der Lösung. Ziel mag nach wie vor, stofflich und ohne Aussicht auf Erfolg, die erfolgreiche Variante bleiben. Doch auch und erst das Variieren selbst erfüllt den Zweck: Eine genügende Vielzahl ergebnisloser Varianten vermag sich wechselweise selber zu erhellen. Der einzelne semantische Entwurf des einzelnen Elementes, auch der einzelnen Gruppe, mag nichts zur Lösung hier und jetzt beitragen. Aber hundertfach entworfen, 10, 20, 30 Jahre lang, beginnt die Gesamtheit der Unlösbarkeiten sich auf ihre Weise selber zu enträtseln. Denn Sinnmöglichkeiten werden nicht nur kumuliert, sie bilden Muster. Was bloße Menge schien, erweist sich als Gefüge, und im Gefüge gibt sich eine Probabilität der Wahrheit zu erkennen. Es ist paradox: Gesucht wird — biographisch einzige Möglichkeit — auf dem Weg zurück zum Ursprung, in eine kindlich-vor-historische Vergangenheit, eine Lösung, welche, je länger diese Suche dauert, allein schon durch die immer größere Entfernung in der Zeit stets vergeblicher erscheint und dennoch nur, in dieser umgekehrten Richtung, auf diesem Wege der Vergeblichkeit gefunden werden kann, durch eine immer größere Häufung der erfolglosen Versuche.

Bevor wir jedoch in der zweiten Hälfte der Untersuchung, den Kapiteln III und IV, diesem Sachverhalt Beachtung zuwenden, noch einmal zur Methodik:

4. ZUR METHODIK (II)

4.1. Die Frage des Wechselspiels von Werk und Leben ist fürs Verständnis der Dichtung Kafkas ebenso entscheidend wie für den Gang der Forschung, das Verhältnis der Forschungszweige zueinander. Eine Lösung ist dennoch stets Desiderat geblieben. Man ist über grundsätzliche Erwägungen nicht hinausgelangt zum Nachweis, was auf welche Weise vom Leben in die Dichtung Einlaß findet, wie allgemein der Dichtungswert des Lebens, der Lebenswert der Dichtung zu bestimmen sei. So widmet sich etwa D. Hasselblatt der von ihm als nach wie vor ungeklärt bezeichneten „unumgänglichen Frage", wo bei Kafka „die Grenze zwischen Werk und Lebensniederschlag zu ziehen ist, ob sie gezogen werden muß oder warum sie nicht gezogen zu werden braucht."[189] Die Forschung sei bislang dem nach Sengle „schwierigsten Problem der modernen Dichterbiographie" erlegen — dem Hasselblatt mit dem an Dilthey, Oppel, Staiger, Blöcker, Wagenbach orientierten Begriff einer Leben und Werk organisierenden Mitte, dem „Terminus Tropographie"[190] gerecht zu werden sucht, der beides „als parallele Entfaltung der nämlichen geistigen Grundorganisation"[191] umgreift —, dem Problem nämlich, „wie der neuen Wissenschaftssituation entsprochen werden kann, ohne daß Leben und Werk in zwei beziehungslose Teile auseinanderfallen"[192]. H. Oppel führe aus: „indem man die Dichtung

189 D. Hasselblatt, l. c. p. 163
190 ibid. p. 155
191 ibid. p. 160
192 ibid. p. 164

nur zum Menschlich-Allzumenschlichen auslegte und von einer Fort-
wirkung bestimmter ‚Erlebnisse' als dichterischer ‚Motive' sprach,
gelangte man zu einem Dichter ohne Dichtung. Und im Gegenschlag, als
man sich nur dem Werk zuwandte, zu einer Dichtung ohne Dichter.
Beides aber ist eine Abstraktion und wird dem lebendigen Wechselspiel
nicht gerecht, in dem sich Leben und Werk befinden".

Eben dies ist jedoch geschehen. Die Kafkaforschung hat sich seit
längerem in zwei fast beziehungslose Teile aufgespalten, in Werkimmanenz und historisch-biographische Richtung. Wohl enden besonders die
Überlegungen der Biographen ständig im Begriff des Musters, Schemas
und Modells: Max Brod z. B. sieht im Kampfe mit den Eltern „das
Modell aller späteren Kämpfe". Dem „Zurückblickenden werden
rechtens die Anfänge auch wirklich wie Vorformen oder Repräsentan-
zen der weiteren Phasen seines Lebens und der Gesamtheit des Lebens
überhaupt erscheinen."[193] Denn die „späteren Konflikte . . . gleichen
fast immer auf ein Haar jenen ersten"[194]. Auch der „mißlungene
Eheversuch" mit Felice „war ja, wie sich noch zeigen sollte, für Kafkas
Leben als Schema und nicht individuell bedeutsam, war unabhängig von
der Person der Braut"[195]. Allenthalben ist auch bei K. Wagenbach von
„Muster", „Grundmuster"[196] die Rede. Und zum „Bau" heißt es bei
H. Binder: „Eine solche ganz direkte Ineinssetzung von einmaligen
biographischen Einzelphänomenen und Erzählzügen wird durch die
Tatsache unglaubhaft", daß die Entsprechung „noch auf andere
Lebenserfahrungen Kafkas zurückgeführt werden kann". Kafka selbst
erkenne in der aktuellen Situation ein „Modell", einen „immer
wiederkehrenden Mechanismus". Man werde demnach „davon auszu-
gehen haben, daß ein schon vorgängiges seelisches Verhaltensmuster
durch die konkrete Lebenssituation und gleichermaßen durch künstlerische Imagination manifest wird, so daß Biographisches und Dichterisches
gleichwertige Belege einer Grundbefindlichkeit wären, die allerdings als
durch andere Erlebnisse entstanden zu denken ist."[197] — Da man jedoch
diese „vorgängigen" Erlebnisse, als Verbindung zwischen Text und

193 M. Brod 2, l. c. p. 43 f.
194 ibid. p. 46
195 ibid. p. 179
196 K. Wagenbach 2, l. c. p. 107, 120 f.; cf. Symposion, p. 178
197 H. Binder 2, l. c. p. 448 f.

Leben, konkret nicht zu bestimmen weiß, sieht sich z. B. Wagenbach der „falsch gestellten" Frage gegenüber, „was ein solcher Nachweis der vermeintlichen Realien des Schloß-Romans zu dessen literaturwissenschaftlicher Interpretation eigentlich beitragen soll."[198] Und umgekehrt heißt es bei H. Binder: „Zu den Besonderheiten der Kafka-Philologie gehört es, daß die immanente Textbetrachtung die biographisch-historisch ausgerichtete Forschung in bedenklichem Maße überwuchert hat." Den Verfechtern der Werkimmanenz müsse gar „eine mögliche biographische Verflechtung des Geschaffenen eher peinlich sein"[199].

Das Dilemma entsteht, weil Gleichsetzungen mit der Situation vom Tage unmethodisch sind, denn man beschreibt Daten, Fakten, verfolgt sie, *als* Empirie, bis in das Werk, weiß sie jedoch als ästhetische, als Werkeinheiten nicht zu fassen. H. Binder führt z. B. an: „Es dürfte auch kein Zufall sein, daß der Dichter, um eine verschwenderische Schiffseinrichtung zu bezeichnen, im *Heizer* die Tür der Hauptkassa mit einem Vorgiebel krönt, ‚der von kleinen, vergoldeten Karyatiden getragen war', und in einem Fragment die Umrahmung eines alten Tors wie folgt beschreibt: ‚Es waren rings um das Tor in zwei, drei Reihen Engel im Hochrelief, die Fanfaren bliesen; eines dieser Instrumente, gerade auf der Höhe der Torwölbung, ragte tief genug in die Toreinfahrt hinab.' Gerade diese Art von Gebäudeschmuck war ja in Prag recht verbreitet."[200] Was nützt ein solcher Hinweis dem Verständnis eines dichterischen Textes, solange beide Stellen nicht zuvörderst aus der Grundlage der Dichtung selbst, dem textgenetisch eigentlich Primären abgeleitet sind (hier: aus GZ, hauptsächlich 19 und 37)?

Der Ausweg einer psychologischen Lösung, durch den Rückgriff auf ein ‚Muster', reicht andererseits nicht weit genug. Selbst abgesehen von den „psychologisch dilettierenden Literaturhistorikern", die, so L. Ryan, Kafkas „Leben und seine Werke zum Anlaß genommen haben, die Freudsche Neurosenlehre weiterzuspinnen"[201], und deren Ergebnisse, wie E. Heller treffend sagt, „genau soviel zur ‚Erklärung' eines Kunstwerkes" beitragen „wie ornithologische Anatomie zur Ergründung

---

198 Symposion, p. 180
199 H. Binder 2, l. c. p. 403
200 H. Binder 4, l. c. p. 626
201 L. Ryan, l. c. p. 157, 160. — Zu den Hauptrichtungen der psychologisch orientierten Kafkaforschung ibid. p. 160 ff.

des Gesanges einer Nachtigall"[202]: es enden auch methodische Versuche so, wie etwa Canetti Ver- und Entlobung 1914 mit dem „Prozeß" verknüpft: „Es läßt sich zeigen, daß der emotionelle Gehalt beider Ereignisse unmittelbar in den ‚Prozeß' einging... Die Verlobung ist zur Verhaftung des ersten Kapitels geworden, das ‚Gericht' findet sich als Exekution im letzten."[203] Auch J. Rattners Suche nach „Schlüssel-Erlebnissen" kommt bei der Untersuchung des Vaterproblems nur bis zum „Gefühl des Ausgeliefertseins, der Ohnmacht"[204]. Das heißt, es enden die Versuche, bevor dichtungsgerechte Bestimmungen erreicht sind; sie machen typisch halt bei Trieben, Kräften, Emotionen, gelangen nicht zum Text. Der Griff zu dem, was man mit ‚Muster' meint, gerät zudem dadurch ins Dilemma, daß sich, auch wenn Josef Körners Motivbegriff nicht ausdrücklich genannt ist, mit der nämlichen Methode das nämliche Problem ergibt. Gehaltseinheiten dienen dem Verständnis — Verlobungs- als Gerichtserlebnis u. dgl. —, die zunächst für Kafkas Dichtung zu projektionsanfällig, zu leicht in Hypothesenrichtung zu verzerren sind. Wichtiger: Die Trennschärfe der Methode ist nicht groß genug. Nicht ein Erlebnisganzes, sondern partikulare Inhalte des Erlebnisses müssen aufgegriffen werden, auf einem um Größenord-nungen niedrigeren Abstraktionsniveau. Das bedeutet: Da die Variation einer Elementengruppe nicht den stets einen Gehalt umspielt, sondern auf verschiedene Gehalte hin entwirft, schränkt die Motiv-Methode den Blick auf je einen Variationstyp ein, erfaßt nicht die gesamte Variantenreihe einer Gruppe. Von GB würden z. B. nicht die Auf-schnitt-, Brotlaib-, Akten- als Dokumententypen miterfaßt, vielleicht nicht einmal der Typ ‚Behandlung eines Menschenkörpers', sondern nur je für sich die Untertypen ‚Liebes-' bzw. ‚Todesakt': das öffentliche Beilager in „Prozeß"-Kap. 3 (P 61 f.) und die Grablegung Christi in Kap. 9 (P 245 f.) sind mit dem Motivbegriff wohl kaum als Varianten zu erkennen. Und es bedeutet zweitens: Die Motivbestimmung greift zu kurz, weil sie weder Werk noch Leben in ihrer Einmaligkeit erfaßt. Würde das Pawlatsche-Erlebnis bzw. die GP begriffen als ‚Verstoßung des Sohnes durch den Vater', so wäre, weil an einem Erlebnis solcher Art stets individuelles, dann archetypisches Erleben und schließlich nachempfundenes Fremderleben Anteil haben können, kein Kriterium

202 E. Heller, l. c. p. 18   204 J. Rattner, l. c. p. 21, 23
203 E. Canetti 2, l. c. p. 586

zur Hand, das individuelle auszusondern. Erst durch die Methode der Elementbestimmung wird das Erlebnis ganz und in jedem seiner Teile — von der ‚Mattglastür‘ bis hin zum ‚Haken‘ an der Wand (GP 19, 24) — einmalig, unverwechselbar, eigentümlich diesem besonderen Menschen, diesem Werk.

Es will fast unvermeidlich scheinen, daß der auf solche Weise überall verstellte Zugang schließlich Zweifel angeregt hat, ob das Leben in diesem Falle überhaupt die Dichtung prägt. Wohl fordert H. Kraft: „Selbst eine absichtliche Einschränkung auf die Innerlichkeit würde noch das Subjekt als *geprägtes* Subjekt zeigen, könnte die ‚Eindrücke‘ (der Welt auf das Subjekt) nicht ausschließen — weil keine unabhängige Existenz des Subjekts möglich ist“[205]. Doch das hat nicht verhindert, daß man dem Leben oftmals jeden Dichtungswert abspricht. Die Einheit ‚Werk und Leben‘ zerfällt so vollends: in ein Werk, vom Dichter „im luftleeren Raum, ohne eigentliche Beziehung zur Wirklichkeit“ geschaffen, mit Gestalten, „die sich ohne eigene Schwerkraft . . . durch Welten fiktiver Existenz bewegen“[206], und in ein Leben, dessen Anomalie nun freilich logisches Erfordernis geworden ist. Der logische Zugzwang läßt besonders dann nur diesen Weg, wenn das Werk, von aller Lebenswirklichkeit getrennt und dadurch ungreifbar geworden, aus eben diesem Grund schließlich doch wieder zum Rückgriff auf das Leben nötigt: „Das Werk“, so G. Strauss, „bliebe unbegreiflich, zum mindesten noch rätselhafter ohne Studium der Person — ihrer Natur, ihrer anormalen physischen und seelischen Verfassung, ihrem narzistischen Traumleben, das so eng mit ihren pathologischen Zuständen, ihrer extremen Isolierung, ihren abwegigen Neigungen und Antipathien zusammenhängt.“ Kafka wird zum „morbiden Geist“[207]. — Im Gegenzug bleibt dann nur noch der Ausweg eines Lebens ohne Werk: Kafkas dunkle Dichtung zeugt nach B. F. M. Edwards nicht von künstlerischer Größe, sondern vom fehlgeschlagenen Versuch, persönliche Erfahrung in Dichtung zu verwandeln, dem Wesen nach Autobiographischem universelle Bedeutung zu verleihn[208].

4.2. Greifen wir nach Einsicht in die biographischen Grundlagen der Dichtung die Erwägungen zur Gruppen- und Elementbestimmung (infra 42ff.) noch einmal auf, so wird deutlich, daß manche Schwierig-

---

205 H. Kraft, l. c. p. 22
206 G. Strauss, l. c. p. 79,74 (cf. infra 240)
207 ibid. p. 78,81
208 B. F. M. Edwards, l. c. p. II

keit in der Sache selbst gründet, daher auch nicht behoben werden kann. Denn *die Aporie der Gruppen- und Elementbestimmung ist wissenschaftliches Analogon eines biographisch hoffnungslosen Kampfs.*

Es war kein Zufall, daß bei den Experimenten mit der Feldart das Begriffsfeld bestmögliche Gruppierungen erfaßt. Offensichtlich wird die Bildung solcher Felder deshalb Kafkas Werk gerecht, weil das Werk selbst entschieden auf Begrifflichkeit bezogen ist, bei freilich ähnlich aporetischen Problemen. Denn methodologisch schlechte Mittel gleichwohl genötigt zu ergreifen, dies Dilemma erwächst in seinem letzten Grunde aus dem Paradox, mit den vom Dichter selbst gewählten Mitteln der Begrifflichkeit denselben Sachverhalt zu fassen, der sich bereits in Kafkas Werk und Leben eben der Begrifflichkeit, d. i. schon Kafkas eigener, am stärksten widersetzt. Auch dem Dichter bleibt allein der semantische Entwurf, der tentative Griff nach nicht gegebenen, nur unterstellten und daher stets gesuchten Inhalten. Auch seine Zugriffseinheit ist — wie für uns das Element — einzig als Hypothese wertvoll. So hat der Erschließungswert ‚Element' gleich zweifach heuristischen Charakter:

Wir erwähnten, daß Kafkas Begriffe autorenspezifisch, daß die Feldkerne dieses Ideolekts gegenüber dem Üblichen exzentrisch versetzt sind, und tragen dazu nach, was F. Weltsch anführt als das Bestreben assimilierter Familien, den Verlust des jüdischen Sprachbewußtseins u. a. so zu kompensieren, „daß man in einzelnen Familien eine eigene Familiensprachfärbung konstatieren kann, bestimmte Ausdrücke, Familienanekdoten, die als Gedankenstenographie in die tägliche Sprache eindringen und ihr eine besondere Eigenart verleihen."[209] Kafkas Felder sind von gleich mehrfach eigner Art, und der Betrachter wird die seinen nie mit denen Kafkas voll zur Deckung bringen.

Ein ähnliches Problem stellt sich indes dem Dichter selbst. Das eigne Feld ist nicht nur Zielpunkt der semantischen Entwürfe, Zielscheibe für stets nur mehr oder minder gute Treffer. Das Feld ist vor allem, biographisch, ein in seiner Entstehung bis in die Frühzeit reichendes kindliches Engrammfeld. Dadurch aber ist der Feldkern in dem für den Erwachsenen gültigen Kreisbereich kindgemäß, das heißt, exzentrisch angesetzt. W. Metzger erwähnt Synonymien im anfänglichen Wortgebrauch der Frühzeit, bei denen „‚geflüstert' für neblig; ‚klingeln' für

---

209 F. Weltsch 2, l. c. p. 275 f.

flimmern" steht. Jedes Paar gehört zum selben Feld. Und „„müde' steht für liegend, auch bei einer Tasse, ‚frech' für spitz und stechend auch beim Kaktus, ‚stolz' für hochaufragend und ‚traurig' für schräg und gebeugt auch bei einem Ständer." Es ist eine Welt, in der Gans und Kamel wegen desselben langen Halses zum selben Feld gehören und, „wegen der runden Augen und dem spitzen Ohrenpaar", Katze, Eule, Fledermaus. Mit der „Tür" gehört „ohne weiteres das Brett vor dem Stühlchen, der Deckel einer Schüssel, der Korken einer Flasche" zu einem Feld; „Bedeutung: ‚Verschluß eines Ausgangs'"[210]. „Das an einer Schnur gezogene Stück Holz", vermerkt, im Sinn des letztgenannten Beispiels, auch A. Rüssel zum kindlichen Erleben, „wird zum Wagen; aus dem Erlebnis des Ziehens heraus ist der Wagen nur als Ziehbares gegenwärtig."[211] Und daß statt einer Puppe auch Tannenzapfen und Holzstück gute Dienste tun, daß ein Schemel Motorrad, Auto und Straßenbahn sein kann, hat eben seinen Grund darin, „daß für das Kind ganz andere Eigenschaften der Dinge und Lebewesen und ihres Zusammenwirkens entscheidend sind als für den Erwachsenen, ja, daß es oft so von bestimmten Beschaffenheiten der Umwelt, die uns nebensächlich erscheinen, gefesselt ist, daß es darüber die uns wichtigen Eigenschaften fast gänzlich übersieht." „Abblendung auf die kindes-wesentlichen Züge" nennt es Rüssel. „So ist die Puppe in einer bestimmten Einstellung des Kindes ein vornehmlich zum Tragen und Wiegen, Einpacken und Herumfahren bestimmtes Etwas, und deshalb kann u. U. jeder Gegenstand zur Puppe werden, wenn er sich diesen Anforderungen fügt... Ebenso ist das Motorrad in erster Linie nicht durch seinen sachlichen Aufbau und seinen Verwendungszweck charak-terisiert, sondern durch die Art und Weise, wie man sich seiner bedient"[212]. Entsprechend die Definitionen solcher kindlichen Prag-matik. ‚Ein Loch ist, wenn man fällt' oder ‚wenn man die Hand hineinstecken kann'. Entsprechend auch der Ein-Druck im Gedächtnis, bei übermächtigem Erleben dauerhaft. Angesichts solchen Ursprungs braucht man Außergewöhnlichkeiten kindlicher Begriffs- und Engrammbildung unter schockartigen Erlebnisformen nicht einmal einzurechnen, um im Bestand der Gruppen zunächst ungewöhnliche Funktionsfelder (infra 51f.) kindgemäß und dann normal zu finden: die Äquivalenz von z. B. ‚Schlüssel' statt sonst ‚MESSER/Schwert/

210 W. Metzger, l. c. p. 434
211 A. Rüssel 1, l. c. p. 515

212 A. Rüssel 2, l. c. p. 56 f.

(Näh-)Nadel' bei GB 12.1 oder ‚Schloß' als Türmitte statt ‚LEIBES-/ LAIBESMITTE' bei GB 12.4. Ein Schlüssel ist eben, ‚wenn man etwas Langes, in der Hand Rundes, vorn Spitzes in etwas anderes (in dessen Mitte) steckt — und dreht', weshalb man umgekehrt nun auch ein Messer in die Leibesmitte stößt — und dreht (P 272). Oder: GV 7.1 ‚PFERD' ist sonst Tier, einmal jedoch auch Turngerät (S 189); möglich, daß das Merkmal ‚hat vier Beine, einen Rumpf' variiert wird, wahrscheinlicher, daß der Feldkern ‚ist zum Springen' heißt, als ‚das Pferd springt' und auch als ‚ich benutze das Pferd, um selbst zu springen'. Letztlich stehen alle unsere Versuche, geschützt durch die Kriterien der Gruppenoptimierung die Feldart probeweise zu verändern (infra 47), resultativ in Einklang mit kindlichen Verständnisweisen. Homonyme von Elementenstatus wie GB 10 ‚Liebes-/TodesAKT/Akte' oder GB 12.4 ‚LEIBES-/LAIBESMITTE', auch GZ 29.4 juristisches und gastronomisches ‚GERICHT' zeugen sicherlich von dichterischem Wortspiel, doch die Häufigkeit, mit der im Vorkommensbereich von GB die Akte den Akt, bei GZ die Mahlzeit das Gerichtsverfahren ablöst, läßt auch den Schluß zu, daß die Paare im jeweils selben Feld entstanden sind: Ein Kind hört „Gericht", hört „Leib" und „Laib" und schließt vom gleichen Wort, das ja noch häufig Laut-, nicht Schriftbild, auf eine gleiche Sache. Vor allem der besondere Typus des Begriffsfelds — durch das Definitionsmerkmal des Elements, sinnlich-konkret zu sein — erfährt so biographische Bestätigung. Zwar muß schon aus werkimmanenten Gründen der Gruppenoptimierung ohnehin „‚Das ist eben der Haken', sagte K., ‚das weiß ich selbst nicht.'" (P 38), muß „als hätte der sonst überzeugende Gedanke . . . einen verborgenen Haken" (A 12), müssen die „vernagelten Köpfe" (A 224) den konkreten „Kleiderhaken" (P 80), „Haken" der Lampe (P 255) u. ä. zugeordnet werden, doch das Wörtlichnehmen entspricht zugleich dem kindgemäßen „Realismus in der Sprache", der, so R. Oerter, „die Ursache" dafür ist, „daß Kinder bis zur Stufe des formalen Denkens (11—12 Jahre) kaum imstande sind, übertragene Wortbedeutungen, Redensarten und Sprichwörter zu verstehen. Kinder nehmen Redewendungen, wie ‚aus einer Fliege einen Elefanten machen', ‚mit Kanonen auf Spatzen schießen', ‚mit dem Kopf durch die Wand wollen' usw. wörtlich und tun sich schwer, ihren wirklichen Sinn zu erfassen. Die kindliche Sprache kennt solche übertragene Wortbedeutungen nicht."[213]

213 R. Oerter, l. c. p. 316

Kafkas Leistung, sich als Erwachsener auf solche Felder der eigenen Kindheit einzuzielen, hat ineins stofflich und biographisch den schon erwähnten Zweck, im Vorstoß zu diesen Feldern Sinn und Heilung durch Repetition, durch eine Variante, welche löst, zu finden. Seit ihrer Entstehung quälend ungelöst drängen ja die Gruppen späterhin auf Wiederholung solange, bis der offene Konflikt gelöst, als und im Erlebnis bewältigt worden ist.

Vieles jedoch deutet darauf hin, daß dies Bemühen notwendig scheitern muß. Denn selbst gesetzt, Kafka sei tatsächlich zu den Engrammfeldern vorgestoßen, die ein überwältigendes Ereignis schuf: Hat sich dem Kinde damals soviel vom Ereignis eingeprägt wie nötig ist, um später eine Lösung überhaupt erfolgreich zu versuchen? Man weiß es nicht, erfährt jedoch an Traum und Dichtung, daß die Elementenvariation bloß Akzidentien variiert. Die Elemente sind das sinnlichkonkrete Beiwerk des Ereignisses, nicht die Substanz. Was hilft dem späteren Bemühen der lebenslange Eindruck einer Mattglastür, des Hakens in der Wand, der Dunkelheit, des Stöhnens, Zitterns, Aufstehens aus dem Bett (GP)? So deutlich aus Einschlagstellen in einem Grundgestein Art, Richtung, Kraft des Aufpralls abzulesen sind, so wenig läßt sich daraus eine Kosmogonie entwickeln; die Stellen sind nicht der Himmelskörper selbst, genau genommen nicht einmal dessen Trümmer, sie sind nur Abdruck.

Das Bemühen schlägt auch, so ist anzunehmen, aus einem weitern Grunde fehl. Selbst größte Reichweite beim Rückgriff in die Kindheit gelangt womöglich nur bis zu einer oberen, uneigentlichen Erlebnisschicht, denn die „Erinnerungsbilder aus der frühen Kindheit haben meist den Charakter von Deckerinnerungen."[214] (Als solche betrachtet etwa S. Fraiberg Kafkas Pawlatsche-Erinnerung.[215]) Eine Lösung auf dem Niveau der Deckerinnerung löst jedoch nichts, ist Ersatzbewältigung an dem Ersatzkonflikt. Was sich als Erlebnis darstellt, ist vielschichtig, setzt sich aus mehreren Erlebnissen zusammen, geht, so gesehen durchaus nicht homogon, aus mehreren Ereignissen hervor. Die frühesten Schichten können so weit zurückreichen, daß sie nicht einmal

214 W. Toman: „Deckerinnerung". In: Lexikon der Psychologie. Bd. 1. Hg. v. W. Arnold, H. J. Eysenck, R. Meili. — Freiburg, Basel, Wien: Herder 1972. p. 349

215 S. Fraiberg, l. c. p. 63 f.

als Erlebnis eingeprägt sind: R. Spitz zufolge bleiben aus den ersten Lebensmonaten, aus der Phase der coenästhetischen Wahrnehmung, „mnemische Spuren" offenbar nur so erhalten, daß sie an spätere „Erinnerungsbilder" optischer und akustischer Art „angeheftet" werden. „Noch später, während der Ausarbeitung der Symbolfunktion, werden an diese Bildspuren Wortrepräsentanzen angeheftet."[216] Und selbst einem erstmals eingespeicherten Erlebnis lagern später ähnliche sich auf, deren Einzeleindrücke annähernd in dieselbe Kerbe schlagen. Wenn man von den Variantentypen einer Gruppe auf die verschiedenen Erlebnisschichten schließen darf, so sind die Traumtypen von GV (Anhang V) ein gutes Beispiel. Offenbar haben Pferd-und-Reiter-Spiele mit dem Vater, Fahrten auf dem Dreirad und Verkehrsunfälle, womöglich eigene, sich im Erlebnis überlagert, später schichten Besuche im Bordell sich auf. Vor einem derart tiefgestaffelten Gebilde stellt sich die bei der Deckerinnerung erhobene Frage abermals: Welche Schicht ist die konfliktgeladene eigentliche? Wo allein kann also der Versuch zu lösen unternommen werden?

Um einiges problematischer wird die Unterscheidbarkeit noch dadurch, daß der Mechanismus der „assoziativen Aktivierung", wie ihn etwa H. Hörmann als These Bousfields anführt – „Wird ein bestimmtes Wort in der Behaltensprüfung reproduziert, so werden dadurch auch alle jene Wörter in Bereitschaft gestellt, *vorgewärmt*, mit denen dieses Wort assoziative Beziehungen hat"[217] –, m. E. für alle assoziierbaren Größen, also auch für die Erlebnisspuren gelten muß. Das würde bedeuten: Alle denkbaren Feldzugehörigkeiten, alle Felder, denen das jeweilige Engramm zugehören kann, werden aktiviert, dabei vor allem ihm semantisch angenähert. Denn das Engramm dominiert im Netzverbund der Assoziationen semantisch die Umgebung: Ein Begriff mit semantisch dominantem ‚D‘ und komplimentären ‚c‘ und ‚e‘ wird, selber verstärkt, in seiner Umgebung ‚aBc‘ und ‚eFg‘ die Komponenten seinerseits so verstärken, daß ein ‚aBC‘ – ‚CDE‘ – ‚EFg‘ entsteht. Stark aufgeprägte Gedächtnisspuren weiten so ihre Felder aus, prädeterminieren dadurch die Erlebnisfähigkeit, spezialisieren sie, engen sie ein. Daß Erinnerungen, wie die Deckerinnerungen, sich überlagern können, wäre also nicht allein aus einem Zweck (der Unterdrückung), sondern auch aus einem

216 R. Spitz, l. c. p. 171 f. et passim
217 H. Hörmann, l. c. p. 149

128

Grunde herzuleiten: Durch seine Dominierung der Umgebung ist ein Erst- oder früheres Erlebnis dazu disponiert, auch die späteren Eindrücke anderer, bloß ähnlich erlebbarer Ereignisse seinen Feldern an- und einzugliedern. Die erwähnten Erlebnisschichten der GV deuten an, wie verschieden die Ereignisse sein können, die so unter einem scheint's einzigen Erlebnis subsumiert sind. Und je größer das Ausmaß der semantischen Annäherung, desto größer auch die Wahrscheinlichkeit, daß selbst Ereignisse, die völlig andersartig sind, Engrammgruppen bilden, die sich den bereits vorhandenen zumindest in Teilen überlagern.

Wir werden die Gefahr vermeiden müssen, eigene Unzulänglichkeiten bei der Gruppen- und Elementenunterscheidung („Gruppenmischung", infra 54f., 250ff.) als engrammbedingt, auch nur als Fehlschlag Kafkas auszuweisen. So sehr jedoch die Mehrfachzugehörigkeit bestimmter Elemente in unserem Befund untersuchungsbedingt sein mag, so sehr ist gleichzeitig eine Mehrfachzugehörigkeit vorauszusetzen, die von den Mechanismen der Engrammbildung selbst verursacht ist. Doch auch wenn die Gedächtnisspuren unterscheidbar eingeprägt wären, wäre die Unterstellung wenig sinnvoll, eine Unterscheidung sei dem Dichter selber durchweg hinreichend geglückt. Man hätte bei Kafka eine fast nicht mehr vorstellbare Trennschärfe des Gefühls dafür anzusetzen, daß beim semantischen Entwurf nur eine bestimmte Gruppe, in dieser nur die biographisch entscheidende Erlebnisschicht und zudem jedes Element auf dieser Ebene in seinem Kern getroffen sind.

5. ZUSAMMENFASSUNG

Zwei Grundkräfte bestimmen Kafkas Werk und Leben: das Erlebnis und die Logik. Sie verhalten sich wie Chaos und Kosmos zueinander.

5.1. Vier Indizien weisen Kafkas Kunst als Erlebnisdichtung von bislang unbekannter, vielleicht auch noch nicht dagewesener Art aus. Denn das bisher bekannte Erlebnis als Grundlage für Dichtung verhält sich zu dem Kafkas wie ein molekularer Verband zur gleichen Menge freier Atome: Nicht das Erlebnisganze, nicht sein Gefüge, sein Gehalt, sein Sinn werden für die Dichtung fruchtbar. Die logisch-empirischen Verbindungen, die Zusammenhänge zwischen den einzelnen Partikeln des Ereignisses, den Einzeleindrücken des Erlebnisses, waren nie begriffen, haben sich daher nicht aufgeprägt. Aufgeprägt haben sich lediglich alogische, daher stets sich verselbständigende Erlebnisstrümmer, unverbundene, daher autonom gewordene Partikel, genauer: deren Abdrücke, die späteren Elemente in Traum und Dichtung. Als Gruppe, als Feld dicht gestreuter, daher benachbarter Engramme sind sie einzig darum dem Gedächtnis eingespeichert — darum auch später stets gesammelt vom Gedächtnis angeboten —, weil sie als Eindrücke gleichzeitig entstanden sind (Assoziationsgesetz der Kontiguität), die Entstehung wohl auch begleitet war vom selben kennzeichnenden Grundgefühl. So ist jede Gruppe ein übergroßes Kontextfeld, kontextual durch perzeptionsbedingte Adhäsion. So auch will später das Erlebnisganze, der Erlebnissinn noch allererst geleistet sein, die logischen Gelenke müssen nachträglich entworfen, die Fügungen stets erst geschaffen werden. Das Erlebnis ist Auftrag, nicht Besitz. Daher bei der Variation der Elemente, biographisch: beim Entwurf auf das Erlebnis hin, die breite Streuung aller Möglichkeiten, dabei zugleich die ungewöhnliche Entfernung vom tatsächlichen Ereignis, das heißt, von dem, was normal eindeutiges Erlebnis hätte werden können und es, soweit bekannt, bei anderen Dichtern ist.

Die vier Indizien deuten zugleich auf Kafkas Kindheit als die Entstehungszeit der Gruppen:

5.1.1. Alle Einzeleindrücke des Pawlatsche-Erlebnisses (um 1890) kehren als Elemente einer werkimmanent gefundenen Gruppe wieder (GP).

5.1.2. Alle Gruppen existieren unverändert ein Jahrzehnt (1912–1922). Eine Stichprobe bei einer Gruppe weist Vorkommen für fast zwei Jahrzehnte nach (GV ab 1904/05 „Gespräch mit dem Betrunkenen"). Eine weitere Gruppe existiert seit etwa 1890, mehr als drei Jahrzehnte (GP).

5.1.3. Eine außergewöhnlich starke Prägekraft bei der Entstehung ist nicht nur aus der Lebensdauer der Gruppe abzulesen, sondern auch an der ‚Tiefe' der geprägten Schicht, dem inneren Ort der Prägung: Zwei Gruppen werden von Kafka auch geträumt, GV fünfzehnmal in mehr als sieben Jahren (Okt. 1911–Jan. 1919), GP zweimal in mehr als sechs Jahren („Traum gegen Morgen" Nov. 1913 und Milena-Traum 1920).

5.1.4. Die Variabilität von Element bzw. Gruppe läßt auf grundsätzliche Unbegriffenheit während des Erlebens schließen. Da den Erlebnisgeprägen der eindeutige Sinnzusammenhang abgeht, sind Bedeutung,

Geltungsbereich und Bezug des Einzelelements, ist auch der Nexus zwischen Elementen offen, das heißt, variabel.

Auch abgesehen vom Pawlatsche-Erlebnis: Zu solcher Art und Stärke des Erlebens ist normalerweise nur ein Kind prädisponiert.

Das bedeutet: Die Elemente sind stofflich wie biographisch Wunden, die Unbegreifliches, Un-Sinn, einst dem Bewußtsein und Übermächtiges, qualvoll Unbewältigtes, einst dem Unbewußten schlug. Und weil das Romanwerk, weil auch Skizzen und Erzählungen geprägt sind von der Elementenvariation, bedeutet dies zugleich: Kafkas Eltern-, seine Vaterbindung, seine beibehaltene Kindlichkeit sind nicht nur kausalpsychologisch zu erklären. Sie haben einen dichterischen Zweck. Kindlichkeit und Elternbindung halten den Zugang zu den Grundlagen der Dichtung, den Erlebnissen der Kindheit, offen, sie erleichtern jedenfalls den Weg.

5.2. Das logische Bedürfnis ergibt sich, als Gegensatz im Widerstreit, aus der Bindung an solche Erlebnisse. Aus ihr ergibt sich auch die Stärke dieser Logik. Extreme halten sich im Muster eines Gleichgewichts die Waage. Je ungelöster, unbegriffener das Erlebnis, desto stärker das Bedürfnis, die Wunden der frühen Vorzeit aufzusuchen. Endloses Variieren — auch in Träumen — tastet die Gepräge ab, umspielt jedweden Einzeleindruck, zielt sich in unaufhörlichen semantischen Entwürfen auf ihn ein, berührt, trifft, öffnet jede Wunde. „Der Künstler ist nicht gehalten, das eigene Werk zu verstehen, und man hat", so schreibt Adorno, „besonderen Grund zum Zweifel, ob Kafka es vermochte."[218] Doch um 1914 wird, so will es scheinen, Kafka der Eigenart und Folgen solcher Stoff- wie Selbstbehandlung zumindest so gewahr, daß er sie dichterisch thematisiert („Strafkolonie" und „Prozeß"). Die Wunden heilen, bedeutet, sie befragen, sie vertiefen. Der Weg zur Heilung führt so zugleich zur Selbstzerfleischung. Heilung, Wahrheit, Tod sind eins.

5.3. Der Dichtungswert des Lebens besteht darin, Erleben und logisches Bedürfnis als Grundkräfte der Dichtung vorgeformt zu haben, der Lebenswert der Dichtung darin, Paläographie am eigenen Leib zu sein. Doch wo und wie der Zwang ins Spiel, die stofflich-biographischen Notwendigkeiten in dichterische Freiheit übergehen, ist nirgends auszumachen.

218 Th. Adorno, l. c. p. 251

6. ERLEBNISSCHUB, LOGISCHE BEWÄLTIGUNG UND DICHTERISCHE KONZEPTION: ZUR FRAGE NACH DEN WERTMASSTÄBEN FÜR DEN SCHAFFENSVORGANG

Im Rückblick auf die Untersuchung der beiden Grundkräfte in Werk und Leben ist eine letzte Überlegung anzustellen, die wichtig fürs Gesamtverständnis von Kafkas Dichtung ist. Wie steht es um den Stellenwert, um die Gewichtigkeit der Gruppenvariation beim dichterischen Schaffensvorgang?

Gruppenvariation bedeutet biographisch Schub der Erlebnisse und deren Bewältigung durch die Logik (im semantischen Entwurf des Einzelelements, dann durch die Verknüpfung der Elemente). Denn es ist nach allen unternommenen Erwägungen berechtigt, anzunehmen, was Kafkas Äußerungen zum Selbstverständnis seines Schaffens schon von sich aus indizieren: Beim Schreiben aus der ‚Tiefe‘, aus dem, wie H. Binder treffend sagt, „Quellbereich der Produktion"[219] ist es der Erlebnisschub, der aus der Tiefe quillt. Der Wert der Dichtung bemißt sich dann für Kafka daran, ob beim Schreiben Gruppen variiert sind oder nicht. Unrichtig wäre es indes, in der Verfügung über diese Gruppen Kafkas alleiniges Kriterium zu sehen. Denn was da aufquillt, muß sich in eine Form ergießen, wenn es aufgefangen werden soll. Dem Warten auf den, wie J. Thalmann ihn nennt, „Dammbruch"[220] gesellt sich hinzu die Ungewißheit, ob sich die Konzeption[221] als Gußform tauglich zeigen wird. Ein weiterer Wertmaßstab ergibt sich, so ist anzunehmen, bei dem Bemühen um diese rechte Form.

Daß Kafkas Schreiben Kunst des Gießens ist, spiegeln schon die Manuskripte wider. Der Text, so merkt M. Brod zum nachgelassenen Werk an, sei „auf sehr weite Strecken hin fast ohne Korrektur und völlig klar niedergeschrieben" — eine „Folge der inspirierten Schreibweise Kafkas".[222] Kafka streicht eher ganze Sätze, Abschnitte, Seiten und schreibt neu, statt zu verbessern. Fehlgüsse sind eben nicht partiell zu reparieren. Deutlich jedoch wird diese Art zu schreiben erst an einer ihr eigentümlichen Erschwernis, die Fehlschläge ebenso beleuchten wie

---

219 H. Binder 5, l. c. p. 439
220 J. Thalmann, l. c. p. 251
221 Cf. das Stichwort „Konzeption" im MERKER/STAMMLER, Bd. 1 (1958)
222 M. Brod 3, l. c. p. 190; cf. auch W. Jahn 2, l. c. p. 543 f.; zu Einwänden J. Kobs, l. c. p. 75 f.

Fälle des Gelingens: Im voraus existente Formen sind wenig oder gar nicht tauglich.

„Als ich mich zum Schreiben niedersetzte", so Kafka zur Niederschrift des „Urteils", „wollte ich . . . einen Krieg beschreiben, ein junger Mann sollte aus seinem Fenster eine Menschenmenge über die Brücke herankommen sehn, dann aber drehte sich mir alles unter den Händen." (F 394) „Die fürchterliche Anstrengung und Freude, wie sich die Geschichte vor mir entwickelte, wie ich in einem Gewässer vorwärtskam." (T 293) Es ist nicht richtig, auch unter Berufung auf Kafkas eigene Äußerungen nicht, den Schaffensvorgang hier und anderswo mit H. Binder einzig zu kennzeichnen „als einen Zustand der Passivität, der er ganz ausgeliefert ist; er erlebt das Entstehen und Wachsen einer Geschichte wie etwas Fremdes, ihm nicht Zugehöriges und hat keine Möglichkeit, seine Schreibfähigkeit zu beeinflussen oder sie hervorzurufen". Die „Unberechenbarkeit seiner Schaffenskraft" und „das dem eigenen Unbewußten Ausgeliefertsein"[223] vereinseitigen ein Bild, zu dem das höchst aktive, um nicht zu sagen, hektische Bemühen um die rechte Konzeption allein deshalb schon gehört, weil er oft genug erfahren haben muß, daß „es" sich ihm unter den Händen drehen — und ihm entgleiten kann. Erst bei und nach einem Ausbruch, der weder in Zeitpunkt, Stärkegrad noch Eigenart vorauszusehen ist, und an der Oberfläche einer inneren Landschaft, die womöglich jetzt erst halb ans Licht tritt, setzt eine Arbeit ein, die schnell geschehen und fehlerlos geraten muß. Dem Ausbruch vielleicht nur um ein weniges voraus, müssen dessen Richtung, Stärke, Art bestimmt, muß die Gußform den Erfordernissen angepaßt und tragfähig gestaltet werden. Ein Fehler in der Anlage und der Strom, dazu immer stark genug, bricht aus, verliert sich, und die Form bleibt leer. Wie oft dies, so oder ähnlich, geschehen sein muß, bezeugt die Zahl der unvermittelt abgebrochenen Fragmente. Hier ist nichts allmählich versiegt, sondern wurde plötzlich verloren, verpaßt.

Der Erlebnisschub erweist sich letztlich stets als stärker, sei's so, daß nur gleichzeitig und fast schon nur im nachhinein die rechte Form gefunden werden kann, sei's dadurch, daß er gegen jede dichterische Intention die vorgefaßten Formen sprengt. So droht z. B. die Arbeit an „Amerika" neben anderem daran zu scheitern, daß die Form dem Guß

223 H. Binder 5, l. c. p. 437

nicht, wie es sein soll, folgt. J. Thalmanns Untersuchung führt das Mißlingen allein auf die ungeeignete Realismus-Intention zurück: „Das quellende, drängende Innenleben des Dichters muß sich in starre realistische Kulissen und Fiktionen bequemen, von denen sich sein bewußter Kunstverstand noch nicht hat trennen können." So gehöre zur „Lehre aus dem Ringen um das Amerikathema" die Erfahrung der „Unbrauchbarkeit der realistischen Amerikakonzeption", der Abbau regelrechter „Präokkupationen", die als „stehengebliebene Reste einer älteren Vorstellungsschicht" die Bewältigung des Amerikathemas verhindern und die „der reife Kafka als Schlacke abstoßen wird." Doch aus gleich welchen zusätzlichen Gründen sie untauglich sind: Formen im vorhinein sind einer „dichterischen Vision, die sich nur in visionären Katastrophen erfüllen konnte"[224], schlechthin unverträglich.

Welche Kriterien über die rechte Konzeption entscheiden, muß freilich offen bleiben. Die Frage läßt sich allein aufgrund der Tatsache nicht lösen, daß bestimmte Textpassagen im Romanwerk Varianten bestimmter Gruppen sind. Auch die Unterscheidung nach Stärkegrad und Vorkommensverteilung hilft hier nicht weiter. Eine starke bis sehr starke Prägung einer zusammenhängenden Textpassage durch eine vollständige Gruppe läßt lediglich den Schluß zu, daß alle Bedingungen – Erlebnisschub, logische Bewältigung und dichterische Konzeption – in diesem Falle optimal erfüllt sind. Im anderen Extrem, bei den Streuvorkommen, braucht entsprechend nicht erst die Konzeption mißlungen, es kann bereits der Erlebnisschub aus manchen anderen, inneren und äußeren Gründen ausgeblieben, es kann auch die logische Bewältigung falsch angesetzt sein. Festhalten läßt sich also nur, daß die Gruppenvariation ein, jedoch nicht einziger Wertmaßstab des Dichtens sein muß.

224 J. Thalmann, l. c. p. 258, 257, 253, 248, 246, 254

III. DER ZUGRIFF ZU DEN WERKINHALTEN
DER PALIMPSEST

„Der Interpret", so 1968 Emrich, „wird verpflichtet, seine eigenen ideologischen Positionen abzuwerfen, bevor er eine Interpretation wagt. Ein Blick in die ungeheuer angeschwollene Kafka- und Rilkeliteratur beweist, daß dies bis heute nicht geleistet worden ist."[225] Immer wieder wird die „Schwerverständlichkeit" Kafkas „auf bereits vorliegende Verständnissysteme" (Hasselblatt)[226], „die Vielfalt des Dargestellten auf eine dogmatische Formel" (E. Fischer)[227] reduziert, auf „psychologische, soziologische, existenzialistische oder formalästhetische Kategorien" (Emrich)[228], „auf Mythologie, Metaphysik, historische Situationen, auf Biographisches, Pathologisches, Zeitkritisches" (Hasselblatt).[229] „Neben der Fortführung der Interpretation im Stile Brods", so I. Henel, die „Brods naive Auslegung des ‚Schlosses' als religiöses Symbol" meint, „gibt es entsprechende Arbeiten vom Standpunkt der jüdischen Religion, des Thomismus und der protestantischen dialektischen Theologie", schließlich stelle sich der „positiven Deutung" im Sinne Brods gar noch „eine negative an die Seite".[230] Um Inhaltsdeutung bemüht, wird der Interpret zum Funktionär des Interpretierten; er dichtet, wo er zu deuten meint, betrachtet nicht, sondern vollzieht. Die Dichtung entläßt nicht. „Die Auslegung der Texte Kafkas ist nicht zuletzt deshalb so schwierig", schreibt im gleichen Sinn D. Naumann, „weil in ihnen

225 W. Emrich 7, l. c. p. 88; cf. Emrich 5, l. c. p. 420, Anm. 10; Emrichs et al. Begriff vom Vorverständnis nicht im Sinn der Hermeneutik. Man meint (und ich meine) hier et passim Ansätze, die nicht zu dichtungsgerechten Bestimmungen kommen, oft auch nicht kommen wollen, in aller Regel, weil sie — ‚grobe' Vorverständnisse — von vornherein apoetisch nur den Inhalt eines Werks berücksichtigen.
226 D. Hasselblatt, l. c. p. 12
227 E. Fischer, l. c. p. 302
228 W. Emrich 7, l. c. p. 89
229 D. Hasselblatt, l. c. p. 12
230 I. Henel 2, l. c. p. 250. — Zu gleicher Kritik cf. u. a. K. Batt, l. c. p. 29 f.; J. Čermák, l. c. p. 391; A. Jaffe, l. c. p. 1 ff.; B. B. Kurzweil, l. c. p. 418; H. Politzer 3, l. c. p. 8; H. Richter 1, l. c. p. 12; J. Schillemeit 1, l. c. p. 170; B. v. Wiese 1, l. c. p. 232 f.

selbst ununterbrochen ausgelegt wird".[231] Und eben diese „bereits im Text als Erörterungskette von Kafka selbst begonnene ,Vieldeutigkeit'", so merkt Hasselblatt an, „wird von zwei Generationen Interpreten über den Textschluß hinweg fortgesetzt".[232] Ein „Babel der Interpretationen" (Rohner)[233], ein „Chor der Lügen" (Gaier)[234] sei die Folge. „Kein zweites Mal in der Geschichte der modernen Literatur", so resümiert P. Demetz, „haben die raschen Interpreten so kühne Deutungs-Architekturen über so schwankenden Text-Fundamenten errichtet".[235] Was Wunder, daß der einst heftige Streit der Exegeten in jüngster Zeit verstummt ist, neuerdings gefragt wird, warum so viele Deuter so viele verschiedene Meinungen vorbringen, ohne auch nur den Versuch zu tun, einander in Zweifel zu ziehen.[236] „Angesichts der vielfältigen Deutungsversuche", schreibt I. Henel, „von denen der eine so einleuchtend erscheint wie der andere, ist man allmählich großzügiger geworden, als es die frühen Interpreten waren. Man spricht heute von einer Vielschichtigkeit und dementsprechend von einer Vieldeutigkeit von Kafkas Werken".[237] Das ist richtig, doch was ist damit gewonnen? „Das, was man ist", heißt es bei Kafka, „kann man nicht ausdrücken, denn dieses ist man eben; mitteilen kann man nur das was man nicht ist, also die Lüge. Erst im Chor mag eine gewisse Wahrheit liegen." (H 343) Gaier schlägt vor, das Chor-Prinzip auf die Forschung anzuwenden[238], ein Höchstmaß an Korrektheit könne erreicht werden, indem man alle möglichen Deutungen und Aspekte sammle und integriere. Ein von vornherein fruchtloser Versuch, denn die gemeinten Inhaltsdeutungen gehen stets vom gleichen Ansatz aus: „nie gehörte und beunruhigende Stimmen aus dem Halbdunkel dieses Werkes", so heißt es typisch bei K. Weinberg, sprächen den Leser an, „richten sich an sein Assoziationsvermögen und sind anscheinend darum bemüht, ihm etwas Altbekanntes, Selbsterlebtes, aber vielleicht auch willkürlich Vergessenes . . . ins Gedächtnis

231 D. Naumann, l. c. p. 285
232 D. Hasselblatt, l. c. p. 62
233 W. Rohner, l. c. p. 80
234 U. Gaier, l. c.
235 P. Demetz, l. c. p. 900
236 Cf. U. Gaier, l. c. p. 283
237 I. Henel 2, l. c. p. 250. — Im gleichen Sinn M. Fülleborn, l. c. p. 290; P. Heller, l. c. p. 238, 240 ff.
238 U. Gaier, l. c. p. 290. — Ähnlich M. Hamburger, l. c. p. 167; J. Schubiger, l. c. p. 10

zurückzurufen."[239] Gemeint sind vor und außerhalb des Werks Altbekanntes, präpoetisch Selbsterlebtes, Assoziationen von und nach außen, denen nachzuspüren im Endeffekt eben dadurch einen Mißerfolg bedeutet, daß das Bildbegriffssystem etwa im „Prozeß" assoziativ durchaus deutbar ist als religiöses, ethisches, soziales, psychisches, physisches u. a. m., daß jede Deutung ‚paßt‘, aber es paßt eben auch jede, weshalb sich das handgreifliche Ergebnis einer einzelnen Assoziationsrichtung im Gesamtresultat eines zugleich religiös-ethisch-sozial-psychisch-physischen Systems zu einem viel zuviel sagenden Scheinergebnis verflüchtigt, das zwischen den Fingern zerrinnt. Will diese Methode konkrete Ergebnisse, muß sie entweder, das Werk simplifizierend, die Alleingültigkeit einer bestimmten Richtung dekretieren, oder sie ist am Ende, wo sie am Anfang war: beim Text und dessen bis zum Paradox vieldeutigen gleichzeitigen Richtigkeiten, den alles und nichts bedeutenden Leerformeln.[240]

I. Henel weist selbst darauf hin: „wenn alle Deutungen gleich sinnvoll erscheinen, entsteht die Frage, ob sie nicht vielmehr alle gleich sinnlos sind"; konsequent führe die Frage zur „Auffassung von Kafka als Dichter des Absurden oder als Nihilist", wie, seit jeher, besonders in Frankreich.[241] Methodologisch führt sie ins Leere.

Das Dilemma ist das der Errechnung jedweder Funktion. Denn ob, schematisiert, ‚x zu y gleich zwei zu drei‘, läßt sich so schlechterdings weder beweisen noch widerlegen, auch — ad infinitum — ‚zwei zu vier‘, ‚zu fünf‘ kann richtig sein; rechtsseitig ist nichts verifizierbar.

Den Blick auf die linke Seite zu wenden, das Werk als in sich geschlossenes, nach außen hin abgeschlossenes autonomes Funktions- und Verweisungssystem zu beachten, schien demnach ein Fortschritt. Doch auch hier fußt die Analyse auf ihrem Ergebnis. Denn die Funktion der einen Größe ist durchaus nur aus der der anderen, diese wiederum nur aus der der ersten zu klären.

Wie löst sich die Frage? Sie löst sich jedenfalls zum Teil, durch die Erhellung der besonderen Synchronie des Werks. Doch zunächst zum Begriff:

---

239 K. Weinberg, l. c. p. 14
240 Zu ähnlicher Kritik cf. H. Deinert 1, l. c. p. 79; Deinert 2, l. c. p. 193; J. J. White, l. c. p. 208; H. Peters, l. c. p. 67 ff.
241 I. Henel 2, l. c. p. 251

1. DER PALIMPSEST

„Sphärische Geschlossenheit" hat jedes Erzählwerk, die „Koexistenz von Einzelgliedern" gilt überall, in der Sprache und im sprachlichen Kunstwerk". Es eignet freilich den Bauformen des Erzählens, der Dichtung allgemein, „daß Symmetrien und Polaritäten sowohl äußerer als innerer Art in der Dichtung weit deutlicher angelegt sind und füglich weit stärker ins Auge springen als in anderen sprachlichen Gebilden." Das heißt: „Vollzug eines Werkes findet sowohl beim Schaffenden als beim Nachschaffenden erst dann statt, wenn die Aufnahme jeder neuen Einzelheit unter dem Voreindruck sich bereits andeutender zukünftiger Teile vor sich geht. Ebenso wirken einzelne Partien in das Kommende weit hinein, andere wieder werfen auf vergangene Einzelheiten plötzlich neues Licht", daher denn „die Spannung zwischen dem linearen Erzählablauf und der Vergegenwärtigung vergangener und künftiger Phasen jenes Zusammenspiel ergibt, in dem wir eine ‚Bedeutsamkeit' empfinden."[242] Die Komponente der Gleichzeitigkeit ist demnach mitnichten neu. Neu bei Kafka ist allein, daß das „Zusammenspiel" aus dem Gleichgewicht gebracht ist, besser: daß es sich neuartig konstituiert, der „lineare Erzählablauf" leichter, die „Vergegenwärtigung vergangener und künftiger Phasen" schwerer wiegt; und selbst dies mag, zumal in der Moderne, nicht nur von Kafka gelten. Doch auf jeden Fall ergibt sich, durchs Variationsprinzip bedingt, eine Verschiebung von diachroner zu synchroner Dynamik, schematisiert: von ‚a + b + . . . n' zu ‚$X_a + X_b + . . . X_n$'. Der Selbstwert der Teile wird ins Akzidentelle gedrängt. Neben und über der Sukzession der Varianten — es wird ja der Zeit nach erzählt — steht die Simultaneität des Variierten, in latenter ständiger Gegenwart.

Variation bedeutet verstärkte kontinuierliche Rück- und Einblendung; denn sie wirkt in beiden Richtungen. Daß Kafka sich, wie B. Allemann feststellt, „kaum der zur Zeit der Entstehung des Prozeß-Romans immerhin schon reich ausgebildeten Kunstgriffe der Rückblendung und der anderen erzähltechnischen Montagemittel"[243] bedient, gilt nur für die Erzähltechnik an der Oberfläche des Geschehens. Denn es fungieren alle voraufgegangenen Varianten als insgeheime Vorausdeutung auf die

242 E. Lämmert, l. c. p. 95, 98 f.
243 B. Allemann 1, l. c. p. 262

jeweils gelesene, diese wiederum erhält ihrerseits den Charakter des Déjà-vu, vergessener Vertrautheit, geheimer Bedeutung, so daß mehr als das gegenwärtige Rätsel die Empfindung quält, es irgendwo gesehen, irgendwann gewußt, wieder vergessen zu haben, sich nur nicht erinnern zu können. „Jeder Satz spricht: deute mich, und keiner will es dulden. Jeder erzwingt mit der Reaktion ,So ist es' die Frage: woher kenne ich das; das déjà vu wird in Permanenz erklärt."[244] — so Adorno, der es zwar anders klärt: „das permanente déjà vu ist das déjà vu aller", d. i. unser aller Erfahrung in und mit der modernen Gesellschaft. Doch der Tatbestand ist derselbe, treffend heißt es zu ihm: „Vielleicht ist das verborgene Ziel seiner Dichtung überhaupt die Verfügbarkeit, Technifizierung, Kollektivierung des déjà vu."[245] Diese — jedenfalls romantypische — Atmosphäre unbekannter Bekanntheit wird gar zur Eigenschaft der Helden, ihrer vielleicht auffälligsten Eigentümlichkeit: in ihrer Angst zu vergessen, zu übersehen, ihrer Sucht, sich nichts entgehen zu lassen, peinlich genau ausnahmslos alles zu registrieren. „Akribismus" nennt es Brod[246], „beispiellose Pedanterie" E. Heller[247], „Zug des universal Verdächtigen" Adorno[248] (der fälschlich meint, Kafka habe ihn „dem Kriminalroman abgelernt"). Dieser „Zug" ist zweifellos biographisch begründbar: Kafka erwähnt seine „Mikroskop-Augen, und wenn man die einmal hat, kennt man sich überhaupt nicht mehr aus." (M 64) Oder, nicht mehr nur biographisch: „Mehr als Kleinigkeiten kann man mit bloßem Auge dort, wo Wahrheit ist, nicht sehn." (Br 142) Doch der Zug ist werkimmanent und dann einzig und allein synchronisch klärbar: als Schreck vor dem Harmlosen, Wachsamkeit vor jedem Detail, es könnte — alles kann — Vorform von Schrecklichem sein und ist es zumeist; Hinnahme des Ungeheuren, halbherziges Staunen vorm Schrecklichen, denn es überrascht nicht, man hätte es wissen können, hat es im Grunde gewußt. „Wenn andere Romanfiguren", vermerkte schon W. Benjamin, „dem K. etwas zu sagen haben, so tun sie das — mag es das Wichtigste, mag es das Überraschendste sein — beiläufig und auf eine Weise, als müßte er es im Grunde längst gewußt

244 Th. W. Adorno, l. c. p. 304; auch Th. Ziolkoswki, l. c. p. 61
245 Th. W. Adorno, l. c. p. 313
246 M. Brod 2, l. c. p. 216, cf. 43
247 E. Heller, l. c. p. 9
248 Th. W. Adorno, l. c. p. 333; ähnlich H. Hillmann, l. c. p. 266; F. Martini 1, l. c. p. 295; J. Schubiger, l. c. p. 16

haben. Es ist als wäre da nichts Neues, als ergehe nur unauffällig an den Helden die Aufforderung, sich doch einfallen zu lassen, was er vergessen habe."[249]

„Literatur", schreibt E. Heller im Vorwort der „Briefe an Felice", war Kafka „nichts als die Vollgestalt jener Seite unserer Wirklichkeit, der sich noch immer nachsagen läßt, sie habe Sinn oder erlaube doch wenigstens dem Sinn, hindurchzuschimmern durch die darüber lagernden Sinnlosigkeiten, so wie auf einem Palimpsest die Urschrift vom Grunde da und dort noch ein wenig sichtbar werden mag." (F 33) Der Palimpsest, die nach Tilgung ursprünglicher Texte von neuem beschriebene Handschrift älterer Zeit: Hellers Begriff ist wörtlicher wahr, als er meint. Kafkas Texte zeigen Schriften unter der Schrift, unter der Variante hier und jetzt die anderen Varianten einer Gruppe. Die Wiederkehr ein und desselben Gruppen- und Elementenfundus ordnet jedem variationsgeprägten Textteil, als einer sei's Elementen- oder Gruppenvariante, bestimmte andere Teile zu, in einer Stärke, die weit über das sonst in der Literatur Gewohnte hinausgeht. Man vergleiche zwei der GZ-Varianten im „Prozeß" (Anhang VII). Sogar die Reihenfolge ist hier im großen und ganzen dieselbe, noch die Uhrzeit der Auftritte stimmt auf die Minute genau, noch die Elemente 19 und 20, in „Amerika"-Kap. 8 fast kapiteldominant, sind in der Kanzel-Varianz des Doms zumindest angedeutet — hier Hauptkanzel mit lebhaft ins Laub greifenden Engeln, dort Nebenkanzel mit Treppe, beide vom Palimpsest zu konträrer Deckung gebracht —, kurz: die Zahl, die Gleichheit, die Ähnlichkeitsgrade, auch der Reihenfolge, schaffen ungewöhnlichen Übereinstimmungswert, überdurchschnittliche Zuordnungsstärke. Latente Nebenbedeutungen intuitiv und in allen Richtungen zu suchen, ist mithin nicht nur verwerflich, vielmehr besteht auch kein Grund. Sie lassen sich werkimmanent und exakt ableiten — Emrichs Einwand gegen immanente Deutung[250] ist allein bei epischen Kleinformen berechtigt, deren je eine oder wenige Varianten dieser Methode unzureichende Befunde bieten —, wobei zudem die so gefundenen Werte, weil des Textes eigene, mit Sicherheit die relevanten sind. Statt sich an verfängliche Assoziationen zu wagen, diene die Analyse so exakt wie ausschließlich der Palimnese romaneigener

249 W. Benjamin 2, l. c. p. 176
250 Cf. W. Emrich 5, l. c. p. 104

Inhalte. Untersuchung und Auswertung der Elementen- wie Gruppen-variation erlauben die detaillierte Beschreibung eines Romans als eines — intentionell — sich selbst auslegenden Verweisungssystems.

Den Palimpsest veranschaulicht eine Situation, die Kafka, so oder ähnlich, häufig beschrieb: „Im großen Zimmer war der Lärm des Kartenspiels und später der gewöhnlichen, vom Vater, wenn er gesund ist wie heute, laut, wenn auch nicht zusammenhängend geführten Unterhaltung. Die Worte stellten nur kleine Spannungen eines unförmlichen Lärms vor. Im Mädchenzimmer, dessen Tür völlig geöffnet war, schlief der kleine Felix. Auf der anderen Seite, in meinem Zimmer, schlief ich. Die Tür dieses Zimmers war aus Rücksicht auf mein Alter geschlossen. Außerdem war durch die offene Tür angedeutet, daß man Felix noch zur Familie heranlocken wollte, während ich schon abgeschieden war." (T 240) Die Notiz beschreibt mehr als jenes „Grenzland zwischen Einsamkeit und Gemeinschaft", das er nur „äußerst selten" überschritt (T 548); sie skizziert das Paradigma einer in Briefen und Tagebüchern nahezu zahllos beschriebenen, lebenslang bis zu „Verzweiflungsanfällen" (F 625) beklagten Qual durch den Lärm. „Ich will nur Ruhe", schreibt er an Felice, „zu nichts braucht man die Ruhe, die ich zum Schreiben brauche" (F 626 f.). Schreie ihm in sein „Außerhalb-der-Welt die Welt grabschänderisch herein, komme ich außer Rand und Band, dann schlage ich mit der Stirn wirklich an die doch immer nur angelehnte Tür des Wahnsinns." (Br 330) Es ist sein vielberufenes „Leiden unter dem kleinsten Geräusch" (Br 322), unter „teuflischen Lärmstimmen im Hause" (Br 328), und zwar, eben dies ist wichtig, immer nebenan, im Nebenzimmer, hinter der Wand[251]. „Der Nachbar unterhält sich", „beide sprechen leise", „fast unhörbar, desto ärger", „Schreiben unterbrochen", „Alles stockt", heißt es im Tage-buch (T 463). Es ist „Lärmangst" (Br 395) im „Grenzland", innig verknüpft mit der Angst vor den Gespenstern des eigenen Innern, „Ungezieferangst" in beiden Richtungen (Br 205) und deshalb weit mehr als Modell seines Zusammenlebens mit Menschen und Tieren, denn sie hängt „mit dem unerwarteten, ungebetenen, unvermeidbaren,

---

251 Weitere Belege: T 141 (cf. F 87), 241, 268, 275, 467, 574; F 134, 627 f., 751; Br 85, 160 f., 166, 288, 292 f., 304, 330 f., 374, 375, 376, 377, 379, 388 f., 390 f., 392 f., 398, 399

gewissermaßen stummen, verbissenen, geheimabsichtlichen Erscheinen dieser Tiere zusammen, mit dem Gefühl, daß sie die Mauern ringsherum hundertfach durchgraben haben und dort lauern" (Br 205). Sein eigenes „niemals erfolgloses Lauern auf den Lärm" (Br 395) geht nämlich nicht allein nach außen, sondern auch nach innen, ist, ursprünglich vielleicht primär, angespanntes Horchen auf die Stimmen hinter der Wand des Bewußtseins, seine Lärmempfindlichkeit nach außen hin demnach von Anfang an vielleicht nur sekundär, Reflex seiner besonderen Art zu dichten. Denn schon 1911 heißt es zu seinem Schreiben: „spüre besonders gegen Abend und noch mehr am Morgen das Wehen, die nahe Möglichkeit großer, mich aufreißender Zustände, die mich zu allem fähig machen könnten, und bekomme dann in dem allgemeinen Lärm, der in mir ist und dem zu befehlen ich nicht Zeit habe, keine Ruhe. Schließlich ist dieser Lärm nur eine bedrückte, zurückgehaltene Harmonie, die freigelassen mich ganz erfüllen, ja sogar noch in die Weite spannen und dann noch erfüllen würde." (T 74 f.) Oder 1916 an Felice: „Wie habe ich mich gestern nach Stille gesehnt, nach vollkommener, undurchdringlicher Stille. Glaubst Du, daß ich sie jemals haben werde, solange ich Ohren zum Hören und einen Kopf habe, der den unentbehrlichen Lärm des Lebens in Überfülle selbst vollführt." (F 691 f.) Oder 1921 an Brod: „Aber es ist auch nicht der Lärm hier, um den es sich handelt, sondern mein eigenes Nichtlärmen." (Br 328) Und 1922: Wenn er die lärmenden Kinder vor seinem Fenster sehe, so „ist mir, als hebe ich einen Stein und sehe dort das Selbstverständliche, Erwartete und doch Gefürchtete, die Asseln und das ganze Volk der Nacht, es ist aber sichtlich eine Übertragung, nicht die Kinder sind die Nächtlichen, vielmehr heben sie in ihrem Spiel den Stein von meinem Kopf und ‚gönnen' auch mir einen Blick hinein." (Br 399) — Das anfangs zitierte Paradigma einer biographischen Lage ist Gleichnis, im Gleichnis Modell einer Erlebnisform, Modell des Schreibens, Modell der Werkform: Undeutlich lärmende Stimmen hinter der Wand, dann und wann ein zusammenhangloses Wort und zwischen den Worten „unförmlicher", unartikulierter Lärm, so machen, von ferne, die Erlebnisgepräge sich geltend, so erscheinen ihre Kennwörter im Traum, in der Imagination; im einzelnen Werk sind es die Worte der Elemente, die Stimmen aller voraufgegangenen Varianten. („Es gibt", schreibt aus ganz anderem Grund M. Bense, „Partien in Kafkas Prosa, da ähnelt die Sprache den Klopfzeichen, die aus einer anderen Welt, aus der Zelle

142

nebenan kommen."[252]) Episch und biographisch, innen und außen ist die Situation ein und dieselbe.

Mithin: Palimpsest bedeutet vielstimmigen Dauerkommentar, ist „Chor", in dem „eine gewisse Wahrheit" liegen mag — denn das Movens der Romane, die Selbstexegese, hat intentionell zum Ziel, die systemimmanenten vielzähligen Richtigkeiten dazu zu bringen, Sinnmöglichkeiten zu kumulieren, die die Wahrheit sagen — und dessen Stimmkraft von Seite zu Seite anschwillt bis zum stummen Crescendo des Endes, paradox still und laut zugleich. Es gibt im Werk Stellen, die dies ähnlich beschreiben: „Sofort war es still", heißt es im 2. „Prozeß"-Kapitel, „in dieser Stille entstand ein Sausen, das aufreizender war als der verzückteste Beifall" (P 60). Oder im 3. Kapitel: „Endlich merkte er, daß sie zu ihm sprachen, aber er verstand sie nicht, er hörte nur den Lärm, der alles erfüllte und durch den hindurch ein unveränderlicher hoher Ton, wie von einer Sirene, zu klingen schien. ‚Lauter', flüsterte er mit gesenktem Kopf und schämte sich, denn er wußte, daß sie laut genug, wenn auch für ihn unverständlich, gesprochen hatten." (P 91) Oder im Kapitel „Das Haus", in K.s „Halbschlaf"-Gedanken: „Immer traten dann, als geschlossene Gruppe, die Mieter der Frau Grubach auf, sie standen beisammen Kopf an Kopf mit offenen Mäulern, wie ein anklagender Chor." (P 292) Die, so E. Heller, „einander unaufhörlich ins Wort fallenden Stimmen des Innern" (F 18) werden die Stimmen der Texte. Tosende Stille umgibt jeden Text, genügend laute, wenn auch der strengen Logik der Helden unverständliche Stimmen sprechen überall, einander ins Wort fallend, hinein, mit übersprudelnder Heftigkeit und stumm, tonlos mit aufgerissenen Mäulern, so extrem geschwätzig, wie der manifeste Text im gegensätzlichen Extrem kommentarlos und lakonisch ist. Man verfehlt über der Zweidimensionalität des fortlaufenden Texts die dritte, die Palimpsestdimension, wenn man wie Walser meint, das Werk entfalte sich ausschließlich als „kommentarloser" Vorgang.[253]

Auch deshalb ist, sonderlich in den Romanen, nichts und niemand intim. Für die Theatersituation des Romangeschehens — hier greifen wir vor — gibt es daher nicht allein einen biographischen, vielmehr auch einen romanspezifischen Grund. Das ‚coram publico' ist optisch

252 M. Bense 3, l. c. p. 82
253 M. Walser, l. c. p. 45

manifeste Entsprechung der verstohlenen Allgegenwart des stummen Chors.

Und: Auch aus diesem Grund reizen wohl Kafkas Romane den Leser — und ihre Geschehnisse die Helden — ungewöhnlich stark zum Kommentar. Ihr bloßes Rätsel ist nicht der einzige Grund. Doch wenn hinter der „gläsernen Wand"[254], die E. Utitz, einem Mitschüler, zufolge Kafka immer umgab und die auch die Helden, auch den unbefangenen Leser umgibt, Menschen stünden, die sich verständlich zu machen suchten, aber nur zu sehen, nicht zu verstehen wären, wer wüßte sich nicht gedrängt, den tonlosen Mündern zu Worte zu helfen.

Und eben dies, die Stimmen hörbar machen, sie artikulieren zu können, ergibt einen nur hier vorhandenen gewichtigen Unterschied zwischen Leser und Helden. Und ihn zu nutzen ist der Interpret durchaus in der Lage, ist ihm doch nicht, als solchem nicht, an der von den Helden gesuchten Wahrheit, sondern an der Betrachtung dieser Suche gelegen; die Frage nach der Bestimmtheit von Schuld und Unschuld, Gericht, Urteil und Sühne ist ja in allen drei Fällen Frage *im* Roman, nicht unbedingt Frage *an* den Roman. Das gilt auch für den unbefangenen Leser, wofern ihm an Dichtung als Dichtung liegt, daher denn Leser wie Deuter jene Forderung zu erfüllen vermögen, die nach wie vor den rechten Zugang zu Kafka-Texten eröffnet: „Man muß sich dieses Werk sozusagen vom Leibe halten und lediglich als Zuschauer das Spiel und Widerspiel der Parteien beobachten, man darf sich mit keiner Partei mehr einlassen als mit einer anderen, auch nicht mit den ‚Helden‘".[255] Die „Verabsolutierung des Eindrucks im Helden und damit für den Leser, das heißt, ein Überhandnehmen ungesicherter Deutungen"[256], die hypothetischen, falschen Eindeutigkeiten, an denen der Leser notgedrungen teilhat[257],weil er mit dem Erzähler „konsequent im Erlebnishorizont des Helden bleibt"[258], kurz: die Formel ‚Held gleich Welt‘ — auch wenn Walser sie zur „Kongruenz" von Autor und Held (und Leser) modifiziert[259] — hat bislang die Palimpsestlektüre übersehen lassen, greift damit an einem wesentlichen Teil der Romanwirkung vorbei. Daß sich der Unterschied zum Helden für den üblichen Leser durchweg unterhalb der Sichtlinie seiner Bewußtheit äußert, ändert dabei weder an Existenz noch Analysierbarkeit dieser Wirkung.

254 E. Utitz, l. c. p. 269
255 M. Walser, l. c. p. 130
256 ibid. p. 45
257 Cf. B. Allemann 1, l. c. p. 234, 236 ff.
258 G. Kaiser, l. c. p. 49
259 M. Walser, l. c. p. 22; 135, Anm. 9

1.1. Proben zur Palimpsestlagendeutung

Es muß im Vorgriff auf die Überlegungen zur Methodik der Werkinhaltszuordnung schon hier hervorgehoben werden, daß Zuordnungen auf der Grundlage der Elementenvariation selbstredend nicht die einzig möglichen sind. Doch obgleich sie nur ein — wesentlicher — Teil, also nur im Zusammenhang des Ganzen richtig darzustellen sind, ist dies schon des schieren Umfangs wegen nicht der Ort, eine Bestandsaufnahme *aller* Zuordnungen auch nur für einen der Romane zu versuchen. Wir greifen daher lediglich, stichprobenweise, alle bislang *unversuchten* Möglichkeiten auf, das heißt in diesem Fall: über die Elementenvariation hinaus alle Arten von Konstanz auf und unterhalb der Stufe kleiner und kleinster Aufbaueinheiten des epischen Geschehens in Form von Eigenschafts-, Verhaltens-, hauptsächlich Aktionseinheiten. Um, hierbei für den „Prozeß", die Existenz derartiger Entsprechungen zumindest auszugsweise zu demonstrieren (Anhang VI, VIII-XI), legen wir sog. ‚Aktionengruppen' vor, in denen neben anderem auch Teile der Elementengruppen mitvermerkt sind, und zwar in jener romanspezifischen Konstanz (der Variation, auch der Reihenfolge der Elemente und Komplexe sei's derselben oder verschiedener Gruppen), welche bei einer werkimmanenten Zuordnung von Romaninhalten wichtig wird.

Zunächst unter dem Aspekt der Elementenvariation (1.1.1.-3.), später dann im Blick auf die Aktionengruppen, sei die Ergiebigkeit der Palimpsestlagendeutung an Beispielen geprüft.

1.1.1. Das zweimal im Herzen gedrehte Messer (P 272)

Josef K.s Brust, sein Körper jedenfalls, ist Tür, sein Herz ist Schloß, das Messer Schlüssel. Die Figur Josef K. wird am Ende in jedem Wortsinn abgeschlossen.

Das Umdrehen der Schlüssel im Schloß ist durchweg im Sinn von GZ 29 zu verstehen (cf. u. a. P 51, 122, 128, 172, 220), wie er paradigmatisch in der Türhüterlegende zum Ausdruck kommt: „Hier konnte niemand sonst Einlaß erhalten, denn dieser Eingang war nur für dich bestimmt. Ich gehe jetzt und schließe ihn." (P 257) Dabei „sperren" bzw. „schließen" in der Regel Männer die Tür vor Frauen (ausschließend), Frauen hingegen hinter Männern (einschließend).

Die Äquivalenz von ‚MESSER/Schlüssel' und ‚LEIBESMITTE/Schloß [=Türmitte]' ergibt sich bei GB 12.1 und 12.4 funktional, hauptsächlich aus GB 13 ‚HAND UND DREHEN' von etwas in etwas. Im gesamten Romanwerk einzigartig deutlich erscheint sie in „Amerika" bei Karls mißglückter Flucht vor Delamarche: Den Schlüssel nicht findend, versucht er, die Tür mit Messern zu öffnen (A 288 f.). Ähnlich im „Schloß": K. öffnet die Tür mit der Axt (S 187).

Auch Tagebuch und Briefe belegen die Verbindung: „Als ich heute nachmittag im Bett lag und jemand einen Schlüssel im Schloß rasch umdrehte, hatte ich einen Augenblick lang Schlösser auf dem ganzen Körper wie auf einem Kostümball, und in kurzen Zwischenräumen wurde einmal hier, einmal dort ein Schloß geöffnet oder zugesperrt." (T 286: 1912) Oder brieflich: Er sei „ein schwer erträglicher, in sich vergrabener, mit fremdem Schlüssel in sich versperrter Mensch" (Br 373: 1922).

Eine Äquivalenz von ‚Brust/Tür' und ‚Herz/Schloß' ergibt sich zudem auch aus der Varianz zu den GZ-Komplexen 25, 26, 36, 37. Im „Prozeß" sind u. a. Frau Grubachs Eß-, Blocks Schlafzimmer und der Steinbruch, in dem K. getötet wird, deren Varianten (P 98, 218 f., 233, 271 f.). Den zwei Figuren (GB 7.1) bei der Tür – K. und Montag, K. und Leni – entsprechen die beiden Herren bei K. Alle drei Schauplätze sind schmal/klein, sind fast/vollständig eingenommen/ausgefüllt von einem Tisch/Bett/Steinbruch als Todeslager, in Tür-/Herznähe beginnend und bis zum einen Fenster reichend, das fast/vollständig unzugänglich ist.

Auch das „widerliche" Hin und Her des Messers über Josef K. bietet, als Endpunkt einer Varianz zu GK 3.1 und GB 7.3, den gleichen Nexus, vor K.s Ende (P 271) z. B. als „Austausch einiger Höflichkeiten hinsichtlich dessen, wer die nächsten Aufgaben auszuführen habe" (P 270), davor als erster Auftritt der Herren – „Nach einer kleinen Förmlichkeit bei der Wohnungstür wegen des ersten Eintretens wiederholte sich die gleiche Förmlichkeit in größerem Umfang vor K.s Tür" (P 266)–, davor als Umzug der „widerwärtigen" Montag, den K. „durch das Schlüsselloch" seiner Tür beobachtet. „Stundenlang sah man sie durch das Vorzimmer schlürfen", hin und her, denn immer wieder war etwas „vergessen", mußte „besonders geholt" werden (P 94).

Demnach bedeutet das Drehen des Messers im Herzen: Die Herren schließen das Herz/die Tür für K. auf und hinter bzw. nach K. (vor einer Frau) ab. Josef K.s Eingang war eben nur für ihn allein bestimmt.

1.1.2. Die widerlichen Höflichkeiten über Josef K. (P 271)

Josef K.s Ende ist, ineins gastronomisch und juristisch, ‚Gericht' im Doppelsinn von ‚Essen/Töten'. „Wieder", so heißt es von den Herren, „begannen die widerlichen Höflichkeiten, einer reichte über K. hinweg das Messer dem anderen, dieser reichte es wieder über K. zurück." (P 271)

Die Äquivalenz von ‚Essen/Töten' ergibt sich z. B. aus der Varianz zu GZ 29 (von GZ 29.4 stets Übergänge nach GB) als ‚Auftritt im Speise- und/oder Untersuchungssaal'. Paradigmatisch dominiert die gastronomische Bedeutung von ‚Gericht' Karls Auftritt im Speisesaal des Hotels Occidental (A 132 ff.), prägt die juristische den ersten Auftritt Josef K.s im Untersuchungssaal (P 49, 51 ff.), bei auch sonst außergewöhnlich großer Ähnlichkeit dieser beiden Varianten der ganzen Gruppe ZIEL. Gleich musterhaft ist die Äquivalenz ein zweites Mal verdeutlicht. Vergleicht man, unter dem nämlichen GZ-Aspekt, „Amerika"-Kap. 8 mit dem „Prozeß"-Roman als Ganzem (beide wurden gleichzeitig verfaßt im zweiten Halbjahr 1914), so erkennt man: Das Kapitel ist, als gastronomische Variante zu ‚Gericht' (bes. A 326 ff.) und allein dadurch unterschieden, kleines Modell des Romans. Nach der „Untersuchung" und „Überprüfung" in den „Aufnahmekanzleien", Karls Weg von einer Kanzlei zur anderen, der „Entscheidung" über die „Aufnahme" und der „Vorstellung" und „Befragung" auf der „Schiedsrichtertribüne" endet das Kapitel in der großen Bewirtung mit „reichlichem Essen", das mit einer Dankrede — man legte die „Rede groß an, zählte alle Gerichte auf, die aufgetragen waren, gab über jedes sein Urteil ab" — und der raschen Abreise schließt.

Auch Briefe und Gespräche belegen die Verbindung: „Vorstellungen wie z. B. die, daß ich ausgestreckt auf dem Boden liege, wie ein Braten zerschnitten bin und ein solches Fleischstück langsam mit der Hand einem Hund in die Ecke zuschiebe" (Br 114 f.: 1913); „nur den jüdischen Sozialisten und Kommunisten verzeiht man nichts, die ertränkt man in der Suppe und zerschneidet man beim Braten", das heißt, beim Gespräch über sie am Mittagstisch (Br 275: 1920);

entsprächen Kinder ihren Eltern nicht, würden sie „verflucht oder verzehrt oder beides. Dieses Verzehren geschieht nicht körperlich wie bei dem alten Elternvorbild in der griechischen Mythologie (Kronos, der seine Söhne auffraß, — der ehrlichste Vater), aber vielleicht hat Kronos seine Methode der sonst üblichen gerade aus Mitleid mit seinen Kindern vorgezogen." (Br 345: 1921); und zu Janouch: „ich bin Vegetarier. Die leben nur vom eigenen Fleisch." (J 227)

Im „Prozeß" ergibt sich unter erwähntem GZ-(und entsprechendem GB-) Aspekt das Wechselspiel im Doppelsinn z. B. bei K.s Unterredung mit der Montag (P 98 ff.): Das Eß- ist zugleich Gesprächs- und Untersuchungszimmer, ineins Vorform der Hinrichtungsstätte in Kap. 10 (cf. 1.1.1). Ähnlich spielen in Kap. 1 ‚Gericht' als Frühstück und als die Verhaftung ineinander über.

Demnach sind die „widerlichen Höflichkeiten" mit dem Messer über Josef K. Tischsitte, wie der Anstand sie gebietet. Die Herren reichen sich über das Gericht hinweg das Messer.

1.1.3. Der Steinbruch und der Bruch mit Block

Blocks Auftritt vor Hulds Bett (P 228 ff.) ist „einstudiertes Gespräch", „Vorführung", „Szene" (232 f.). Was sie vorführt, zeigt u. a. der Vergleich des Auftritts mit K.s Ende:

Als Block eintritt, offenbar wie seit Anfang „ohne Rock", in „mangelhafter Bekleidung" (201), beschließt K., mit allem „endgültig zu brechen". Der Advokat, der unter dem hohen „Federbett", „da er sich ganz nahe an die Wand geschoben hatte, nicht einmal zu sehen war", fragt: „‚Block hier?'" „Diese Frage gab Block . . . einen Stoß in die Brust und dann einen in den Rücken". „‚Was willst du?', fragte der Advokat, ‚du kommst ungelegen.'" Block hält „die Hände zum Schutz vor" und fängt zu „zittern" an (228 f.), führt sich im weiteren auf wie ein „Hund des Advokaten" (233).

Später, in Kap. 10, zieht man zunächst K. „den Rock, die Weste und schließlich das Hemd aus. K. fröstelte unwillkürlich, worauf ihm der Herr einen . . . Schlag auf den Rücken gab." Der andre Herr sucht alsdann „den Steinbruch nach irgendeiner passenden Stelle" ab, findet sie „nahe der Bruchwand, es lag dort ein losgebrochener Stein. Die Herren lehnten ihn an den Stein und betteten seinen Kopf obenauf." Doch das

„Hinlegen" will nicht recht glücken. „Schließlich ließen sie K. in einer Lage, die nicht einmal die beste von den bereits erreichten Lagen war". K. „hob die Hände", bevor man „das Messer ihm tief ins Herz stieß", stirbt dann „wie ein Hund" (270 ff.).

Die Elemente dieser zwei Varianten sind:

Bruch mit Block und Steinbruch mit Bruchwand und losgebrochenem Stein: GV 2.2 und 2.4.2, auch GB 17.3; Entkleidung: GV II4 (für Block — der während des Gesprächs mit K. P 206 ff. immer kleiner wurde und dann gar P 219 wie ein Kind ins Bett gebracht werden sollte — nur angedeutet); Bett und betten: GB 10.1; Stoß in Brust, Herz: GB 12.3 und 14.1; Stoß oder Schlag in oder auf den Rücken: GV II3; ungelegen und mißglücktes Hinlegen: GB 6 und 10.1; Hände vorhalten: GB 16.2; zittern und frösteln: GP 18.1; Hund: GB 26.1.

Das bedeutet:

K.s Ende sind die ersten Zeilen des Block-Auftritts, wörtlich genommen. Der Kaufmann war „elender Wurm" (222), sein Auftritt krasseste Erniedrigung im Roman, K. brach deshalb endgültig mit ihm und — Beispiel für die Breite der Möglichkeiten bei der Elementenvariation (ähnlich offenbar S 8 der Name „Schwarzer": aus GZ 27.3) — brach sich damit den Fels- und Richtblock, auf dem er selbst endgültig endet. Auch der „ungelegene" Block wird K. zum Verhängnis. Huld, erst recht K., lag nicht an Block. Am Ende gilt Gleiches: K. liegt nicht, nicht gut genug, am Block. Der „losgebrochene Stein" ist konsequent die „passende Stelle", doch aus denselben Gründen können Legen und Liegen nicht, jedenfalls nicht besser als in Kap. 8, gelingen.

Doch die Bedeutung Blocks reicht weiter als zu Kap. 8 zurück. Denn letzten Endes empört K. sich dort über einen Block, der lediglich K.s eigene frühere Gedanken, Wünsche, Taten vorführt, bevor diese sich, wie eh und je, gegen K. selber kehren. „Immer ängstlicher im Niederschreiben", heißt es im Tagebuch 1923. „Es ist begreiflich. Jedes Wort, gewendet in der Hand der Geister — dieser Schwung der Hand ist ihre charakteristische Bewegung —, wird zum Spieß, gekehrt gegen den Sprecher." (T 585). Schon in „Prozeß"-Kap. 2 degradiert K. den Hauptmann Lanz zum „Tischler Lanz" (49), woraufhin der Untersuchungsrichter kurz darauf den Prokuristen K. ebenfalls zum Handwerker, zum „Zimmermaler" (54), zivil also gleich tief degradiert — eine spiegelbildliche Entsprechung, kein, wie Politzer meint, „böswilliger Trick des Subalternbeamten", auch nicht Beispiel für die angeblich gerichtstypische „Mischung aus Kompetenz und Inkompetenz"[260], kein „grober Fehler"[261], nicht einmal „falsch"[262]. Dies Spiegelbild, auch das Gelächter aller, „das so herzlich war, daß K. mitlachen mußte", aber nur darum so herzlich ist, weil K. vermeintlich über den Richter, in Wahrheit über sich selber lacht, hat in Kap. 1 eine Entsprechung: K. läutet nach dem Gericht (sc.Frühstück). Der Gedanke, gewendet in der Hand der Geister, wird im Schwung gekehrt gegen ihn selbst. Er bekommt sein Gericht. Daß er trotzdem nach dem nun überflüssigen, daher auch von den Wächtern verzehrten Frühstück verlangt, ist in der Tat nur ein „Gelächter" wert (10). – So endlich auch im Blick auf Block. K., nicht der Kaufmann, macht als erster den Menschen zum Hund, in Kap. 5 erklärt er den Schrei des seinetwegen geprügelten Wächters Franz: „es schreit nur ein Hund auf dem Hof." (108) Kap. 8 führt ihm den eigenen Einfall vor, Kap. 10 richtet ihn gegen K. selbst.

Wie über den hündischen Block, so empört K. sich auch zu Unrecht über Blocks Bettelei (GK-Varianz): Im 3. Kapitel möchte K. den Studenten am liebsten „mit einem Fußtritt von seinem Wege räumen", fast, sagen wir, wie einen Hund, „und er stellte sich die allerlächerlichste Szene vor, die es zum Beispiel geben würde, wenn . . . dieser krumme Bartträger vor Elsas Bett knien und mit gefalteten Händen um Gnade bitten würde. K. gefiel diese Vorstellung so, daß er beschloß, . . . den Studenten einmal zu Elsa mitzunehmen" (75), die übrigens „während des Tages nur vom Bett aus Besuche empfing" (28), wie Advokat Huld, vor dessen Bett Block kniet und, da er „die Hände ihr [sc. Leni] entgegenhob und bittend aneinanderrieb", gelobt wird. „Ein alter Kaufmann, ein Mann mit langem Bart, flehte ein junges Mädchen um ein günstiges Zeugnis an." (232) K.s Empörung gilt der Erfüllung eines eigenen bösartigen Wunsches.

Was also führt Blocks „Vorführung" vor? Im Blick zurück, was anderen von K. oder K.s wegen angetan wurde, im Blick nach vorn K.s Hinrichtung, teils schon konkret, teils noch als Metapher, die nurmehr wörtlich genommen zu werden braucht.

260 H. Politzer 3, l. c. p. 279
261 P. Foulkes 2, l. c. p. 340
262 I. Feuerlicht 2, l. c. p. 343

1.2. *Zu Formen und inhaltlichem Resultat der Palimpsestzuordnung*

Eigenschaften von Figuren werden, wie die Proben zeigten, Aktions-, Schauplatz- oder Dingeinheiten, und Dinge werden Eigenheiten der Figur, ein Schloß wird Herz, ein Mensch wird Mahlzeit, Hinrichtungsstätte gar. Doch die Vielschichtigkeit je aus der manifesten und den latenten Lagen ist mehr als bloß das Mittel, mit dem das Werk, Bedeutung unterschiebend, sich eine eigene Metaphorik schafft, ein Herz zur Schloß-, ein Schloß zur Herzmetapher macht. Das Zuordnen geschieht vielmehr, formal, auf eine Weise, die jeder Figur, jedem Tier und Ding Vielfunktionalität zuweist und jede Gruppe unterm Aspekt des epischen Vorgangs zu einem Spielsatz macht, wann immer die Funktionen mehr oder weniger en bloc übertragen werden wie Rollen und Kostüme im Theater. Zum andern hat das Zuordnen, inhaltlich, zum Ergebnis eine Begrifflichkeit, die Vieldeutigkeiten bis zu Widersprüchen einbegreift. Das Bedeutungsproblem ist also nicht zu bewältigen mit raschen Fragen nach einer Lösung durch Eindeutigkeit. Noch einmal zu „Prozeß"-Kap. 8 (Wir schränken dabei ein auf die Übertragung von Funktionen nur zwischen den Figuren und verweisen auf eine der Aktionengruppen, hier GG: Anhang VIII und Bild infra 157/8.):

Block, Inbegriff des Angeklagten, ist zugleich Gerichtsbeamter, der „elende Wurm" sogar Inkognito eines unter den sichtbaren Gerichtsorganen höchstgestellten Richters. Die Varianten, das heißt hier: Spielsatzproben zu GG zeigen unterm Aspekt der Rollenbesetzung Hauptmann Lanz (Kap. 1 und 4), den Studenten des Gerichts (Kap. 3) und in selben Kapitel als dessen Funktionsäquivalent den Auskunftgeber (cf. auch Anhang XI), ferner K.s Bankstellvertreter (Kap. 6) und Block in der gleichen Rolle des ‚zweiten Mannes' bei überwiegender Kostümteil-Gleichheit. Anders: Die Figur Blocks ist im 8. Kapitel Hauptbedeutung einer Gestalt, deren jetzige Neben-, einstige Hauptbedeutungen hochgradigen Gerichtscharakter haben, zumal die Übereinstimmungen über die gemeinsame Rolle jener Figuren hinausreichen zu GG-Komplex 16 (und 17): Hauptmann, Richter, Onkel und Block halten sich nachts in jemandes Raum auf, um dort provisorisch zu übernachten (wie die Gerichtsbeamten allgemein „fast unaufhörlich in den Kanzleien sind, wir schlafen ja auch hier", auf dem Dachboden, P 89) und wie ein Schreckgespenst neben jemandes Bett aufzutauchen, und zwar regelmäßig mitten in der Nacht/um Mitternacht (deshalb und sonst nicht recht erklärlich wird der bei K. übernachtende Onkel „das Gespenst vom Lande" genannt, P 112, cf. „Ein Fragment" P 303; eine entfernte Variante, weil er „früh am Morgen" kommt, ist der Richter Titorellis, P 187 f.): Fräulein Bürstner kommt nach „halb zwölf" aus dem Theater (34), der „vergessene" (40) Lanz klopft „plötzlich" (41) und „gleich neben mir" etwa um zwölf. Der „vergessene" Untersuchungsrichter steht „plötzlich" und „tief in der Nacht" „neben dem Bett" der Dienerfrau (70). K. kommt nach zehn zu Huld (200), bei Lenis zweitem Auftritt ist es „um elf Uhr" (217), dann folgt K.s langes Gespräch mit Huld. Auch Block kommt um Mitternacht, auch er durchaus wie ein Spuk (besonders 228).

Auch allgemeine Entsprechungen außerhalb der Aktionengruppen bestätigen die Verbindung. Den erwähnten Belegen zur Äquivalenz von „Student der unbekannten Rechtswissenschaft" (72) und Block fügt sich hinzu, daß Block ganz wie ein Student den ganzen Tag „fleißig" Schriften eben dieser unbekannten Rechtswissenschaft zu studieren pflegt (232 ff.). Oder: Wie der Richter auf Hulds Bild, der außer Dienst „fast winzig klein" ist und „auf einem Küchensessel sitzt" (132), ist Block ein „Kleiner" (viermal 201 ff.), der in der „Küche" auf „einen abseits stehenden Sessel, auf den sich der Kaufmann setzen sollte", verwiesen wird, wo er während des Gesprächs mit K. sogar, „abgesehen von seiner Kleinheit, auch noch den Rücken gekrümmt hielt" und so K. zwingt, „sich auch tief zu bücken" (216). Und: Wie der Richter durch die „durch das Bett verstellte" zweite, „kleine Tür" in Titorellis einfenstriges „elendes, kleines Zimmer" eintritt (174), wobei er „über mein Bett steigt" (187 f.), so steigt Block durch eine „kleine Tür" ins Dienstmädchenzimmer, einem später einfenstrigen (233), hier (218) noch „niedrigen, fensterlosen Raum, der von einem schmalen Bett vollständig ausgefüllt war. In dieses Bett mußte man über den Bettpfosten steigen."

Block also zugleich ein Richter und ein Angeklagter. Daß und warum solche Uneindeutigkeit dennoch nicht sich als Bedeutungslosigkeit erweist, ist von zentraler Wichtigkeit für jeden Zugriff zu Werkinhalt und -gehalt. Bevor wir uns jedoch dieser Frage widmen (Kapitel IV), sei die Betrachtung der Formen unternommen, in welchen die Zuordnung der Werkinhalte vor sich geht.

2. VIELFUNKTIONALITÄT

Die reine Funktionalität der Kafkaschen Figuren und ihrer Welt ist längst erkannt.[263] Einige Beispiele aus dem „Prozeß": In Kap. 6 liegt Advokat Huld fast in den letzten Zügen, fragt nur noch „mit erlöschender Stimme und legte sich wieder zurück." (125) Zwei Zeilen weiter ist der „Kranke" bereits „viel lebhafter": „„Du bist also', sagte er endlich zum Onkel . . ., ‚nicht gekommen, mir einen Krankenbesuch zu machen, sondern du kommst in Geschäften.' Es war, als hätte die Vorstellung eines Krankenbesuches den Advokaten bisher gelähmt, so gekräftigt sah er jetzt aus". Huld ist privat krank, in Geschäften gesundet er. Die Figuren sind so sehr Funktion, daß diese gar deren Aussehen bestimmt. Das Bild in Hulds Arbeitszimmer „stellte einen Mann im Richtertalar dar; er saß auf einem hohen Thronsessel". Der Richter ist im Amt von ehrfurchtgebietender Autorität, auf dem „ähnlichen" Bild Titorellis „in feierlicher Haltung", „wie ein Gerichtspräsident" (176). Privat indes kann er „niemals dem Bilde auch nur ähnlich gewesen sein, denn er ist fast winzig klein." Auch der Thronsessel gilt nur von Amts wegen — die Herren „haben die höhere Erlaubnis, sich so malen zu lassen. Jedem ist genau vorgeschrieben, wie er sich malen lassen darf." (176) —, „in Wirklichkeit sitzt er auf einem Küchensessel, auf dem eine alte Pferdedecke zusammengelegt ist." (132) Ebenso in Kap. 3, wo „der ganz böse gewordene Untersuchungsrichter" aufspringt, „und seine sonst wenig auffallenden Augenbrauen drängten sich buschig, schwarz und groß über seinen Augen." (54) Geradezu von Amts wegen scheinen auch der Student und der Beamte die überraschende „Kraft" zu bekommen, die man ihnen „nicht zugetraut hätte" (74), jener, um die Frau fortzutragen, dieser, „ein guter, stiller Herr", um eine Stunde lang „jeden Advokaten, der eintreten wollte, die Treppe hinunter(zuwerfen)" (145).

Daß und warum sich indes jeder Versuch, die einzelnen Funktionen wissenschaftlich zu bestimmen, stets als unmöglich erwiesen hat, braucht ausführlich nicht mehr dargelegt zu werden. Nur der Vollständigkeit halber sei kurz vermerkt: Jede Bestimmung der Funktion bleibt

---

263 Cf. u. a. M. Bense 1, l. c. p. 99; H. Hillmann, l. c. p. 265 ff.; G. Kaiser, l. c. p. 41 f.; F. Martini 1, l. c. p. 291; K.-P. Philippi 1, l. c. p. 224; M. Walser, l. c. p. 49 ff.

als Ad-hoc-Deutung der Einzelstelle unmethodisch, ein methodischer Versuch hingegen kommt nie weiter als bis zur ergebnislosen Einsicht in eine Undurchschaubarkeit. Einzig der Palimpsest ermöglicht eine Teillösung des Problems:

So etwa beim Mann mit dem rötlichen Spitzbart in „Prozeß"-Kap. 1 (infra 13ff.): Walser nennt ihn, noch dazu aus unerfindlichem Grund (wegen des rötlichen Spitzbarts), „lauernd und heimtückisch"[264], für K. J. Fickert repräsentiert er „Geschäftswelt" und „Autorität"[265], für W. Emrich die „sexuelle Sphäre"[266], H. Ide nennt ihn „unheimlich-drohend".[267] Mit welchem Recht? Und wenn mit Recht, warum nicht auch ‚besorgt, voll Mitgefühl‘? Festzustellen ist das Verhältnis allein als ‚Zuschauer zu K. wie belästigend zu belästigt‘, textnäher: ‚zerstreuend zu zerstreut‘, ‚erregend zu erregt‘, doch das haben wir gewußt, es steht ähnlich im Text, und es ist noch nicht Deutung. Jeder Schritt über solch bloße Textparaphrase hinaus ist andererseits Zutat des Interpreten[268], und ob diese (zufällig) richtig oder falsch ist, bleibt grundsätzlich offen. Feststellen läßt sich die Funktion erst im Zusammenhang des Palimpsest. Im Variantenverband von GB ordnen die Zuschauer sich ein in die Reihe jener Akte — ambivalent — der Liebe und des Todes, die mit K.s Ermordung enden (infra 213f.). Mit einem Wort: Die Zuschauer, sonderlich dieser Mann, fungieren als Schrift an der Wand, die Gruppe ist Menetekel, Vorform u. a. des Todes, dabei zugleich Zeichen für Kafkas Kunst der, wie Canetti sie nennt, „Verwandlung ins Kleine"[269]: sie ist bildgenetisch Miniaturform der Kafkaschen Wunde (cf. auch Wundtyp 1 und 2, Anhang II). Damit erklärt sich auch ein gut Teil der K.schen Erregung.

Wenn andrerseits G. Neumann schreibt, es sei beim Bild der Präsidentenloge in „Amerika" typisch „die Funktion dieses in den Gang der Erzählung eingesprengten Bildes durchaus unklar; es erscheint einerseits isoliert, ‚selbstherrlich‘ und nur wie durch Zufall dem ‚Verschollenen‘ zugespielt, könnte aber andererseits auch die Funktion eines Bedeutungsträgers, eines Vor- oder Rückverweises innerhalb des Textes übernehmen"[270], so ist dem entgegenzuhalten, daß, wiederum vom Palimpsest her, der Vor- und Rückverweis der Loge deutlich

---

264 M. Walser, l. c. p. 72
265 K. J. Fickert, l. c. p. 347
266 W. Emrich 5, l. c. p. 271
267 H. Ide 2, l. c. p. 39

268 Besonders bei H. Ide 2, l. c.
269 E. Canetti 2, l. c. p. 604
270 G. Neumann, l. c. p. 734

auszumachen ist (cf. Anhang II, Text 35). Und wenn es ähnlich u. a. zu den Richter-Bildern im „Prozeß" heißt, es bleibe auch deren „Funktion ... gänzlich undurchschaubar. Eines aber ist allen ... gemeinsam. Sie scheinen von dem Zusammenhang, in dem sie stehen, eher abzulenken, als auf ihn hinzudeuten, oder gar ihn zu klären, sie stehen oft sogar im Widerspruch zu ihrer Umgebung, treten völlig unerwartet in sie ein und ‚fallen' eben deshalb ‚aus ihr heraus'"[271], so ist auch hier auf den Zusammenhang zu weisen, die Bilder stehen in der Variantenreihe der GB.

Daß die Palimpsestdeutung alle Funktionen des Mannes mit dem Bart, des Richters auf dem Bild u. a. m. ausweist, ist unwahrscheinlich. Sicher ist nur, daß eine, vielleicht einige bestimmt sind. Doch auf jeden Fall sind Möglichkeit und Grenze der Funktionsbestimmung abgesteckt: Die Klärung der manifesten Funktion darf nie mehr sein als Paraphrase des Textes; der hat sich die Deutung der Latenz hinzuzufügen. Und zugleich erhellt, daß ein werkadäquater Funktions- und Figurenbegriff sich nicht in der Feststellung erschöpfen darf, daß eine Figur *eine*, eben ihre manifeste Funktion habe. Die Figuren sind komplizierter. Dem Begriff ‚funktional' ist der Begriff ‚funktionshistorisch' beizugeben, ‚historisch' vom Standpunkt des Lesens, dem natürlich die palimpsestspezifische Vielfunktionalität stets in jetzt latenten, einst manifesten Lagen und so allererst im Rückblick sich erschließt. So wurde schon Kaufmann Block funktionshistorisch erklärt, er agiert latent als hoher Beamter des Gerichts, wie der Rückblick auf die manifesten Funktionen von Blocks GG-Vorläufern lehrt.

Die Vielfunktionalität hat freilich mehr als bloß diesen einen, den synchronischen Aspekt, der je hier und jetzt geschichtete Funktionen in den Blick faßt: etwa ‚unter' Josef K.s Ende, falls allein der Textabstand entscheidend wäre, latent Christi Grablegung im 9. „Prozeß"-Kapitel, darunter Blocks Vorführung von K.s Ende im 8., darunter Titorellis Richter-Bild im 7. u. a. m. Der andere, der diachronische Aspekt erweist sich besonders fürs Verständnis des epischen Geschehens als erklärungsstark. Gemeint sind vor allem die Geschehnisbrüche im Händeln der Figuren, ist der Wechsel der Funktion, der um so häufiger geschieht, je öfter, insgesamt länger eine Figur auftritt, und der zuweilen überhaupt nur von einem Wechsel in latenten Schichten her zu klären ist:

271 ibid. p. 736

2.1. Funktionswechsel

Denn die Figuren sind, von den äußersten Randfiguren abgesehen, funktionell keineswegs statisch; sie zeigen Gestaltung, Umgestaltung, nicht indem sie sich figurenimmanent nach ureigenen Werdegesetzen organisch entwickeln und wandeln, sondern per Bruch. Die Kanten stoßen oft hart aneinander. Ein Beispiel:

Der Onkel im „Prozeß", von Ernas Worten (115) nicht *beruhigt*, kommt „aus keinem anderen Grund" (113), als *selber nachzusehen*, „*der Sache nach(zu)gehen*" (115). Wir erfahren es noch während der ersten Variante zu GG im 6. Kapitel (cf. Dublette 6a-b: Anhang X), welche P 117, Zeile 11 endet mit „jetzt können doch auch wir gehen. Endlich!" Ein kleiner, aber ruckartiger Schauplatzwechsel kennzeichnet eine Bruchstelle: im folgenden Satz sind K. und der Onkel schon „in der Vorhalle". Es folgen sechzehn Zeilen, in denen es u. a. heißt: „„Also, Josef', begann der Onkel, während er die Verbeugungen der Umstehenden durch leichtes *Salutieren* beantwortete, ‚jetzt sag mir offen, was es für ein Prozeß ist.' . . . Mit geneigtem Kopf, eine Zigarre in *kurzen, eiligen* Zügen rauchend, hörte er zu." Dann — „Sie standen auf der Freitreppe" — ein neuerlicher Bruch, deutlicher diesmal: Der Onkel, der in der Vorhalle, statt zu schweigen, peinlich hartnäckige „*Fragen wegen des Prozesses*" gestellt hatte, ändert auf der Straße, wo er ungestört fragen könnte, abrupt sein Verhalten und schweigt. „Der Onkel . . . fragte nicht mehr so dringend nach dem Prozeß, sie gingen sogar eine Zeitlang schweigend weiter." Rückerinnerung an Kap. 3(b) zeigt: Der Onkel ist auf dem Weg von Vorhalle zu Freitreppe, vor allem diese sechzehn Zeilen lang, Funktionsäquivalent des Wächters auf dem Dachboden, von dem es heißt: „Der Wächter, der *wegen des* Schreiens [sc. des *Angeklagten*] gekommen war, *fragte nach dem Vorgefallenen*. Der Gerichtsdiener suchte ihn mit einigen Worten zu *beruhigen*, aber der Wächter erklärte, *doch noch selbst nachsehen zu müssen*, salutierte und ging weiter mit sehr *eiligen*, aber sehr *kurzen*, wahrscheinlich durch Gicht abgemessenen Schritten." (83) Ohne Vorbereitung und Überleitung, fast schlagartig wechselt die Funktion, nach wenigen Zeilen geschieht ebenso unversehens eine neue Umwertung. An einer Figur ist manchmal nur der Name fest.

Die Figuren haben einen befristeten, jederzeit veränderlichen Funktionswert; sie changieren. Nur selten geschieht dieser Wechsel allmählich, etwa wenn im „Prozeß" die krummen Beine des Studenten auf Graffitoformat umfunktioniert werden — „nicht ganz gerade Beine" (71), „seine krummen Beine" (72), „dieser krumme Bartträger" (75), „die krummen Beine zum Kreis gedreht" (78) — oder Block im Laufe seines Gesprächs mit K. (206 ff.) immer kleiner wird, bis er gar wie ein Kind ins Bett gebracht werden soll (219).

Die Zahl der Wechsel schwankt selbstredend mit dem Wichtigkeitsgrad der Figuren. Der einige Zeilen lang auftretende Wächter übt eine, der Onkel nacheinander von den latenten Schichten her mehrere Funktionen aus.

2.2. Gestalt und Figur: Zur Funktionsübertragung

Die Konstanz, mit der die kleinsten Funktionseinheiten von *einer* auf *eine* Figur übertragen werden, braucht nicht total zu sein wie im erwähnten Fall, in dem das Salutieren, das eilig-kurze Gehen/Rauchen und die andern sämtlich vom Wächter auf den Onkel übergehen. In aller Regel sind einige Einheiten einer Figur bei der nächsten Variante auf mehrere Figuren aufgeteilt (Divergenz), umgekehrt Einheiten mehrerer Figuren beim nächstenmal in einer einzigen Figur vereint (Ligatur), wie der Blick aufs vereinfachte Schaubild zur GG zeigt (infra 157/8, gestrichelte Zuordnungen fraglich). Doch wann immer Funktionen in gleich welcher Menge konstant en bloc übertragen werden, entweder unübersehbar fast von Mal zu Mal wie in der ersten Übertragungsreihe zwischen K., K., Onkel, K. oder nur auf längere Sicht wie in der letzten Reihe zwischen Untersuchungsrichter + Student, dann Lanz, K.s Bankstellvertreter, Block, ist eine Unterscheidung zwischen der Gestalt und der Figur geboten. ‚Gestalt' meint dabei ein figurenindifferentes Tertium, das teil- bis totalverwirklicht werden kann in einer einzigen Figur, daß heißt auch, auf mehrere Figuren aufgeteilt sein kann, wie umgekehrt auch mehrere Gestalten ganz oder teils in einer einzigen Figur vereint sein können.

In „Prozeß"-Kap. 3 ist z. B. die einheitlich „Frau des Gerichtsdieners" genannte Figur latente Zusammensetzung verschiedener Gestalten. Das wird auf zweifache Weise sinnfällig, einmal in der Divergenz der Dienerfraupartikel zunächst in Kap. 4 auf drei Figuren (Grubach, Montag, Bürstner), in Kap. 6 auf zwei (K., auch Erna), in Kap. 8 abermals auf zwei (Leni, auch Huld); rechnet man dann hinzu, was im

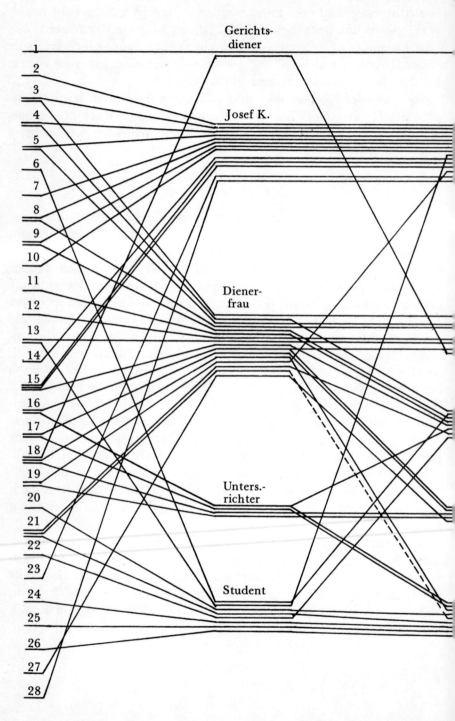

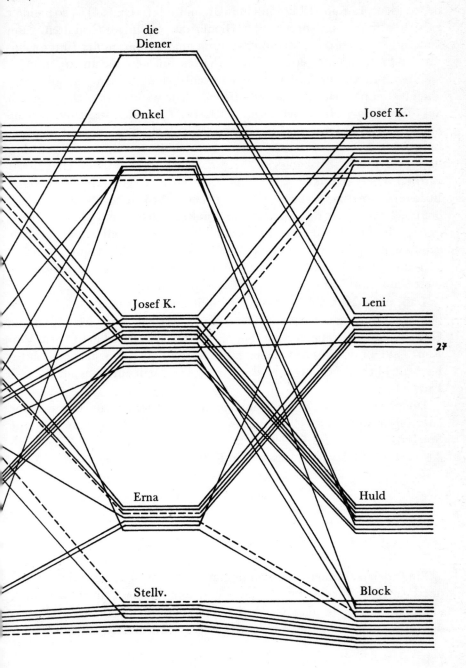

27

Bild nicht mehr gezeigt ist — in der zweiten Hälfte von Kap. 6 Leni als dritte Figur, in Kap. 8 Leni in einer Doppelrolle (infra 164) —, so handelt es sich offenbar um drei in der Dienerfrau vereinigte Gestalten. Zum andern zeigt sich die Zusammensetzung unmittelbar, in der Heterogenität der Frau, ihren urplötzlichen Verhaltensbrüchen, die auf traditionelle Erwartungen an einen mit sich selbst und seinen ‚Handlungen' übereinstimmenden ‚Charakter' absonderlich wirken, sich aber einfach aus der Vielgestalt dieser Figur erklären. Einer der stärksten Brüche ereignet sich dort, wo sie, schon auf dem Arm des Studenten, unversehens und in striktem Widerspruch zu ihren früheren Klagen über die „widerliche" Abhängigkeit K. abwehrt, dem Studenten nahezu zärtlich übers Gesicht fährt und sich ohne Gegenwehr, fast ohne Bedauern forttragen läßt. (P 74 f.) Hier wird schon von sich aus deutlich, inwieweit das Figuren- als Funktionsgefüge ein Changeant ist. In der Praxis der Textlektüre, d. h. bei einem Vielfachen der hier gebotenen Gestalten, bedeutet das Hochfrequenz des Figurenwandels aufgrund einer Funktionslabilität, die bei Erschütterung sofort und in ihrer Gänze mit Veränderung zu reagieren vermag.

Daß andrerseits Gestalten nicht in einem Stück übertragen, sondern bei der Übertragung auseinandergerissen werden, zeigt besonders die Gestalt, die nacheinander von K., K., Onkel, K. verwirklicht wird. Von Kap. 3 auf 4 noch komplett übertragen, verteilt sie sich von Kap. 4 auf 6 hauptsächlich auf den Onkel, doch in 3 (4?) Partikeln auch auf K., in 1 Partikel auf Erna.

Doch zurück zum Kern: Wann immer Funktionen konstant en bloc übertragen werden, also Gestalten deutlich werden, ist eine Gruppe Spielsatz im Sinn des Rollenspiels. Es versteht sich, daß die Frage nach Art und Anteil des Dramatischen in Kafkas Epik dringlich wird.

3. DAS THEATER

Eine der zentralen Werkmetaphern ist das Theater. Schon die durchgängige atmosphärische Eigentümlichkeit, ja das Prinzip, daß alles, selbst Intimstes, in aller Öffentlichkeit oder jedenfalls so stattfindet, daß Öffentlichkeit jederzeit Zutritt hat, ist Theatersituation schlechthin. Das Geschehen im „Prozeß" wird auf solche Weise — und durch den Strafnexus — formähnlich den als öffentliche Schauspiele vorbereiteten und durchgeführten Prozessen, Folterungen und Hinrichtungen früherer Zeiten. Diesem ‚coram publico' — vorzüglich der Romane — entspricht überall erzähltechnisch eine Präzision der Detailbeschreibung, die ihresgleichen nur in Regiebemerkungen zu Bühnenstellproben findet. Wie der Kopf gehalten, wohin, wie lange und mit welchem Ausdruck der Blick gerichtet ist, ob man vor einer geschlossenen Tür einfach steht oder bereits die Klinke in der Hand hält, wie wer die Hände hält, es ist auch dann mit Akribie vermerkt, wenn es nebensächlich scheint. Der Aufseher „hatte eine Hand fest auf den Tisch gedrückt und schien die Finger ihrer Länge nach zu vergleichen. Die zwei Wächter saßen auf einem mit einer Schmuckdecke verhüllten Koffer und rieben ihre Knie. Die drei jungen Leute hatten die Hände in die Hüften gelegt und sahen ziellos umher", heißt es im „Prozeß". Überall bekunden die Texte „Kafkas Kunst der stummen Szene"[272] den Primat des Visuellen[273], oft Pantomimischen, stumm sprechender bewegter Bilder und expressiver Gesten[274], der Kafka in die Nähe expressionistischer Malerei[275] oder gar des frühen Stummfilms[276] hat rücken lassen. Doch so nicht nur die Texte:

„Wer ihn nur je in kleinem Kreise", schreibt M. Brod, „seine eigene Prosa mit hinreißendem Feuer, mit einem Rhythmus, dessen Lebendigkeit kein Schauspieler je erreichen wird, vorlesen hören durfte, der fühlte auch unmittelbar die echte unbändige Schaffenslust und Leidenschaft, die hinter diesem Werk stand." (P 315)[277] Selber klagt Kafka, so sehr sei er Schauspieler, daß er bereits keiner mehr sei: „gerade dieses Mühelose, dieser Durst nach Nachahmung entfernt mich vom Schauspieler", und „weit" über die äußerliche Nachahmung „geht noch die innerliche, die oft so schlagend und stark ist, daß in meinem Innern gar kein Platz bleibt, diese Nachahmung zu beobachten und zu konstatie-

272 B. Allemann 1, l. c. p. 253
273 Cf. W. Jahn 3, l. c. p. 32 ff.; F. Martini 1, l. c. p. 302
274 Cf. W. Benjamin 2, l. c. p. 164 f.; F. Martini 1, l. c. p. 298; D. Naumann, l. c. p. 284 ff.; J. Schubiger, l. c. p. 14 f.
275 Cf. Th. W. Adorno, l. c. p. 331 (Zu Einwänden cf. P. Raabe, l. c. p. 166, 175)
276 Cf. M. Brod (im Nachwort zur ersten *Amerika*-Ausgabe, A 359); W. Jahn 1, l. c.; Jahn 3, l. c. p. 53 ff.
277 Cf. K. Wagenbach 1, l. c. p. 159

ren"; sie sei „so vollkommen und ersetzt mit einem Sprung und Fall mich selbst, daß sie auf der Bühne ... unerträglich wäre. Mehr als äußerstes Spiel kann dem Zuschauer nicht zugemutet werden." Das „Wesen des schlechten Schauspielers", sein eigenes, bestehe darin, „daß er die Grenze des Spiels nicht wahrt und zu stark nachahmt." (T 219 f.) Es ist ein Sinn fürs Theatralische, der sich gleich stark anderwärts bezeugt, in seiner Theaterleidenschaft schon in Gymnasialjahren[278], seinen seit 1910/11 gegen alle Regeln guter Gesellschaft regelmäßigen Besuche bei Gastspielaufführungen einer jiddischen Schauspieltruppe aus Lemberg — H. Binder erwähnt den „starken, ersten, unverwischbaren, für viele folgende richtungsgebenden Eindruck", der sich noch 1922 in den „Forschungen eines Hundes" spiegle[279]; H. Platzer Collins vermerkt möglichen Einfluß der „Doppelfigur" in einem dieser Stücke[280] auf die Konzeption von Delamarche und Robinson in „Amerika", der Wächter im „Prozeß", der Bälle in „Blumfeld", der Gehilfen im „Schloß"[281] —, in Kafkas jahrelanger Freundschaft und Korrespondenz mit Jizchak Löwy, einem der Schauspieler, endlich in den „weit über hundert" Tagebuchseiten zu Aufführungen und Inhalten der Stücke dieser Truppe.[282] Neigung und Eindruck bekunden eine Disposition, die auch für die Epik entscheidende Darstellungsformen geprägt hat:

In „Amerika" endet Karl — und der Roman — im „großen Theater von Oklahoma" (A 305 ff.). Als eine der beiden bedeutenderen literarischen Vorformen zum „Schloß" bezeichnet K. Wagenbach „eines der jüdischen Theaterstücke, die Kafka 1911 in Prag sah".[283] Im „Prozeß" steht K.s Verhaftung sogleich im Verdacht, ein „Spaß" zu sein: „war es eine Komödie, so wollte er mitspielen." (P 12 f.). Die Szene vor dem Verhör ist „Schaustellung" (11). Fräulein Bürstner ist an diesem entscheidenden Abend „im Theater" (32), danach spielt K. ihr seine Verhaftung vor. K.s erste Untersuchung ist ganz Theater, mit Zuschauern, auch auf der Galerie, Applaus, Auftritt und Verstellung (51 ff.). Ernas guter

278 ibid. p. 51 f.
279 Cf. H. Binder 1, l. c. p. 15, 243
280 Cf. T 79 ff., 87 f.
281 H. Platzer Collins, l. c. p. 10 f.
282 K. Wagenbach 1, l. c. p. 179 ff. — Zum Einfluß des jiddischen Theaters besonders: E. T. Beck 1 und 2, l. c.
283 Symposion, p. 163 f.

Wille ist „mit den Theaterkarten, die er ihr von jetzt ab regelmäßig schicken wollte, gewiß nicht genügend belohnt" (115); K. und der Onkel kommen noch am selben Abend „aus dem Theater": „K. war schon durch das Stück und die schlechte Aufführung ermüdet" (303). In Kap. 8 hat K. „das Gefühl, als höre er ein einstudiertes Gespräch, das sich schon oft wiederholt hatte, das sich noch oft wiederholen würde und das für Block seine Neuheit nicht verlieren konnte"; K. „begriff nicht, wie der Advokat daran hatte denken können, durch diese Vorführung ihn zu gewinnen." (232 f.). „Alte, untergeordnete Schauspieler schickt man um mich", sagt K. beim Anblick seiner Exekutoren „und fragte: ‚An welchem Theater spielen Sie? ‘"(266 f.) Und noch bei K.s Ende und sonst unverständlich heißt es, als die Herren ihn legen: „Trotz aller Anstrengung, die sie sich gaben, ... blieb seine Haltung eine sehr gezwungene und unglaubwürdige." (271) Unglaubwürdig? Für wen? Aber im Bühnenzusammenhang und als Theaterterminus durchaus angebracht.

Die Forschung zeigt sich in der Frage des Theatralischen zurückhaltend, wo nicht ablehnend. Wohl heißt es bei M. Robert zum „Schloß": Da K. „ins Leben nicht eingeweiht ist, will er versuchen, ihm sein Geheimnis auf die Weise zu entreißen, daß er das Äußerlichste an ihm zur Rede stellt, seine Gebärden, Zeichen, Kostüme und Ausstattungen, kurzum sein *Theatralisches*"; das Geschehen sei nichts als „eigens für ihn in Szene gesetztes Stück, von dem er nicht ohne Grund befürchtet, daß es sich vor seinen Augen als Komödie entpuppt." Das „Theater" tritt „an die Stelle des Lebens", als Komödie, „in der er notgedrungen seine Rolle spielt".[284] Im Blick auf die „Verwandlung" spricht auch K. Sparks von „magischem Theater", „Traum-Theatralik", Akteinteilung, einem „komplizierten Satz von Variationen auf den ersten Teil der Novelle", von Vertauschen, Übertragen, Entstellen von Rollen.[285] I. Feuerlicht meint zu „Prozeß" — Kap. 9, Kafka verwende offenbar, wie schon Politzer vermerke, die christlichen Symbole einzig zur Inszenierung, Kostümierung; Dom und Kanzel seien Szenarium.[286] Doch das Theater bleibt überall Metapher[287], jeder Hinweis eindrucksbedingter

284 M. Robert, l. c. p. 225 f.
285 K. Sparks, l. c. p. 73 ff.
286 I. Feuerlicht 1, l. c. p. 218
287 Ausgenommen W. Benjamin 2, l. c. p. 164 f., 168; F. Martini 1, l. c. p. 295, 299, 301, 329 f.; E.T. Beck 1 und 2, l. c.

Vergleich oder abgebrochene Andeutung — wie bei H. Binder zu „Städtische Welt", „Urteil", „Verwandlung": „Der zweimalige Umschwung der Familiensituation wird nirgends bündig begründet. Auch das Verhalten der Väter und der Söhne ist aus den Charakteren nicht abzuleiten . . . Man kann diesen merkwürdigen Sachverhalt so erklären, daß man sagt, es werde hier ein anthropologisches Gesetz dargestellt, das unabhängig von den persönlichen Voraussetzungen der einzelnen Figuren ist."[288] Und oft genug wird das Vorhandensein von Dramatik, von Spiel und Spielsatzformen schlechterdings bestritten. Man habe, so Walser, „den ‚Prozeß' immer wieder als ‚dramatisch' bezeichnet und hat ihn auch auf die Bühne und in den Rundfunk gebracht . . . Es sei nur darüber gesagt, daß vom ursprünglichen Werk nur noch schwache und etwas schiefe Inhaltsangaben übrig geblieben sind. Trotz seiner scheinbaren Dramatik hat sich dieses Werk gegen jede Dramatisierung gesträubt. Und warum? Weil die Sprache episch ist und weil bei Kafka alles nur durch die Sprache konstituiert wird. Weil die Variationen der Leerform als Wiederholungen jeder Dramatik entbehren. Weil es in dieser Prosa keine Repräsentation des durch Schauspieler vollziehbaren Handelns gibt. Tätigkeit ist alles in diesem Werk, aber das Tun ist seines bewirkenden Charakters beraubt."[289] Ähnlich schreibt Adorno: „die gebannten Menschen handeln nicht von sich aus, sondern als wäre ein jeglicher in ein magnetisches Feld geraten." Und: „Das verurteilt alle Dramatisierungen. Drama ist nur so weit möglich, wie Freiheit, wäre es auch als sich entringende, vor Augen steht: alle andere Aktion bliebe nichtig." Zudem sei zu bedenken, „daß Kunstwerken, die es sind, ihr Medium nicht zufällig ist."[290] — Gemeint ist freilich beidemal gespielte Freiheit, Spiel als Freiheit nicht. Gibt es sie nicht? Auch ist den Ablehnungen gemein, daß sie stillschweigend nicht vom Theatralischen, sondern einer bestimmten Form von Theater ausgehen, von der Aufführung vor Zuschauern als Premiere ff. Geschieht vor der ersten Vorführung nichts? Sind Proben kein Theater? Hellsichtig nennt bereits W. Benjamin die Kafka-Welt „Theater" der „Versuchsanord-

288 H. Binder 1, l. c. p. 369
289 M. Walser, l. c. p. 100 f.
290 Th. W. Adorno, l. c. p. 329. — Weitere Einwände in Ingeborg Henels Rezension von Evelyn Torton Beck (Kafka and the Yiddish Theatre). In: Zeitschrift für deutsche Philologie. 91. 1972, 4. p. 631—634

nungen"[291] Wenn aber Proben schon Theater sind, fällt das von Walser zu seinem Zweck zitierte Döblin-Wort als Einwand hin: „Das Buch Don Quichotte kann keiner zum Drama verarbeiten, denn es passiert da hundertmal in immer neuen Abwandlungen dasselbe".[292] Was sind Proben anders als hundertfache Abwandlung, Variation der, wie sich längst gezeigt, gar nicht leeren Leerform? Wer so zu klären sucht, hat freilich zwischen Drama und Theater im gewohnten Sinne unterschieden, besser: sich einem neuen Begriff von Drama, dem des epischen Theaters, zugewandt, wodurch denn auch der dritte, prinzipielle Einwand fällt. Wo das Theater episch wird, greift das Argument, Dramatisierung widerstrebe der Epik per se, am Sachverhalt vorbei. — Doch zunächst ausführlich zum Befund:

3.1. Stellproben: Wechsel der Besetzung

Das Variationsprinzip bedeutet dramaturgisch, im Blick auf die Figuren: Die Kostümkammer eines Romans umfaßt eine bestimmte Anzahl von Funktionskostümen (Gestalten). Das Textbuch ist Repertoirekompendium zahlreicher, doch zusammengehöriger Spielsätze (Gruppen). Jeder Spielsatz weist offenbar einige, freilich nullwertige, weil figurenindifferente Gestaltenstandorte auf; aus den Divergenz-Ligatur-Befunden läßt sich der zugrundeliegende Nullwert z. B. von GG (infra 157/8) auf fünf Hauptgestalttypen festlegen (ein Annäherungswert, da die Kostüme, die Rollen nicht komplett übertragen werden). Solch Gruppen-Spielsatz mag für den traditionellen Betrachter direkt interessant sein, hier interessiert er nur, inwieweit sich an ihm seine Handhabung durch die Spieler ablesen läßt. Der Spielsatz selbst ist einzig Ausgangspunkt, Stoff, dessen Be- und Verarbeitung, dessen Bewältigung erst Beachtung verdient. Daß in der Tat die Gruppen*handhabung* im Vordergrund steht, äußert sich darin, daß der jeweilige Spielsatz nie repetitiv nachgespielt, sondern daß mit ihm gespielt wird, in den erwähnten Formen der Inversion, der Ligatur und Divergenz, des Spiels mit Zahl und Reihenfolge der Gruppen und Komplexe, d. h. mit wechselnden Spielsatzformeln (cf. Anhang XII), endlich aber auch in Form eines Spiels der wechselnden Besetzungen , in GG so:

291 W. Benjamin 2, l. c. p. 164
292 M. Walser, l. c. p. 102

1. Gestalt (1. Mann)	K.	K.	Onkel	K.
2. Gestalt (1. GP: Frau)	Dienerfrau	Grubach	Erna	Leni
3. Gestalt (2. GP)	Dienerfrau	Montag	K.	Huld
4. Gestalt (2. Mann)	Student	Lanz	Stellver- treter	Block
5. Gestalt (Frau)	Dienerfrau	Bürstner	(Leni 6b)	Leni

Der Theater-Begriff hat in dem Augenblick Sachbezeichnung zu werden
— und aufzuhören, Metapher zu sein —, wo wirkliche Stellproben
stattfinden. Die Rolle der 1. Gestalt wird in drei Proben von K., in einer
aber vom Onkel gespielt (Kap. 6a, noch einmal 6b). Die Besetzung der
4. Gestalt ist sogar in jedem Kapitel eine andere: Student (Kap. 3),
Hauptmann Lanz (Kap. 4), K.s Bankstellvertreter (Kap. 6) und Kaufmann Block (Kap 8). Leni ist in Kap. 6b und 8 zweite Besetzung nach
Fräulein Bürstner, ein übrigens schon in Kap. 1 angelegter Rollentausch,
„denn ich [sc. Bürstner] trete im nächsten Monat als Kanzleikraft in
ein Advokatenbüro ein." (P 38)

Daß ein nämlicher Wechsel auch in „Amerika" stattfindet, hat schon
W. Jahn vermerkt. Er gelangt über Hinweise auf den „dramatischen
Schwerpunkt" und die „dramatische Spannung"[293] des Landhaus-Kapi-
tels, auch „die Dramaturgie des ‚Falles Robinson'"[294], zu einer
„Analogie der Handlungsfunktionen" sowohl der Vorgeschichte im
Elternhaus (A 37 f., 51, 63, 65, 117 f.) wie der Kapitel ‚Heizer',
‚Landhaus', ‚Robinson', wobei auffällt, „daß in allen ... gewisse
Konfigurationen und Rollen gleichsam in wechselnden Besetzungen
wiederkehren"[295], als „verschiedene Verwirklichungen ein und desselben Handlungsplans", der „überindividuell" sei und „unverändert,
während sich die Figuren und Szenenräume ändern", freilich auch hier
wieder nur vergleichsweise und im Sinne einer inhaltslosen Leerform,
einem „abstrakten Kompositionsschema einer möglichen Handlung, das
eine unendliche Anzahl verschiedener Verwirklichungen zuläßt."[296] —
Im Schema, die vier Skizzen Jahns vereinend („wobei die Pfeilrichtung
die Richtung des Willenseinflusses bezeichnen soll"[297]):

293 W. Jahn 3, l. c. p. 8 f.
294 ibid. p. 11
295 ibid. p. 12

296 ibid. p. 15 f.
297 ibid. p. 12

HELFER:
1. Mutter
2. Karl
3. Pollunder
4. Oberköchin

URHEBER:————————> VOLLSTRECKER:————> OPFER:

URHEBER:	VOLLSTRECKER:	OPFER:
1. Vater	1. –	1. Karl
2. Kapitän (für Heizer) Onkel (für Karl)	2. Obermaschinist	2. Heizer
3. Onkel	3. Green	3. Karl
4. (Hotel)	4. Oberkellner	4. Karl

Die wechselnden Besetzungen sind auch im „Prozeß" Prinzip. Man vergleiche die Gruppe EINTRITT (Anhang IX: vereinfacht, ohne Requisiten und Schauplatzdetails): Der Spielsatz zeigt vier Hauptrollen: die 1., die 2. Gestalt, die Frau und den Mann im Bett. Die erste Rolle wird nacheinander von Wächter Franz, K., dem Onkel und wieder K. gespielt; die zweite von Wächter Willem, vom „jungen Arbeiter"/Studenten, von K. und von der Buckligen; die dritte von Grubach, Dienerfrau, Leni; und die vierte Rolle von K., von „jemandem" (P 50), von Advokat Huld und Maler Titorelli. Auch hier ist die Hauptfigur K. bei allen Proben eingesetzt: in der ersten Rolle in Kap. 2 und 7, in der zweiten in 6 und der vierten in 1.

Umbesetzungen geschehen dabei nicht nur von einem Kapitel zum anderen, sondern — dies sei Dublette genannt — auch innerhalb eines Kapitels, so in „Prozeß"-Kap. 6 (Anhang X):

6b:	1	2	3	4	5	6	7	8	9	10	11	12	13	14	15	16	17	18	19	20
O:	O	O	O	O		O			O	O	O		O		O	O		O	?	*K*
L:		D				S	S	*K*	S	*K*		S	*E*				D	S	*E*	D
H:	K	K	K	K	K	K	K	*S*	K				K	K		K		K		
K:		D											E	K						

Der Onkel spielt in 6b die gleiche Rolle wie zuvor, Huld fungiert fast ausschließlich wie K., Leni überwiegend wie K.s (Bank-) Stellvertreter. Gewisse Gestalten, wie etwa auch die 3. von GG, sind in ihrem Nullwert geschlechtsneutral, jedenfalls -labil. Daß und wie die Figuren changieren, macht sich an allen, besonders an Leni bemerkbar. Sie ist als Dienerin natürlich den Dienern (dreimal) und als junges Mädchen der Erna funktionsgleich, fungiert aber auch zweimal wie K. Das Funktionskostüm wird nicht immer komplett, sondern auch in einzelnen Kostümteilen gewechselt, die blitzschnell an- und abgelegt werden, wobei es einmal sogar zu einer momentanen Umbesetzung auf offener Szene kommt: für Part. 8 ist die Besetzung ‚Leni wie Stellvertreter‘ und ‚Huld wie K.‘ einen Augenblick lang aufgehoben und umgekehrt.

Besonders zu dieser Umkehrung auf offener Szene ein zweites Beispiel aus „Prozeß"-Kap. 3 (Anhang XI):

3b:	1	3	4	5	6	7	8	9	10	11	12	13	14	15	16	17	18	19	20	21
K:	K	K	K	K	K		D	K	K	K	D	K	K	K	K	K	D	K	K	K
M:			D	D	D			D	D	D	S/U	D	D	D			S	D	D	D
A:							S				U/S								U	D

	22	23	24	25	26	27	28	29	30	31	32	33	34
K:	D	D	D	K	K	S	S	K	K	S	K	K	K/D
M:	S	K/S	K/S	D				D	D		D	D	
A:	K	S/K	S/K	D				S	S		S		

Überwiegend fungieren K. in 3b wie K. in 3a, das Mädchen wie die Dienerfrau, der Auskunftgeber wie der Student (bzw. Untersuchungsrichter: Part. 20, vielleicht 12). Zu changieren, und zwar in Richtung des späteren Rollentausches, beginnt zuerst K. (8, 12, 18), dann das Mädchen (12, 18). Plötzlich werden sämtliche Besetzungen gewechselt. In den Partikeln 22, 23, 24 fungiert K. wie die Dienerfrau, das Mädchen wie der Student (und K.), der Auskunftgeber wie K. (und der Student). Die Umbesetzung ist also eine doppelte: von 3a auf 3b und in 3b. Der gänzliche oder teilweise Rollentausch vollzieht sich nicht allein zwischen verschiedenen, sondern auch innerhalb ein und derselben Probe.

Die Besetzung ist entscheidender Teil der Interpretation", schreibt P. Löffler zum Stichwort „Regie". „Die Interpretation ist bereits eine

Synthese von geistiger, personeller, optischer und akustischer Akzentsetzung, bei der auch das Bühnenbild entsteht. . . Praktisch fordert sie
Schritt für Schritt – im wörtlichen Sinne – die Verwandlung des Textes
in die Aktion des Schauspielers und die Suche nach ‚optimalen'
Lösungen . . . Eine ungeheure Detailarbeit beginnt: . . . Aufbauen,
Verwerfen, Wieder- und Weiterbauen ist über Wochen das eigentliche
Arbeitspensum."[298] Ob diese Arbeit abgeschlossen werden kann, hängt
vom persönlichen Wertmaßstab für optimale Lösungen ab. Die Suche
danach kann bei genügender Strenge – und *epischen* Stellproben –
ad infinitum weitergehen, braucht nie über die Analyse hinaus zur
vorzeigbaren Synthese zu gelangen, wird also von vornherein nach den
Begriffen traditioneller Dramatik Fragment, in anderer Sicht freilich ein
Ganzes sein, denn den Mitwirkenden, den Spielern, zuvörderst dem
Spielleiter vermittelt allein die Probenarbeit, nicht die Premiere,
bestmögliche Durchdringung des Stücks. Brod meint zum „Prozeß",
„daß der Dichter selbst an dem Werke noch weiterzuarbeiten gedachte
(er unterließ es, weil er sich einer anderen Lebensatmosphäre zuwandte)" (P 323). Die Ursache könnte Wirkung sein. Für Kafka hatte
die Stellprobenarbeit Ende 1914 ihren Zweck erfüllt; für den Spielleiter
war die Arbeit abgeschlossen, vollendet.

Erschöpft die Theatersituation sich in diesem Befund?

3.2. Das Kommen und Gehen der Figuren, Requisiten

Die Modalität des Kommens und Gehens der Figuren ist eines der
Rätsel des Werks. Oft genug geschieht es abrupt. Alte Figuren sind
urplötzlich und, als hätten sie sich in Nichts aufgelöst, unauffindbar
verschwunden, zugleich tauchen ebenso plötzlich und wie aus dem
Nichts neue auf. Etwa im „Prozeß": In dem Augenblick, in dem aus der
pauschal sog. „Gruppe bei den Photographien" (P 25) individuelle
Bankbeamte auftauchen, verschwinden plötzlich und unauffindbar
Aufseher und Wärter, und K. erinnert sich, „daß er das Weggehen des
Aufsehers und der Wächter gar nicht bemerkt hatte, der Aufseher hatte
ihm die drei Beamten verdeckt und nun wieder die Beamten den
Aufseher." (27) Kaum ist der Gerichtsdiener mit der Meldung fort,
kommt der Student (78), der kaum gegangen ist, wenn K. kommt (66).

298 P. Löffler, l. c. p. 328 f.

Kaum ist der wieder zurückgekehrte Student fort, kommt der Gerichtsdiener wieder (77), der alsdann für K. unbemerkt und unauffindbar
verschwindet, sobald der Auskunftgeber, Funktionsäquivalent des
Studenten, aufgetaucht ist (87). Solange Leni im Vordergrund steht,
kommt K. nicht nur nicht zum Zuge, sondern nicht einmal zur Existenz
— in den Augen Hulds, der ihn „gar nicht bemerkt" hatte (125), der
jedoch, sobald er ihn sieht, Leni fortschickt, die sofort verschwindet
und nicht einmal mehr hinter der Tür zu finden ist. Kaum ist K. endlich
auf- und Leni abgetreten, so „begann sich dort in der Ecke etwas zu
rühren" (127). Buchstäblich aus dem Nichts und so plötzlich wie K. für
Huld, erscheint der Kanzleidirektor, woraufhin K. für die Herren
unauffindbar verschwindet usf.

So auch die Requisiten. Etwa in „Amerika": Kaum ist Karls Koffer,
wie sich zeigt, unauffindbar entschwunden, trifft Karl den Heizer, der
sich zunächst mit nichts anderem beschäftigt, als „an dem Schloß eines
kleinen Koffers zu hantieren, den er mit beiden Händen immer wieder
zudrückte, um das Einschnappen des Riegels zu behorchen." (A 10) In
Kap. 4 verliert Karl die „Photographie" seiner Eltern (144); kaum wird
in Kap. 5 an den Verlust erinnert (151 f.), wird Karl in ein Zimmer mit
„verschiedenen Photographien" geführt; sie gehören der Oberköchin,
„stammten wohl noch aus Europa", wie Karls Photographie; und:
„So wie diese Photographien hier standen, so hätte er auch die
Photographie seiner Eltern in seinem künftigen Zimmer aufstel-
len mögen." (154 f.) In Kap. 6 wird Karl die „Visitenkarte der
Oberköchin" entrissen (229); kaum wird in Kap. 7 daran erinnert
(241), taucht eine andere auf: „Delamarche sagte: 'Hier ist meine
Visitenkarte', und reichte ihm ein Kärtchen." (243) Kaum entdeckt
Karl im letzten Kapitel, daß die „Frauen, als Engel gekleidet, in weißen
Tüchern mit großen Flügeln am Rücken" (307), „schon nach dem
nächsten Bestimmungsort der Werbetruppe abgereist seien" (325), da
sieht er Kinder „um eine lange weiße Feder" kämpfen, die „wahrscheinlich aus einem Engelsflügel gefallen war" (325), und es wird „reichliches
Essen" serviert: „großes Geflügel, wie es Karl noch nie gesehen hatte,
mit vielen Gabeln in dem knusprig gebratenen Fleisch" (326).

Sind, so wäre zu fragen, die auftauchenden Figuren und Requisiten
jedesmal neue? Oder sind es die alten, in neuer oder gar ohn
Funktion? Anders: Erlebt man Anfang und Ende der Proben, wenn die
Kostüme an- oder abgelegt, die Requisiten umfunktioniert werden? Die

Frage wäre falsch gestellt, gäbe es nicht Ausnahmen zur Regel, daß episches Sein und Funktion eins sind, es daher kein Sein ohne Funktion gibt. Walser weist darauf hin. Im „Schloß" entläßt K. die Gehilfen: „Mit dieser Entlassung treten sie aus ihrer Funktion heraus und damit ändert sich auch ihr Wesen und ihr Wesensausdruck. Diese Verwandlung erfolgt gewissermaßen schlagartig. K. erkennt den einen Gehilfen nicht mehr wieder: er schien älter, müder, faltiger, aber voller im Gesicht, auch sein Gang war ganz anders als der flinke, in den Gelenken wie elektrisierte Gang der Gehilfen. . . " (S 338). So, „in einer Andeutung", auch im „Prozeß": „Sobald Josef K. seine drei Begleiter [sc. die Bankbeamten, Kap. 1] in der Bank zu sich kommen läßt, bemerkt er an ihnen nichts mehr, sie sind ‚wieder in die große Beamtenschaft der Bank versenkt'" (P 28). Auch in „Amerika": „Delamarche verändert sich, nachdem Karl die Landstreicher verlassen hat" (cf. A 206).[299] — Indes sind dies Beispiele mit erkennbar denselben Figuren. Gibt es solche mit sichtbar verschiedenen, nur insgeheim selben? Es gibt ein einziges, zum Entgelt sehr deutliches Beispiel, bei den Requisiten:

Ganz zu Anfang verliert Karl mit dem Koffer zugleich seine Mütze; in Kap. 3 heißt es dann: „‚Könnte ich Ihnen nicht mit einer Mütze aushelfen? sagte Herr Green und zog eine Mütze aus der Tasche. ‚Vielleicht paßt sie Ihnen zufällig.' Verblüfft blieb Karl stehen und sagte: ‚Ich werde Ihnen doch nicht Ihre Mütze wegnehmen .. . .' ‚Es ist nicht meine Mütze. Nehmen Sie nur!' ‚Dann danke ich', sagte Karl, um sich nicht aufzuhalten, und nahm die Mütze. Er zog sie an und lachte zuerst, da sie ganz genau paßte, nahm sie wieder in die Hand und betrachtete sie, konnte aber das Besondere, das er an ihr suchte, nicht finden; es war eine vollkommen neue Mütze." (A 97) Noch am selben Abend untersucht Karl seinen Koffer; da fällt ihm die „Mütze vom Kopf und in den Koffer. In ihrer alten Umgebung erkannte er sie sofort, es war seine Mütze, die Mütze, die ihm die Mutter als Reisemütze mitgegeben hatte." (115) Kontext wird Wesensbestimmung, ‚mein' und ‚dein' sind nicht zwei Seiten ein und desselben, sie schaffen — funktional — zwei völlig verschiedene Dinge. ‚Verrät' sich hier, ein einziges Mal, eine Methode?

Ein Zweites: Vieles in den Texten, nicht nur den Romanen, verdankt seine Existenz einfach einer Logik der Spiegelbildlichkeit, die letztlich

299 M. Walser, l. c. p. 57 f.

Spielart des Variationsprinzips ist, ein Verdopplungseffekt, dessen eine, nicht einzige Auswirkung die Kapiteldubletten sind. Dem Spiegeleffekt verdanken z. B. im „Prozeß" am Ende die sonst unterschiedslosen Herren ihre zweifache Existenz, denn sie sind einer, doppelt gesehen, auseinandergehalten nur im Pseudounterschied von „der eine" und „der andere" (Bezeichnungen, die, ohne daß es auffällt, ausgetauscht werden können.P 271, Z. 5 müßte es sonst „der eine" statt „der andere" heißen). Schließlich beobachten sie, „Wange an Wange aneinandergelehnt, die Entscheidung".Ein Gesicht, seitlich gegen den Spiegel gedrückt, erzeugt gleichen Effekt. Spiegelbild sind Mann und Greisenpaar von gegenüber im 1. Kapitel, sogar im Nacheinander der Auftritte: (statt Anna) Franz – und die „alte Frau" (9), dann Auftritt Willems (10) – und des „Greises" (16), des Aufsehers (19) – und des Mannes (19). In Kap. 3 entspricht K. und der Dienerfrau im aufgeschlagenen Buch der (Gerichts-)Akt: Mann und Frau nackt. In Kap. 7 spiegelt sich die „Luke" im Dach der Advokatenkammer unbedingt in einem „Loch" in deren Boden (140). Spiegelung äußert sich im kleinsten Detail – „Wasser teilte sich" um eine Insel (269), Schaukelbewegungen u. a. –, spielt in die Spalierbildung (GZ 20 und 34) hinein, ordnet die Stellung Bürstners auf der Fotografie, „gerade in der Mitte der Gruppe, die Arme um zwei Herren gelegt, die ihr zur Seite standen" (292), was sich wiederum in den Kap. 3 und 10 spiegelt, wo K. von zweien rechts und links gehalten wird usf.

Schon aus diesen, also aus Gründen der Analogie ist eine Duplizität, gar Komplizität zwischen beruflich-privater und Gerichtswelt anzusetzen, was bedeutet, daß die Dreiergruppe der Bankbeamten in Kap. 1 – Dublette der somit zweimal gespiegelten Gruppe ‚Aufseher, Wächter' – durchaus nicht bloß Duplikat, sondern wegen der erstaunlichen Übereinstimmung zwischen dem Auftauchen jener und dem Verschwinden dieser Gruppe aus denselben Figuren bestehen könnte, nur in anderem, vielleicht auch ohne Kostüm. Ähnliche Zusammenhänge könnten in Kap. 3 zwischen einerseits Student und Dienerfrau, andererseits Auskunftgeber und Mädchen – Dublette innerhalb der Gerichtswelt – bestehen. Beweisen läßt es sich freilich nicht. Auch wo es um den Aufweis von Stellproben geht, ist den bis auf Ausnahmen in Funktion aufgegangenen Figuren nur ausnahmsweise beizukommen. Lohnender ist ein dritter Ansatz:

3.3. Die Spielsatzkapazität: Der unerträgliche vierte

An Kafkas Figuren tritt eine Verhaltens- und Seinskonsequenz von äußerster Besonderheit zutage. Es ist eine Konsequenz per Ordinalzahlenwert. Das heißt, daß jeder Spielsatz, auch der 5gestaltige von GG, äußerstenfalls drei, keinesfalls vier oder mehr individuelle Figuren gleichzeitig hinnimmt. Die Spielsatzkapazität ist schon mit dreien spannungsreich ausgelastet, fast überlastet, so im „Prozeß" bei K.s. Streit mit dem Studenten (Kap. 3), der Wut des Onkels auf K.s Stellvertreter (Kap. 6), der Reaktion K.s auf Lanz (Kap. 4). Eine vierte Figur tritt entweder nicht auf, wie Anna (P 9 f.) bzw. Grubach (14) und die Dienerfrau (68) — sie dürfen nicht —, oder wie der Gerichtsdiener (77), bis der Student mit der Frau, und K., bis Leni verschwunden ist (122 ff.). Oder sie tritt ab, wie der Gerichtsdiener (78), bevor der Student, und Leni, als K. auftritt (215). Oder sie hat, gleichbedeutend mit Nicht-Existenz, keinerlei Funktion, wie K., solange Leni, wie der Gerichtsdiener, sobald der Auskunftgeber, wie K., sobald der Kanzleidirektor anwesend ist. Oder sie führt, tritt sie wie Block in Kap. 8 dennoch auf, zur Existenzgefährdung aller anwesenden Figuren. Oder, interessantestes Indiz der Begrenzung, sie wird mit einer der drei Figuren zu einer Einheit verschmolzen — dies klärt die Notwendigkeit der von Walser beschriebenen „Gruppenbildungen"[300]; er notiert: „Wenn die Funktionen kongruieren, steht der Gruppierung nichts mehr im Wege"[301]; wir fügen bei: Ist die Kapazitätsgrenze erreicht, ist die Gruppierung zwingend geboten. — Beispiele aus dem „Prozeß":

Von dem Augenblick an, wo mit Aufseher, zwei Wächtern und K. ‚realiter' 4 Figuren anwesend sind (P 19 ff.; gesetzt, die 3 Bankbeamten sind nur Duplikat), verschwindet Wächter Willem als Individuum völlig, existiert episch von beiden nur noch Franz (zum letztenmal P 21) bzw. tauchen sie nur noch, wie die beiden Herren am Ende, summarisch und en bloc als „die Wächter" auf (21—25). Genauso dort, wo die „Gruppe bei den Photographien" zu 3 individuellen Bankbeamten wird. Erstens verschwinden die Gerichtsbeamten, zweitens hält die Singularisierung die Figurenzahl von nun an optisch geradezu eisern auf höchstens 3, wobei die Opfer dieser Vereinfachung ständig und schnell wechseln. Dabei ist die zur 4-Zahl führende individualisierende Namennennung

---

300 ibid. p 69 f.; cf. „Kollektive" p. 52 ff.
301 ibid. P. 69

offenbar das spannungserregende Stichwort. Die Lösung erscheint als: K., „die beiden Herren" und die Gerichtsgruppe; dann K., Rabensteiner und die beiden anderen; dann K., Kaminer und „die zwei anderen". Frau Grubach taucht auf — ein besonderes Problem, denn K. und sie lassen nur noch einen Platz übrig —, weshalb sämtliche anderen summarisch zur „ganzen Gesellschaft" vereinfacht werden. Dann wieder: K., Kaminer und „die zwei anderen", die, sobald Kaminer fort ist, individuell sein dürfen: Kullich erscheint, Rabensteiner freilich nicht, weshalb auf der gegenüberliegenden Straßenseite als einzelner „der Mann" auftauchen darf (das individuelle Existierendürfen immer episch-optisch), die beiden Alten freilich nicht: sie sind „noch auf der Treppe". Selbst wo am Ende die drei Beamten wieder beim Namen genannt werden, sind Rabensteiner und Kullich spiegelbildliche Duplikate: „Rabensteiner sah rechts aus dem Wagen, Kullich links, nur Kaminer stand mit seinem Grinsen zur Verfügung." Offenbar dient der Spiegeleffekt u. a. der Begrenzung der Figurenzahl. Überflüssige werden, wenn nicht anders möglich, zu Spiegelbildern gemacht, d. h. als Individuen vernichtet.

In Kap. 2 beginnt K.s Auftritt im Untersuchungszimmer mit K., der „jungen Frau" und, kapazitätsgerecht, der „Versammlung", dem „Gedränge der verschiedensten Leute", die sich, sobald die Frau aus dem Blick gerät, individualisieren dürfen, zunächst zu „zwei Männern". Der Auftritt des „Jungen" gruppiert freilich sofort wieder zum „durcheinanderwimmelnden Gedränge", das sich alsdann nur zögernd und mit Vorbehalt wieder aufteilt: die „zwei Parteien" sind nur „möglicherweise zwei", sind zudem einander „rechts und links" spiegelbildlich zugeordnet, und K. wird von jetzt an, das wird oft betont, nicht einmal gesehen, geschweige beachtet. Seit der Richter und sein Gesprächspartner auftauchen, gilt auch der Junge für abwesend. Dessen Verschwinden ermöglicht alsdann die mit der „rechten Saalhälfte" angedeutete Zweiteilung in ‚unten rechts und links‘, die jedoch, da die Galerie auftaucht, zurückgenommen und ersetzt wird durch die Zweiteilung in „[unten] im Saal" und „oben", „auf der Galerie". Die Figurenzahl spielt solcherart um eine Erträglichkeitsgrenze von etwa 3, bis der Auftritt der Dienerfrau die Krise einleitet. Er ist „störend", dann sogar „wesentliche Störung"; sofort setzt sich der Richter, vorsichtig, „als sollte es nicht bemerkt werden"; die Unterscheidung in die Parteien rechts und links hört auf; K.s Blick beschränkt sich von nun an auf „die erste Reihe" der Zuhörer. Wenn jedoch neben K. und den „Leuten" wieder der Richter, sein Ratgeber, „einzelne" und „andere" auftauchen, fordert die erhöhte Gefahr stärkere Regulative. Die Zweiteilung der Parteien wird nur noch erwähnt, um sie aufzuheben: „Die zwei Parteien, die früher so entgegengesetzte Meinungen gehabt zu haben schienen, vermischten sich". Das Sehen wird erschwert: „Der neblige Dunst im Zimmer war äußerst lästig, er verhinderte sogar eine genauere Beobachtung der Fernerstehenden. Besonders für die Galerie-besucher mußte er störend sein"; die verhalten sich zudem, als sei ihr Dasein plötzlich kaum geduldet: „sie waren gezwungen, allerdings unter scheuen Seitenblicken nach dem Untersuchungsrichter, leise Fragen an die Versammlungsteilnehmer zu stellen ... Die Antworten wurden im Schutz der vorgehaltenen Hände ebenso leise gegeben." Schließlich erreicht die Spannung mit dem Auftritt des Studenten ein Ausmaß, dem weder die Vereinigung von Mann und Frau zu „beiden" und zum „Paar" noch das erschwerte Sehen abhilft: K. „beschattete die Augen, um hinsehen zu können, denn das trübe Tageslicht machte den Dunst weißlich und blendete". Zudem werden außer dem Paar noch ein „kleiner Kreis" von Zuschauern und die „Galeriebesucher" sichtbar. Die ungelöste Spannung entlädt sich in einer schlagartigen Kollektivie-rung aller zu einer einheitlichen Masse von „Beamten". „‚So', rief K. und warf die Arme in die Höhe, die plötzliche Erkenntnis wollte Raum, ‚ihr seid ja alle Beamte, ... habt scheinbare Parteien gebildet"

In Kap. 8 sind K.s absonderliche Verhaltensbrüche gegenüber dem Kauf-mann überhaupt nur noch aus dem Ordinalzahlenwert Blocks herzuleiten: er ist erst störender dritter, nach Lenis Verschwinden durchaus erträg-licher zweiter, nach ihrer Rückkehr (erst sie, dann·er) wieder störender dritter, schließlich (219) unerträglicher vierter, entweder, weil K. bereits an Huld denkt — K. ist angemeldet —, oder aber, weil die Übergänge zwischen ‚besonders störend' und ‚schon unerträglich' fließen. Bis schließlich alle vier im Schlafzimmer versammelt sind und offensichtlich allein, weil sie vier sind, in ihrem Dasein und Daseindürfen bedroht, gefährdet oder beeinträchtigt sind: Huld ist, unter dem „hohen Federbett" und „da er sich ganz nahe an die Wand geschoben hatte, nicht einmal zu sehen"; Block wird bestenfalls nicht „verjagt", „sah nicht mehr auf das Bett hin, er starrte vielmehr irgendwo in eine Ecke und lauschte nur, als sei der Anblick des Sprechers zu blendend, als daß er ihn ertragen könnte" (229); K. verhält sich zunächst „regungslos", wie wenn er abwesend wäre, und verschwindet alsdann, nach einem Zwischenspiel als störender dritter und seitdem Leni mitspielt, gegen Ende zu ganz aus dem Bild. Und erst dort, wo K.s Existenz erlischt, blickt der Advokat den Kaufmann zum erstenmal an (235). Solange sie zu viert sind, kann keiner, jedenfalls keiner der Männer, den anderen sehen, buchstäblich oder in übertragenem Sinne nicht.

Ausnahmen erweisen sich bei näherem Zusehen oft als Regel. Bevor etwa K. ins Haus der Untersuchung findet, betrachtet er den Hof:

„Gegen seine sonstige Gewohnheit sich mit allen diesen Äußerlichkeiten genauer befassend, blieb er auch ein wenig am Eingang des Hofes stehen. In seiner Nähe auf einer Kiste saß ein bloßfüßiger Mann und las eine Zeitung. Auf einem Handkarren schaukelten zwei Jungen. Vor einer Pumpe stand ein schwaches junges Mädchen in einer Nachtjoppe und blickte, während das Wasser in ihre Kanne strömte, auf K. hin. In einer Ecke des Hofes wurde zwischen zwei Fenstern ein Strick gespannt, auf dem die zum Trocknen bestimmte Wäsche schon hing. Ein Mann stand unten und leitete die Arbeit durch ein paar Zurufe." (48)

Das sind, mit K., fünf Figuren — die „zwei Jungen" womöglich schon spiegelbildlich gruppiert —, deren Überzahl völlig erträglich scheint. Das vermeintliche Gegenbeispiel ist jedoch Präfiguration des Studentenauftritts, der Klimax im Untersuchungszimmer, in nuce gar Vorform der gesamten Figurenkonstellation seit K.s Eintritt in die Dienerwohnung — daher noch in Miniatur und als Bagatelle, als „Äußerlichkeit" wirksam genug, um K. „gegen seine sonstige Gewohnheit" stärker zu beschäftigen —, und zwar als Variante der GF, die wenig später abermals erscheint als:

die „linke" und die „rechte Partei" (der Beamten. Das Schaukeln — der Angeklagtenparteien links und rechts — erst wieder in Kap. 3, P 91); „eine junge Frau . . ., die gerade in einem Kübel Kinderwäsche wusch"; „die junge Wäscherin, die ihre Arbeit wahrscheinlich beendet hatte" (= zum Trocknen fertige Wäsche), trat ein; der Untersuchungsrichter, der das Heftchen „wieder vornahm, um darin zu lesen", K. „wurde durch ein Kreischen vom Saalende unterbrochen . . . Es handelte sich um die Waschfrau . . . K. sah nur, daß ein Mann sie in einen Winkel bei der Tür gezogen hatte und dort an sich drückte. Aber nicht sie kreischte, sondern der Mann, er hatte den Mund breit gezogen und blickte zur Decke . . . K. wollte unter dem ersten Eindruck gleich hinlaufen", aber „keiner ließ K. durch." (51—62)

Mithin: Eine Toleranzgrenze beschränkt die Zahl individueller Figuren durchweg auf drei, entscheidet damit episch-optisch über Sein und Nichtsein der Figuren, bedient sich dabei kapazitätsbedingter Regulative: Übersehen, Vergessen, Verschwinden-, Nichtauftretenlassen und (optisches) Mischen. In der Psychologie werden derartige Regulative als Wirkung einer Bedrohung erwogen, zugleich als Symptom und Werkzeug einer gegen die Drohung gerichteten Hostilität.[302] Die Regulative sind Fortsetzung des Daseinskampfs mit sensorisch-apperzeptiven Mitteln.

Was bedeutet das für das Theater? Wo die Zahl der Spieler beschränkt ist, die Rollen ungleichen Werts sind — wartender erster, erwarteter zweiter, störender dritter, unerträglicher vierter —, da wird das Mitspielendürfen, der Kampf um die Rolle entscheidend. Eingangs war K.s Erregung über den Studenten (Kap. 3) und Lanz (Kap. 4) erwähnt: man drängt ihn in die Rolle des störenden dritten. Dazu deutlicher aus Kap. 6: Durch den plötzlichen Auftritt des Kanzleidirektors (127 ff.) — er präludiert das Auftreten Blocks im 8. Kapitel und hat ähnliche Folgen — ist unversehens eine Figur zuviel. Wieder führt, wie in Kap. 1, individualisierende Namennennung zu expliziter Überzahl: „Verzeihung", sagt Huld. „ich habe nicht vorgestellt — hier mein Freund Albert K., hier sein Neffe, Prokurist Josef K., und hier der Herr Kanzleidirektor" (128). Zunächst sind alle daseinsbedroht. Der Kanzleidirektor „hatte wohl gar nicht geatmet, daß er so lange unbemerkt geblieben war. Jetzt stand er umständlich auf, offenbar unzufrieden damit, daß man auf ihn aufmerksam gemacht hatte. Es war, als wollte er . . . alle Vorstellungen und Begrüßungen abwehren, als wolle er auf keinen Fall die anderen durch seine Anwesenheit stören", sogar, in sonst unverständlicher Übertreibung, „als bitte er dringend wieder um die Versetzung ins Dunkel und um das Vergessen seiner Anwesenheit." Huld wird mit einemmal „unterwürfig", wie später unter gleichen Umständen Block, und lauscht „aufmerksam, die Hand am Ohr". Der Onkel wird „verlegen", bietet zudem einen „häßlichen Anblick". Opfer

302 Cf. G. S. Blum, l. c. p. 51

der Eliminierung wird jedoch K.; man läßt ihn, in seiner Rolle als zweiten, nicht mehr mitspielen, drängt ihn in die des vierten, löscht damit seine Existenz: „K. konnte ruhig alles beobachten, denn um ihn kümmerte sich niemand, der Kanzleidirektor nahm ... die Herrschaft über das Gespräch an sich"; K. wird „vollständig vernachlässigt und diente den alten Herren nur als Zuhörer." (129) Er reagiert entsprechend. Ergäbe sich diese Reaktion aus der Spielleidenschaft eines probenbegeisterten Hauptdarstellers, sie könnte nicht anders sein. Nicht allein erlahmt schlagartig sein Interesse, er macht sich auch auf die Suche, letztlich nach einem neuen Spielplatz, den er im Arbeitszimmer findet. Der Richter auf dem Bild ist Funktionsäquivalent des Onkels: beiden ist als Funktionsmerkmal gemein das empörte Aufbrausen, heftige Auffahren, Aufspringen; beide sind miteinander verbunden als Varianten von GB, beim Onkel als: er „fuhr natürlich wie ein Gestochener auf. ‚Du Verdammte', sagte er im ersten Gurgeln der Aufregung noch ziemlich unverständlich, K. ... lief auf den Onkel zu, mit der bestimmten Absicht, ihm mit beiden Händen den Mund zu schließen" (weiter bis „Abschied für lange Zeit", 124 f.). Leni fungiert als (gewesener) Gesprächspartner des Onkels, K. als der zweite Mann. K. spielt also weiter, in kleiner Besetzung. Die scheinbar alogischen Schwankungen in K.s epischer Seinsweise seit Ankunft in der Advokatenwohnung, sein — auch optisches — Kommen und Gehen, erklären sich durchaus logisch aus der Figurenkapazität des Spielsatzes und K.s, auch einmal des Onkels Kampf um einen Spielplatz für K., den dieser dann doch erst anderwärts findet.

Was für ein Theater kann es sein?

3.4. Das Theater als ein Kinderspiel?

3.4.1. Vergegenwärtigen wir, zusammengefaßt, die Merkmale dieses Theaters, der epischen Spiel-, der Darbietungsformen. Es sind (1) Sein als Funktion, das ist hier: Sein im Spielsatz, als Funktion im Spiel, bei wechselnden Funktionen Seinsveränderung nachweislich einer einzigen Figur (Delamarche, die drei „Prozeß"-Beamten, die zwei „Schloß"-Gehilfen), desselben Dings (Karls Mütze) bis zur Unkenntlichkeit, (2) Stellprobenspiel mit wechselnder Besetzung, (3) begrenzte Spielsatzkapazität (im ‚Phänomen des unerträglichen vierten'), die Mitspielendürfen und Kampf um die Rolle bedeutet, (4) Stegreifspiel, in dem man, wie M. Robert vermerkt, „weder das Thema noch die Hauptfiguren noch die Auflösung" kennt und ungewiß bleibt, etwa für K. im „Schloß", „wie die Rollen verteilt sind und wie viele es sind, ganz zu schweigen von dem Autor und den Schauspielern, die ihm bis zum Schluß so gut wie unbekannt bleiben werden. Um an dem Spiel teilnehmen zu können, muß er deshalb die Worte, die Gesten, die Zeichen, die ihm gelten, im Flug auffangen und sich so, je nach der Schauspielszene, den Sinn, den er nicht faßt, zusammenreimen. Das fällt nicht leicht, denn die Worte und die Gebärden stimmen nicht notwendig mit der Rolle zusammen und widersprechen sich überdies fast immer ... Überall dementiert das Lächeln die Aussage, der Tonfall ist ohne Beziehung zum Inhalt der Rede, die Mimik unterstützt nicht das Zwiegespräch, sondern macht sich selbständig und geht ihren eigenen Weg."[303], (5) unfeste Rollengrenzen, d. i. Umbesetzung auf offener Szene, während des Spiels, als rascher Kostüm- und Rollenteilwechsel, (6) Zusammenfassung verschiedener Rollen in einer Figur, Aufteilung einer Rolle auf verschiedene Figuren, (7) Gruppenbildung als Zusammenfassung mehrerer Figuren, (8) Inversion als totale Umkehrbarkeit aller numerischen und logischen Folgen, (9) wechselweiser Übergang von Ding, Tier, Mensch, alt und jung, groß und klein, Frau und Mann u. a. m.

Solch totales Spielen mit dem Spielsatz, den Figuren, Dingen und Aktionen, schafft Entfremdung; dies hat die Forschung durchaus überall vermerkt. Doch ist, und wir beschränken uns auf Kafka, die Frage angebracht, ob man gut daran tut, das Entfremdungsphänomen in Kafkas Kunst allzu selbstverständlich allein aus objektiven Sachverhalten herzuleiten, aus Arbeitswelt, Gesellschaft der Moderne. Von dem längst erbrachten Nachweis abgesehen, daß Empirie in Kafkas Kunst nicht direkt, nur nach kompliziertem Schlüssel Einlaß findet, wollen ohnehin in jeder solchen Klärung stets die Bedingungen der Möglichkeit menschlicher Resonanz und Reaktion auf diese Welt bedacht, will so als Ökonomie der Selbstbehauptung gesehen sein, daß der Sinn für einen Sachverhalt oftmals erst dort frei wird, wo reaktiv Kräfte zu seiner Bewältigung bereitet sind. Zu Unrecht versäumt man, jedenfalls bei Kafka, zu erwägen, ob diese Reaktion den Einbruch — bislang subkultureller? — Kinderspielformen in die Kunst bezeuge. Größere Entfremdungskünstler als Kinder gibt es nicht. Genauer: das Stegreif-

---

303 M. Robert, l. c. p. 225

spiel von der beschriebenen Art, die in jeder Weise unfesten Rollen-, Ding- und Menschengrenzen, kurz: derart totales Spiel, solch hektisches Stellprobentheater liegt in natura schlechterdings allein im Kinderspiel zutage, nur dort wird mühelos ein Mensch zum Ding, wird einer viele, werden viele einer, schaffen ‚mein' und ‚dein' desselben Dings zwei ganz verschiedene Dinge, geht jeder Spieler höchst natürlich in wechselnden Funktionen bis zu völliger Entfremdung auf. Mit einem Wort: Aus gänzlich anderer Richtung gelangt die Untersuchung zu einem einmal schon erreichten Resultat zurück, zur Kindheit, sei's Altersstufe oder Zustand. Bei Gruppenherkunft und Darbietungsformen kreuzen sich die Wege.

3.4.2. Ergebnisse der Kinderspielforschung — zitiert sei A. Rüssel[304] — bestätigen denn auch die These, sind jedenfalls einigen Merkmalen jenes Theaters kongruent:

Dem Sein als Funktion im Spiel (Merkmal 1) entspricht nicht allein die kindliche „Ergriffenheit" im „Rollenspiel" und durch ein „Spiel-Ich, das das Kind zunächst so restlos ausfüllt, daß für die Erhaltung anderer Ichzustände kein Raum bleibt" und die „hingebende Übernahme einer Rolle . . . ein völliges Ein- und Untertauchen"[305] wird. Wichtig vor allem ist, „daß dem Kind die mannigfachen Verknüpfungen der verschiedenartigsten Berufs- und Lebensaufgaben in ein und derselben Person zunächst gänzlich verschlossen sind. Die ersten Vertreter eines anschaulichen Lebensbereiches, die das Kind . . . kennenlernt, sind für es so ausgezeichnet und hervorgehoben, daß ihm der Gedanke, daß diese Menschen auch ein alltägliches Leben führen . . ., gänzlich fernliegt. Und gar die Ausfüllung ein und desselben Menschen durch die verschiedenartigsten Funktionen wird von ihm in keiner Weise erfaßt. Daß ein Mensch Träger eines Berufs und zugleich Familienvater oder Familienmitglied, dazu auch öffentliche Persönlichkeit, Feuerwehrmann, sonntäglicher Spaziergänger u. dgl. sei, bleibt dem kindlichen Denken noch lange verschlossen." Funktion ist Sein. Und bei veränderter Funktion geht die Identität verloren. Auch in der Epik ist eine Gestalt stets dieselbe, doch daß sie ständig anderes verrichtet, je verschieden handelt und fungiert, verändert nicht nur Wirkung oder Aussehen, sondern

---

304 Cf. auch die Beiträge in A. Flitner (Hg.), l. c.
305 A. Rüssel 2, l. c. p. 81 f.

macht sie zu verschiedenen Figuren. Als wieviele Figuren erscheint nicht die eine und selbe Vatergestalt der GP, als wieviele, im „Prozeß", nicht die Gestalt jenes Richters, der schließlich Kaufmann Block heißt! — Und selbst wenn, so Rüssel, fürs Kind „die Identität der Personen nicht verlorengeht", weil sie sich im engeren Bereich des Kindes schlechterdings nicht übersehen lasse, so stehe doch der „Wechsel, und zwar der übergangslose Wechsel aus einem Lebensbereich in den anderen stark im Vordergrund ". „Der Vater ist ihm jeweils ein anderer, wenn er seinem Berufe nachgeht oder wenn er sich seinen häuslichen Beschäftigungen widmet oder wenn er sonntäglich gekleidet ausgeht ... Ja, selbst zwischen den einzelnen Altersstufen sieht das Kind zunächst keinen kontinuierlichen Übergang, sondern es vermutet eine plötzliche, irgendwie geheimnisvolle Umwandlung."[306] Genauso geschehen die Seinsveränderungen in Kafkas Epik, wenn in seltenen Fällen die Identität trotz Funktionsveränderung erhalten bleibt, wie bei Delamarche, den drei „Prozeß"-Beamten, den zwei „Schloß"-Gehilfen (infra 169). Und Gleiches geschieht, in Kinderspiel wie Epik, mit der Identität der Dinge. Rüssel beschreibt das Spiel eines Neunjährigen: Ein Klotz, ein Rad und Längsstäbe sind mal Fahrstuhl, Seilrolle und Gleitbahnen, mal Teile eines Pferdewagens, mal Feuerwehrleiter, -auto, Steuerrad; ein Bindfaden dient dabei je als Tragseil eines Förderkorbs, als Zügel für das Pferd, als Schlauch der Feuerwehr.[307] Das Eine wird je nach Funktion Verschiedenes wie in „Amerika" Karls Mütze, einmal als ‚geschenkt von Green', ein andermal als ‚eingepackt von Mutter' (infra 169).

Einige Kennzeichen des Stegreifspiels (Merkmal 4) sind ähnlich kongruent. Gemeint ist dabei nicht einmal die Situation eines, der von außen in ein unbekanntes Spiel mit fremden Spielern, ungewissem Ausgang eintritt, sondern das Spiel selbst in seinem stets offenen Verlauf und in seiner Verselbständigung von Tonfall, Mimik, Gestik, die sich von jedem Bezug zu Aussage, Rolle, Inhalt lösen, der ihnen Sinn und Stimmigkeit verleiht. Dem Kinde geht im Rollenspiel die Fähigkeit zu adäquater Wiedergabe ab, es spielt — gemessen an dem, was tatsächlich ist — unwesentlich, unstimmig, stehen ihm doch „oft keine anderen Ausdrucksmittel als die der Besonderheit, der Auffälligkeit

306 ibid. p. 79 f.
307 ibid. p. 30 f.

überhaupt zur Verfügung. Die Sprache wird verstellt ... Ebenso auffällig sind die Veränderungen der Mimik, der Gesten und Pantomimik, die ebenfalls nur in geringem Maße den Verhaltensweisen der Vorbilder entnommen werden ... In diesem Drang, die Besonderheit zum Ausdruck zu bringen, übersteigert sich der Ausdruck oft so ins Grimassenhaft-Groteske oder ins Pathetische, daß man geradezu von einem Manierismus im Rollenspiel sprechen kann. Schließlich gehören hierher auch die beim Rollenspiel besonders beliebten Verkleidungen, die nur teilweise vom Vorbild motiviert sind, vielmehr überwiegend wie Sprache und Gebaren der Abhebung überhaupt dienen." Dieses „Sichabheben" sei aber keine „eigentliche Darstellung". Denn „indem die bloße Besonderheit zum Ausdruck gebracht wird, fehlt ja noch durchaus der Bezug auf eine Person oder auf ein Etwas, für das sich das Kind stellvertretend fühlen könnte."[308]

Und aus eben dieser „Ausdrucksgestaltung und Übersteigerung" erklären sich auch die unfesten Rollengrenzen (Merkmal 5) — als „der häufige, die Einheit des Spielgeschehens gefährdende Übergang einzelner Spielteilnehmer aus einem Bereich in einen anderen, da in der ausdruckshaften Verwirklichung des zunächst das Spiel tragenden Bereichsgefühls die bloße Besonderheit so stark betont werden kann, daß die charakteristischen Qualitäten jenes Bereichs verlorengehen können und das Kind sich nunmehr nur noch in seiner Andersartigkeit und Besonderheit fühlt ... so kann es dann, durch zufällige Äußerlichkeiten bedingt, leicht in einen anderen Spielbereich hineingleiten".[309]

Zur Zusammenfassung mehrerer Rollen in einer Figur (zu Merkmal 6) vermerkt Rüssel, daß „zumeist an einer Rolle für jedes mitspielende Kind festgehalten" wird, „wobei allerdings mehrere zu einem Bereich gehörende Personen miteinander verschmelzen können — z. B. Straßenbahnführer und Schaffner oder Kutscher und Pferd". Das ist Zusammenfassung innerhalb eines selben Funktionsbereichs. Müsse sonst „ein Kind mehrere Rollen übernehmen, so ist dies eine Verlegenheitslösung aus Mangel an Mitspielern".[310]

Spieltypisch ist endlich auch der Übergang zwischen Dingen, Tieren, Menschen (zu Merkmal 9). Beim Spiel mit Menschen- und Tierfiguren werden sogar „Gebilde, die keinerlei Menschen- und Tierähnlichkeiten

---

308 ibid. p. 83   310 ibid. p. 123
309 ibid. p. 84

besitzen, benutzt: Bausteine, Knöpfe, Streichhölzer, Garnrollen u. dgl."
Oder, bei einem Zweijährigen: „der Schornstein wird mit einem Lappen
angefaßt und langsam umgelegt, als ob er heiß und schwer sei. Dann
wieder ist er selbst der Schornstein und legt sich um"; ein Achtjähriger
legt aus Bausteinen einen Zoo, aber „die Bausteine sind auch die Tiere
des Zoos"[311] u. v. m.

3.4.3. Tatsächlich ist denn auch Kafkas eingangs erwähnte Disposition zum Spiel sehr eigener Art. In dieser Neigung ist der Zug zur
Kindlichkeit nicht mehr zu übersehen. „Auch Kafka erfaßte diese
Theaterbegeisterung", schreibt Wagenbach zu den Gymnasialjahren
1893—1901. „So wird berichtet, daß er, in den absonderlichsten Verkleidungen plötzlich auftauchend, seine Schwestern erschreckte", daß er
„dem Drama betriebsam Tribut zollte, wenn auch nur einige Titel der
Stücke, die er für die Geburtstage der Eltern verfaßte, erhalten sind ...
Natürlich wurde auch anderer Jux getrieben: Zum Beispiel war es ein
beliebtes Spiel der vier Geschwister, in drastischen Verkleidungen um
den Tisch zu marschieren, unter Absingung" eines „harmlos-blöden
Textes". „Die Sitte des Theaterspiels (an dem sich Kafka nur als Autor
und Regisseur beteiligte) an den Geburtstagen der Eltern hielt sich bis
in die Universitätsjahre. In dieser Zeit inszenierte er mit den Schwestern
kleine Stücke von Hans Sachs".[312]Noch der fast Dreißigjährige hält an
solchen Formen fest. So berichtet H. Binder über die Zeit seit offenbar
1911: Kafka, Lehrer seiner jüngsten, später Lieblingsschwester Ottla „in
geistigen Belangen" ‚riet „zu Vorträgen und Theaterstücken, las Eigenes
vor ... Häufig gab er im Badezimmer, ungestört von der Familie, der
Schwester, und nur ihr, Proben seines Nachahmungstalentes. An diesem
Ort vertrauter Gespräche stellte er nicht nur literarische Szenen, wie
z. B. Pantomimen, dar, sondern auch eigene Erlebnisse, besonders
Familiensituationen, die ihm nur in dieser Darstellungsform erzählbar
schienen."[313] (Übrigens erwähnt Binder Ottlas „Exzentrizität" als
einen „Persönlichkeitszug", der „Verwandtes in Kafka ansprach und so
eine wichtige Basis für die Art und Weise des täglichen Umgangs abgeben
konnte. Kafka nennt die 22jährige Schwester kindisch".[314]) Und zu
den Aufführungen jener ost-jüdischen Truppe heißt es 1913 in einer auf
Kafkas Veranlassung von O. Pick verfaßten „Prager Tageblatt"-Notiz:

311 ibid. p. 96 f.   313 H. Binder 2, l. c. p. 432
312 K. Wagenbach 1, l. c. p. 51 f.   314 ibid. p. 435

„Viele werden sich noch jener seltsamen Abende erinnern, die uns im Vorjahr beschieden waren, als in einem kleinen Saal der Altstadt ein Jargon-Theater seine primitive Bühne aufgeschlagen hatte. Man war in eine fremde Welt geraten, wo Menschen von kindlicher Gewalt der Phantasie lebten, Enthusiasten, denen es genügte, einen Bretterboden unter den Füßen, paar bunte Lappen am Körper zu haben – und nun unentwegt zwischen anderthalb Kulissen und etwa einem Lehnstuhl-Thronsessel und einem Tischchen dramatisches Erleben zu agieren." (F 763) Gemeinsam ist all diesen Bekundungen die Praxis, auch Kafkas eigene, eines oft genug kindlichen Amateurtheaters, sind Spielleiter-Begriffe, wie ähnlich eine Tagebuchstelle von 1922 sie umschreibt, wo es unvermittelt heißt: „Theaterdirektor, der alles von Grund auf selbst schaffen muß, sogar die Schauspieler muß er erst zeugen. Ein Besucher wird nicht vorgelassen, der Direktor ist mit wichtigen Theaterarbeiten beschäftigt. Was ist es? Er wechselt die Windeln eines künftigen Schauspielers." (T 414) Das heißt den Wert des Spiels nicht abgewertet haben. Es geht bei diesem Kinderspiel – bei welchem nicht? – ums Ganze. Die hektischen Nichtigkeiten sind bitterer Ernst.

3.5. Spiel in der Epik und episches Theater

Angesichts des durchgängigen Spiels im epischen Geschehen wird man die Bedenken gegen Dramatisierung im Prinzip nicht teilen können, sofern diese nur werkadäquat geschieht. Dramatisierung hätte Stell- und Kostümprobenspiel zu sein, bei Vorwegkenntnis des zu variierenden Grundtexts, denn allein das Variieren ist von Belang, das Spiel mit dem Spielsatz, nicht der pseudospielerische Nachvollzug. Freilich wäre es totales Spiel von der beschriebenen Art. Es verlangte von Spielern wie Szenerie proteische Verwandlungsfähigkeit.

Dabei bleibt, worauf Adorno hinwies, unbestritten: „Drama ist nur soweit möglich, wie Freiheit, wäre es auch als sich entringende, vor Augen steht: alle andere Aktion bliebe nichtig."[315] Wie erwähnt, meint er gespielte Freiheit; wir meinen Spiel als Freiheit, noch dazu mit Vorbehalt: Wo Rolle Sein bedeutet, wo man ist, wie man fungiert, sind die Bedingungen der Freiheitsmöglichkeit sehr streng – für die Figuren außer den Helden, wofern sie nicht ausnahmsweise funktionslos bleiben und dennoch *sind*. Doch schon die Helden zeigen: sie jedenfalls sind mit

315 Th. W. Adorno, l. c. p. 329

keiner Rolle identisch, so sehr sie jeweils in ihr, durch sie sind; sie erscheinen von Mal zu Mal in je verschiedenen Rollen; ihre Freiheit liegt deutlich in der jederzeitigen Möglichkeit, zwanghafte Rollen zu übernehmen, zu verlassen. Der Spielleiter gar, der Dichter, hat diese Art der Freiheit stets und ganz. Die Nachahmung „ersetzt" zwar „mit einem Sprung und Fall" ihn selbst, desungeachtet ist sie Nachahmung, ein wenngleich allzu starkes Spiel. Freiheit heißt hier: je anders und je anderes spielen, nie diese Rolle so und dauernd sein, mag das konkrete Spielen auch je zwanghaft bleiben.

Auch nicht bestritten wird der prinzipielle Einwand. Epik dramatisieren heißt in Optik übersetzen, verändert, nicht zum Besseren, mit dem Medium zugleich das Werk. „Das Tun ist nicht mehr in der Sphäre des bloßen Handelns belassen", führt Walser zur Epik Kafkas an, „es fordert vielmehr, wie alles andere, das Denken in Ordnungen. Sobald aber diese Vorgänge aus dem sie allein dichterisch konstituierenden Medium des Wortes herausgerissen werden und durch das Medium der Gestalt, durch den Schauspieler auf der Bühne sichtbar gemacht werden, verliert die Konfrontierung der Ordnungen ihren eigentlichen Charakter. Die totale Vorstellung, die durch das Wort im Buch bewirkt wird, wird auf der Bühne zu einer mühsamen optischen Wahrnehmung"[316]. Doch wo es nicht auf Aufführung im gewohnten Sinn, d. h. Einmaligkeit, wo es vielmehr auf wiederholte Proben ankommt, wird Optik sekundär. Die Einzelprobe ist im Probenverband, im Kontext aller anderen, nicht mehr optische Wirklichkeit, sondern zuvörderst intelligible Möglichke. eine unter vielen. Resultativ ist dies Theater nichtoptischer Art. Vom Ziel her — man nenne es Durchdringung, Einsicht — fördert es das Denken, nicht das Sehen, die „totale Vorstellung", nicht die „mühsame Wahrnehmung". Damit gleicht es sich dem Medium der Epik an.

4. ZUR METHODIK (III)

4.1. Beim Zugriff zu Werkinhalt und -gehalt wird notwendig stets der projizierte Vorbegriff des Interpreten für die Eigenschaft des Werkes ausgegeben, sind doch die Zuordnungskriterien des Deuters schlechthin

316 M. Walser, l. c. p. 101

nirgends durch die des Werkes selber zu ersetzen. Kafkas Werke unterscheiden sich von anderen allein durch die skandalöse Deutlichkeit, mit der diese Problematik ins Bewußtsein tritt. Evident weisen die Werke jeden Zugriff als inadäquat zurück. Denn: „Zwischen dem in ihnen eröffneten Raum und dieser Welt", notiert J. Schillemeit, „scheint es keine Gemeinsamkeiten zu geben. Wie soll da — darin besteht das Dilemma — eine Auslegung verfahren, wenn es immerfort fraglich bleibt, ob das, wovon sie redet und was notwendig der Welt des Auslegers angehört, *dasselbe* ist wie das, wovon in diesen Erzählungen die Rede ist? "[317] An diesem Dilemma ändern grundsätzlich auch die Zuordnungen auf Elementenbasis nichts. Jedes Feld, jedes Element ist ins Werk verlegt, nicht dem Werk entnommen.

Der entscheidende Vorteil der Zuordnung auf Elementenbasis besteht allein darin, die bisher extrem unzureichenden Vorbegriffe ersetzt zu haben durch solche, die den Begriffen des Werks selbst, wenngleich nicht allen, hinreichend angenähert sind. Die Annäherung hat ihren Grund in Eigenart und minimaler Dimension der untersuchten Größen. Die Größe ‚Element' ist zu klein, um von in unsrem Sinne ‚groben', nur inhaltsorientierten Vorverständnissen verfälscht zu werden. In philosophischer, theologischer, psychologischer, mythologischer, soziologischer u. a. Voreingenommenheit jener Art wird man bei der Zuordnung und Deutung von Figuren, Episoden, noch etwa kleinerer Aktionseinheiten je verschiedener Meinung sein, doch bei der Zuordnung von juwelen-, dunkel-, feuer-, blut-, brand-, ziegelrot zum Wortfeld ‚ROT' kann man es nicht. Verschiedener Meinung kann man auch nicht sein, wenn es um die Werkadäquanz der Feldart geht, kurz um die Frage etwa, ob Kafkas Kirchturmspitzen den Kirchen, Tempeln und Altären, ob sie den Stadt- und Wassertürmen, ob sie den Nasen-, Klöppelspitzen zuzuordnen sind. Darüber entscheidet das zudem biographisch, von Kindheitserlebnis und Träumen her bestätigte Kriterium des Optimalprofils der Gruppe. Dank diesen Kriterien — dem der Gruppierung, dem des Profils — ist die Größe ‚Element' dann der Gefahr enthoben, der selbst noch werkformbewußte Deuter von Werkinhalt und -gehalt verfallen, weil ihnen für die Zuordnung *allein* logisch-empirische Kriterien zur Verfügung stehn und dadurch alle Hypothesen unangemessen werden, weil sie in Hypothesenrichtung allzu stark verzerren. Und

---

317 J. Schillemeit 1, l. c. p. 168

es entgeht das Element als sprachinhaltliche Minimaleinheit der weiteren Gefahr, daß die Verzerrung, wie es durch die regelmäßig umfangreicheren Analysegrößen auf jener Deutungsebene geschieht, abermals verstärkt wird.

So ist es möglich, weit unterhalb der Zugriffsschwelle grober Vorbegriffe, doch auch methodisch streng gemeinter Untersuchung neue Fragen anzusetzen (wie die der Zugehörigkeit der Kirchturmspitzen), aus der Vielzahl möglicher Zugehörigkeiten die rechte auszusondern (hier das Wortfeld ‚SPITZ') und auf der Grundlage der Gruppierung solcher Felder Textteile einander zuzuordnen, deren semantische, ineins biographische Homogonie untersucht zu werden verdient auf ihre Relevanz für das Verständnis von Werkinhalt und -gehalt.

Verglichen mit bisheriger Deutungsweise sind Zuordnungen solcher Art nicht mehr dem Fürgutbefinden überlassen. Denn diese Zugehörigkeit liegt vor, sie wird nicht erst gesucht, sie ist gegeben, und erst dann geschieht, was sonst am Anfang stand: die Suche nach nun auch werkinhaltlichen und -gehaltlichen Gemeinsamkeiten, in denen diese Textpassagen sich verbinden und durch die sie sich von andern Textpassagen unterscheiden. So stehen derartige Zugehörigkeiten nicht mehr in Gefahr, allein deshalb übersehen zu werden, weil sie dem Denken oder der Erfahrung allzu sehr zuwiderlaufen. Man verfällt eben nicht auf den Gedanken, Karls Situation auf dem Balkon während der Wahlszene in „Amerika" (A 277 ff.) der des Priesters auf der Kanzel im „Prozeß" (P 248 ff.) zuzuordnen (GZ-Varianz), oder, im „Schloß", K.s Kindheitserinnerung an die Besteigung einer Kirchhofsmauer (S 44 f.) mit Teilen des Feuerwehrfests (S 273 ff.), der Bürgelszene (S 372 ff.) und der Aktenverteilung (S 397 ff.) ineins zu sehen (GV-Varianz).

4.2. Unverändert schwierig, eher komplizierter, ist hingegen durch die Zuordnung auf Elementenbasis die vor aller Dichtung ineins wirkungsästhetisch wie werkgenetisch gleich relevante Frage nach der Gewichtigkeit. Gemeint ist hier einmal das Gewicht dieser Zuordnungsart im Verband aller Arten, dann das Gewicht, das im Palimpsest eine bestimmte Variante – des einzelnen Elements, der ganzen Gruppe – im Verband aller Varianten hat:

4.2.1. Ausschlaggebend für die Deutung eines Werks ist das *Gesamt* aller Zugehörigkeiten, und wir unterstellen den Zuordnungen auf Elementenbasis daran einen großen, mehrheitlichen Anteil. Doch das

Ganze sind sie nicht. Beim Einzelwerk z. B., auf dessen Interpretation es letzten Endes ankommt, macht dessen thematischer und zeitlicher Zusammenhang sich geltend, etwa dadurch, daß textlokale Nachbarschaftskonstanz — um beim Gruppierungsphänomen zu bleiben — nicht nur die Elemente zeigen. Die Niederschriften der Romane dauern in der Regel nicht länger als ein Jahr. In diesem Zeitraum, und weil es sich um *ein* Werk handelt, sind bestimmte Variationstypen stärker in Ansatz gebracht und bestimmte Verknüpfungen zu intensional umfangreicheren Einheiten (Eigenschafts-, Aktionseinheiten u. ä. als logisch-syntaktische Gefüge) öfter wiederholt als im Romanwerk insgesamt, wo auf eintausend Seiten dreier verschiedener Romane und in einem Zeitraum von zehn Jahren manche Typendominanz gemindert, wenn nicht aufgehoben wird und der Kreislauf der Variation überelementare Größen zumeist vollständig wieder auflöst. Wir haben versucht, solche romanspezifische Konstanz für einen der Romane anschaulich zu machen in den sog. Aktionengruppen zum „Prozeß" (Anhang VI, VIII-XI). Doch wieviel wiegt derartige Konstanz, verglichen mit dem Gewicht der reinen Elementenvariation?

Gundsätzlicher: Wieviel wiegt die Elementenvariation — wenn wir zugleich unterstellen, daß das Schockerlebnis (in unserm Sinne) die fürs 20. Jahrhundert typische Erlebnisform ist, so daß im Leser erhöhte Resonanz sich findet als wenngleich unbewußte Fähigkeit, gruppierte Wortfelder bestimmter Art zu registrieren — wieviel also wiegt solche Elementen- als eine wortinhaltliche Zuordnung verglichen mit Zuordnungen durch den Satzsinn? Und genauso fraglich: Wieviel wiegt Gruppiertes gleich welcher Art im Vergleich zu nichtgruppierten Größen, wieviel also wiegen in ein und demselben Textteil, sagen wir, nachbarschaftskonstante Einzelwörter verglichen mit Zuordnungen durch andere Wörter, die zwar nicht konstant gruppiert sind, aber durch ihre Vorkommen im Werk nichtsdestoweniger eigene Verbindungslinien schaffen? Welche Gewichtigkeit haben endlich trotz allem Logik und Empirie, Zuordnungen also des Dings zum Dinge, Tiers zum Tier, der Menschen zueinander, je der Gestalten, Schauplätze, Aktionen zueinander, auch wenn auf Elementenbasis das eine in das andre übergeht? Wenn z. B. M. Walser Begleiter zu Begleitern, Frau zu Frauen, Feind zu Feinden gesellt, so ist zwar einzuwenden, daß er Vorbegriffe aus der Empirie ins Werk trägt. Doch es wäre Widersinn, zu unterstellen, daß für Kafka beim Schreiben eine Frau *nicht* Frau, ein Feind *nicht* Feind gewesen wäre. Trotz der „Tiefe" der inneren Schicht des Schaffensvorgangs ist er beim Schreiben bei Bewußtsein. Logik und Empirie sind niemals ganz außer Betracht.

Die Liste der problematischen Vektoren läßt fast beliebig sich verlängern, das Problem bleibt überall dasselbe. Einzig ein Leistungsvergleich unter Aspekten der Erklärungsstärke könnte jemals hier den Ausschlag geben. Das heißt, die Frage — die wir offenlassen müssen — wäre zu beantworten, wieviele Leer- und Unbestimmtheitsstellen im Verständnis eines Werkes die Zuordnung unter anderem auf Elementenbasis schließt.

4.2.2. Der Palimpsest ist ein vielschichtiges Gebilde aus je der manifesten und den latenten Lagen, der jetzigen und der voraufgegangenen Varianten eines Elementes oder einer Gruppe. Wenn wir noch einmal die GB-Varianz von Josef K.s Ende aufgreifen, so geht diesem Ende u. a. voraus — und unterschiebt sich als Bedeutungsschicht — Christi Grablegung im 9., Blocks Erniedrigung im 8., Titorellis Richterbild im 7., die Prügelszene im 5. Kapitel. Doch was von alledem ist die latente Hauptbedeutung von K.s Ende? Wäre der bare Textabstand entscheidend, dann hätte es die unterschwellige Valenz eines stellvertretenden Opfertods. Gäbe dagegen gehaltliche Gleichheit oder Ähnlichkeit den Ausschlag, hätte Blocks Auftritt das größere Gewicht (auch K.s Ende ist beschämendste Erniedrigung) oder die Variante in Kap. 5 (Brutalität und Absonderlichkeit der Tötung ähneln am ehesten der Prüglerszene). Und Textabstand und gehaltliche Gleichheit oder Ähnlichkeit von Gruppenvarianten sind nicht die einzigen Zuordnungsfaktoren. Auch die Konstanzen in der Reihenfolge der Einzelelemente, in der Dichte ihrer Aufeinanderfolge, in ihrer sprachinhaltlichen Gleichheit oder Ähnlichkeit, in ihrer logisch-syntaktischen Verknüpfung fallen bei der Rangstufenordnung gleichzeitig wirksamer Valenzen ins Gewicht. Insofern einzelne Faktoren sich bestimmen lassen - Textabstand, Reihenfolge, Dichte sind sogar meßbar —, mag der experimentellen Psycholinguistik eine Rangstufenordnung dieser Zuordnungs- als Reminiszenzfaktoren möglich, das Problem also quantifizierbar sein. Nicht oder nicht ausreichend zu bestimmen sind hingegen Gleichheit und Ähnlichkeitsgrade. Die Abwägung bleibt insgesamt nach wie vor der individuellen Wertung überlassen.

5. ZUSAMMENFASSUNG

„Die Darstellung des jeweiligen Stoffes", so F. Weltsch zu Kafkas Werk, „scheint geradezu auf ‚Deutung' angelegt zu sein. Nicht einen Augenblick verläßt den Leser das Gefühl: Was da erzählt wird, steht nicht für sich allein, es muß noch etwas dahinter sein".[318] Was ‚dahinter' ist, zugleich: daß diese Dichtung nicht flächig und dadurch undurchdringlich, daß sie vielmehr, wann immer variationsgeprägt, vielschichtig ist und dadurch einen Raum eröffnet, zeigt der Palimpsest. Schrift unterhalb der Schrift wird kenntlich, wenn hinter der manifesten Variante hier und jetzt die voraufgegangenen, jetzt latenten Varianten desselben Elements, derselben Gruppe tiefgestaffelt liegen.

Wir haben den Palimpsest hauptsächlich unter Formaspekten, dabei im Blick auf die Figuren und aufs epische Geschehen betrachtet, auch Elementen- als Funktionseinheiten aufgefaßt und ihren Weg bei der Übertragung von Figur zu Figur verfolgt: In aller Regel sind zumindest einige Einheiten einer Figur bei der nächsten Gruppenvariante auf mehrere Figuren aufgeteilt (‚Divergenz'), umgekehrt Einheiten mehrerer Figuren beim nächstenmal in einer einzigen Figur vereint (‚Ligatur'). Wann immer indes Funktionen gleich welcher Menge konstant en bloc übertragen werden, je nach dem Ligatur- und Divergenzgrad entweder unübersehbar fast von Mal zu Mal oder erst auf längere Sicht, werden ‚Gestalten' – als zugleich ‚Rollen' – sichtbar, wird eine Gruppe ‚Spielsatz' im Sinn des Rollenspiels:

5.1. Unter Figurenaspekt wird dadurch deutlich: Eine Figur hat deshalb einen labilen, daher jederzeit veränderlichen funktionellen Wert, weil sie urplötzlich – entsprechend plötzlich ihr Verhaltensbruch – insgeheim jene Rollen wechseln kann. Sie verkörpert nacheinander mehrere Gestalten, sie ‚changiert'. Ihre Funktionalität ist – hier diachronisch – Vielfunktionalität. Welche Rolle sie jeweils spielt, was diese Rolle bedeutet, was solcherart der Wechsel meint, ist einzig von den latenten Palimpsestschichten her zu klären.

5.2. Unter Gruppen- als Spielsatzaspekt tritt ein, wie W. Benjamin es nennt, „Theater" der „Versuchsanordnungen"[319] zutage, dem der

---

318 F. Weltsch 1, l. c. p. 47
319 s. Anm. 291

Begriff des epischen Theaters näher kommt als der Begriff vom Drama, der sonst auf Kafka angewandt wird. Es ist ein Theater, in dem der einzelne Spielsatz nie bloß repetitiv nachgespielt wird; es wird vielmehr mit ihm gespielt, im Form der Inversion (Umkehrung der numerischen und logischen Folgen), der Ligatur und Divergenz, des Spiels mit der von einer Probe auf die andre wechselnden Besetzung, auch des Spiels mit je verschiedenen Zusammensetzungen von Gruppen. Es ist ein Theater, in dem es nie zu ,der' Aufführung kommt, vielmehr bei ständig wiederholten Proben bleibt, beim stets variierenden Bewältigungsversuch am selben Spielsatz. Die Einzelprobe aber ist im Gesamtverband der Proben nicht mehr optische Wirklichkeit, sondern intelligible Möglichkeit, eine unter vielen. Dies Theater fördert so das Denken, nicht das Sehen, gleicht sich dem Medium der Epik an.

5.3. Gleichzeitig ist dies Theater in vielem merkmalkongruent dem Kinderspiel. Wir haben belegt, was beidem eigentümlich ist: das Sein als Funktion im Spiel, bei wechselnder Funktion Seinsveränderung bis zur Unkenntlichkeit; der Stegreifcharakter bei oft ungewissem Ausgang, stets offenem Verlauf; die Verselbständigung von Tonfall, Mimik, Gestik, Kostümierung, die sich von jedem Bezug zu Aussage, Rolle, Inhalt lösen, das bedeutet, unstimmig werden können; die unfesten Rollengrenzen als Umbesetzung auf offener Szene, als rascher Rollentausch; die Zusammenfassung mehrerer Rollen in einer Figur; die wechselweisen Übergänge zwischen Dingen, Tieren, Menschen. Und auch bei den übrigen Merkmalen mag, obschon nichtbelegt, die Kongruenz einleuchten: beim von einer Probe auf die andre möglichen Wechsel der Besetzung; bei der begrenzten Spielsatzkapazität, die Mitspielendürfen und Kampf um die Rolle bedeutet, weil der Spielsatz nur eine bestimmte Höchstzahl von Figuren gleichzeitig hinnimmt (bei Kafka drei, die dritte schon als Störung), auf alle weiteren mit Übersehen, Vergessen, Verschwindenmachen. Nichtauftretenlassen oder optischer Vermischung der Figuren – in der Epik: Gruppenbildung – reagiert (,Phänomen des unerträglichen vierten'). Bei der Klärung der Gruppenherkunft und, aus ganz andrer Richtung, der Betrachtung der Darbietungsformen dieser Epik kreuzen sich die Wege: Beide deuten auf die Kindheit hin.

6. DAS KONTINUUM DES GEWINNS

Der Palimpsest korrigiert eine Lehrmeinung. Es ist nur zur Hälfte wahr, daß an Karl und den K.s allein Negatives geschähe, daß die Alternative fehle, weil das Andere schlechthin anders sei, die Helden somit bestritten würden, ohne anderwärts bestätigt zu werden. „Abbau", schreibt Adorno, „nie war das Wort populärer als in Kafkas Todesjahr". Kafkas „Gewalt ist eine des Abbaus. Er reißt die beschwichtigende Fassade vorm Unmaß des Leidens nieder, der die rationale Kontrolle mehr stets sich einfügt."[320] Walser führt an, daß „der Abbau der sichtbaren, gegenstandsreichen Welt, die Reduktion des ,natürlichen' Sehens, in letzter Konsequenz zu Reflexionen über das Nicht-mehr-Sichtbare führen mußte".[321] Bense spricht von „sukzessivem Entzug" des Objekts in Kafkas Prosa.[322] Bei H. Richter heißt es: „Im rein negativ gefüllten Schuldbewußtsein Josef K.s und im inhaltlosen Nimbus des Gesetzes ist, um nochmals mit Kaiser zu sprechen, ,eine allerletzte Erinnerung an die verlorene Welttotale erhalten geblieben'; sie reicht nicht aus für eine Alternative".[323] Gewohntem, sprich konsekutivem Lesen zeigt z. B. der „Prozeß" in der Tat nur ein, so M. Seidler, „Kontinuum des Verlustes", nämlich „je mehr die Einsicht in sein Gesetz abnimmt und der Abbau einer überschaubaren, erkenntlichen Welt − der K.s − zunimmt." „Josef K. verliert sich selbst und seine eigene Gestalt in dem Maße, in dem ein Prozeß an ihm geschieht. Ein Prozeß nimmt aus K.s Verlust an Welt in seiner eigenen Wirklichkeit zu − außerhalb jeder Einsicht und allen Verstehens." Das bedeutet: „Der Prozeß bleibt sinnlos; es wurde in ihm keine ,Welt' anschaulich".[324] − Dem ist nicht so, schon biographisch nicht:

Schon Kafkas eigener Abbau als Sohn, Mann, Gatte, Versorger, Bürger ist lediglich Kehrseite einer Entwicklung, deren andere Seite die ebenso nachhaltige, wie schon Walser sie nennt, „fast planvolle Ausbildung Kafkas als Dichter" ist, der „seine bürgerlich-biographische

320 Th. W. Adorno, l. c. p. 312
321 M. Walser, l. c. p. 30
322 M. Bense 4, l. c. p. 69
323 H. Richter 2, l. c. p. 67 (Zitat aus G. Kaiser, l. c. p. 44). − Cf. ferner F. Martini 1, l. c. p. 329
324 M. Seidler, l. c. p. 66, 75

Persönlichkeit reduziert, ja zerstört, um einer Ausbildung willen, die die Persönlichkeit als Dichter zum Ziel hat".[325] So auch bei den epischen Figuren. Josef K. etwa gewinnt, indem er verliert. Der Palimpsest baut auf. Das „Kontinuum des Verlustes" ist zugleich überall Kontinuum des Gewinns. Nicht allein für die K.s. Die gesamte Welt der Romane nimmt an Wirklichkeit allmählich zu. Beim ersten Auftritt — und erster Lektüre — steht hinter dem Helden und der Welt zwar nichts, sie sind so unbekannt wie sinnlos; am Ende jedoch steht hinter ihnen eine Vielzahl von Personen, Szenen, Handlungen u. a. m. ,stehn Werkeinheiten jeder Größenordnung, die geheime Bedeutung, verstohlen Sinn zuteilen.

Dieser Zugewinn macht indes neue Fragen dringlich. Die Zahl der Palimpsestlagen ist zwar nirgends unbegrenzt hoch, das vielschichtige Gebilde des immer tiefer gestaffelten Texthintergrundes wird jedoch allmählich derart kompliziert, daß es einem zunächst unabsehbar verfädelten, verknäuelten, ver- und entflechtenden Gewebe gleicht, das zudem stets in unaufhörlicher Bewegung ist. Das hat, beiläufig, Folgen für das Verhältnis von Werkform und -inhalt: Das Palimpsestsystem ist formgleich den geheimnisvollen, nur in ihren ersten, untersten Lagen ohne weiteres anschaubaren Gerichts- und Beamtenwelten der Romane; jede solche Welt ist Thematisierung einer Kunstform, Selbstdarstellung eines Dichtwerks, Veranschaulichung einer Art zu dichten (und biographisch: zu erleben und zu sein); beides, das Werk und seine Welt, ist vielschichtig, durchwirkt von Querbezügen, labyrinthisch, ein komplizierter Bau, in ständiger Gestaltung, Umgestaltung. Wichtiger indes ist, daß der Palimpsest einen Sinn höchst eigener Art aufbaut. Die Figuren, vorzüglich die zentralen, verlieren an eindeutiger, eingestaltiger Seinsweise und gewinnen an bis zur Antinomie mehrdeutiger Vielgestalt. Die Romanwelt insgesamt gewinnt derartige Mehrdeutigkeit. Mit einem Wort: Wie löst man die Bedeutungsfrage?

Die Forschung hat bei der Suche nach dem Sinn stets zwei Möglichkeiten in Betracht genommen: Eindeutigkeit und, andrerseits, eine Vieldeutigkeit, die bloß amorphe Menge ist. Nicht erwogen wurde eine dritte, nämlich daß die Vieldeutigkeit gefügt, die Menge gegliedert ist, die verschiedenen, zuweilen gar sich widersprechenden Begriffe

325 M. Walser, l. c. p. 11

IV. DER WEG ZUR WAHRHEIT

Die Frage nach dem Sinn in Kafkas Werken führt in der Forschung deshalb, wie I. Henel zeigt, in die Problematik allgemein der Deutbarkeit, weil „sowohl die Frage nach der Bedeutung von Kafkas Werken wie die Untersuchung ihrer formalen Struktur, die die Deutbarkeit der Werke negiert, letzten Endes zur gleichen Antwort führt, nämlich der Behauptung, daß der Sinn von Kafkas Werken Sinnlosigkeit sei."[326] Gemeint sind einmal, in der Inhaltsdeutung, jene „vielfältigen Deutungsversuche, von denen der eine so einleuchtend erscheint wie der andere", wodurch, eben weil „alle Deutungen gleich sinnvoll erscheinen", die Frage entsteht, „ob sie nicht vielmehr alle gleich sinnlos sind, ob der Sinn von Kafkas Werken nicht Absurdität oder Sinnlosigkeit ist."[327] Zum andern ist gemeint die Forschungsrichtung, die, nach Beißner, Walser beispielhaft vertritt: Die Formbeschreibung zeigt zwei „Ordnungen, die der Helden und die der jeweiligen Gegenwelt"[328], der Arbeits- und Behördenwelt der Hierarchien, deren Verhältnis von prinzipieller Gegensätzlichkeit, genauer: einer Unverträglichkeit bestimmt ist, die, wie I. Henel unterstreicht, „keine Beziehung zwischen den beiden Ordnungen zuläßt, auch keine dialektische, und folglich absurd wirkt."[329] Walser schreibt: „Ein echter dialektischer Bezug zwischen den K.s und ihrer Gegenordnung ist sicherlich nicht möglich, dazu sind sich die Ordnungen zu fremd."[330] Führe man, namentlich in „Prozeß" und „Schloß", „das Verhältnis der Ordnungen ... auf gewissermaßen inhaltslose formale Verläufe zurück, so sieht man, daß es sich hier um zwei einander völlig fremde Größen handelt, die in keinen echten dialektischen Bezug miteinander treten können. These und Antithese bestreiten sich ja als feindliche Entgegensetzungen und ziehen eine Synthese nach sich. Beides ist bei den Kafkaschen Ordnungen nicht

---

326 I. Henel 2, l. c. p. 256
327 ibid. p. 250 f.
328 M. Walser, l. c. p. 75
329 I. Henel 2, l. c. p. 257
330 Im gleichen Sinn G. Neumann, l. c., bes. p. 716 ff., 724

der Fall."[331] Daher sei „Aufgehobenheit ... die abstrakte Grundbefindlichkeit dieser Ordnungen", d. h. „jedem Tun ist seine Aufhebung
immanent, weil es bei Kafka nur Tun von einander fremden Ordnungen
gibt, und diese heben ihnen seinsfremde Tätigkeit eo ipso auf".[332] Somit
sei der Sinn allen Tuns „eigentlich Sinnlosigkeit".[333]

Nun gehört tatsächlich zum Bestand der Forschung jene Einsicht,
daß sich bei Kafka hinter oder in der Welt, der Gegenwelt, ein
schlechthin Anderes verbirgt[334], ein Fremdes jenseits allen Zugriffs im
„absoluten", „schlechthin Leeren"[335]; mit Recht weist daher Walser auf
„völlig fremde Größen" hin. Zugleich ist aber, in Methode, Terminologie, der Tatsache gerecht zu werden, daß, unbeschadet dieser Fremdheit, Welt als Gegenwelt sich ständig überreichlich *zeigt*, und zwar als
Gegensatz der Helden, als korrupt und völlig schamlos, als, wie Brod es
nennt, „schmutzig und lächerlich, verachtenswert, bestechlich",
„dumm-bürokratisch", „kleinlich, zäh, schmierig"[336] usf., also in eben
jener Antithetik, die Walser, besonders in „Prozeß" und „Schloß",nicht
werkgerecht, doch konsequent von seinem Ansatz her bestreiten muß,
da er von vornherein auf „Leerformen", „inhaltslose formale Verläufe"
reduziert, d. h. der inhaltsreichen Welt*erscheinung*, nicht in der Absicht,
doch im Resultat, den Unwert bloßen Beiwerks zumißt und so den
Helden eine Lage unterstellt, in der nicht einmal Hiob sich befindet, auf
den man sich, wie Brod, beruft, um jenes Fremde, inkommensurable
Absolute[337] und dessen Eingriff in die Menschenwelt am Beispiel zu
erläutern; selbst dort erscheint „das Anderssein"[338] in vielerlei Gestalt,
als Rotten der Chaldäer, Feuer Gottes, Wüstenwind, als „absurd und
ungerecht", „grausam, sogar unmoralisch" usf. − Nun wäre Widersinn,
zu unterstellen, daß dies Sich-Zeigende das schlechthin Andere sei; das
Andere kann als solches nicht erscheinen. Also ist eine Differenzierung
im Walserschen Begriff der ‚Gegenordnung' angebracht, als − mit Kant
− Gegenordnung einmal in der Erscheinung, zum anderen an sich, daher
schon nicht mehr ‚Gegen'-Ordnung, vielmehr dritte, „neutrale Instanz"[339] ‚die selber „niemals in Erscheinung tritt" und der Kafka auch

331 M. Walser, l. c. p. 86 f.;
ähnlich H. Politzer 5, l. c. p. 69
332 M. Walser, l. c. p. 68 f.
333 ibid. p. 117
334 Cf. J. Pfeiffer, l. c. p. 111

335 W. Emrich 5, l. c. p. 59
336 M. Brod 2, l. c. p. 223 f.
337 ibid. p. 213
338 ibid. p. 224
339 M. Walser, l. c. p. 75

„keinen Namen gegeben hat".[340] Held, (Gegen-)Welt in der Erscheinung und an sich, in diesem Sinne: Ordnung, Gegenordnung und dritte Instanz des gänzlich Anderen, sie haben, als These, Antithese und Synthese, jenen „dialektischen Bezug", den Walser, derart abstrahierend, daß sein Begriff der Gegenordnung die Bedeutung der dritten, ansonst von ihm bestrittenen[341] Instanz erhält, nirgends sieht, weshalb er letztlich sich genötigt sieht, das Unverträglichkeitsverhältnis von These und Synthese fälschlich dahin zu befragen, ob es das Gegensatzverhältnis von These — Antithese sei.

1. DIE SPIEGELUNG

I. Henels Berücksichtigung der Welterscheinung und ihrer Antithetik ist gegenüber Walser solcherart, „ohne die Gewinne preiszugeben, die Beißners und Walsers Arbeiten bedeuten"[342], ein zweiter Schritt, bei dem sich zeigt, daß das Verhältnis von Ordnung — Gegenordnung im definierten Sinn eine „sehr enge Beziehung von Held und Gegenwelt" solch eigener Art aufweist, das es, so scheint's, geboten ist, „die Gegenwelt nicht als selbständige Realität hinzunehmen, sondern als Projektion des Helden": „sie gehören zusammen, er tritt in ihr sich selbst gegenüber"[343]; außerhalb dieser Projektion sei „keine Realität"; „deshalb darf der Leser dem Erzähler die Welt nicht einfach als eigenständige Welt abnehmen. Daß sie das nicht ist, geht unter anderem daraus hervor, daß es niemals zum Kampf zwischen ihr und dem Helden kommt."[344] — Bei diesem Projektionsbegriff ist allerdings sogleich ein Fehlgriff abzuwehren, der Griff zur Psychologisierung:

Selbst etwa Emrich spricht von „objektivierten Spiegelungen eigener unterbewußter Vorstellungen und Triebwünsche Josef K.s"[345] ,eine Ansicht, der offensichtlich auch I. Henel Vorschub leistet: Um zu beweisen, daß die Welt „Selbstinterpretation und Projektion des Helden" sei, „müßten wir nicht nur den ganzen ,Prozeß' und das ganze ,Schloß', sondern auch große Teile aus anderen Werken, aus ,Amerika', dem

340 I. Henel 2, l. c. p. 257
341 Cf. M. Walser, l. c. p. 75
342 I. Henel 2, l. c. p. 256
343 ibid. p. 257
344 ibid. p. 262
345 W. Emrich 5, l. c. p. 271, cf. 264

‚Urteil‘ und der ‚Verwandlung‘, zitieren. Alles — Dunkelheit, Schneegestöber, Schmutz, dumpfe Luft, unverständliche Geräusche . . ., die Gegenwart von Beobachtern, in der sich sein Schamgefühl ausdrückt — alles sind Spiegelungen und Projektionen des Helden".[346] Die Herleitbarkeit der dichterischen Welt aus psychischen Realien ist unbestritten, unbestreitbar auch, daß jene Beispiele der Interdependenz wie Projektion des Helden scheinen. Für diesen Sachverhalt jedoch stehen zwei Erklärungen bereit, nicht eine. Es ist in jener Ansicht unmethodisch ein besonderes Verhältnis des Dichters zu den Helden unterstellt, so als habe Kafka seine eigenen Realia zunächst ausschließlich in die Hauptfigur verlegt und als ob alsdann erst diese projiziere. Längst jedoch ist anerkannte Einsicht, daß die Helden kein Innenleben haben[347]; ein Rätsel also bleibt, wie und womit sie projizieren. So hält allein die andere Erklärung stich, daß Held und Welt ein und denselben Schöpfer haben; dessen Projektion — mit W. H. Sokel „Projektion des inneren Problems in die schaubare Gestalt", „Vorgang des ‚Herausstellens‘", des „künstlerischen Objektivierens"[348] — geht allerdings die Wissenschaft vom Wortkunstwerk nichts an, ist unerheblich, weil die Kraft längst Sprachgestalt, die Projektion längst Text geworden ist. Statt also in der Pseudointerdependenz von Welt und nichtvorhandener Heldenpsyche ist die Welt als Projektion des Dichters zu erkennen; der Held ist, so B. Allemann zu Josef K., „nicht mehr als eine Hohlform, vielleicht buchstäblich ein Perspektiv"[349], Perspektiv, so sei hinzugefügt, der Logik, Kafkas eigener, so entschieden in den Helden konzentriert, wie Kafka zugleich sein Psychisches, weil Widerpart der Logik, konsequent ins Gegenüber, die Welt der Helden, projiziert. Dies ist der Grund der psychologisch zu erklärenden, doch solcherart nur mittelbaren, weil außerhalb des Werks entstandenen Interdependenz von Held und Welt. Mit einem Wort: Nur biographisch ist der Sachverhalt erklärbar, nicht aus dem Werke selbst. Der Versuch, ihn mit der Projektion der Helden zu begründen, ist Fortsetzung der biographischen Methode mit Mitteln der Werkimmanenz, und das ist Widersinn.

346 I. Henel 2, l. c. p. 262. — Im gleichen Sinne H. Deinert 2, l. c. p. 198, Anm. 8; H. Heinz, l. c. p. 63; J. Schubiger, l. c. p. 76; W. H. Sokel 1, l. c. p. 9; Th. Ziolkowski, l. c. p. 46
347 B. Allemann 1, l. c. p. 238
348 W. H. Sokel 3, l. c. p. 300
349 B. Allemann 1, l. c. p. 239

Der solcherart gereinigte, nichtpsychologische Begriff der Projektion, besser: der Spiegelung von Held und Welt erfaßt besonders für „Prozeß" und „Schloß" werkadäquat das antithetische Verhältnis beider als Reflexion im Doppelsinne von Bewußtseinsspiegelung und Spiegelfechterei der Helden. Eben aus diesem Grunde kommt es zwischen beiden, wie I. Henel schrieb, „niemals zum Kampf". Im „Prozeß" z. B. richtet das Gericht sich, seinem Namen treu, nach K.s Begriffen, d. i. Hypothesen über das Gericht. „Die erzählerische Sehweise Kafkas bringt", wie B. Allemann vermerkt, „das scheinbar Unmögliche zustande, das Unsichtbare dichterisch zu vergegenwärtigen, indem sie es affirmativ-hypothetisch als unbewiesene Voraussetzung handhabt"[350], und zwar sind überall „die Hypothesen des Josef K. über das Gericht stark genug, um die Realität des Gerichtes im Roman zu prägen; die auf solche Weise zur Romanwirklichkeit gewordene Hypothese kann sich dann aber auf überraschende Weise gegen Josef K. wenden und ihn enttäuschen oder gar ins Unrecht versetzen. Josef K. gerät mit seinen Mutmaßungen über das Gericht in ein eigentümliches Spannungsfeld zwischen überraschender Bestätigung und zugleich Widerlegung durch die Wirklichkeit."[351] Schon indem „der wegen des Ausbleibens des Frühstücks ungeduldig gewordene K. klingelt, läutet er vermutlich selbst den Prozeß ein"[352]; er läutet, fügen wir hinzu, nach dem Gericht (als Frühstück) und bekommt es (als Verfahren). Genauso bei der ersten Untersuchung: „Eine genaue Zeitangabe wurde bei der telefonischen Aufforderung, die Josef K. erhielt, unterlassen. Er vermutet, man werde ihn um neun Uhr erwarten"; das Gericht nimmt die Vermutung auf, wirft ihm die nur in K.s Gedanken existente Verspätung vor (P 46, 52), so wie es vorher auf K.s Erfindung eines Tischlers Lanz einging, deren Zweck, nämlich K. zum Untersuchungssaal zu bringen, das Gericht durchschaut (P 49, 51). „Das Gegenstück zu diesem Vorgang findet sich im Schlußkapitel, wo Josef K. im schwarzen Anzug die Exekutoren erwartet und wo diese Erwartung wirklich genügt, um das Auftreten der beiden Abgesandten des Gerichtes herbeizuführen."[353] Wir fügen weitere Exempel bei: K. wendet sich dem ersten besten Treppenaufgang zu, im Gedanken an den „Ausspruch des Wächters Willem, daß das Gericht von der Schuld angezogen werde, woraus eigentlich folgte, daß das Untersuchungszimmer an der Treppe liegen mußte, die K. zufällig

350 ibid. p. 241
351 ibid. p. 242
352 ibid. p. 246
353 ibid. p. 242

wählte" (P 49); tatsächlich liegt es dort. K.s Degradierung zum „Zimmermaler" (P 54) ist genaues Duplikat der Degradierung von Hauptmann Lanz zum „Tischler" durch K. (P 49); selbst die Fallhöhe ist die gleiche. Kaufmann Block als „Hund des Advokaten" (P 233) spielt K. nur dessen eigenen Gedanken vor; sein Betteln vor dem Bett (P 232 f.) ist Inszenierung von K.s Einfall, den Studenten vor Elsas Bett in dieser Lage zu erleben (P 28, 75). Was an solchen Stellen unübersehbar deutlich wird, gilt, sichtbar oder nicht, für das Verhältnis zwischen Held und Welt als ein Prinzip der Antithetik, das jene Beispiele als Sonderfälle einbegreift. Zu Recht stellt deshalb, wie in gleichem Sinne Allemann, I. Henel fest, „daß es sich in beiden Romanen um Bewußtseinsprozesse handelt, in denen der Held sich unausgesetzt − die Beamten arbeiten Tag und Nacht und sogar besonders bei Nacht − mit sich selbst auseinandersetzt."[354] Die Welt ist, soweit greifbar, Bewußtseinsresultat des Helden. Der Held begreift das Fremde, und zwar, so stellt es sich ihm dar, als Gegensatz zu ihm, als Antithese, die aus des Helden eigenen Begriffen, eigener Setzung sich ergibt, bestätigt von der Gegenordnung, der Welt in der Erscheinung, und zugleich aufgehoben von der Welt an sich, als der Instanz des gänzlich Anderen.

So weit vermag die Untersuchung der Held-Welt-Beziehung zu gelangen. Doch daß und wie bei Kafka sich aus diesem Sachverhalt mit Konsequenz ergeben muß, daß solcher dialektische Bezug ohne Synthese bleibt, ist erst von einem nächsten Ansatz her zu klären:

D. Hasselblatt, auf N. Fürst, W. Rohner, B. v. Wiese, W. Emrich weisend, stellt als oft erkanntes Faktum fest, daß „Erörterung und Reflexion ein auffallendes Merkmal Kafkaschen Erzählens sind"[355]. „Kafka erzählt nicht Geschichten, immer macht er Forschungen" (Fürst)[356], daher er denn „zum großen Teil überhaupt nicht erzählt, sondern die Problematik seiner Gegenstände erörtert", weil ihm am „Vollzug des Denkens", am „Gedankengang selbst" gelegen sei (Rohner)[357]. Nach der novellistischen Pointe am Anfang der „Verwandlung" etwa sei alles Weitere „mehr Analyse als Erzählung" (v. Wiese)[358]. Und:

354 I. Henel 2, l. c. p. 258
355 D. Hasselblatt, 1. c. p. 59
356 Norbert Fürst: Die offenen Geheimtüren Franz Kafkas. Fünf Allegorien. − Heidelberg: Rothe 1956. p. 58
357 Wolfgang Rohner: Franz Kafkas Werkgestaltung. − Diss. Freiburg i. Breisgau 1950. p. 54, 101
358 B. v. Wiese 2, l. c. p. 325

„Kafka muß ... die Reflexion auf die Spitze treiben, indem er jeder Erklärungsmöglichkeit zahllose andere, ja entgegengesetzte Erklärungsmöglichkeiten gegenüberstellt"[359]. „Der ‚Prozeß' etwa ist von K. aus gesehen nichts weiter als ein Denk-Prozeß, dem er sich mit größter Gewissenhaftigkeit unterzieht." (Neumann)[360] Solche Erkenntnisse konvergieren mit dem eingangs gegebenen Befund zur Logik als der einen der beiden Grundkräfte in Kafkas Werk und Leben. Dort wurde die Notwendigkeit, der generelle Grund der Logik eingesehen; hier seien deren Eigenarten, Möglichkeiten, Grenzen bei der Wahrheitsfindung in den Blick gefaßt.

Exemplarisch erhellen den Aspekt die Untersuchungen zu Kafkas Parabolik, so, konzentriert auf „Von den Gleichnissen" (B 95), bei B. Allemann, H. Arntzen, K.-P. Philippi[361]. „Nur-Gleichnis" nennt Allemann das Gleichnis, vor dem der „räsonierende Verstand"[362], wie der des Lesers vor diesem und jedem Kafka-Text, die Waffen strecken müsse: „Dem lustlosen Nur-Besitz des Lebens mit seiner täglichen Mühsal steht das unbrauchbare Nur-Gleichnis der Weisen gegenüber, dessen Wesen die Unfaßbarkeit ist. Eine Vermittlung scheint ausgeschlossen"[363], denn „es gibt vom Boden der alltäglichen Wirklichkeit aus keinen Zugang zu den Gleichnissen."[364] Und Philippi expliziert: „Die Vielen wollen die Gleichnisse realisieren, aber sie scheitern dabei an dem von ihnen aufgebauten Gegensatz zu der Position der Weisen, an der absoluten Trennung von Immanenz und Transzendenz, von der aus sie die Aufforderung ‚Gehe hinüber' nicht als Überwindung eben dieses Gegensatzes begreifen können". Zwar böten die Weisen „die einzige Möglichkeit der Auflösung dieses Gegensatzes", denn ihre Gleichnisse „sind die Form, in der die Wahrheit ... angeboten werden kann"[365], sie versetzen „in eine andere Existenzweise", doch die Vielen können das „radikale Gebot des Andersseins ... nicht denken": „In den Bezugspunkten des jeweiligen Denkens (‚irgendein sagenhaftes Drüben' — ‚im

359 W. Emrich 4, l. c. p. 199
360 G. Neumann, l. c. p. 722. — Cf. ferner F. Billeter, l. c. p. 197; W. Muschg 3, l. c. p. 106; H. Politzer 3, l. c. p. 13; F. Schubiger, l. c. p. 17
361 Cf. ferner U. Fülleborn, l. c. p. 290 ff.; M. Kowal, l. c. p. 297; H. Politzer 3, l. c. p. 42 ff., 131 ff., 137 et passim
362 B. Allemann 2, l. c. p. 98 f.
363 ibid. p. 101
364 ibid. p. 104
365 K.-P. Philippi 2, l. c. p. 318

täglichen Leben': wie es sich von den Vielen her ausnimmt) drückt sich die Verschiedenheit am stärksten aus."[366] Lösung wäre „die Selbstaufhebung beider Begriffe, des der Vielen und des der Weisen", sonst bleibt auch Transzendenz nur „leer", ist nur noch als „Funktion im Gegensatz gegen das beschränkte Wirkliche konstruiert", sie „rettet diese Welt nicht, hebt sie nur auf"[367]. — Damit sind die Gründe der Unfaßbarkeit bereits genannt; sie liegen in der „Position dessen, dem nur die Reflexion über, aber nicht der ‚transzendierende' Sprung in das Gleichnis als Möglichkeit gegeben ist."[368] „N u r Spekulation aber, begrenzt auf die Möglichkeiten des Vernunftgemäßen im Rahmen des empirischen Daseins, formalisierte Reflexion ohne den konkreten Inhalt der Offenbarung ist bei Kafka sichtbar."[369] Beide Seiten „verfestigen sich hinter der vordergründigen Dialektik der Auseinandersetzung, die in These und Antithese steckenbleibt, zum Gegensatz, der unaufhebbar ist."[370] Wohl wird eine „neue Existenz als untrennbare Identität mit Wahrheit angeboten", doch das „Gegenüber ist nicht festzumachen, nicht einmal als Begriff, geschweige denn als (geschichtliche) Offenbarung."[371]

Dem „Paraboliker der Undurchdringlichkeit"[372], so Adorno über Kafka, ist der Erkenntniswille auf ein Denken angewiesen, das sich durch sich selbst den Weg verstellt, weil es über die bewußtseinsbedingte und -bedingende Vergegensätzlichung niemals hinausgelangt, nie zu den Dingen selbst vordringt, ja nicht einmal den ersten Schritt auf diesem Weg zu tun vermag[373]. Erkenntnis höherer Art, d. i. Synthese, ist mit einer Antithetik nicht mehr zu gewinnen, die Bezug, nicht von Erkennen zu Erkanntem, sondern solchen Denkens zu und in sich selber ist. — Damit dringt die Untersuchung von Kafkas Parabolik zu dessen eigener Einsicht vor:

Für Kafka ist Begreifen zuvörderst Teilen, sprich: Verfälschen der ungeteilten einen Wahrheit. Ja, das Innere, Geistige, Himmlische — Kafkas Synonyma des Wahren — kann nicht einmal beobachtet, beschrieben, geschweige denn gedacht werden: „Wie kläglich ist meine Selbsterkenntnis, verglichen etwa mit meiner Kenntnis meines Zimmers.

366 ibid. p. 319
367 ibid. p. 320
368 ibid. p. 321
369 ibid. p. 324

370 ibid. p. 325
371 ibid. p. 324
372 Th. W. Adorno, l. c. p. 311
373 Cf. B. Allemann 2, l. c. p. 113

. . . Warum? Es gibt keine Beobachtung der innern Welt, so wie es eine der äußern gibt. Zumindest deskriptive Psychologie ist wahrscheinlich in der Gänze ein Anthropomorphismus, ein Annagen der Grenzen. Die innere Welt läßt sich nur leben, nicht beschreiben. — Psychologie ist die Beschreibung der Spiegelung der irdischen Welt in der himmlischen Fläche oder richtiger: die Beschreibung einer Spiegelung, wie wir, Vollgesogene der Erde, sie uns denken, denn eine Spiegelung erfolgt gar nicht, nur wir sehen Erde, wohin wir uns auch wenden." (H 72) Nach oben blickend, sehen wir uns selbst, freilich zugleich „in himmlischer Fläche"; die vermeintlich gespiegelte Erde ist nicht mehr menschlich, sondern menschengestaltig, wie etwa „die Engel", wie wir sie uns denken: in der „geistigen" Welt gelte, so Kafka, „kein Schwerkraftgesetz, (die Engel fliegen nicht, sie haben nicht irgendeine Schwerkraft aufgehoben, nur wir Beobachter der irdischen Welt wissen es nicht besser zu denken)" (H 72); sie sind, weil gedacht, wie Menschen und dennoch gegensätzlich, Engel. Die imaginäre Spiegelung gibt also Wahrheit, doch nur, wie sie das Denken geben kann; genötigt, das schlechthin Andere als korrelativ, als Gegensatz, den Himmel als Spiegelung der Erde zu begreifen, gibt solch Erkennen nur geteilte, halbe Wahrheit: „Es gibt für uns zweierlei Wahrheit, so wie sie dargestellt wird durch den Baum der Erkenntnis und den Baum des Lebens. Die Wahrheit des Tätigen und die Wahrheit des Ruhenden. In der ersten teilt sich [sic!] das Gute vom Bösen, die zweite ist nichts anderes als das Gute selbst, sie weiß weder vom Guten noch vom Bösen. Die erste Wahrheit ist uns wirklich gegeben, die zweite ahnungsweise. Das ist der traurige Anblick. Der fröhliche ist, daß die erste Wahrheit dem Augenblick, die zweite der Ewigkeit gehört, deshalb verlischt auch die erste Wahrheit im Licht der zweiten." (H 109) Hier die Seinswahrheit einer bewußtlosen, gegensatzlosen Einheit, dort die Erkenntniswahrheit geteilter, halber Gegensätze, wobei kein Teil seinem Gegenteil an Wahrheitswert etwas voraus hat, auch das Irdische, Körperliche nur halbe Wahrheit ist, denn: „Das Böse ist eine Ausstrahlung des menschlichen Bewußtseins in bestimmten Übergangsstellungen. Nicht eigentlich die sinnliche Welt ist Schein, sondern ihr Böses, das allerdings für unsere Augen die sinnliche Welt bildet." (H 49). Stets kreisen Kafkas Überlegungen um unbegreifbares Einssein und Begreifen als Teilen. „In einer Welt der Lüge wird die Lüge nicht einmal durch ihren Gegensatz aus der Welt geschafft, sondern nur durch eine Welt der

Wahrheit." (H 108) Der Lüge ist nicht mit der Wahrheit als ihrem – für Kafka tautologisch: – erkannten Gegensatze beizukommen, sondern allein durch Zurücknahme der Gegensätze, Aufhebung der Teilung, was freilich, da Denken Teilen ist, das Denken selbst aufhebt, also zur Überwindung der Erkenntnis zum Leben, des Denkens zum Sein hin führt. „Nur hier ist Leiden Leiden. Nicht so, als ob die, welche hier leiden, anderswo wegen dieses Leidens erhöht werden sollen, sondern so, daß das, was in dieser Welt leiden heißt, in einer andern Welt, unverändert und nur befreit von seinem Gegensatz, Seligkeit ist." (H 108)

Zwischen der stets teilenden Begrifflichkeit des in der Vordergründigkeit verfangenen Denkens und den Dingen selbst, der ungeteilten einen Wahrheit scheint sich bei Kafka eine Leere aufzutun, aus gleichviel welcher Sicht der Sachverhalt erscheint, ob als „abgehackte existenzielle Dialektik ohne Synthese" (Bense)[374], ob als Verhältnis von drei Ordnungen (Walser, I. Henel), von Alltäglichkeit und Gleichnis, mühseligem Nur-Besitz des Lebens und neuer, wahrer Existenz (Allemann, Philippi)[375], oder, wie Kafka selber sagt, von Irdischem und Himmlischem, Äußerem und Innerem, Wahrheit der Erkenntnis und der des Lebens.

Ist dem tatsächlich so? – Überblicken wir:

Von zweifach verschiedenem Begriff der Spiegelung ist bislang vor einem Kafka-Text die Rede. Gemeinsam ist den zwei Begriffen, daß Spiegelung intentionell der Wahrheitsfindung, Seinserhellung dient, Konstituens und Werkzeug der Erkenntnis ist. Das heißt in diesem Fall, der Terminus gehört zum Kreis der Frage nach den echten dialektischen Bezügen, ist daher, wie die Frage nach dem Sinn in und von Kafkas Werk, zentral.

1. Bereits die Spiegelung als Projektion von psychischen Realien ist Mittel wachsender Bewußtheit; schon psychologisierend verharrt man oft einseitig auf dem triebhaft-unbewußten Grund des Projizierens; man übersieht derweil das Ziel, das Resultat: Eigenes Unbewußtes wird an anderem gleichwohl bewußt, es tritt ans Licht zur wenngleich affekti-

374 M. Bense 4, l. p. c. p. 66 ff.
375 Ähnlich F. Billeter, l. c. p. 186, 193, 197 ff.

ven Sichtung, Prüfung. Jedoch der Sachverhalt der Spiegelung im Text ist auch ohne den Rekurs auf solche Projektion, auch Kafkas eigene, werkimmanent nichtpsychologisch klärbar:

2. Diese Spiegelung ist Bewußtseinsphänomen des Helden. Die Welt spiegelt dem Helden dessen eigenen Begriff von ihr als reflektierten Gegensatz zurück, wobei sie den Begriff bestätigt, doch zugleich auch widerlegt. Der Held bleibt in den antithetischen Bezügen seines Denkens stecken; Synthese ist, da schlechthin Anderes, nicht möglich. — Methodologisch führt dieser Weg an einen toten Punkt. Die Kongruenz von Held und Welterscheinung gerät zum fruchtlosen Begriff einer Held-Welt-Identität, die sinnlos ist, wofern man nicht — doch dann mit welchem Rechte? — unterstellt, daß es die Unreinheit, die Niedrigkeit, Beschuldigung u. a. m. seitens der Welterscheinung — rückübersetzt: im Helden — tatsächlich gibt als Schmutz und Schuld des Helden.[376] „Wird das übersehen", so begründet denn auch Henel ihre Unterstellung, „so ist die feindliche Haltung der Gegenordnung unerklärlich, und man muß einen prinzipiellen Gegensatz voraussetzen, der, wie Walser sagt, keine Beziehung zwischen den beiden Ordnungen zuläßt, auch keine dialektische, und folglich absurd wirkt. Wir müssen also sagen, daß die Gegenordnung durch Schuld und Lüge des Helden zur Reaktion herausgefordert wird ... Es ist Josef K.s Schuld und nicht sein Dasein als solches, wodurch das Gericht angezogen wird; und es ist K.s Lüge, daß er als Landvermesser berufen sei, die die Gegenordnung auf den Plan ruft. Es ist die Tatsache, daß Karl immer wieder neuen Versuchungen erliegt, die die Gegenwelt gegen ihn einnimmt, und es ist Gregors Schmarotzertum, in seiner Ungeziefergestalt zum Ausdruck gebracht, das die Familie gegen ihn aufbringt."[377] Der logische Zugzwang bringt in eine Position, die unbeweisbar ist. Wichtiger: Er fügt von außen her dem Werk Bestimmtheit zu, die das Werk selber nirgends zeigt; Schuld und Lüge sind dort lediglich Behauptung.[378]

Traditionelle Kafkadeutung — wir haben ihren Weg zu diesem Punkt verfolgt — gelangt an eben diesem Punkt nicht weiter. W. Emrich unternimmt es zwar, die Synthese, das, nach seinen Termini, Universel-

376 Zu ähnlicher Kritik cf. I. Feuerlicht 1, l. c. p. 212 f.
377 I. Henel 2, l. c. p. 263
378 Zum gleichen Einwand (dort gegen M. Walser) cf. J. Schillemeit 2, l. c. p. 584 f.

le, in direktem Zugriff zu erfassen, doch man kommt auf diesem Wege „nur zu spekulativen Ergebnissen" (H. Richter)[379]. Die Frage, ob und inwieweit Emrichs Begriffsbestimmung richtig sei, ist sekundär; primär, weil prinzipiell, entscheidet, daß so gebotene Begrifflichkeit auf jeden Fall Begrifflichkeit des Deuters, nicht des Dichters ist. „Kafkas ,Universelles'", so schreibt W. Muschg, „ist ein von Emrich gefundener *Begriff*."[380] Emrichs Versuch kann also jene Leere im Werk selbst, wie sie bisher die Forschung sah, nicht überwinden, bestätigt nur noch einmal und auf andere Weise deren Existenz.

Über diesen Punkt hinaus führt wissenschaftlich einwandfrei allein die Einsicht, daß Kafkas Kunst als Variationskunst zu betrachten ist. Die Frage, ob werkeigene, vom Dichter selbst gestaltete, zwischen Reflexion und Wahrheit vermittelnde Begrifflichkeit nicht doch zu finden sei, ist methodisch nur aus dieser, der neuen Sicht zu lösen.

3. Biographisch wurde eingangs schon begründet, daß Variation der Wahrheitsfindung dient. Werkimmanent gilt jetzt ein Gleiches. Variation bedeutet – nun in neuem Sinne – Spiegelung, und zwar durch Varianten. Variieren ist der Erkenntnis dienstbar, nicht etwa nur bei Kafka:

Vor „Wilhelm Meisters Wanderjahren" der – in der Kafkadeutung gleichen – Problematik ausgesetzt, daß der Roman „keinen einheitlichen Eindruck" hinterläßt, da die „Zusammenhänge zwischen den verschiedenen Erzählungen, Berichten, Aphorismen und Gedichten . . . keineswegs klar erkenntlich"[381] sind, weist H. S. Reiss auf die „dichterischen Bilder des *Spiegels* und des Portraits" und damit „auf einen wichtigen Aspekt der Form hin, von dem der Zusammenhang des Romans zum Teil abhängt. Denn die verschiedenen Erzählungen werfen Licht auf einander und auf die Rahmenerzählung. Es sind Parallelgeschichten", deren Zweck ein Wort aus den „Unterhaltungen deutscher Ausgewanderten" erhelle: „Ich liebe mir sehr Parallelgeschichten. Eine deutet auf die andere hin und erklärt ihren Sinn besser als viele trockene Worte." Man könne daher, so Reiss, „die verschiedenen Novellen als Portraite sehen, die sich im Spiegel des Geistes des Lesers widerspiegeln, und zugleich als Spiegel, welche dichterische Bilder aus der Sphäre des Verfassers widerspiegeln." Goethe selbst

379 H. Richter 1, l. c. p. 20
380 W. Muschg 1, l. c. p. 160
381 H. S. Reiss, l. c. p. 340

382 ibid. p. 341

äußere diese Ansicht in einem Brief an K. J. L. Iken (27. Sept. 1827): „Da sich gar manches unserer Erfahrungen nicht rund aussprechen und direkt mitteilen läßt, so habe ich seit langem das Mittel gewählt, durch einander gegenüber gestellte und sich gleichsam ineinander abspiegelnde Gebilde den geheimeren Sinn dem Aufmerkenden zu offenbaren." Nachdrücklich betont, im Sinne Goethes, Reiss den Zweck der Spiegelung, „da dieses Bild für Goethe ästhetisches und geistiges Bewußtwerden, ein Hauptthema dieser Romane [sc. Lehr- und Wanderjahre], ausdrückt."[382] Spiegeln bedeute Vergleichen, „Vergleichen bedeutet Nachdenken"[383]; der Spiegel nötige zur „Distanz", fördere das „Wachsen des Bewußtseins"[384], er „lehrt", „vertieft unsere Einsicht"[385], bewirke „Steigerung der Erkenntnis"[386] usf. — Vor Goethe wie vor Kafka leuchtet ein: Variationskunst ist, als Kunstart sui generis, die Kunst des Logos, diesseits der Wahrheit zwar, doch zugleich jenseits „formalisierter Reflexion". Weg zur Erkenntnis ist dieser Weg zwar — ausdrücklich sei's im vorhinein betont — *nicht* für Kafkas Helden, selbstredend nicht, denn diese sind Figur gewordene Reflexion. Das ändert aber nichts daran, daß hier sich endlich jener überall vermißte Weg zur Wahrheit auftut und daß der Dichter selber, wie zu zeigen, diesen Weg gestaltend geht. Denn das Verhältnis des Dichters zu den Helden erschöpft sich auch unter dem Aspekt der Wahrheitsfindung nicht in beider Kongruenz.[387] Der Held ist lediglich Geschöpf, der Dichter aber Schöpfer[388]; erzählend ist Kafka mehr als Perspektiv der vordergründigen Logik.[389] Im Rückblick gibt sich zu erkennen, daß die

---

383 ibid. p. 342
384 ibid. p. 342 et passim
385 ibid. p. 343
386 ibid. p. 344
387 Die Kongruenz ist überdies schon unter dem alleinigen Aspekt der Perspektive nicht ausnahmslos gegeben: cf. W. Kudszus, l. c. p. 192 ff.; K. Leopold, l. c.; J. Kobs, l.c.p. 25 ff., 32 ff., 46 ff.; P. Beicken, l.c.
388 Zu ähnlicher Kritik aus andrem Grund cf. K.-P. Philippi 1, l. c. p. 15, übers „Schloß": „Die ständige und völlige Kongruenz von Autor und Held hat erkennbare Bruchstellen ... Das Geschehen des Romans vollzieht sich als ein Vorgang, in dem die Person K.s nur einen, wenn auch den erkennbar entscheidenden Teil ausmacht. K. ist nur *ein* Geschöpf des Romanautors."
389 Für Kafkas kleine Prosa und Erzählungen und von Untersuchungen zur Parabolik her kommt schon U. Fülleborn, l. c., zu ähnlichem Ergebnis. Er bezeichnet das Verhältnis zwischen Held und Welt als „Gegenüber einer parabolischen Bilderwelt mit ihrem Anspruch, ihrer eigenen geistigen Wirklichkeit [sic!],

Forschung um so konsequenter, je einseitiger sie die Kongruenz betonte, die Variationskunst samt ihrer Bedeutung für ein volles Textverständnis übersehen mußte.

Wie nun steht es, genau, mit diesem Weg zur Wahrheit? Anders: Gibt es bei Kafka werkeigene zwischen Reflexion und Ding vermittelnde Begrifflichkeit? Aus noch einzusehendem Grund ist solche Frage identisch mit der Frage des Symbols in Kafkas Werk. In dieser setzt sich daher konsequent die Problematik der bisherigen Methode fort.

2. ZUR FRAGE KAFKASCHER SYMBOLIK

Die Kafka-Forschung ist in der Frage der Symbolik unentschieden[390], hält sich meist zurück. Wo man sich dennoch äußert, wird oft die Meinung laut, Kafkas Dichtung habe mit Symbolkunst nichts gemein. „Selten sind in Kafkas Dichtung Andeutungen symbolhafter Zusammenhänge aufzufinden", schreibt M. Seidler.[391] „Wenn der Symbolbegriff", so heißt es bei Adorno, „irgend etwas Triftiges besagen soll, so einzig, daß die einzelnen Momente des Kunstwerks aus der Kraft ihres Zusammenhangs über sich hinausweisen: daß ihre Totalität bruchlos übergehe in einen Sinn. Nichts aber paßt schlechter auf Kafka . . . Nirgends verdämmert bei Kafka die Aura der unendlichen Idee, nirgends öffnet sich der Horizont. Jeder Satz steht buchstäblich, und jeder bedeutet. Beides ist nicht, wie das Symbol es möchte, verschmolzen, sondern klafft auseinander"[392].„Symbol", verdeutlicht Chr. Bezzel, „ist untrennbar von der Substanzvorstellung. Wo es keine Weltsubstanz

und eines Ich, das ‚sich wehrt', das sich mit seinen Urteilen . . . zu behaupten sucht", dergestalt, daß sein Denken und Verhalten „die perspektivische Erzählweise erlaubt, ja fordert, und daß Parabolik und Perspektivismus als Gestaltungsprinzipien antagonistisch zueinander stehen" (p. 294 f.; cf. p. 303 f.). Z. B. in der „Kaiserlichen Botschaft" und „Auf der Galerie" stehe „ein parabolisch gestalteter Bereich in freier Majestät, wenn auch nicht beziehungslos, dem Einzelnen gegenüber . . ., unabhängig vom schauenden Ich" (p. 297), und am Ende des „Urteils" werde die „Perspektive der Hauptfigur . . . verlassen um der Setzung des aperspektivischen, entgrenzenden ‚Sinnrufzeichens'" willen (p. 299).

390 Cf. F. Billeter, l. c. p. 155 f., Anm. 582
391 M. Seidler, l. c. p. 48
392 Th. W. Adorno, l. c. p. 303

mehr gibt, kann es also auch kein Symbol geben... Das sprachliche Bild hat als Symbol klassisch drei ,Ebenen': 1. die semantische Ebene; 2. die hinter ihr liegende erste, sichtbare Symbolebene (das Symbolding); 3. die Substanzebene des Symbols als der Weltgrund. Bei Kafka gibt es nur noch zwei Ebenen: die Buchstaben sind semantische Zeichen für etwas Cogitiertes, hinter dem nichts mehr steht. Die Worte bedeuten sich selbst und nichts weiter."[393] Emrich sieht Kafkas Dichtung „jenseits von Allegorie und Symbol"[394]. Zwar „scheint sich Kafkas Dichtungsstruktur zu berühren mit einer Dichtungsform, die man seit Goethe die ,symbolische' nennt."[395] Jedoch: „Die Natur ist Offenbarungsstätte Gottes für Goethe. Der Poet spricht in Bildern und Symbolen das Göttliche aus. Er vermag es, weil seine beseelende Kraft, das ,innere Licht' seiner Seele, selbst Anteil am Göttlichen hat, weil sein schauendes ,Auge' Phänomene unverstellt und wahrhaftig zum Sprechen, zur Offenbarung der ewigen, universellen ,Urphänomene' bringen kann. In inniger Wechselbeziehung zwischen Seele und Natur wird das Allgemeine im poetischen Bild und Symbol offenbar. Ganz anders bei Kafka. Für ihn können die Phänomene nicht mehr unmittelbar das Universelle offenbaren, denn in dem Augenblick, in dem sie ,erscheinen', werden sie bereits durch das menschliche Vorstellen, Anschauen, Denken und Empfinden entstellt. Sie sind nur so lange wahr, schön und ruhig, bis sie in den Blick des Menschen treten."[396] Die „poetischen Bilder" sind daher „auswechselbar. Sie treffen gar nicht das Wesen der Dinge, sondern werden ,zufällig' über die Dinge ,geschüttet'. Sie haben deshalb auch keine Symbolkraft mehr im Goetheschen Sinne". Mithin könne man „bei Kafka nicht mehr von Symbolen reden", seine Dichtung habe „vielmehr einen Gleichnischarakter, für den die seitherige Ästhetik und Poetik noch keinen Namen bereitgestellt hat ... Ihre Struktur enthüllt sich erst im Wechselbezug zwischen den einzelnen Bildern und der universellen Intention."[397] — Damit kehrt, bei u. a.[398]

393 Chr. Bezzel, l. c. p. 126
394 W. Emrich 5, l. c. p. 74 ff.
395 ibid. p. 79
396 ibid. p. 80
397 ibid. p. 81
398 Im gleichen Sinne G. Anders, l. c. p. 39 ff.; D. Hasselblatt, l. c. p. 140 ff.; F. Martini 1, l. c. p. 321 ff.; K.-P. Philippi 1, l. c. p. 237; H. Pongs, l. c. p. 128; W. H. Sokel 1, l. c. p. 24 ff. — Cf. dagegen E. Heller, l. c. p. 22 ff.

Adorno, Bezzel, Emrich ähnlich, in dieser Sache als Gewißheit wieder, was wir zur Frage stellten:

Gibt es zwischen den „einzelnen Bildern" und Begriffen und, andererseits, dem universellen „wahren Wesen der Dinge" (Emrich)[399] keine intentionell vermittelnde Begrifflichkeit bei Kafka? Indirekt gefragt: Von welcher Art war sie bei Goethe?

In seiner grundlegenden „Bestimmung des Goetheschen Bilderbegriffs" schreibt Emrich: „Um dem Bild einen höheren Symbolbezug zu verschaffen, vollzieht... Goethe eine merkwürdige Abstraktion und Aufspaltung... im Bilde selbst". Goethe erläutere „diesen Vorgang an Hand eines Gemäldes, das nach seiner Ansicht Petrus am brennenden Holzstoß in Gestalt eines Mannes vor einer kleinen Kerze darstellt: ‚Dieses auf einem kleinen steinernen Untersatz brennende unbedeutende Flämmchen stellt den frisch-flackernden Holzstoß (Lucä 22, 55) gar lakonisch vor... Das natürliche Feuer wird vorgestellt, nur ins Enge gezogen zu künstlerischem Zweck, und solche Vorstellungen nennen wir mit Recht symbolisch'. Der konkrete Gegenstand also wird... ‚symbolisch' dadurch, daß er als losgelöster, vom realen Gegenstand abstrahierter Gegenstand ‚prägnant', sinnlich und geistig ineins, ‚für tausend andere Fälle' einstehen kann, woraus jene... bei Goethe formulierte Paradoxie auftaucht, daß dieses symbolische Flämmchen ‚die Sache ist, ohne die Sache zu sein und doch die Sache', ein ‚im geistigen Spiegel zusammengezogenes Bild und doch mit dem Gegenstand identisch'." Dies bedeute „keine Abstraktion durch Begriffe, ist kein induktives Aufsteigen zu allgemeinen Synthesen, sondern eine Verdichtung, die in der Sache selbst vor sich geht." Goethe sei sich der philosophischen Bedeutung dieses „transzendental von der Wirklichkeit abstrahierenden" Vorgangs durchaus bewußt gewesen, denn „wenn sich Goethe einmal von den ‚Philosophen Dank' verspricht, weil er versucht habe, ‚die Phänomene bis zu ihren Urquellen zu verfolgen, bis dorthin, wo sie bloß erscheinen und sind, und wo sich nichts weiter an ihnen erklären läßt', so ist der äußerste Punkt seiner Problematik von ihm selber durchschaut:... dieser Ort der ‚Urquellen' der Phänomene ist ein ‚philosophischer' Ort, weil er die letzte, in keine Wirklichkeit ‚rund' eingehende Manifestation der ‚Urphänomene' ist, die parallel zu den ‚nicht mehr weiter erklärbaren' Voraussetzungen der Philosophie

---

399 W. Emrich 5, l. c. p. 81

höchste Abstraktionen sind, zugleich aber — dies trennt Goethe wieder von der Philosophie — sich doch mit der Wirklichkeit unmittelbar decken, weil sie ‚erscheinen' und ‚sind', d. h. nicht logisch, sondern sinnlich erschlossen und angeschaut werden."[400] Anderwärts läßt daher Emrich diese Überlegung in die Einsicht münden: Jeder Versuch, das dichterische Symbol „gegen das logische Denken zu richten, versündigt sich am Wesen des Symbols selbst, das nicht ein unbewußtes mythisches Ahnungswissen realisiert, sondern Erkenntnis, Einsicht vermittelt in die Wesensstruktur unserer Welt. . . . Wer das Symbol gegen den Begriff oder den Begriff gegen das Symbol ausspielt, zerstört die Einheit des menschlichen Geistes, der anschauend und denkend zugleich das Sein aufschließen muß, will er die Wahrheit des Seins nicht verfehlen."[401] — Das heißt:

Das Symbol ist ein Begriff, freilich ein besonderer, konkreter, Begriff der Sache und die Sache selbst, daher auf halbem Wege zwischen der Begrifflichkeit des Denkens, hier: der vordergründigen, in unaufhebbare Gegensätzlichkeit verrannten „formalisierten Reflexion", und den wahren, ungeteilten Dingen selbst vermittelnd, den Dingen näher, da selber in sich abstrahiertes Ding, und, wie diese, antinomisch, in sich widersprüchlich, von immanenter, gleichwohl polarer, vereinter Gegensätzlichkeit. Das Gold etwa ist „universales Ursymbol, aus dem Goethe geradezu die Genesis von Gut und Böse entwickelt . . . Es ist satanisch und göttlich ineins."[402] Die „Elementsymbole, das Gold, die Gesteinssymbole, die Geniusgestalten usw. sind . . . sämtlich eigenartig doppelt strukturiert. Sie sind antinomisch gestaltet. Sie tragen ihren eigenen Gegensatz bereits in sich. Sie enthalten in sonderbarer antinomischer Verschränkung die Gegensätze: das Männliche und das Weibliche, das Unterirdische und das Überirdische, das Beharrende und das Revolutionierende, Natur und Kunst, das Gute und das Böse, das Vernichtende und das Rettende. Auch von allen anderen . . . Symbolen Goethes läßt sich das nachweisen."[403] Damit sei zugleich die „entscheidende Frage nach dem Sinn und der dichterischen Notwendigkeit solcher Symbolschöpfungen überhaupt" angegangen: die „doppelsinnige, antinomische Struktur . . . ist offenbar bestimmt von dem dichterischen Bemühen, die innersten Antinomien des Daseins selbst bis in ihre letzten Wurzeln

---

400 W. Emrich 2, l. c. p. 49 f. 402 ibid. p. 49
401 W. Emrich 1, l. c. p. 66 f. 403 ibid. p. 50

durchsichtig zu machen und zur poetischen Anschauung zu bringen", ein Verfahren, in der Tat „bei weitem nicht so sehr unterschieden von dem Bemühen der Philosophie", denn Hegel habe wiederholt geäußert, „sein antithetisch-dialektisches Verfahren, durch das er die Wesensstrukturen des Seins philosophisch zu bestimmen versuche, sei verwandt dem Goetheschen Bemühen, in polaren Spannungen der Gegensätze und in ihren synthetischen Steigerungen die Urphänomene sichtbar zu machen . . . Polarität und Steigerung bezeichnet einmal Goethe — in einer an Hegel gemahnenden Terminologie — als Vorgänge, in denen ‚das Entgegengesetzte sich gegeneinander neigt und sich in einem Dritten vereinigt'."[404]

Die Breite der Wiedergabe diene — aushilfsweise — definitorischem Zweck auch bei der Kafkaschen Symbolik. Nicht so zu verstehen, als träfe Emrichs Darlegung das Wesen dieses Werks. Doch seine Bestimmung kongruiert z. T. durchaus mit der, die auf Kafkas Variationskunst anzuwenden wäre. Daß und wie Variation für die Symbolkunst unabdingbar ist, tut Emrich selber dar, denn ihm gehört zur „Einsicht in das Wesen der Urphänomene wie auch der Symbolstruktur Goethes", daß „die Urphänomene, auf die die Symbole verweisen, . . . nichts Statisches, Ruhendes, Transzendentes, hinter den Erscheinungen als ewig gleiche Wesenheiten wandellos Beharrendes wie die Urbilder Platos" sind. Vielmehr: „sie entfalten sich aus den vielfältigen ‚Reihen' und antinomischen Polaritäten der Phänomene selbst."[405] Werkimmanent konstituiert sich ein Symbol allein durch Variation, erweist sich als Symbolkonstituens daher auch Spiegelung durch Varianten, ist der „symbolische Sinn" der Werke Goethes „nur durch unausgesetzt wechselseitige Spiegelung aller ihrer Teile zu erschließen", wird „vom Leser ein ständiges, aufmerksames Vergleichen, Gegenüberstellen, im wörtlichen Sinne Re-flektieren, Rückspiegeln, In-Beziehung-Setzen der verschiedenen dichterischen Erscheinungen und Bilder erfordert", da das Symbol, weil in sich vielschichtig, antinomisch, mehrdeutig, „vielfach artikuliert und entfaltet werden muß, von immer neuen Seiten umkreist und in kontrastierenden Bezügen vom Dichter aufgebaut wird", wiederum „ganz ähnlich dem philosophischen Verfahren, wo gleichfalls die Totalität eines Begriffs nur durch vielfache Explikationen,

404 ibid. p. 59 f.
405 ibid. p. 65 f.

antithetische Kontrastsetzungen, aporetische Dialektik und ständige Bezugnahme auf das gemeinte Phänomen in seiner ganzen Sinnfülle zulänglich bestimmt und aufgeschlossen werden kann. Der Begriff an sich, aber auch das Symbol an sich sind in ihrer reinen Fassung oder Erscheinung leer, abstrakt, sinnlos . . ., ein unbegreifbares, unverständliches Gebilde."[406]

So an sich abstrakt, leer, unverständlich wie bei Kafka, dieses eine Beispiel stehe ein für alle, in zwei „Prozeß"-Varianten die Elemente um den GB-Komplex ‚LIEBESAKT':

GB-, teils GV-Varianz (notiert sind nur die in beiden Varianten zugleich vorkommenden Elemente der zwei Gruppen): GB 1.1 als ‚Tageslicht'/‚ewiges Licht'; 1.2 als ‚trübe'/‚grün'; 2.1 als ‚um hinsehen zu können'/‚mit Lampe beleuchten, aufmerksam beobachten'; 2.2 als ‚Augen beschatten'/‚mit Augen zwinkern'; 2.3 als ‚nicht erkennen'/‚nichts sehen, erraten'; 4.1 als impliziertes ‚aufmerksam zuschauen'/‚zollweise absuchen'; 4.2 als impliziertes ‚vorgebeugt'/‚vorgebeugt'; 4.3 als ‚Galeriebrüstung'/‚Marmorbrüstung'; 5 als ‚begeistert über den unterbrochenen Ernst'/‚sich abspielender Vorgang'; 6.1 als ‚am Hinlaufen gehindert, sich nicht rühren'/‚stehenbleiben, sich nicht nähern'; 10.1 als ‚Frau auf den Boden legen'/‚Schwert in den Boden stoßen, Grablegung Christi'; 12.3 als ‚an sich drücken'/‚hineinstoßen'; 19.1 als ‚rötlicher Vollbart'/impliziert ‚Wunde'. — Dazu Teile aus beiden Wundtypen der GV: impliziertes II4 als beider Nacktheit (zu Variante A cf. P 306, gestrichene Stelle zu P 61); II8 und 9 als ‚weißlich blendender Dunst um einen Kreis von Zuschauern'/‚Finsternis um von Taschenlampe beleuchtetem Bild, Licht am äußersten Bildrand'.

Auch die Elemente sind, ob einzeln oder in der Gruppe, nur als Phänomene, das ist, in ihren Varianten greifbar, auch sie entfaltet „aus den vielfältigen ‚Reihen' und antinomischen Polaritäten der Phänomene selbst", hier in einer im Romanwerk wohl einzigartig starken Gegensätzlichkeit:

Variante A: „K. wurde durch ein Kreischen vom Saalende unterbrochen, er *beschattete die Augen, um hinsehen zu können,* denn das *trübe Tageslicht* machte den *Dunst weißlich* und *blendete.* Es handelte sich

406 ibid. p. 61

um die Waschfrau ... Ob sie jetzt schuldig war oder nicht, konnte man *nicht erkennen.* K. sah nur, daß ein Mann sie ... an sich *drückte* ...
Ein kleiner *Kreis* hatte sich *um beide* gebildet, die *Galeriebesucher* in der Nähe schienen darüber begeistert, daß der *Ernst*, den K. in die Versammlung eingeführt hatte, auf diese Weise *unterbrochen* wurde. K. wollte unter dem ersten Eindruck gleich *hinlaufen*, ... aber die ersten Reihen vor ihm blieben ganz fest, *keiner rührte sich*, und keiner ließ K. durch. Im Gegenteil, man *hinderte ihn*" (P 61 f.). Kurz darauf, noch während K.s letzter Rede, „*lag*" dann die Frau mit dem Studenten, der einen „*rötlichen* Vollbart" (P 71) hat, „*auf dem Boden*" (P 66).
Variante B: Im Dom herrscht „*Finsternis*", „es wäre *nichts zu sehen* gewesen, man hätte sich damit begnügen müssen, mit K.s elektrischer Taschenlampe einige Bilder *zollweise abzusuchen.*" K. „„ging zu einer nahen Seitenkapelle, stieg ein paar Stufen bis zu einer niedrigen *Marmorbrüstung* und, *über sie vorgebeugt, beleuchtete* er *mit der Lampe* das Altarbild. Störend schwebte *das ewige Licht* davor. Das erste, was K. sah und zum Teil *erriet*, war ein großer, gepanzerter Ritter, der *am äußersten Rande* des Bildes dargestellt war. Er stützte sich auf sein Schwert, das er *in den* kahlen *Boden* vor sich ... *gestoßen* hatte. Er schien *aufmerksam* einen *Vorgang* zu *beobachten*, der *sich vor ihm abspielte.* Es war erstaunlich, daß er so *stehenblieb* und *sich nicht näherte.*" K. „„betrachtete den Ritter längere Zeit, obwohl er immerfort *mit den Augen zwinkern* mußte, da er das *grüne Licht* der Lampe nicht vertrug. Als er dann das Licht über den übrigen Teil des Bildes streichen ließ, fand er eine *Grablegung* Christi in gewöhnlicher Auffassung" (P 245 f.).

Zweifellos sind dies extreme Gegensätze — jener Akt verrucht und dieser heilig —, unstreitig aber subsumieren beide sich einem einzigen Begriff, der in Form des konkret entfalteten Komplexes, mit Goethe zu sprechen, „die Sache ist, ohne die Sache zu sein, und doch die Sache", ein Begriff, in dem „das Entgegengesetzte sich gegeneinander neigt und sich in einem Dritten vereinigt", im Symbol des Liebesaktes, der zugleich körperlich und geistig, widerlich und blendend, irdisch-himmlisch alle Möglichkeiten in sich greift, Tod und Leben, Glanz und Schmutz vereint.
Und dennoch ist dies Sinnbild, ist der Begriff des Liebesakts, in dem bereits größtmögliche Gegensätzlichkeit vereint scheint, nur erst Teilbe-

griff einer Gruppe, die *gleichzeitig* alle Möglichkeiten — eine Gruppe ist ja stets ein Potentielles — ineins von Liebes- und von Todesakten ungetrennt einbegreift, in einem einzigen Begriff also umschließt, nun freilich einem, den unmittelbar zu denken und zu nennen nicht mehr möglich ist. In dieser Unmöglichkeit, das, was da variiert wird, gleich treffend direkt auszusagen, spiegelt sich nur einmal mehr, was Variationskunst unerläßlich macht: Was der Dichter zu Wort zu bringen hat, übersteigt gewohnte Denk- und Sagbarkeit, läßt sich ersichtlich nur in unendlichem Durchgang durch eine Vielzahl Varianten sagen.

Um beim „Prozeß" zu bleiben: Die GB-Variation spielt solcherart auch dort immer wieder um den Begriff des Liebes-/Todesakts, wo die Ambivalenz nicht, wie im Kreuzestod, in ein und derselben Variante Ausdruck findet, sondern in je verschiedenen — hie Liebesszenen jedweder Art, dort Szenen vielfältigen Leidens durch Krankheit oder Gewalttat und manchmal bis zum Tode — deutlich wird. Denn es gehen die Valenzen regelmäßig ineinander über und auseinander hervor, entfalten sich dabei in engster Verbindung mit den Tätigkeiten des Gerichts, mit Verhaftung, Vernehmung, Untersuchung, Rechtsbeistand und Hinrichtung. Zum Beispiel:
Schon die als Wundbild en miniature, Vorform von u. a. K.s Tod fungierenden Zuschauer von Kap. 1 sind äußerst eng mit der überfallartigen Verhaftung verknüpft: mit den verhaftenden Beamten in Figurenzahl (beidemal drei), Gleichzeitigkeit der (zweimal drei) Auftritte, Weg durch die jeweilige Wohnung, im jeweiligen Haus (19 f., 23, 26). Später geht K.s Vorspielen der Verhaftung unmittelbar in den Überfall auf Fräulein Bürstner über (zugleich Liebes- und .Gewaltakt) (40 ff.). Ebenso geht das angedeutete Beilager von Waschfrau und Student sofort über in: „K. dachte nicht eigentlich mehr an das Paar, ihm war, . . . als mache man mit der Verhaftung ernst"; es kommt fast zum Kampf (62 f.). Die Gewalttätigkeit steigert sich alsdann in der sexuellen „Tyrannei" des Studenten über die Frau (71 f.), die Liebesszene (73) geht über in offenen Kampf (74 f.), wenig später in den „Traum" des Gerichtsdieners vom „an der Wand zerdrückten" Studenten (78). Als, wie bereits hier, reine Gewalttat, wiederholt sich die Gruppe im Prügeln der Wächter (107 f.). Als „Anfall" (87, 123) und Herzkrankenlager (86 f., 122 f.) entfaltet sie sich im 3. und 6. Kapitel, am Lager des Advokaten sofort auch als Streit des Onkels mit Leni (123 f.), wenig

später, unter dem Bild des Richters (131), der bereit schien, „Entscheidendes zu sagen oder gar das Urteil zu verkünden", als Beilager K.s und Lenis, kurz darauf, angedeutet, als Gewalttat des Onkels gegen K. (135). Im 7. Kapitel entfaltet sie sich zunächst kurz bei K.s Eintritt ins Haus des Malers (Kind und Werkstatt 169 f.), dann als Jagd des „nur mit einem Nachthemd bekleideten" Malers nach der „schon ganz verdorbenen" Buckligen (170), dann u. a. als „Grablegung Christi" und als Josef K.s Tod (271 f.).

Bis zu Antinomien vieldeutig reicht auch etwa bei GV 2.2 ‚MASSE‘ die Entfaltung von „Menschendreck" zu „Engeln", von Erbrochenem zum Himmelslicht (Anhang II), erweist der Palimpsest u. a. den Kaufmann in „Prozeß"-Kap. 8 als klein-großen Angeklagten-Richter Block, zeigt, gar expressis verbis, GZ 20.2 die Varianz jung-alter Knaben-Mädchen, Teufel-Engel, Kinder-Greise. Nämliche Spannweite zeigt sich modellhaft in der Art, wie Kafka die antinomische Befindlichkeit des Menschen sah. „Wer das Höchste will", heißt es in Goethes „Biographischen Einzelheiten zu Dichtung und Wahrheit", „muß das Ganze wollen"[407], das heißt, zugleich das Tiefste, dergestalt, daß etwa Faust, solange er einzig in die Höhe strebt, nur sich nutzlos „plagt", nicht mehr ist als „Zikade, die immer fliegt und fliegend springt", bis er im Wendepunkt des Teufelspakts zugleich „das Höchst' und Tiefste" greift, paradox erst in zwei gegensätzlichen Richtungen zugleich den Weg zum Ziele findet. Kafka drückt es, Felice gegenüber, ähnlich aus: „Dagegen will ich Deinen Traum deuten. Hättest Du Dich nicht auf den Boden unter das Getier gelegt, hättest Du auch den Himmel mit den Sternen nicht sehen können und wärest nicht erlöst worden. Du hättest vielleicht die Angst des Aufrechtstehns gar nicht überlebt. Es geht mir auch nicht anders" (F 629). Und, Jahre später, an Milena: „Schmutzig bin ich, Milena, endlos schmutzig, darum mache ich ein solches Geschrei mit der Reinheit. Niemand singt so rein als die, welche in der tiefsten Hölle sind; was wir für den Gesang der Engel halten, ist ihr Gesang." (M 208)

An solchen Stellen tritt, im Werk, im Lebenszeugnis, so bruchteilhaft wie evident die Wirkung des Werkbauprinzips zutage. Variation, genauer: ihre Wirkung, der Palimpsest, weist die Gegliedertheit der

---

407 Nr. 6: Jacobi. Jub. A. 30, p. 403

dichterischen Welt als, im definierten Sinne, solche der Symbolik aus. Zwischen den Teilen und dem Ganzen, zwischen den „einzelnen Bildern" und Begriffen und, andererseits, dem universellen „wahren Wesen der Dinge" ist eine vermittelnde Begrifflichkeit — der Dichtung, des Dichters selbst — erkennbar, die das Amorphe gliedert, ordnet, fügt, selbst noch die Gegensätzlichkeit umgreift und einbegreift, kurz: Teile zu einem der Wahrheit näheren Ganzen bildet, diesseits der Wahrheit zwar, doch auch jenseits „formalisierter Reflexion", die Wahrheit unentschleiert *haben* will und der die Wahrheit daher ewig unzugänglich bleibt. „Würde das Wahre", schreibt Emrich über Goethes Kunst, „sich entschleiert uns zeigen, sänke es ins Wirkliche bzw. Begriffliche herab", wie in Kafkas „Von den Gleichnissen" die Wahrheit denn auch auseinanderfällt in Wirklichkeit, die nur noch Mühsal ist, „lustloser Nur-Besitz", und in Begriffliches, das nichts begreift. Das Wahre kann allein und „soll sich uns ‚andeuten' im Schleier des poetischen Bildes".[408]

Freilich: Begriffe, das setzt Begriffenes, Begreifbares voraus; Wahrheit ist Wahrheit über das „Wesen der Dinge", der Natur, der Welt. Anders: Um Kafkas Dichtung als Symbolkunst einzusehen, muß man sich vorab von der unhaltbaren Meinung lösen, daß diese Dichtung „frei im Raum schwebt"[409], nicht auf Welt bezogen sei. Chr. Bezzel sah die „Weltsubstanz" bei Kafka nicht gegeben, mit dem „Weltgrund" aber fehle die „Substanzebene das Symbols". Doch die Varianten von Element wie Gruppe umspielen nicht nur Sprachliches, sondern zugleich in den semantischen Grundmerkmalen deren biographische Grundlage, den Einzeleindruck, die Eindrucksgruppe, also das Erlebnis, Empirie. So umspielt das Variieren letztlich Dinge, Welt, Natur, sucht, im Medium des dichterischen Bildes, deren Wahrheit einzufangen, umkreist antithetisch-dialektisch, vielfältig reihend, in unendlicher Annäherung zweifelnd und ewig neu die Elementengruppe, die ihrerseits, Symbol, „lakonisch" und „prägnant" aufs urphänomenale Grunderlebnis, Grundereignis weist. Das heißt, es sind, nach Bezzels Termini, durchaus drei Ebenen gegeben: die „semantische Ebene" in der Variante, die „hinter ihr liegende erste, sichtbare Symbolebene (das Symbolding)" in der Variablen, die „Substanzebene des Symbols", der

408 W. Emrich 2, l. c. p. 53
409 H. Richter, l. c. p. 14

„Weltgrund", in der der Variablen zugrundeliegenden Erlebnis- und Ereignispartikel. Kafkas Bilder sind mitnichten, wie Emrich meinte, „zufällig" über die Dinge „geschüttet", daher „auswechselbar" — Emrich stützt diese These außerdem auf lediglich ein einziges, zudem das früheste Werk Kafkas, die „Beschreibung eines Kampfes" (1904/05). Vielmehr fügen sie sich einem Zweck, der Wahrheitssuche.

Allerdings tut man gut daran, die ausgeliehene Erklärungshilfe durch die Goetheforschung nicht allein so zu nutzen, daß im Verhältnis zwischen klassischer und Kafkas Kunst lediglich die Gemeinsamkeit — besser: Merkmalkongruenz — in der Symbolik deutlich wird.

Einem Unterschiede ist allein schon deshalb nachzufragen, weil nicht bestritten werden kann, was die Forschung fast einhellig an Kafkas Werken nachgewiesen hat, daß nämlich diese Dichtung parabolisch sei. Nur ist die Unterscheidung sogleich zu präzisieren: Kafkas Werk ist ‚auch' parabolisch. Und es sind, zweitens, die Formen dichterischer Seinsbewältigung, symbolisch dort und parabolisch hier, keineswegs zwei in jeder Sicht verschiedene Künste. Sie verhalten sich nicht wie Gegensätze zueinander, sondern stehen in Zusammenhang, dem nämlich einer immer größeren Erschwernis bei der Seinserhellung, bei der Wahrheitsfindung, dies nicht nur im Übergang von Goethes Kunst zu Kafkas, sondern zugleich als Übergang in Kafkas Werken selbst. Denn um ein Bild Kafkas — aus „Von den Gleichnissen" — zu benutzen: Das Symbol ‚Welt' vereint, umschließt das „hier" sowohl wie jenes „sagenhafte Drüben", der Gegensatz ist einem einzigen Begriffe einverleibt. Dem bloßen Denken „im Rahmen des empirischen Daseins" dagegen legt sich die sachnahe Antinomie — des Symbolbegriffs, der Dinge selbst — sachfern, weil teilend, in zwei Begrifflichkeiten auseinander; das ist Parabelsinn — womit gesagt sein soll, nicht daß die Parabolik selber sachfern sei, sondern daß sie sich der Sachferne solchen Denkens zu bequemen, der Art der Ansprechbarkeit sachferner Reflexion zu fügen hat. Allenfalls erkennt die Reflexion das „Drüben" als bloß gedachte Spiegelung des „hier", solcherart sich selbst, die Reflexion, als Spiegelfechterei entlarvend, „denn eine Spiegelung erfolgt gar nicht, nur wir sehen Erde, wohin wir uns auch wenden." (H 72) Also bleibt ein Nichts, das „Drüben" ist unfaßbar, so daß alle „Gleichnisse", die es uns näherbringen wollen, „eigentlich nur sagen, daß das Unfaßbare unfaßbar ist, und das haben wir gewußt" (B 95); das ist Parabelsinn bei Kafka. — Es leuchtet ein: Je mehr die Bewußtseinsfeindlichkeit der

Elemente die symbolbegriffliche Bewältigung des Daseins, das, wie Emrich schrieb, „Bemühen, die innersten Antinomien des Daseins selbst bis in ihre letzten Wurzeln durchsichtig zu machen", dem Bewußtsein erschwert, d. h. je inkommensurabler die erfahrene Welt wird, desto mehr ist dies Bewußtsein auf die Begriffsbildung der „formalisierten Reflexion" verwiesen. Jede Verschiebung aber zugunsten dieser Reflexion bedeutet Parabolik im zuletzt erwähnten Sinn, bedeutet, statt des prekären Gleichgewichts der Teile und des Ganzen im Symbol, Aufspaltung der umgriffenen Antinomien in unbegriffene Teile, Gegensätze, bedeutet Scheinerkenntnis, Spiegelfechterei, die lediglich sich selbst erhellt, sonst nichts, bedeutet, für Kafka-Text wie Kafka-Forschung, ein Hier der „einzelnen Bilder" und ein sagenhaftes Drüben des „Universellen" (Emrich), ein Hier des Textes — „Jeder Satz steht buchstäblich, und jeder bedeutet." — und ein Drüben der „unendlichen Idee", zu der nirgends ein Horizont sich öffnet: „Beides ist nicht verschmolzen, sondern klafft auseinander" (Adorno).

An welcher Stelle dieses Übergangs ist Kafkas Dichtung auszumachen, auch nur anzusetzen? Kafkas Kunst ist nicht allein Symbolkunst, auch ist sie nicht rein Kunst der Parabolik. Ihr eignet eine Mittelstellung. Da eine Interdependenz besteht zwischen Diachronie, formalisierter Reflexion und Kunst der Parabolik (dies ist die Welt der Helden) und, andererseits, zwischen Synchronie, symbolbegrifflicher Bewältigung, Symbolkunst (dies ist die Welt des Dichters, insoweit er *nicht* im Helden aufgeht, *nicht* mit ihm kongruiert), ist die Frage nach der Stellung dieser Dichtung im letzten Grunde die, was Kafkas Werke stärker präge, Diachronie oder Synchronie. Anders: Was ist dieses Werk zuvörderst, Weg der Helden oder Weg des Dichters? Mangel an Kriterien verbietet die Entscheidung.

Doch zurück zum zweiten Merkmal des dichterischen Wegs zur Wahrheit, denn hauptsächlich haben wir den Weg resultativ gesehen, uns für die aufgebaute Begrifflichkeit und deren Eigenart, also für die Formen und Ergebnisse der Suche interessiert. Gemeint ist nun die Unendlichkeit des Weges, die Unfaßbarkeit der Wahrheit. Das bedeutet: Jedes konkrete Resultat ist vorläufig, ja für sich stets falsch, jedes wirkliche Erreichte wird aufgehoben im immer wieder Möglichen, im Potentiellen. So bedeutet ‚Weg': den Ausgang in der Wahrheit nehmen, sich dann von ihr entfernen, zurückkehren und abermals ansetzen. Weg meint hier Anfang als Prinzip, Bezug stets auf den Nullpunkt:

3. DER NULLPUNKT: DAS SEIN-KÖNNEN

Kafkas Welt und Menschen sind, so Emrich, dargestellt, „als gebe es keine Vergangenheit und Zukunft, sondern nur fortgesetzte Augenblicke, in denen unaufhörlich ‚auch etwas Außerzeitliches' mitanwesend ist." Weg etwa, für die Helden, ist nichts als „eine Reihe von Situationen und Episoden, die unendlich fortsetzbar sind, sich vergangenheits- und zukunftslos aneinanderreihen, ja sogar vertauscht werden können".[410] Weg bei Kafka meint generell, so schreibt H. Binder, „eine diskontinuierliche Folge von gleichartigen Augenblickssituationen, die sich erlebnismäßig nicht einmal summieren."[411] Er führt aus, „daß die beobachtbare Tatsache der Diskontinuität einzelner Erlebnismomente, die Entwicklung und kausale Determination ausschließt, bloß das Bild ist, daß sich ergibt, wenn man mit ‚dem irdisch befleckten Auge', nur in ‚Verwirrung der Sinne' (H 73), also als Teilhaber der irdischen Welt, beobachtet, daß es sich nur um die Projektion eines eigentlich unzeitlichen Sachverhalts auf die zeitliche Ebene handelt, der dann freilich auf der zeitlichen Ebene als Weg, als Fortschreiten (nicht als Fortschritt!) erscheinen muß — Zeit vergeht ja —, während es sich auf der geistigen Ebene um einen ‚ewig' gültigen Sachverhalt handelt, von dem man unter irdischem Blickwinkel sagen muß, daß er sich dauernd wiederholt."[412] Das ist wichtig für Kafkas Verhältnis zu Tradition, Geschichte und Entwicklung. „Hermetisch verhält sich sein Werk auch zur Geschichte", schreibt Adorno, „über ihrem Begriff liegt ein Tabu. Der Ewigkeit des geschichtlichen Augenblicks korrespondiert die Ansicht von der Naturverfallenheit und Invarianz des Weltlaufs; der Augenblick, das absolut Vergängliche, ist Gleichnis der Ewigkeit des Vergehens."[413] Das Werk stehe auch aus diesem Grunde unter dem „Gesetz zeitfremder Wiederholung".[414] Bei einer geschichtlichen Entwicklung, so Binder, „gibt es den Kairos, den unwiederholbaren, ausgezeichneten Augenblick, der, wenn er ungenutzt verstreicht, unrettbar verloren ist".[415] Kafkas Geschichtsverständnis dagegen erschließt

---

410 W. Emrich 4, l. c. p. 192 f.

411 H. Binder 1, l. c. p. 68

412 ibid. p. 73 f. — Ähnlich B. Allemann 1, l. c. p. 263 ff.; K.-P. Philippi 1, l. c. p. 223

413 Th. W. Adorno, l. c. p. 321

414 ibid. p. 332

415 H. Binder 1, l. c. p. 66

Historie als ewige Gegenwart, d. h. sie erschließt sich dem Betroffenen, nicht dem Betrachter.

So gilt denn, in gleich welcher Form betrachtet, ob unter dem Aspekt von Kafkas Weltanschauung, des epischen Geschehens, der Wiederholung als des Werkcharakteristikums, ein Gleiches: Was raumzeitlich Weg scheint, ist scheinbare Mehrzahl eines in Wahrheit einen und selben Punkts, der sich, wie es besonders die Strukturen des Erzählens selbst beweisen, als perpetueller Anfang zeigt: Als ein „Möglichkeiten durchspielendes Vergewissern" werde, wie Hasselblatt vermerkt, Kafkas Prosa „nicht durch ein etwa intendiertes Ans-Ziel-Kommen in Gang gehalten, sondern durch die progressive Entfernung vom Anfang." Von nachgerade „zwanghafter Last des Anfangenmüssens" spricht eine Tagebuchstelle vom 16. 10. 1921: „Das Unglück eines fortwährenden Anfangs, das Fehlen der Täuschung darüber, daß alles nur ein Anfang und nicht einmal ein Anfang ist". Das heißt, so Hasselblatt, „daß die Anfänge ihres Charakters, Anfang von etwas zu sein, entkleidet werden. Sie sind auf ein permanentes Immerzu-Anfangen reduziert, sind ‚stehender Sturmlauf', ‚kleiner Einfall im Kreis herumjagt' . . . ".[416]

Kafka selbst faßt diesen Sachverhalt in ein Paradigma gewordenes Bild: „Unruhe daraus, daß mein Leben bisher ein stehendes Marschieren war", heißt es im Tagebuch vom 23. 1. 1922, „eine Entwicklung höchstens in dem Sinn, wie sie ein hohl werdender, verfallender Zahn durchmacht. . . . Es war so, als wäre mir wie jedem andern Menschen der Kreismittelpunkt gegeben, als hätte ich dann wie jeder andere Mensch den entscheidenden Radius zu gehn und dann den schönen Kreis zu ziehn. Statt dessen habe ich immerfort einen Anlauf zum Radius genommen, aber immer wieder gleich ihn abbrechen müssen . . . Es starrt im Mittelpunkt des imaginären Kreises von beginnenden Radien . . . . Habe ich einmal den Radius ein Stückchen weitergeführt als sonst, . . . war alles eben um dieses Stück ärger statt besser." (T 560) Einen Tag später heißt es: „Das Zögern vor der Geburt. Gibt es eine Seelenwanderung, dann bin ich noch nicht auf der untersten Stufe. Mein Leben ist das Zögern vor der Geburt." (T 561)

Man hat bislang, wie Kafka selbst, den Sachverhalt hauptsächlich negativ gefaßt. Noch einmal sei deshalb auf Kafkas Kunst als die der Variation verwiesen: Was sich ansonsten als Abbau von Entwicklung,

---

416 D. Hasselblatt, l. c. p. 61 f.

Weg, Geschichte, Zeit und Raum erweist, ist, positiv, in dieser Sicht Totalität. Das Nichts-Sein ist zugleich Alles-Sein-Können. Man halte daher nicht zu sehr an Kafkas Klage fest; sie gehört in diesem Fall zur Größe des Erwerbs als Klage über dessen Kosten.

Mit der zweiten Variante — irgendeiner Gruppe, eines Elements — konstituiert sich erstmals Variation, ineins damit potentiell unbegrenzte Variabilität. Es beginnt für die Konsekutivlektüre die endpunktlose Linie der gereihten Varianten, für die Simultanlektüre der „fortwährende Anfang", Neubeginn vom Nullpunkt eines Variierten aus, dessen Möglichkeiten nie die Verwirklichung erschöpft. Jene Bewegung ist quantitativ, diese ist qualitativ unendlich, beide entsprechen dem Bild des „Radius", der einen Anfang und kein Ende hat. — Konkret:

Von der Galerie des Untersuchungszimmers (P 51) in „Prozeß"-Kap. 2 z. B. gilt nicht der Satz ‚Sie ist die Galerie', sondern der Satz ‚*Es* kann eine Galerie sein, aber auch ein Thron- und Küchensessel (P 131 f.), eine Kanzel (P 248), ein Fenster im letzten Stock (P 271 f.)' und, greifen wir über den „Prozeß" hinaus, auch ‚Dachbodenzimmer (A 112, 138, 152 f.), Nachtlager auf einer Anhöhe (A 131), Büffettpult im Hotel (A 132, 134), Balkon im letzten Stock (A 235 f., 265), Schiedsrichter- und Zuschauertribüne (A 312, 319 f., 326)'. Die Rücken von Versammlungsteilnehmern sind anderwärts Häuserwände, können auch Kirchenbänke u. a. m. sein —usf.

Das heißt: Die Romanwelt ist in allen ihren Teilen gekennzeichnet durch Potentialität. Solche Welt ist qualitativ fragmentarisch, ein Entwurf in dem von M. Bense gemeinten Heideggerschen Sinn[417] (wobei Bense bei Kafka freilich nur den Kampf um das Sein-Können der Figuren — hier: von K. im „Schloß" — sieht). Walsers Begriff einer ‚Geschaffenheit' der Welt ist daher zu verändern. Nicht ihr Geschaffen-Sein, sondern ihr jederzeitiges Geschaffen-Werden-Können ist die *Grund*befindlichkeit der Welt. Die Welt ist vom „Primat der Möglichkeit" bestimmt.[418] Und das bedeutet:

Das ‚So, doch auch anders, sogar gegensätzlich sein können' gilt nicht etwa allein für die Gespräche über die geheimnisvolle Arbeits-, Gerichts- und Schloßbehördenwelt, gilt vielmehr bis ins Kleinste von jedem handgreiflichen Ding. Mithin: Die Erörterungen der K.s sind lediglich

417 Cf. M. Bense 2, l. c. p. 308 f.
418 ibid. p. 308

Teil der vielteiligen stilistischen Einstimmigkeit der Romane. Die, wie Walser sie nennt, „Aufbereitung hoffnungsvoller Tatsachen und darauf konsequente Einschränkung bis zur Aufhebung"[419] ist Fortsetzung der Seinsbefindlichkeit der Romanweltinhalte mit diskurrierenden Mitteln. Die Erörterungen sind so, weil alle Örter immer nur mögliche sind.

Und das heißt zweitens, daß Zeit und Raum mit Konsequenz uneigentliche sind. Der Ort der jederzeitigen Möglichkeit — d. i. das Element, die Gruppe — ist überall ein ein und selber Ort; ein Element ist zeitlos, es vergeht nicht, nur seine Varianten werden und vergehen, sei es werkimmanent gesehen, im Einzelwerk, sei's im Rekurs auf Kafkas Werk und Leben, in dem die Gruppe PAWLATSCHE z. B. sich von 1890—1922 in ihren Elementen unverändert zeigt, der Zeit enthoben, der Entwicklung. Die Orientiertheit an den Elementen ist der wahre Grund der ewigen Gegenwart in Traum und Epik. Unter dem Aspekt der Variationskunst und freilich allererst in dieser Sicht ist zu erkennen: Auch der Kafkasche Raum-Zeit-Verlust ist nachweislich ein konsequenter Teil des Ganzen.

Und wenn es, in diesem Sinne drittens, in einem Aphorismus heißt: „Der entscheidende Augenblick der menschlichen Entwicklung ist immerwährend. Darum sind die revolutionären geistigen Bewegungen, welche alles Frühere für nichtig erklären, im Recht, denn es ist noch nichts geschehen." (H 73) — so bedeutet dies, auf Kafka selber angewandt: Jede geistige Bewegung fängt im Nullpunkt an, verläßt ihn allerdings für immer. Kafkas Geist hingegen hält sich ständig in seinem Nullpunkt auf, ist in jedem Augenblick nicht eine, sondern alle „revolutionären geistigen Bewegungen" ineins — potentiell, das heißt, dieser Dichter hat sich endgültig auf den Punkt seiner jederzeitigen Totalität zurückgezogen, auf jenen Zustand der Energie, die, statt sich zu materialisieren, „immerwährend" im „Zögern vor der Geburt" sich auf dem Siedepunkte der geballten Möglichkeiten hält.

In diesem Sinne des Sein-Könnens, dabei zugleich, wo es geboten ist, im Rückgriff auf die früheren Befunde, sei als einziger Roman mit einem ‚Schluß' der „Prozeß" auf dieses Ende hin befragt; der Anfangswert des Endes, die Nullpunktbezogenheit des Todes sei erhellt. Zuvor jedoch zur Forschungslage:

419 M. Walser, l. c. p. 94

3.1. Der Terminus ‚Ende'

„Die Helden", heißt es bei Emrich, „werden zu Beginn gleichsam aus ihrem gewohnten Lebens- und Daseinskreis, aus dem Zusammenhang ihrer Arbeit, ja aus dem vertrauten raum-zeitlichen Kontinuum herausgerissen. Es folgen dann fortgesetzte Augenblicke, nämlich eine Reihe von Situationen und Episoden, die unendlich fortsetzbar sind, sich vergangenheits- und zukunftslos aneinanderreihen, ja sogar vertauscht werden können ... Daher kann es auch kein abgeschlossenes, vollendendes Ende im klassischen Sinne mehr geben. Selbst der Tod des Helden etwa in ... *Der Prozeß* ist kein eigentliches Ende im Sinne unserer gewohnten Romankompositionen, in denen sich sämtliche Verwicklungen, Handlungsfügungen und Bedeutungen am Schluß aufzuhellen, zu entwirren pflegen."[420] Kafkas Texte sind endlos. So sagt auch Walser zum „Prozeß": „als einziger der drei ‚Romane' scheint er einen ‚Schluß' zu haben, ... und trotzdem möchten wir behaupten, daß auch dieses Schlußkapitel kein echtes Ende ist. Um es überspitzt deutlich zu machen: hätte Kafka das Spiel der Ordnungen in Fadenspulen (wie Odradek) oder in Zelluloidbällen (s. Blumfeld) konkretisiert, so wäre die Möglichkeit der unendlichen Wiederholbarkeit auch ‚äußerlich' zum Ausdruck gekommen. So hat er neben die nichtendenmüssende Hierarchie der Behörde einen, sagen wir einmal, biologisch endlichen Menschen gesetzt. Dieser muß enden, aber das, was er als Ordnung ist (als Sein), kann nicht enden. Es besteht im ‚Prozeß' keine Notwendigkeit, daß die Wiederholung der Vorgänge abbricht."[421]

D. Hasselblatt wendet den Begriff der Unendlichkeit ins Positive: Kafkas Texte sind „anfangsflüchtig, nicht endstrebig — initiofugal, nicht final".[422] Er verweist auf „Von den Gleichnissen" (B 95), „Warum machst du mir Vorwürfe ..." (H 271), „Die Vorüberlaufenden" (E 39) und führt aus: „Möglichkeiten werden erörternd durchlaufen, damit wird das mit der Anfangs-Einräumung Eingeräumte progressiv aufgehoben: es findet zugleich ein *Abbau* und die *Entfaltung* dieses Abbaus statt, und zwar in Richtung auf die Nichtigerklärung des Eingeräum-

---

420 W. Emrich 4, l. c. p. 192 f.
421 M. Walser, l. c. p. 102. — Im gleichen Sinn G. Anders, l. c. p. 35; F. Martini 1, l. c. p. 291 f.; H. Politzer 1, l. c. p. 437; H. Politzer 3, l. c. p. 28 f.; Th. Ziolkowski, l. c. p. 65. — Zu Einwänden cf. J. Schillemeit 2, l. c. p. 581 ff.
422 D. Hasselblatt, l. c. p. 61. — Ähnlich H. Uyttersprot, l. c. p. 378

ten."[423] Er nennt dies „progressive Verwicklung"[424], kommt jedoch zum gleichen Schluß: „Nur Schwäche, Zufall, das Anderssein des Alltages gegenüber dem Dichten, das, was den Prinzipien und dem Modus des Geschriebenen nicht entspricht, vermag ein — immer jedoch zufälliges — Ende zu setzen. Darum sehen Kafkas Texte fragmentarisch aus."[425]

Solche Auffassungen lassen entweder die Variation generell außer acht (Emrich, Walser), oder sie beschränken sich, was dasselbe ist, auf variationslose Texte (Hasselblatt). Tatsächlich gibt es sie, und sie bezeugen oftmals in der Tat, daß auf einem Weg allein, mit — in Kafkas Worten — *einem* angesetzten Radius die Grenze des Bewußtseins wohl zu überschreiten ist, der Weg jedoch ins Namenlose, Unbildliche, durchaus ins Nichts verläuft. Doch solche Texte sind Ausnahmen; man hätte sich auf selbständige kurze Stücke, Skizzen, Kleinstes zu beschränken — „Vor dem Gesetz" gehört als Teil eines Romans bereits nicht mehr hinzu — und zudem auszuwählen, denn nicht alle sind geeignet, schon „Auf der Galerie" etwa ist Muster zweimaliger Variation.

Aber Hasselblatt gebührt gleichzeitig das Verdienst, als Pendant zur progressiven Verwicklung eine zweite „Gang-Struktur Kafkascher Prosa"[426] zu erhellen, neben der „Einräumungskette" eine „Kette von Forträumungen"[427] anzusetzen und damit, ohne ihn selbst zu gehen, den Weg zu einem adäquateren Begriff vom Ende aufzuweisen: „Bei diesem Abbau kann eine Freilegung mitlaufen, so daß das Eingeräumte zwar fortschreitend abgebaut wird, zugleich aber dadurch etwas zunächst Verborgenes fortschreitend entwickelt wird, bis es schließlich, vom eingangs Eingeräumten befreit, freiliegt. Das ist *destruktive Entwicklung.*[428]

So in „Vor dem Betreten des Allerheiligsten . . ." (H 104 f.), „Niemals ziehst du das Wasser . . ." (H 337 f.), „Wunsch, Indianer zu werden" (E 44).

Was freigelegt wird, worin — eigens sei es gegen Hasselblatt betont — die Finalität der Texte besteht, zeigt ganz besonders dieser:

423 D. Hasselblatt, l. c. p. 72 f.
424 ibid. p. 58 ff.
425 ibid. p. 63

426 ibid. p. 74
427 ibid. p. 71
428 ibid. p. 73

„Wenn man doch ein Indianer wäre, gleich bereit, und auf dem rennenden Pferde, schief in der Luft, immer kurz erzitterte über dem zitternden Boden, bis man die Sporen ließ, denn es gab keine Sporen, bis man die Zügel wegwarf, denn es gab keine Zügel, und kaum das Land vor sich als glattgemähte Heide sah, schon ohne Pferdehals und Pferdekopf."

Abgebaut wird, was empirisch Reiten ermöglicht — Sporen, Zügel, Land, Hals, Kopf —, übrig bleibt ‚reines‘ Reiten, wohl deshalb schon von vornherein mit „man" verknüpft, nicht „ich". Dem Abbau der Sachbezüglichkeiten entspricht der Aufbau eines reinen Bildes[429]; dort endet die Geschichte, nicht im Nichts. — Nun ist Realitätsbezug von Dichtung immer schon von Grund auf nur fingiert, uneigentlich; die Poesie ist Bildlichkeit, im Sinne jener Antwort, die Kafka einmal Janouch gibt: „Ich zeichnete keine Menschen [sc. im „Heizer"]. Ich erzählte eine Geschichte. Das sind Bilder, nur Bilder." (J 54) Das heißt, der „Wunsch, Indianer zu werden" modelliert nichts andres als die Rückkehr der Poesie zu sich selbst, die Skizze ist Selbstbekenntnis der Dichtung im kleinen Modell.

Erst recht so im großen, nur geht es dort nicht mehr ums Einzelbild, sondern um vielschichtige Bildlichkeit. Jeder Roman ist ein Bekenntnis zu sich selbst, jeder reproduziert — biographisch gesehn: noch einmal und immer wieder — im Abbau jenen Übergang von Empirie zu Dichtung, bürgerlichem zu dichterischem Dasein.

Mithin: Die Entwicklung Kafkascher Texte, dies ist fast ausnahmslos die Regel, zielt ins Bild, hauptsächlich in spielartgeprägte, durch Variation geschaffene Bildlichkeit. Das heißt, in Konsequenz für den Begriff vom Ende: Es ist nicht mehr im überkommenen Sinne Höhe- und Schlußpunkt ‚klassischer‘ Romanaussage, linearer Situations-, Episoden-, Handlungsfolge, die den Helden und seine Welt entfaltend aufbaut, wobei, im Muster, das Ende (e_n) des letzten Kapitels identisch ist mit dem Ende (E) des Romans:

$$A = a_1 \overline{\qquad\qquad} e_1 = a_2 \overline{\qquad\qquad} e_2 \ldots a_n \overline{\qquad\qquad} e_n = E$$

429 Ähnlich F. Billeter, l. c. p. 190

Vielmehr: die Handlung im gewohnten Sinn ist diskontinuierlich, redundant, ihrer gehaltlichen Aussagekraft beraubt, entwertet; im eigentlichen wiederholt sie nur, ihr Neues ist Rezessives, zur Dominanz gebracht, gemäß dem Tagebuchwort: „Unrichtig, über jemanden zu sagen: er hatte es leicht, er hat wenig gelitten; richtiger: er war so, daß ihm nichts geschehen konnte; am richtigsten: er hat alles durchlitten, aber alles in einem gemeinsamen einzigen Augenblick, wie hätte ihm etwas noch geschehen können, da die Variationen des Leides in Wirklichkeit oder durch sein Machtwort vollständig erschöpft waren." (T 582) — Der Variationsvorgang ist die eigentliche ‚Handlung' des Texts. Das letzte Kapitel-Ende, genauer: das der letzten Variante, ist deshalb qualitativ, nach Maßgabe der Variation, nicht mehr das Ende des Romans; Ende gehaltlicher Entfaltung und Handlungsende fallen auseinander. (Gleiches gilt, entsprechend abgewandelt, für den Anfang). Daher darf (e_n) es dürfen sogar — ein nicht vorhandener Fall — alle (e_{1-n}) ins Leere laufen, ohne daß (E) dies tut; im Muster:

$$A = \left| \begin{matrix} e_1 & & e_2 & & & e_n \\ {-} {-} {-} {-} {-} {-} {-} & | & {-} {-} {-} {-} {-} {-} {-} {-} {-} {-} {-} {-} {-} & | \\ a_1 & & a_2 & & & a_n \end{matrix} \right| = E$$

Vor Variationskunst gleitet die Werkformbeschreibung, bloß objektivistisch, ins Mechanisieren ab, wenn nur das Mittel, nicht der Zweck bedacht wird. Werk ist nie Werk an sich. Dergleichen Haltung handelt Dichtung ab wie einen toten Text im leeren Raum. Werk ist vom Dichter, für den Betrachter. In diesem Sinne also: Warum wird variiert? Um den Reichtum der im Variierten angelegten Möglichkeiten zu entfalten, einen anschaulichen Begriff davon zu schaffen. Damit wird die Fassungskraft des menschlichen Begriffsvermögens relevant. In der Musik ist es nicht anders: Von einer bestimmten Grenze an trüge mehr Variation nichts mehr zu der Erkenntnis bei; die inhaltliche Mannigfaltigkeit der Varianten wäre nicht im Griff zu halten. Selbstredend ist solche Grenze keine scharfe Linie, nur Bereich, doch dieser ist vorhanden, wirkungsästhetisch bedeutsam, definitorisch wichtig bei der Bestimmung des Endes einer Variation.

Das Ende also will an einem Grad der Sättigung bemessen werden. Zwar ist der Grad präzise nicht mehr auszumachen, auch scheint er, wie etwa von „Prozeß"-Kap. 9 auf 10, unvorbereitet schnell erreicht zu werden: M. Carrouges vermerkt anläßlich Kafkas abrupt schneller Entscheidung für Dora Dymant und Berlin (1923), daß, wie hier, generell in Leben und Werk, besonders den Romanen, die Serien endloser Aufschübe plötzlich und in blitzschnellen Aktionen zu enden pflegen.[430] Doch schon P. Heller notiert, Walser z. B. überschätze die Monotonie Kafkascher Verzweiflung, weil er die kumulative Wirkung der Episodenserie des Scheiterns übersehe[431]; und F. Martini schreibt: „Diese Kombination langsamer Vorbereitung und jähen Endes ist für Kafkas Prosa charakteristisch und in ihr ein wesentliches Spannungselement."[432] Die Retardation ist Vor- und Aufbereitung, und noch kurz vor dem Zerreißpunkt kann Spannung völlig ruhig sein. Vor allem aber: Immer ist jener Grad unter bestimmten Bedingungen erreicht:

3.2. Josef K.s Tod

So wird etwa Josef K. zur Hinrichtung geführt nach dem Erlebnis im Dom, der Türhüterlegende, ihrer seitenlangen Exegese. Hasselblatt meint dazu: „die aus der Geschichte entspringenden Folgerungen finden nicht aus einer ihnen immanenten Konsequenz, sondern aus hinzutretender Zufälligkeit ihren Abschluß; ihr Ende hätten sie ohnehin nicht finden können."[433] Sie finden — nicht zufällig — ihr Ende an K.s Müdigkeit: „Er war zu müde, um alle Folgerungen der Geschichte übersehen zu können, es waren auch ungewohnte Gedankengänge, in die sie ihn führte, unwirkliche Dinge, besser geeignet zur Besprechung für die Gesellschaft der Gerichtsbeamten als für ihn. Die einfache Geschichte war unförmlich geworden" (P 264). K. endet, hier und im ganzen, an nichts anderem als der notwendigen Ermüdung des an seine Grenzen gelangten reflexionsfähigen Bewußtseins; gerade Legende und Exegese zeigen dies deutlicher als irgend sonst in- und außerhalb dieses Romans, denn hier konstituiert sich nicht nur die Welt des Helden als — diachronisch gesehen — parabolische, d. h. bei Kafka: als für das Bewußtsein jenseitige Welt, hier wird er direkt mit einer Parabel konfrontiert. Natürlich sind quantitativ weitere Versuche denkbar. „Vor dem Schlußkapitel sollten", wie Brod notiert, „noch einige Stadien des geheimnisvollen Prozesses geschildert werden." (P 322)

430 Cf. M. Carrouges, l. c. p. 121
431 Cf. P. Heller, l. c. p. 263
432 F. Martini 1, l. c. p. 312
433 D. Hasselblatt, l. c. p. 58

Aber qualitativ ist im Dom genug Entscheidung gefallen, der Beweis zumindest ausreichend erbracht.

Dennoch behielte, so gesehen, Walser recht, wenn er vom Helden sagt: „Dieser muß enden, aber das, was er als Ordnung ist (als Sein), kann nicht enden. Es besteht im ‚Prozeß' keine Notwendigkeit, daß die Wiederholung der Vorgänge abbricht. Josef K. hört einfach auf, seine Behauptungen fortzusetzen, weil er einsieht, daß jeder Behauptung notwendig eine Aufhebung folgt. Er ist dieses Spiels müde geworden."[434] Das heißt, seine Reflexion, mit welcher er die Existenz behauptet, ist als Reflexion erhalten, ist nach wie vor als einziges, wenngleich nie hinreichendes Mittel geboten; er setzt sie nur, entkräftet, nicht mehr ein. – Freilich gilt dies nur, solange man in den Romanen nichts als den Kampf des Helden mit einer Ordnung sieht, die die Reflexion unaufhörlich fordert und ineins zurückweist. Ganz anders, nimmt man, wie wir es überall getan, die je verschiedene Welt*erscheinung* in Betracht. Diese Erscheinungen erschaffen eine Bildbegrifflichkeit, die der Reflexion als solcher ganz und gar zuwiderläuft, sie widerlegt und aufhebt:

Reflexion, so wurde bereits dargetan, bedeutet Teilen; jene Bildbegrifflichkeit indes vereint, und zwar vereint sie um so mehr, je weiter der Roman fortschreitet, d. i. je mehr das Variationsprinzip zur Geltung kommt und seine Resultate wirken. Dem kongruiert, auch dies ist schon erhellt, resultativ der Rollentausch. G. Kaiser etwa gewinnt die Einsicht, daß „jeder, wenn man so will, gleichzeitig unter dem Aspekt des Angeklagten wie des Anklägers gesehen werden kann", im Gedanken an die „unendliche sowohl vertikale wie horizontale Verflechtung der individuellen Existenz in den Lebens-‚Prozeß'".[435] Im Texte bleibend fassen wir es schärfer: Die scheinbare Zweiseitigkeit des Kampfes – hier Angeklagte, dort Gerichtsbeamte – erweist sich nach und nach als Täuschung, weil immer und überall der Angeklagte Beamte, der Beamte Angeklagte wird. In diesem ‚Kampf' gibt es nur Überläufer. Auf Totalität zielt diese Welt ab. Das heißt: Das primär Gegebene sind nicht Ordnung und Gegenordnung, sondern ist, als Anfang aller Dinge, die ursprüngliche wahre Einheit von allem in allem, die erst durch K.s Existenz, sprich: Denken, gespalten, zweigeteilt, wörtlich: auseinandergesetzt, das heißt, verunwahrheitet wird. Wieder sei die schon genannte

434 M. Walser, l. c. p. 102
435 G. Kaiser, l. c. p. 38

Synonymie von Leben, Denken, Lügen erwähnt. In der Tat ist K. der Initiator. Es ist der „ruhig einteilende Verstand" (P 269), welcher definiert, eingrenzt, absondert, unterscheidet. Der erste Gedanke brachte den ersten Zwiespalt in die Welt, die erste Lüge in die Wahrheit; „Wahrheit ist unteilbar", heißt es in einem Aphorismus, „kann sich also selbst nicht erkennen; wer sie erkennen will, muß Lüge sein." (H 48) Was als das ‚Eingreifen des Gerichts' erscheint, ist also zu begreifen als der Versuch der gestörten, zerstörten, weil gedachten Totalität, als das ihr innewohnende Bemühen, selber sich zu erhalten bzw. wiederherzustellen. Die mit der Zwietracht aufgekommene Spannung drängt von sich aus auf ihre Entspannung in der Eintracht hin. Mit einem Wort: Die Lösung des Romans ist dort erreicht, wo die gedachten Unterschiede sichtbarlich aufhören in der zwar unausdenkbaren, aber wahren Einheit von Henker und Verurteiltem: „K. ging straff gestreckt zwischen ihnen, sie bildeten jetzt alle drei eine solche Einheit, daß, wenn man einen von ihnen zerschlagen hätte, alle zerschlagen gewesen wären." (P 267) Dieser Einheit gesellt sich gar ein „volles Einverständnis" mit den Bütteln bei (P 269). Allerdings, Denken bedeutet dem Menschen Leben, Wiederherstellung der Wahrheit also Tod: „Es war eine Einheit, wie sie fast nur Lebloses bilden kann.'(P 267) Josef K. hat — kurz vor seinem Ende „fast" — die Seinsweise der Wahrheit erlangt; der die Wahrheit zu denken sich vermaß, ist selber Wahrheit geworden; statt erkannt worden zu sein, geschieht sie an ihm.

Josef K.s Ende ist denn auch deutlich Rückkehr zum Anfang, auf den Ausgangs-, den Nullpunkt des Romans. Der „Prozeß" beginnt am Ende und endet am Beginn der gleichen Nacht vor K.s 30./31. Geburtstag. Dort stand er aus dem Bette auf und zog sich an, hier wird er ausgezogen und „gebettet"; dort schlug er die Augen auf, hier kehrt er „mit brechenden Augen" ins Dunkel zurück, ins „Zögern vor der Geburt"; hier wie dort im Fenster ein Beobachter, zwei Herren, deren einer die Tür öffnet/schließt. Der Kreis hat sich geschlossen, ähnlich jenem Tode, von dem Kafka späterhin Milena schreibt: „Den Tod wollen, die Schmerzen aber nicht, das ist ein schlechtes Zeichen. Sonst aber kann man den Tod wagen. Man ist eben als biblische Taube ausgeschickt worden, hat nichts Grünes gefunden und schlüpft nun wieder in die dunkle Arche."(M 235)

Die Vereinheitlichung, genau: die Nullpunktbezüge alles Variierten, figürlich und speziell des Rollentausches als Fortsetzung der Variation mit den Mitteln wechselnder Stellprobenbesetzung, führt schlechterdings unmöglich irgend anders hin als zur Auflösung alles Individuellen — auch der Unterschiede von Geschlecht und Gattung, von Mensch und Tier und Ding — in ein wahres Allgemeines, d. h. figürlich zur Vernichtung des denkenden einzelnen, der Individualgestalt, des Angeklagten Josef K.

Von allen Romangestalten akzeptierte K. keine; am Ende, wofern er sie nicht schon geworden, wird er sie endgültig alle. Figürlich, beschränkt allein auf die neuen Figurenbezüge des Endes, vereint die Situation des gebetteten, hingerichteten K. solcherart erstmals, allein unter GB-Aspekt, K.s Bruch mit Block (der Bruch, wörtlich genommen, geht in die Szenerie des Endes ein), Blocks Auftritt und Verhalten vor Hulds Bett, den Herzanfall und das Krankenlager Hulds, K.s Liebesakte mit Bürstner und Leni und die des Studenten mit der Frau des Gerichtsdieners (jetzt ist K. selbst Opfer der Gewalttat); sein Ende ist wirklich gewordener Graffito wie von Kinderhand und erfüllter Wunschtraum des betrogenen Gatten (P 78); es ist Szene gewordenes Bild des Untersuchungsrichters, das unter den spitzen Stiften des Malers entstand; es ist Geschehnis gewordene Zuschauergruppe (P 19 f.); es ist Christi Grablegung (P 245 f.); es ist stierkampfartiger Ritualmord (P 293). K. wird Totalligatur aller Geprügelten und Geplagten, Kranken, Armen, Elenden. Formal entspricht dem die Vereinigung der Gruppenreihen der „Prozeß"-Kap. 3, 6, 10 (Anhang XII): Kap. 3 hat den Kranken, dessen Anfall und Transport, aber noch nicht Töten und Abstechen; umgekehrt ‚fehlen‘ Kap. 6 Erkranken und Transport, das Abstechen geschieht nur erst tentativ (134 f.), daher denn der Bezug aufs Messer, Selber-Fassen fehlt; erst Kap. 10 vereint die Kap. 3 und 6, wie zwei Hälften zu einem Ganzen, zur Totalligatur aller relevanten Teile beider Gruppenreihen.

Die Figuren mischen sich, es mischen sich Figur und Sache, Schauplatz und Geschehnis, gleichsam quer zu allen gewohnten Modalitäten des Begriffenen und Begreifens, in einem Dritten variationsspezifischer, neu gliedernder Begrifflichkeit und deren höherer Logik. Hinter der, wie Walser meint, nur-biologischen Müdigkeit des allzuoft an seine Grenzen stoßenden Bewußtseins wird ansichtig Unmöglichkeit von Reflexion schlechthin. Das bedeutet, da jeder Held, auch und besonders Josef K., ein Perspektiv der vordergründigen Logik ist, die Auflösung, Annullierung seines Seins als Ordnung. Diese

Unmöglichkeit ist nicht von Anfang an gegeben; sie ergibt sich, als Verunmöglichung, im Laufe des Romans. Das heißt, es *endet* der Roman. Und er endet in einer Befindlichkeit des Helden, die, soll sie bildlich und begrifflich greifbar werden, nur noch als Tod zu greifen ist. Denn:

Es kann zwar nur, es muß nicht mit dem Tode enden, wofern man Tod begreift als *Grund* des Endes, und nur dann hat Walser recht, wenn er von ‚biologischer‘, d. h. unnötiger Beendigung des „Prozeß“-Romans spricht. Doch der Tod ist nicht Grund, sondern *Bild* des Endes, Mittel der Veranschaulichung, und insofern zwar nicht notwendig im genannten Sinn, aber poetisch konsequent.

Dies hebt bereits L. Fietz hervor, wenn er, von anderem Ansatz her freilich mit ‚Begriff‘ statt ‚Bild‘ und ‚unperspektivisch-Objektivem‘ statt ‚vieldeutig-wahrer Symbolwelt‘, zum K. im „Schloß“ ausführt: „K. versucht — wie Emrich dargelegt hat — unpersönlichen, kollektiven Kräften und Mächten als individuellen Gestalten gegenüberzutreten.“ Er „versucht, in seiner menschlich-perspektivischen Beschränkung den Bereich des unperspektivisch Objektiven zu öffnen und ihn perspektivisch zu erleben, bei Bewußtsein Bereiche jenseits des Bewußtseins zu erfahren ... An der Grenze zwischen dem menschlich Perspektivischen und dem objektiv Unperspektivischen muß K. scheitern. Kafka hat diesen unperspektivischen Bereich nicht benannt ... Er stellt ihn lediglich — in seiner Objektivität unfaßbar — als das Ziel von K.s Sehnsucht und Angst und in seiner bewußtseinsraubenden Wirkung auf K. dar als das wesenhaft Anonyme, Namenlose, das künstlerisch — viel weniger begrifflich — gar nicht direkter zu fassen ist, als Kafka es getan hat. ... Wenn dem Namenlosen ... ein Begriff verwandt ist, dann ist es der des Todes ..., liefern wir doch, wenn wir Tod sagen, nichts anderes als eine verzerrende Approximation für den Begriff des wesenhaft Namenlosen“.[436]

In diesem Sinn ist allemal das Sein der K.s insgeheim längst annulliert, wenn die Romane sich dem Ende nähern, gleichviel ob der Dichter dieses Ende dann als Tod gestaltet oder nicht.

---

436 L. Fietz, l. c. p. 76 f.

4. ZUR METHODIK (IV)

Daß nicht der Held, denn der bleibt uneinsichtig, wohl jedoch der Dichter einen Weg zur Wahrheit geht, der über die Grenzen einer in der Vordergründigkeit befangenen Reflexion hinausreicht, zeigt sich daran, daß die semantisch, ineins biographisch homogonen Varianten einer Gruppe sich einem gemeinsamen Begriffe unterordnen, der nicht mehr der logisch-empirischen Begrifflichkeit gewohnten Denkens zugehört, sondern bekannt ist aus der Noetik jener dichterischen Wahrheitsfindung, der die Goethesche Symbolkunst dient. Wir haben allerdings der Deutung von Inhalt und Gehalt — ‚Gehalt' verstanden als Gesamtbedeutung aller Formen und zugleich Inhalte eines Werks bzw. Werkteils — nicht mehr als den Wahrscheinlichkeitsbereich erschlossen: Wenn anders man überhaupt in der Bestimmung des Gehaltes weiterkommen will, dann, so behaupten wir, mit Wahrscheinlichkeit allein auf diesem Wege.

4.1. Wir behaupten dies aufgrund eines bestimmten, wesentlichen Unterschiedes zwischen Held und Welt:

4.1.1. Der Held wird an einer Welt vorbeigeführt, deren Teile — in jeder Größenordnung zwischen, sagen wir, dem Spitzbart eines Zuschauers und einer ganzen Untersuchung vor Gericht — sich ihm und zunächst auch uns präsentieren in einer unumkehrbaren, endlosen Reihe vollständig isolierter Größen, die zu nichts führt. Denn jedes Teil erweist sich als ein von ihm entworfener erster Begriff, der kaum entworfen, weil die Welt ihn zu bestätigen scheint, von eben dieser Welt sogleich schon widerlegt wird. So führt kein Weg vom Helden zu jener Wahrheit, die sich hinter seinen eigenen Begriffen, hinter den Erscheinungen verbirgt. Ja nicht einmal ein erster Schritt ist möglich, der Held kommt über den stets mißlingenden Versuch eines je isolierten *ersten* und schon zurückgewiesenen Begriffsschritts nie hinaus. Solche Negation ist Negation schlechthin.

4.1.2. Ganz anders demgegenüber die Geordnetheit, Gegliedertheit der Welt. Die scheint's unzusammenhängenden Erstbegriffe — zugleich: Welterscheinungen — haben, unter Variationsaspekt, Zusammenhang. Die endlose Reihe der isolierten Größen ‚a b c d e f ...' erweist sich als

$$d_1 \quad d_2 \; (< h) \quad d_3 \; (< l) \ldots$$
$$c_1 \quad c_2 \; (< g) \quad c_3 \; (< k) \ldots$$
$$b_1 \quad b_2 \; (< f) \quad b_3 \; (< j) \ldots$$
$$a_1 \quad a_2 \; (< e) \quad a_3 \; (< i) \ldots$$

Zwar wird der Held nach wie vor, so stellt es sich ihm dar, an den a b c d' und unverändert weiter ‚e f g h' vorbeigeführt. Doch was sich bislang als stets nur erster und niemals weiterer Begriffsschritt ausgab, als ‚a', als ‚e', als ‚i', erweist sich jetzt als zwar noch immer je zurückgewiesener, nun jedoch erster, zweiter, dritter Schritt, als ‚a_1', ‚a_2', ‚a_3' usf., und damit zugleich je als Entwurf hin auf ein ‚A', besser: von ‚A' aus. Das heißt, hier tut erstmals ein Weg sich auf, Schritte werden sichtbar von diesem zu einem nächsten und vielen weiteren. Vor allem ist endlich eine *bestimmte* Negation ermöglicht, ein ‚a_2' kann das ‚a_1', ein ‚a_3' kann das ‚a_2' negieren. Stichprobenweise haben wir es angedeutet: Ein ‚Liebesakt' wird nicht mehr als versuchter und mißlungener Erstbegriff ins Nichts hinein negiert, sondern auf ein ‚Todesakt' hin.

Mit einem Wort: Der entscheidende Unterschied zwischen der Welt des Helden und der Welt des Werkes selbst ist der zwischen *aller* Negation und der Möglichkeit *bestimmter* Negation. Oder, um aus H. K. Kohlenbergers Ausführungen zur Dialektik Hegels zu zitieren: „Die wahre D[ialektik] . . . ist nicht eine äußerliche Erhebung über die endlichen Bestimmungen, sondern begreift in ihrer doppelten Negation die Einheit des Vorhergehenden und des diesem Entgegengesetzten: ‚Das Einzige, *um den wissenschaftlichen Fortgang zu gewinnen*, und um dessen ganz *einfache* Einsicht sich wesentlich zu bemühen ist, — ist die Erkenntnis des logischen Satzes, daß das Negative ebenso sehr positiv ist, oder daß das sich Widersprechende sich nicht in Null, in das abstrakte Nichts auflöst, sondern wesentlich nur in die Negation seines besonderen Inhalts, oder daß eine solche Negation nicht alle Negation, sondern die *Negation der bestimmten Sache*, die sich auflöst, somit bestimmte Negation ist; daß also im Resultate wesentlich das enthalten ist, woraus es resultiert . . .'."[437]

437 [Im Stichwort] Dialektik. In: Historisches Wörterbuch der Philosophie. Bd. 2. Hg. v. J. Ritter. Völlig neubearb. Ausg. d. ‚Wörterbuchs der philosophischen Begriffe' v. R. Eisler. — Darmstadt: Wissenschaftl. Buchges. 1972. Sp. 190 f.

4.2. Mehr freilich als allgemein die Möglichkeit bestimmter Negation, mehr als generell Begreifbarkeit des Wahren können wir nicht behaupten. Denn es fehlt, was wir mit der GB-Stichprobe nicht geleistet haben, die Darstellung eines vollständigen dialektischen Prozesses, und zwar als Feinbeschreibung, die Schritt für Schritt und auf jeder Ebene, also bis auf Elementniveau, den Weg über Thesis und Antithesis zur Synthesis verfolgt und die auf diesem Weg erreichten nahen wie die angestrebten fernen Ziele darlegt. Solche Darstellung aber ist nur im Bereich der großen Zahlen möglich, das heißt, an vorzugsweise allen Varianten zumindest *einer* Gruppe und über einen möglichst großen Text- und Zeitraum, vorzugsweise im gesamten Werk. Denn es ist, wegen der extrem kleinen Größe ‚Element‘, fast so wie in der Quantenlehre: „Beugen wir etwa Elektronen einheitlicher Geschwindigkeit an einem Spalt in einer undurchlässigen Platte", so beschreibt es Gernot Eder, so werde ein „einzelnes Elektron . . . an einer beliebigen Stelle des Schirmes auftreffen. Erst für sehr viele Teilchen können wir eine klare und eindeutige Gesetzmäßigkeit feststellen. Das bedeutet: Die Intensitätsverteilung der gebeugten Strahlen gehorcht einem s t a t i s t i s c h e n Gesetz. Dieses sagt nichts über das Verhalten eines einzelnen Teilchens aus, sondern nur etwas über das sehr vieler Teilchen." Und erst für „große Zahlen von Quanten erhalten wir die Gesetzmäßigkeiten der klassischen Physik".[438] Analog ist auch in unserm Fall zu unterscheiden, nämlich zwischen den einzelnen realen Varianten und, andrerseits, dem Probabilitätsverhalten ihrer Variablen, sei's eine ganze Gruppe oder ein einzelnes Element. Diese Probabilität ist deshalb nur an einer möglichst großen Variantenmenge abzulesen, weil im Bereich der kleinen Zahlen die Schwankung, die Streuungsbreite im Entwurf, zuweilen so beträchtlich sein kann, daß die Entwurfsrichtung beliebig scheint, also ein Begriff sich gar nicht bilden, ein Tertium — gar, für die ‚klassische‘ Deutungspraxis wichtig, als Gesamtbedeutung ganzer Textpassagen — sich nicht greifen läßt. Die GB-Variation z. B. streut zwischen hier einer Mahlzeit aus rohem Fleisch, dort der Beschäftigung mit Akten, dann einer Liebesszene. Erst eine größere Bestandsaufnahme zeigt, in welcher Begriffsrichtung die GB-Variable hauptsächlich entwirft. Den Menschen entwirft sie in

---

438 G. Eder: Quantentheorie. In: Das Fischer Lexikon. Bd. 19 (Physik). p. 271 f.

seiner Körperlichkeit, als Leib, und dann, noch einmal abstrahierend, den Leib als ‚Fleisch und was damit getan wird: lieben/töten/essen'. Die Probabilität dieser Gruppe hat, ganz gleich welche Variante sie dann in jedem einzelnen Fall entwirft, in jeglichem Entwurf stets jenen selben Sinn, überall deutet sie auf Leben und Tod und auf beides als Intimstes. Das heißt, sie tut dies auch in den Mahlzeitvarianten — jeder Esser ist dadurch Kannibale —, auch in den Dokumentenvarianten — man versteht mit einemmal, warum die Helden den Dokumenten lebenswichtigen Wert beimessen, die Hierarchien sich mit nichts anderem als Akten Tag und Nacht beschäftigen, warum etwa die Aktenverteilung im „Schloß" als das Intimste, der Weg dorthin wie in den Mittelpunkt vertraulichster Geheimnisse beschrieben wird.

Wir brauchen jene Begriffsrichtung — als Leitlinie, als inneres Band des Ganzen —, weil sich erst durch sie die Bedeutung scheinbar abwegiger Varianten (wie in der Mahlzeitvarianz), überhaupt die Bedeutung aller Variantentypen und endlich aller Einzelvarianten vollständig bestimmen läßt. Und wir brauchen sie — als oberste Begriffsebene der Variation —, weil wir den *ganzen* Raum zwischen der niedrigsten Ebene (den Elementen) und einer höchsten brauchen, denn der dialektische Prozeß läuft schwerlich nur in Elementennähe ab, also lediglich auf Elementniveau in den ohnehin an Zahl geringen antonymischen Feldern, dann auf der nächsthöheren des logisch-syntaktischen Hofs um jedes Element. Doch solch eine Begriffsrichtung will für jede der zehn Gruppen und für jede vollständig erfaßt sein. Wir haben sie nur für eine Gruppe und für diese unvollständig angedeutet, die GB-Varianz in den Erzählungen und Skizzen ist nicht untersucht.

4.3. So bleibt denn offen die wichtige Frage nach der Dichtungsrelevanz des beschrittenen Wegs zur Wahrheit, gemeint ist, des auf diesem Weg erreichten Fortschritts, denn der Vorgang des Fortschreitens ist ja, wie allenthalben dargetan, erweislich relevant, weil er das Werk konstituiert. Kommen die erlangten Resultate irgendwie im Werk zur Wirkung, in Inhalten, in Formen, in Gehalt, Gestalt? Wenn dies nicht der Fall ist, ist einzig eine zweite Möglichkeit noch denkbar, nämlich daß die Ergebnisse allein im vorästhetischen Bereiche der *Person* Franz Kafka relevant sind. Sie dienten dann seiner Reifung, privater Gewinnung von Erkenntnis, die dem Werk nicht mehr zugute kommt. Doch ist dieser Gedanke sinnvoll, angewandt auf einen, der erst im Schreiben existiert, so für sein Schreiben lebt wie Kafka? Und ist der Gedanke nicht auch deshalb wenig sinnvoll, weil er voraussetzt, daß die Erkenntnis zwar im und durch das Werk gewonnen sein, doch selber gleichwohl in eben diesem Werk sich nirgends geltend machen soll?

5. ZUSAMMENFASSUNG

Drei Größen bestimmen, unter Aspekten der Noetik, das heißt zugleich, der dialektischen Bezüge, die Vorgänge im Werk, insbesondere in den Romanen: der Held, die Welt in der Erscheinung und, dahinter, eine Welt des Wahren als Instanz des schlechthin Anderen, des Fremden jenseits allen Zugriffs.

5.1. Wenn nachprüfbare Resultate Ziel sind, muß man sich freilich in der Forschung nach wie vor auf das Verhältnis zwischen Held und Welt beschränken und es im Rahmen der perspektivischen, zugleich Bewußtseinskongruenz von Dichter, Held und Leser untersuchen. Zwei Ansätze sind dabei möglich, beide führen an einen toten Punkt. Betrachtet man das Verhältnis des Helden zu jenem gänzlich Andern, so ergibt sich, daß zwischen diesen beiden Ordnungen keine dialektische Beziehung möglich ist, folglich — falls man nicht den Sinn rezeptionsästhetisch als Bewußtseinserhellung einer Leserwirklichkeit (infra 3f.) doch noch zu wahren weiß — das Verhältnis absurd, die Tätigkeit der Welt, das Tun des Helden sinnlos ist. Betrachtet man, andrerseits, das Verhältnis des Helden zur Welterscheinung, so ergibt sich, daß der Held die Welt als, so stellt es sich ihm dar, Gegensatz zu ihm begreift, als Antithese, die des Helden eigene Setzung ist, und die Welt spiegelt ihm seinen Begriff von ihr zurück, wobei sie den Begriff bestätigt, doch sogleich auch widerlegt. Solche Kongruenz von Held und Welterscheinung gerät indes zur fruchtlosen Held-Welt-Identität, da nicht eigentlich mehr Welt, sondern der Held sich selbst erscheint und Spiegelung sich lediglich als Reflexion im Doppelsinne von Bewußtseinsspiegelung und Spiegelfechterei erweist, die in der Antithetik einer vordergründigen Logik steckenbleibt, nie also zur Synthese kommt.

5.2. Erst die (Teil-)Lösung der Frage nach den Werk- wie Weltinhalten erlaubt es, außerhalb der Kongruenz von Dichter, Held und Leser ein Verhältnis andrer Art zu untersuchen, das Verhältnis nämlich der Weltinhalte zueinander (cf. 4.1. infra 231 f). Als Varianten derselben Variablen — sie sei ganze Gruppe oder einzelnes Element — spiegeln bestimmte Inhalte sich auf bestimmte Weise ineinander. Solche Spiegelung ist schon von Goethes Werk bekannt, und sie hat hier wie dort den gleichen Sinn: Variationskunst ist, als Kunstart sui generis, die Kunst des Logos, diesseits der Wahrheit zwar, doch zugleich jenseits vordergründiger Reflexion. Denn es ist diese Spiegelung, wiederum bereits bei Goethe, aufs engste mit der Symbolkunst in Zusammenhang, und das Symbol ist ein Begriff — freilich ein besonderer, anschaulicher, weil Begriff der Sache und die Sache selbst —, der der Erkenntnis dient, Einsicht vermittelt in das Wesen der Dinge selbst, dadurch daß er deren Totalität, ganz wie in Hegels dialektischem Verfahren, antithetisch in polaren Spannungen und ihrer synthetischen Steigerung, vielfältig reihend und in unendlicher Annäherung, erschließt.

V. RÜCKBLICK

Resultativ ist der Kafkaforschung etlicher Jahrzehnte wenig, unter Aspekten der Beweisführung hingegen viel hinzuzufügen. Der Forschung fehlt es nicht an treffenden Ergebnissen der Intuition (Hier war vor allem Th. W. Adorno, auch W. Emrich Beispiel). Doch Wissenschaft fordert Überprüfbarkeit. Intuition erhellt das Ziel, bereitet jedoch nicht die Wege. Einen dieser Wege freizulegen, ineins damit der Forschung einen neuen Ansatz zu erschließen, war Absicht dieser Arbeit.

Und zweitens: Kafkas Epik ist Variationskunst und als solche Kunstart sui generis. Daß sie es ist, beweisen einmal die Befunde, beweisen aber, unabhängig davon, auch die besonderen Schwierigkeiten, die bislang der Forschung vor Kafka-Texten in Methode, Terminologie erwachsen sind. Denn diese Schwierigkeiten bilden ein System, konstituiert durch die systematische Nichtberücksichtigung der Variation als des Prinzips von Werk wie Leben. Das Material an Forschung ist inzwischen umfangreich genug, um diesen Schluß exakt zu ziehen. Daher ist es möglich, den Beweisgang auf zwei selbständigen Wegen schlüssig zu führen, einmal vom *Befund*, zum anderen, heuristisch, zur Behebung der Schwierigkeiten in der Forschung, vom *Begriff* der Variation her. Es war ein Ziel der Arbeit, diese beiden Möglichkeiten anzudeuten.

Drittens wird, im Rückblick, sinnenfällig, in welchem Ausmaß man das Dilemma einer Forschungslage zur Eigenschaft des untersuchten Gegenstands erklärt hat. Das gilt sowohl von Kafkas Werk wie Kafkas Leben, und es hat hier wie dort den gleichen Grund: Die Frage des Zugriffs zu den Inhalten ist nicht gelöst.

1. „Es gibt den Kafkaschen Symbolen gegenüber auch nicht zwei Deutungen, die einander ähnlich wären", schreibt beispielsweise Strich. „Kein Wort, kein Satz, kein Bild, bei dem man nicht zur Deutung genötigt würde und trotzdem nie auf festen Boden gelangt." Das ist der Stand der Forschung. Wenn Strich hingegen fortfährt:„Wo aber die Symbole der Dichtung so wenig verpflichtend, bindend und zwingend *sind*, da *sind* sie die brennenden Zeichen dafür, daß die menschliche

Gemeinschaft atomisiert, die Welt im Zerfall begriffen ist . . ."[439], so hat er den Forschungsstand ohne weiteres zur Eigenschaft des Werks erklärt. So verfährt auch Emrich, wenn es heißt, die Struktur der Dichtung Kafkas „enthüllt sich erst im Wechselbezug zwischen den einzelnen Bildern und der universellen Intention."[440] Hier sind, zwischen den minimalen und der maximalen Größe, die Zwischengrößen, die Gegliedertheiten nicht gesehen. Ähnlich Walser. Er beschreibt, als Aufgehobenheit, vorhandene Sachverhalte, ordnet diesen aber gleich bestimmten Wert zu, den nämlich der Strukturkonstituente. Sind keine anderen Werte denkbar? *Ist* Aufgehobenheit die Grundbefindlichkeit des Werkes, oder dient sie dieser? Ist sie zweckvoll in sich selbst oder Mittel zu einem Zweck, der noch nicht gesehen und allererst zu finden ist? Die Reihe der Exempel läßt fast beliebig sich verlängern. Denn ihnen liegt zugrunde ein gemeinsames Problem: In Kafkas Fall ist die Frage des Zugriffs zu den Werkinhalten methodisch allein werkimmanent zu lösen, und sie ist ungelöst geblieben:

„Es scheint das Dilemma der Kafka-Interpretation zu sein", schreibt, so zitierten wir bereits, J. Schillemeit, „daß, was sie notwendig macht, zugleich ihre Unmöglichkeit begründet: die hermetische Abgeschlossenheit der Kafkaschen Erzählungen gegenüber der Welt, aus der der Interpret zu ihnen kommt. Zwischen dem in ihnen eröffneten Raum und dieser Welt scheint es keine Gemeinsamkeiten zu geben. Wie soll da — darin besteht das Dilemma — eine Auslegung verfahren, wenn es immerfort fraglich bleibt, ob das, wovon sie redet und was notwendig der Welt des Auslegers angehört, d a s s e l b e ist wie das, wovon in diesen Erzählungen die Rede ist? "[441] Wenn aber Beziehung der Werkinhalte auf solche außerhalb des Werks nicht möglich ist, lautet die Aufgabe, reduziert auf ihren Kern: Gegeben sind, in gleichviel welcher Größenordnung zwischen Einzelwort und Einzelwerk, die Einheiten ‚a b c d e f'. Methodisch ist einzig die Beziehung dieser Größen aufeinander als ‚noch nicht identifizierte $x_1 y_1 z_1 x_2 y_2 z_2$', im Ansatz richtig also nur die Frage, als was Einheiten welcher Art und Größenordnung aufeinander bezogen sind, wieviel von diesen Bezügen wissenschaftlich greifbar, was also wem werkadäquat vom Deuter zuzuordnen ist. Das bedeutet eine Suche nach möglichst sachnahen

439 F. Strich, l. c. p. 140 (gesperrt von mir)
440 W. Emrich 5, l. c. p. 81
441 J. Schillemeit 1, l. c. p. 168

(einzel- und gesamt-)werkimmanenten Zuordnungskriterien, die vor keiner Dichtung zu den Kriterien des Werkes selber führt. Doch daß die Annäherung in Kafkas Fall so sehr mißriet, beeinträchtigte jeden Ansatz, machte manchen gar unmöglich. Wer dennoch auslegt, gibt, selbst bei methodisch streng gemeinter Untersuchung nachgerade unvermeidlich, rein logisch-empirische Gegebenheiten für die Inhalte des Werkes aus. Emrich etwa schreibt, es gelte, sich zum vollen Textverständnis zu versichern „der Bedeutungen, die die . . . gestalteten Vorgänge, Bilder, ja sogar einzelnen Wörter im Rahmen des Gesamtschaffens Kafkas, einschließlich seiner Tagebücher und Briefe angenommen haben, ähnlich wie man die komplizierte Metaphernsprache eines einzelnen Gedichts Rilkes oder Hölderlins philologisch exakt nur interpretieren kann durch die Kenntnis der Bedeutungsvaleurs, die diese Metaphern im Gesamtwerk dieser Dichter angenommen haben, was nichts geringeres als eine Konkordanz aller wesentlichen Wörter und Metaphern, bei Kafka auch der Handlungsvorgänge, der Räumlichkeiten, etwa der Dachböden, Treppen, Korridore usw., der Jahreszeiten, der Kleidung usw. voraussetzen würde. Eine Vorarbeit dazu habe ich in meinem vor 8 Jahren erschienenen Kafka-Buch zu leisten versucht.'[442] Doch gewohntes Konkordanzverfahren führt in Kafkas Fall zu lediglich bedingt fruchtbarer Kompilation. Dachboden zu Dachboden, Treppe zu Treppe, so ordnen und begreifen wir die Dinge in der Empirie. Ähnlich gesellt Walser Begleiter zu Begleitern, Frau zu Frauen, Feind zu Feinden[443], trägt grobe Vorbegriffe der Geordnetheit ins Werk.

Wir haben als Grundlage der Werkinhaltszuordnung die sog. Elementengruppen ausgemacht, so eine Lösung des Problems von einem neuem Ansatz her geboten. Diese Grundlage ist eine, nicht die einzige, die Lösung daher partiell. Behauptet wird also nicht, die werkeigenen Zuordnungen seien alle annähernd erfaßt. Behauptet aber wird, daß deren freigelegter, unbekannt, wie großer Teil der derzeit einzig wissenschaftlich zugängliche ist, weil es nur dieser Teil erlaubt, die Kriterien des Deuters denen des Werkes selber anzunähern.

2. Als nicht minder wichtig erwies sich in der Forschung eine zweite Problematik, die Frage des Verhältnisses von Biographie und Dichtung.

---

442 W. Emrich 9, l. c. p. 113
443 M. Walser, l. c. p. 54 ff.

Das Wechselspiel von Werk und Leben ist wichtig schon an sich. Entscheidend aber wird die Frage, weil die Antwort tief in den Gang der Forschung eingreift, deren Weichen stellt. Man hat von Anfang an die Relation von Werk und Leben nur auf die denkbar simpelste Beziehung zweier Größen, auf Gleichsetzung, geprüft, die Frage danach dann als falsch gestellt verworfen[444], den Verweis jedoch dann zum Anlaß werden lassen, die Frage nach dem wahren Nexus, schwierigeren Formeln gänzlich auszusparen. Das Versehen erwies sich als der nach der Unmethodik früherer Inhaltsdeutung folgenreichste Fehler in der Forschung.

Denn zum ersten brach die Einheit von Dichter und Dichtung auseinander in ein sonderbares Leben, dessen nun systemwertlose Einzelteile nur noch psychopathologisch zu erklären sind, und in ein Werk, das, nun hermetisch gegen jede Empirie verschlossen, wie „frei im Raum schwebt".[445] „Diese Prosa", schreibt Martini, „vollzieht die alles durchdringende Verwandlung von Stofflichkeit ... in die reine, geradezu schwebende Figur".[446] „Hermetisch", schreibt Adorno, „verhält sich sein Werk auch zur Geschichte". Kafkas Welt ist „objektlose Innerlichkeit", das „hermetische Prinzip ist das der vollendet entfremdeten Subjektivität."[447] „Hermetisch gegen alle Natur und Geschichte abgedichtet", so Emrich, „spielen sich die Vorgänge Kafkascher Romane und Erzählungen ab."[448] „Je vollkommener die Dichtung ist", so programmatisch Walser, „desto weniger verweist sie auf den Dichter ... Franz Kafka ist ein Dichter, der seine Erfahrung so vollkommen bewältigt hat, daß der Rückgriff auf das Biographische überflüssig ist. Er hat die Verwandlung der Wirklichkeit schon vor dem Werk vollzogen".[449] Wer so das Werk bestimmt, kann dann nur noch dem Leben, wie Hodin es tut, „gerecht werden, wenn man seine Gedankenwelt, die aus einer unglücklichen Lebenssituation (Vaterkomplex, Tuberkulose, Unvermögen, sich aus einem verhaßten Milieu loszureißen, Depressionen usw.), aus einer Religion der Verzweiflung und der Negation aufgeblüht ist, von seiner künstlerischen Kraft trennt."[450] — Hat man sich nie gefragt, ob Psychopathie und Hermetik wirkliche Eigenschaft

---

444 Zum Streit um diese Frage cf. u. a. I. Henel 1, l. c. p. 50 u. Anm. 1
445 H. Richter 1, l. c. p. 14
446 F. Martini 1, l. c. p. 296
447 Th. W. Adorno, l. c. p. 321, 327
448 W. Emrich 6, l. c. p. 289
449 M. Walser, l. c. p. 11
450 J. P. Hodin, l. c. p. 10

des untersuchten Gegenstandes sind oder vielmehr von der Tatsache seiner falsch angesetzten Untersuchung stammen?

Zum andern spaltete mit diesem Bruch notwendig sich die Forschung auf in die historisch-biographische und die formal-ästhetische Betrachtungsrichtung, jene auf das Sammeln von Realien beschränkt oder, wo sie klären will, aufs Psychologisieren, auch aufs Soziologisieren angewiesen, diese ständig in Gefahr, in „Formalismus" abzugleiten[451], jede seither fast etabliert als eigenes Fach. Die Aufspaltung war unumgänglich. Wer nicht, wie Emrich, den Gehalt von Werk und Leben konstruktiv mit eigener Begrifflichkeit zu fassen sucht, sieht sich, aus Gründen der Methodik, verwiesen auf entweder Werkform- oder Lebensbeschreibung; beiden ist daran gelegen, „die raschen Fragen nach Bedeutungen auszusparen und eher jene nach verfügbaren Texten und dem sachlich Wißbaren zu beantworten".[452] Damit aber, um Emrich abzuwandeln, zeichnet, zwischen Sinn-, Stoff- und Formhubern, jener dreiseitige „Kampf" sich ab, dessen Alternativen so „schief"[453] wie unvermeidlich sind, denn ihnen liegt zugrunde das Problem, daß das Erfordernis der Wissenschaftlichkeit und die erforderliche Deutung eines Ganzen — Werk *und* Leben, Form *und* Inhalt — in Kafkas Fall nicht zu vereinen sind. „Kafkas ‚Universelles'", schreibt beispielsweise Muschg, „ist ein von Emrich gefundener *Begriff*."[454] Im Gegenzug kritisiert etwa P. Heller am Rückzug auf das wissenschaftlich Mögliche bei Walser, daß die Formbetrachtung das Werk als selbstgenugsames Spiel autonomer Formen sehe und sich so gegen das erste Gesetz der Ästhetik, die Wechselbeziehung von Form und Inhalt, vergehe.[455] Ähnliche Bedenken sind gegen den anders gerichteten Rekurs aufs Wißbare, die Stoffbetrachtung, vorgebracht. Wenn sich „der neue Positivismus nicht dauernd selber prüft, stürzt er", so Demetz, „in eine Milieu-Gläubigkeit ab, die eher dem Zeitalter Taines als dem unseren angehört."[456] Das gilt für den „sozialistischen Positivismus", den Politzer entstehen sieht, wie für den „avantgardistischen Positivismus Klaus Wagenbachs und seines Berliner ‚Symposions'", der jenem „methodisch entgegenkommt." Freilich wird man sich bei solchem Einwand nach stichhaltigeren Argumenten umtun müssen. Politzer

451 J. J. Reed, l. c. p. 160
452 P. Demetz, l. c. p. 900
453 W. Emrich 9, l. c. p. 112 f.

454 W. Muschg 1, l. c. p. 160
455 P. Heller, l. c. p. 263 f.
456 P. Demetz, l. c. p. 901

behauptet typisch für eine ganze Forschungsrichtung, es sei unmöglich, „der bewußt irrealen Welt des Dichters durch Daten und Fakten beizukommen".[457] Ein ganzes vierzigjähriges Leben also, doch keine einzige Partikel Empirie, die zum Verständnis dieser Dichtung nötig wäre?

Nach wie vor gilt, was H. Richter zu bedenken gibt. Man trenne „die künstlerische Wirklichkeit der Werke Kafkas völlig von der Realität der Umwelt, der Dichter wird auf die Gestaltung seines Innenlebens beschränkt". Aber wer die sichtbare Wirklichkeit bei Kafka umforme zum reinen Ausdrucksträger der Seele, beachte nicht, „daß die Seele zunächst geprägt werden mußte, um etwas ausdrücken zu wollen und zu können".[458]

Kafkas Inneres ist zweifellos geprägt. Doch wie? Und: Sind die Gepräge dichtungsrelevant? Hier setzt der zweite Ansatz dieser Arbeit ein.

Das Werk erweist sich als Erlebnisdichtung bislang unbekannter Art, der Nexus zwischen Werk und Leben als ein doppelter. Die Elementengruppen sind entstanden als Erlebnisse der Kindheit, Kindheit hierbei, gleichviel ob Altersstufe oder innerer Zustand, im Sinn derselben Disponiertheit, kindhaft überwältigt zu erleben. Jede Gruppe ist das sprachliche Korrelat eines Erlebnisses, jedes Element Entsprechung eines Einzeleindrucks. Bei einer Gruppe (GP) ist diese Übereinstimmung belegt, das zugehörige Erlebnis stammt aus der Zeit etwa vom vierten[459] bis zum sechsten Lebensjahr. Die Eigenschaft (fünffache Variabilität) der autobiographisch nichtbelegten Gruppen ist in der Epik ununterscheidbar jener der belegten gleich, weist daher analog auf eine nämliche Entstehung. Darauf verweist auch, unabhängig von der Gleichheit, anderes: Eine der nichtbelegten, episch zugleich wirkungsreichsten Gruppen (GV) ist auf andre Weise biographisch nachweislich

457 H. Politzer 5, l. c. p. 53
458 H. Richter 1, l. c. p. 14, 16
459 Cf. E. Haiker, l. c. p. 22: „Das Durchschnittsalter der ersten Erinnerungen berechnet auf Grund des gesamten Materials [von „771 frühesten Kindheitserinnerungen", p. 19], lag bei 3·32 Jahren; für weibliche Personen bei 2·99, für männliche bei 3·82. ... Vergleiche mit früheren Resultaten bestätigten dies: C. Miles, die nur weibliche Versuchspersonen hatte, erhielt ein Durchschnittsalter von 3 Jahren; W. Kammel, dessen Versuchspersonen alle männlichen Geschlechts waren, ein solches von 4 Jahren."

tief eingeprägt; Kafka träumt sie fünfzehnmal in sieben Jahren. Und es sind alle, auch die nichtbelegten Gruppen, langlebig und unverändert wirksam, je nach dem Stande dieser ihrer Untersuchung maximal für ein Jahrzehnt in den Romanen oder fast zwei Jahrzehnte im Gesamtwerk oder mehr als drei im Leben (ca. 1890 als terminus a quo der Kindheitserinnerungen).

Dabei ist der Nachweis dieser Übereinstimmung von Werk und Leben zum Zweck der Gegenprobe auf zweifach verschiedenem Weg geführt. Eine Gruppe (GP) wurde innerhalb des Werkes extrahiert, dann erst auf biographische Geprägtheit untersucht, umgekehrt eine andere (GV) biographisch aufgegriffen, dann im Werk verfolgt, sie war zuerst Extrakt von Träumen.

Die Erlebnisherkunft der Elementengruppen läßt fürs Verhältnis zwischen Werk und Leben eine Leerformel entwickeln: In der Kindheit prägt Empirie sich ein; deren Partikel bleiben lebenslang eingeprägt, jede Partikel erzeugt ein Element, jedes Element wird episch wirksame Variable. Dies ist, als Eingriff der (Primär-)Erfahrung in die Epik, der erste Nexus. Der zweite ist, rückläufig nun, der spätere Griff des Dichters in die (Sekundär-)Erfahrung. Ein Element will variiert, d. i. konkretisiert sein; realisiert wird es durch Rückgriff auf die Realität des Tages, auf aktuelles Gelesenes, Erlebtes. So macht Erfahrung sich gleich doppelt geltend, einmal von innen, von Frühschichten des Innern her, zum anderen späterhin von außen. Das bedeutet für die Forschung: Ist erst das Mißverständnis ausgeräumt, es handle sich allein um eine statt um zwei Erfahrungsarten, dann haben die Betrachtungsrichtung, die im Werk Gestaltung eines Innenlebens sieht, und jene, die im Werk dem Umwelteinfluß nachspürt, beide recht. Sie sind zwei Hälften eines Ganzen; in den von der Leerformel gesetzten Grenzen trägt beider Suche gleich viel zum Verständnis eines Textes bei. Das Entweder-Oder löst sich also im Sowohl-Als-auch. Wenn es in „Amerika" z. B. heißt: „Prag kenne ich ja ausgezeichnet, ich war ja ein halbes Jahr in der Goldenen Gans auf dem Wenzelsplatz angestellt" (A 149), und K. Hermsdorf anmerkt, dies sei „ein wirklich existierendes, seit langer Zeit hochberühmtes Gast- und Einkehrhaus" gewesen, so bedeutet das zwar nicht, daß dem Roman „ein konkreter und wirklicher, außerhalb des inneren Erlebnisbereiches existierender, geschichtlich fixierter Stoff zugrunde liegt"[460], denn „zugrunde" liegt, und zwar im unterdes längst

460 K. Hermsdorf, l. c. p. 30 f.

„inneren Erlebnisbereich", das einst primär erfahrene Ereignis-, dann Erlebnis-, dann epische Element ‚GOLD' (GZ 37.6), doch dadurch sind, mit allen Implikationen, Anteil und Funktionswert ausgemacht, die die Primär- und Sekundärerfahrung beim Zustandekommen dieser Stelle haben.

So wird denn auch im Falle Kafkas deutlich, was allgemein für die Beschäftigung mit Dichtung gilt: Wer werkimmanent verfahren will, wird dennoch der Rücksicht auf den Stoff, das heißt hier, auf diesen doppelten Bezug zum Stoff, nur schlecht entraten können; der immanent gefundne Werkinhalt ist sonst nicht vollständig zu klären, schon das Faktum der Gruppierung der Variablen nicht. Besonders die Werkformbeschreibung sieht sich, wenn sie ihre Positionen überprüft, auf sehr genaue Stoffkenntnisse angewiesen, denn die Form ist weder als die geformte noch als die formende zu klären in Unkenntnis der Kräfte, mit denen sie sich mißt und deren Art und Ausmaß entscheidend am Ergebnis dieses Kräftespiels beteiligt sind. Die Deutung gar des Ganzen, eines Werks und Lebens, ist ohne diese Rücksicht methodisch nicht mehr möglich. Allein mit dem Begriff wie dem Befund einer variationsgeprägten Erlebnisdichtung dieser besonderen Art ist das Ganze bündig zu erklären, sind Kindlichkeit und Vaterbindung, Schreibzwang, Einsamkeitsbedürfnis, Lärmempfindlichkeit, Selbstversenkung, Selbstzerstörung zu verstehen, ist der Dichtungswert des Lebens, der Lebenswert der Dichtung auszumachen.

3. Nirgends, noch einmal sei's betont, ist durch den ersten und den zweiten Ansatz mehr eröffnet als ein Zugang. Es fehlt die Bestandsaufnahme aller Elementen- und Gruppenvarianten im gesamten Werk, nicht nur in den Romanen. Und vor allem fehlt die Deutung eines ganzen Werks, vorzugsweise eines der Romane, im Rahmen u. a. einer Untersuchung aller Varianten, ihrer Eigenheiten, Unterschiede, ihrer Entwicklung im Einzel- und Gesamtwerk. Beides sind Unternehmen einer Größenordnung, die dieser Arbeit nur den Hinweis auf sie übrig läßt.

Doch für die Grenzen dieser Untersuchung wichtig waren auch drei in der Sache selbst gegebene Zäsuren:

Wir haben die Untersuchung überall nur bis zu dem Punkt vorgetrieben, wo Aspekte nicht mehr nur einzeln festgestellt, wo sie vielmehr, im Zusammenhang einer Werkinterpretation, jeweils bewertet, in ihrer

Gewichtigkeit bestimmt sein müssen.[461] Die Beschäftigung mit Literatur hört generell an diesem Punkt auf, Handwerk, und fängt an, Kunst zu sein.

Zweitens schien es geboten, zunächst die *allgemeinen* Konsequenzen zu bezeichnen, die sich für die Forschung aus den drei entdeckten Sachverhalten — Elementengruppen, frühkindliche Erlebnisse als Eindrucksgruppen, Homogonie der Traumaufzeichnungen — ergeben.

Und es galt drittens, diejenigen Konsequenzen vordringlich zu untersuchen, welche beitragen könnten, die autorenspezifischen Schwierigkeiten bei der Beschäftigung mit diesem Dichter zu beheben. Nach wie vor ist es die Aufgabe der Forschung, die Interpretierbarkeit Kafkas zu normalisieren.

461 Cf. vor allem Kap. I, 4.2.3 und 4.5; Kap. II, 6; Kap. III, 4.2

462 [Zu Anhang V:] Durchgesehen sind *Bonime, Walter*: The Clinical Use of Dreams. — New York: Basic Books 1962; *Erke, Heiner*: Der Traum. In: Handbuch der Psychologie [LERSCH]. Bd. I, 1. Allgemeine Psychologie. — Göttingen: Verl. f. Psychol. Dr. C. J. Hogrefe 1966. p. 1097—1134; *Freud, Anna*: Einführung in die Psychoanalyse für Pädagogen. — Bern u. Stuttgart: Huber [3]1956 (= ‚Bücher des Werdenden', 2. Reihe, Bd. 5); *Freud, Sigmund*: Die Traumdeutung.— Frankf./M.. S. Fischer 1972 (=Freud-Studienausgabe. Bd. 2. Hg. v. A. Mitscherlich, A. Richards, J. Strachey.); *Garma, Angel*: The Psychoanalysis of Dreams. — London: Pall Mall 1967; *Graevenitz, Jutta v.* (Hg.): Bedeutung und Deutung des Traumes in der Psychotherapie. — Darmstadt: Wissenschaftl. Buchges. 1968 (= Wege der Forschung. CV.); *Hall, Calvin S., and Robert L. Van De Castle*: The Content Analysis of Dreams. — New York: Appleton-Century-Crofts 1966; *Horton, Lydiard H.*: The Dream Problem and the Mechanism of Thought. Viewed from the Biological Standpoint. In Three Books. — Philadelphia: Cartesian Research Society 1925; *Kemper, Werner*: Der Traum und seine Be-Deutung. — Hamburg: Rowohlt Taschenbuch 1955 (= Rowohlts deutsche enzyklopädie. Bd. 4); *Siebenthal, W. v.*: Die Wissenschaft vom Traum. Ergebnisse und Probleme. — Berlin, Göttingen, Heidelberg: Springer 1953; *Wiesenhütter, Eckart*: Traum-Seminar. — Stuttgart: Hippokrates 1966 (= Schriftenreihe zur Theorie und Praxis der medizinischen Psychologie. Bd. 11.)

ANHANG I

Gesamtdarstellungen der Variationsprägung
pro Gruppe und pro Roman

VORBEMERKUNGEN

1. Rechnungsgröße ‚Seitendrittel‘

1.1. Die Dritteleinheit ist in Ort und Umfang stets auf die vollständig bedruckte Seite der Romanausgaben bezogen.

Das bedeutet den *Ort* auch eines teil- oder nichtbedruckten Drittels in der Regel dort, wo auf einer vollbedruckten Seite das 1., 2. oder 3. Drittel abzuteilen wäre. Das heißt: Bei z. B. Kapitelanfängen wie in S 338 hat das 1. Drittel (a) nur 4 Zeilen, das 2. (b) und das 3. (c) normale 10. — Ausnahme: Da sich die Variationsprägung selbstredend nicht nach der Druckseitenteilung richtet, war zuweilen eine (in den Angaben nichtgekennzeichnete) Seitenteilverschiebung von 2—3 Zeilen geboten; ggf. zählt also in „Amerika“ oder „Prozeß“ Zeilenbereich 9—19 schon, Bereich 12—22 noch als ‚b‘, zählen im „Schloß“ etwa Bereich 1—8 und die zwei letzten Zeilen der vorhergehenden Seite schon als ‚a‘ usf.

Es bedeutet ferner den *Umfang* von regelmäßig 10,7 Zeilen in „Amerika“ und „Prozeß“ (als 11 + 11 + 10 = 32 Zeilen) bzw. 10 Zeilen im „Schloß“ (30 Zeilen). — Ausnahme: Die Zeilen eines Seitendrittels von weniger als der Hälfte seines Normalumfangs werden dem anderen Drittel bzw. den beiden anderen Dritteln zugeteilt; beispielsweise rechnet in erwähntem S 338 Seitendrittel a = O, b = 12, c = 12 Zeilen.

1.2. Die Wahl der Rechnungsgröße sollte drei Ansprüchen zugleich genügen. Adäquat widerspiegeln sollte sie erstens Phänomen und Grad der Gruppenmischung (Vorkommen mehrerer Gruppen in derselben Texteinheit), zweitens Zahl und Umfang der sog. Streuvorkommen (isolierte Bruchstückvorkommen einer Gruppe), drittens Zahl, Umfang und Grad der unterschiedlichen Prägungsmengen in den Texten.

Vom Bild der Prägungsverhältnisse in den Romanen bot sich dazu als optimale Größe das Seitendrittel an:

Mehr- bis Einzeilen- oder gar Einzelworteinheiten ergeben geringe oder keine Gruppenmischungswerte und verfehlen mit dem Textzusammenhange das Gesamtbild ebenso, wie Halb- oder Ganzseitengrößen es mit hohem Mischungswert verfehlen.

Der Umfang der Streuvorkommen einer Gruppe bewegt sich in der Regel im 5—15-Zeilen-Bereich.

Auch bei den Prägungsmengen gibt die Drittelmessung die Verhältnisse bestmöglich wieder. Doch gerät sie hier, weil an ihr aus Gründen der Übersichtlichkeit ausnahmslos festgehalten werden mußte, zuweilen zum Nachteil, weil sie stark geprägte 10—11-Zeilen-Einheiten manchmal auf 2 Seitendrittel aufteilt. GP etwa hat in S 212 ab eigentlich eine große, in S 372 ab eine sehr große Prägung.

2. Gruppentexte, Elementennamen, Variantennotierung

Die Verbalisierung der Elemente, kurz ‚Elementenbenennung‘, weicht von linguistischen Notierungskonventionen ab.

Die Elementennamen sollen zwei Ansprüchen zugleich genügen, semasiologisch dem Anspruch möglichst großer Präzision, onomasiologisch dem möglichst leichter Überprüfbarkeit, praktischer Erleichterung also bei der Suche nach den Elementen und Varianten im Romantext. Das bedeutet die genaue romantextnahe Benennung eines Elements und die Bestandsaufnahme aller seiner Varianten. In manchen Fällen lassen die Erfordernisse sich vereinen. Für die meisten Fälle freilich gelten nur als Optimum, zwei Regeln, nämlich die

2.1. *Regel zugleich möglicher und nötiger Notierung:* Das Element ist, wenn möglich, zu benennen, und zwar knapp und treffend, falls es nicht bereits in seinen Varianten wörtlich ständig wiederkehrt; die Varianten sind so zahlreich aufzuführen, daß ein Begriff vom Grundmerkmal entsteht.

2.2. *Regel textnaher Verbalisierung:* Nach Möglichkeit sind für die Elementennamen, und für die Varianten immer, Wörter des Romantexts selbst zu nutzen.

Die Praxis der Notierung gestaltet sich entsprechend je nach unnötiger, zugleich nötiger und möglicher und, drittens, unmöglicher Benennung so:

In GB 1.1. ‚LICHT/Oberlicht [= Fenster]/Augen(licht)‘ erübrigt sich die Elementnennung ‚LICHT‘, genügt die (hier komplette) Variantennotierung. Die Namen der Varianten und der erschließbare des Elements sind Wörter der Romane.

In GV 1.2 ‚SCHIEF: leicht/sehr/stark geneigt/gelehnt/schief/abfallend/an-, abSTEIGEND/steil/quer‘ ist ‚SCHIEF‘, obwohl als Wort nur in 6 = 5 % von etwa 120 Variantenvorkommen in den Romanen verwendet, ebenso knappe wie treffende Verbalisierung des gemeinsamen semantischen Merkmals in einem sprachlich höchst verschiedenartigen Wortbestand an Varianten (Tabelle infra 24 ff.) Die Varianten sind nur so zahlreich notiert, daß ein annähernder Begriff von diesem Element und dessen Variation entsteht.

Verbal schwer oder gar nicht greifbar ist das Element in GP 3.2 ‚STÖHNEN/schnaufen/fauchen/zischen/seufzen/gurgeln/brummen‘. — Möglich, aber umständlich und für die Suche nach den (hier ohnedies kompletten) Varianten ungeeignet wäre die Elementennennung zu GV II3 ‚HÜFTE/HÜFTWUNDE/Rücken (an/hinter Rücken/im Hintergrund)/Körper/rotes Gesicht/BLUME‘; Element ist eigentlich ‚das sich von innen/von der Mitte/aus der Tiefe/auch: vom Hintergrund/von hinten her Öffnende/auch: Erblühende/das von innen usf. Kommende und (zumeist Blut-/Rot-)Farbige und Rundflächige an einem Körper/auch: Blumenkörper‘, wobei die ‚Farb‘-Variation im Typ ‚rot, [weiter zu:] Blut, [weiter zu:] wund‘ assoziative Übergänge schafft zu ‚scharf/spitz/stechen/schneiden‘, die auch dort noch auftreten, wo das auslösende ‚rot‘ ausbleibt, wie beim gelben „Löwenzahn“ (infra 325). — In GZ 37.4 ‚auf/an RÜCKEN/ARME/KOPF/HALS/eng gegen Tisch (ihn fast umwerfend) DRÜCKEN/ZIEHEN/STOSSEN/Gepäck AUF DER SCHULTER‘ ist es ähnlich eine irgendwie gegebene Merkmalkombination von (Schmerz) + (Druck) +

(Oberkörper). Die Suche nach den unter diesem Element nicht angeführten Varianten würde freilich auch durch eine umständliche Präzisierung kaum gefördert.

2.3. Das Zeichen ,+'

Eingeständnis mißlungener Verbalisierung, vielleicht gar Elementbestimmung, ist insbesondere das Zeichen ,+' hinter der Elementennummer. Hier hat sich als ungelöst ergeben das Problem der Inhaltsdifferenzierung bei ungünstigen L-V-Verhältnissen von ,2 : 3 und weniger' vor allem von Elementen mit hoher Vorkommenshäufigkeit (vgl. Kap. I, 4.2.3.6). Die ,+'-Kennzeichnung bedeutet bedingte Gruppenzugehörigkeit, für z. B. GB 6.1 ,gehBEHINDERT' so, daß von den Gesamtvorkommen dieses Elements für diejenigen ein Inhaltsspezifikum postuliert wird, die in den Vorkommenszonen allgemein von GB, in der Regel auch in den Zonen eines bestimmten Komplexes erscheinen. In der Praxis der Vorkommensnotierung der Gruppe sind daher solche Elemente stets erst nach Feststellung der nichtbedingten zu registrieren.

2.4. Regel der Gruppenkontextbindung

Um die mangelnde Präzision, auch den Präzisionsverlust, der entsteht, wenn man die Varianten aus dem Romankontext löst und isoliert notiert, teilweise auszugleichen, gilt als dritte Regel die der Bedeutungsbindung durch den Gruppenkontext:

Das Gesamt der notierten Varianten desselben Elements binde und verengere stets (ohne besonderes Notierungszeichen) die Bedeutung im Elementen- und in den Variantennamen. ,Freund' in GZ 27.2.2. ,ALTEN FREUND/alte Freundin/Bekannte(n)/[weiter zu:] ALTE FRAU TREFFEN' bedeutet ,alter, guter Bekannter', in GP 23 ,Auskunft-/RATGEBER/Freund/VERTRAUTER' dagegen ,Freund in der Not, der mit gutem Rat aushilft'.

Das Gesamt der notierten Elemente und Varianten derselben Untergruppe, dann derselben Gesamtgruppe binde und verengere stets (ohne Notierungszeichen) die Bedeutung in den Elementen- und Variantennamen. Vgl. dazu das Beispiel S 59 b im Stichwort „Gruppenmischung" (unter 3.3. „Elementensynonymie").

Diese Regel dient zugleich der Auflösung scheinbarer, d. h. notierungsbedingter Elementen- und Variantensynonymie.

3. Gruppenmischung

Der Terminus ,Gruppenmischung' bezeichnet das Vorkommen mehrerer Gruppen oder von Teilen dieser Gruppen in derselben Texteinheit.

In „Amerika" sind 610 Seitendrittel variationsgeprägt, aber die Gesamtzahl der von allen Einzelgruppen im Roman geprägten Seitendrittel ist 973. Das bedeutet eine Prägung der 610 Drittel durch durchschnittlich 1,60 Gruppen pro Seitendrittel — im „Prozeß" durch 1,74, im „Schloß" durch 1,55, im Durchschnitt aller Romane durch 1,62 (Tabellen infra 296), also durch etwa anderthalb Gruppen pro geprägter

250

Texteinheit, und zwar auf drei verschiedene (in der Variationsnotierung nichtgekennzeichnete) Weisen:

3.1. Variantenwechsel

Aufeinanderfolge von Varianten verschiedener Gruppen: Beispiel S 56 a: in
ungefährer Reihenfolge „schief aufgesetzter" Zwicker = GV 1.2; „verdeckte die
Augen" = GV 15.1 und 17.1; „ihm stark zugedreht" = GV 19; Haltung des „dicken,
schwerfälligen" Klamm (S 55 c): „linken Ellbogen ... auf dem Tisch" (= oben),
„rechte Hand ... auf dem Knie" (=unten) = GV 18; „Virginia" und „Bierglas"
= GK 2.3; „Knie" = GK 10; „nicht genau sehen, ob" auf dem Tisch „Schriften
lagen, es schien ihm aber, als wäre er leer" = GK 5.2 und 5.3

3.2. Variantenpolyvalenz

Variation mehrerer Elemente verschiedener Gruppen im selben Wortmaterial:
Beispiel A 235 c: „Fliege" in Varianz zu GB 26.1 ‚TIER', GV 11.2 ‚FLIEGEN',
GZ 43.1 ‚UNGEZIEFER'; „Kinder ... liefen im Trab herbei" zu GV 7.1.1
‚PFERD', GZ 19.3 ‚LAUFEN [von Kindern]'; „im Tor gegenüber ... Frau" zu
GB 3.1 ‚[Zuschauer] IN TÜR GEGENÜBER', GZ 13 ‚Tor AUF DER ANDEREN
SEITE VON [hier: der Straße]'; „rief da eine Stimme aus der Höhe" zu GV II11 ‚in
der Höhe' bzw. GV II14 ‚GROSSer HIMMEL', GZ 26.5 ‚[von] oben mächtige
STIMME/NamenRUFEN'; „vom Balkon des letzten Stockwerks" zu GB 4.2 und
4.3 ‚Zuschauer VORGEBEUGT über BRÜSTUNG', GZ 6.1 und 6.3 ‚HAUS,
ungewöhnlich HOCH' und GZ 14.2 ‚ZIMMER UNBESTIMMTer Lage ganz OBEN
UNTER DACH'.

3.3. Elementensynonymie (Mehrfachzugehörigkeit)

Variation desselben, doch mehreren Gruppen zugehörigen Elements: Hierher
gehört besonders der in seinem Ausmaß einzige Extremfall der Teil- bis Totalkon-
gruenz von GV II (hauptsächlich Wundtyp 1) mit den entsprechenden GB-Ele-
menten, wie z. B. in S 59 b mit GB-, GV- und GZ- Kongruenzen: ‚K. als Zuschauer'
= GB 5 = GV II5; „Tanz" = GB 5 = GV 7.2.1 = GZ 19.4.2; um „Mittelpunkt ... im
Reigen tanzten sie herum" = GB 13 = GV II7 und II9 = GZ 19.6; „Schrei" = GV
7.2.2 = GZ 19.5; das Mädchen „Olga" = GB 8 = GV II4; „faßte sie ... fest" =
GB 17.2 = GV II2; „faßte sie mit einer Hand ... um" = GB 13 = GV II1.2; an „die
Hüfte" greifen = GB 12.2.1 = GV II3; „wirbelte sie einige Male herum" = GB 13 =
GV II9 = GV 3 = GZ 19.6.
Sofern es sich um echte Mehrfachzugehörigkeiten, also identische Elemente
handelt, rührt diese Art der Gruppenmischung daher, daß die verschiedenen
Gruppen offenbar von vornherein nicht unverbunden existieren, sondern sich
berühren an zentraler Stelle, in Schnittpunkten, an denen sich die Wege kreuzen. Es
sei dahingestellt, ob eine oder einige wenige Stammgruppen anzusetzen wären,
verästelt in die Elementengruppen, diese wiederum verzweigt in eine Vielzahl
Varianten. Festgehalten sei, daß an diesen Punkten Übergänge, Abschweifungen,
Anklänge möglich sind.

Viele, sogar die meisten Kongruenzen gehen allerdings, nur scheinbar total, zu Lasten einer unzureichenden Verbalisierung. Genau betrachtet ist z. B. GV II (hauptsächlich Wundtyp 1) ein spezialer Fall von GB, die Mehrzahl seiner Varianten stellt einen besonderen Variationstyp dar. Generell sind die meisten auch der teilsynonymen Elemente homonym, ihre Variation gehört daher im Grunde zur Variantenpolyvalenz. In der Tanzszene von S 59 b z. B. ist das Kinderspiel vom Reigentanz als GZ 19 nicht schon die Entfaltung roher tierischer Kraft und körperlicher (Massen-)Bewegung von GV 7, und beide sind nicht gleich dem Liebes-, Todesakt von GB 10 ff. Gewiß ist allen drei Komplexen die Spiel-Kampf-Ambivalenz gemeinsam — deshalb treten sie auch hier gemeinsam auf —, aber der überelementare Gesamtinhalt einer Gruppe (auch schon der Inhaltskontext der Variante in ganz S 59) weist jedem ihrer Elemente stets einen generellen Inhalt zu: GZ den der Tätigkeit und Stellung im Raum (‚Raum‘ und ‚Stellung‘ auch übertragen, etwa im sozialen Sinne), GV den der Menschenmasse, ihrer körperlichen Bewegung und Beschaffenheit, GB den der Behandlung eines Körpers, hauptsächlich eines Menschen. So hat etwa ‚Reigen um (Olga als) den Mittelpunkt herum‘ je anderes zum Inhalt: ‚Wir halten uns (an der Hand) und drehen uns und einen Mädchenkörper mörderisch im Kreise‘ (GB-Inhalt); ‚Wir sind eine Masse, wie ein Strudel, von roher, elementarer Kraft, wir sind wie ein (einziges) Tier‘ (GV-Inhalt); ‚Wir sind Glieder einer Gruppe, bilden eine geschlossene Einheit, als Kreis, im Spiel‘ (GZ-Inhalt). Doch solche Inhalte sind nur schwer, oftmals gar nicht in die Elementennamen einzubringen.

4. Variationsprägung in den Romanen

Variationsprägung bedeutet die Prägung des Wortmaterials der Romantexte durch die Elemente jeweils einer Gruppe. Das bedeutet:

4.1. Der Begriff der Prägung ist einzelgruppenorientiert. Diese ‚Einzelgruppenprägung in den Romanen‘ ist nur mit Einschränkung zugleich auch ‚Textgeprägtheit der Romane‘. Unter dem Aspekt allgemeiner Textgeprägtheit sind die Variationsbeschreibungen pro Roman (infra 284 ff.) daher nur Grobbeschreibung. Denn nicht etwa gilt ein Seitenteil schon als geprägt, wenn er, im konstruierten Beispiel, je 1 Element aus 10 verschiedenen Gruppen aufweist. A 15 c etwa ist als nichtgeprägtes Seitendrittel notiert, obwohl es GK 3.1 im Zeilenbereich 21—25, GV 1.1 und 1.2 in Zeile 23, GZ 19.2 in Zeile 24, (zweifelhaftes) GB 12.4.1 im Zeilenbereich 26— 27, GB 12.1 in Zeile 29, GB 19.1 im Zeilenbereich 30—32, also zusammen 7 Elemente aus 4 verschiedenen Gruppen zählt.

Diese Regel wird der Notwendigkeit gerecht, in erster Linie nicht die Textgeprägtheit darzustellen, sondern, für die Werkinhaltsforschung einzig wichtig, die allein über die Einzelgruppen greifbaren Bedeutungen der Textpassagen zugänglich zu machen (cf. Kap. IV, 4.2).

4.2. Der Begriff der Prägung ist variations-, nicht variantenorientiert. Das bedeutet die Notierungsregel, nur das Vorkommen des Elements in jeder seiner

Erstvarianten, nicht die Zahl aller Varianten pro Seitenteil zu rechnen. Für GB in A 51 a zählt GB 13 wegen wörtlicher Wiederholung von dreimaligem ‚Kurbeldrehen' nicht drei-, sondern einmal, GB 8 jedoch zweimal wegen je neuer Varianten in ‚Kind Karl zwischen Mutter und altem Mann' und in ‚Christkind inmitten der heiligen Familie'. Dem Begriff allgemeiner Textgeprägtheit müßte dagegen schon ein und dieselbe stets wiederholte Variante eines Elements pro Seitenteil genügen, wie in S 395 a GP 9 fünfmal als „stören", „stört", „störte", „Störungen", „Störungen" (achtmal im Zeilenbereich 394, Zeile 29, — 395, Zeile 15), oder in S 396 c GP 11 siebenmal, als viermal „müde", dreimal „Müdigkeit".

Diese Regel versucht, im Zweifelsfall im Sinne Kafkas zu verfahren und der Art und Weise seines Dichtens mehr gerecht zu werden als dem Resultat. Das Auftauchen eines Elements und die je verschiedenen Erstversuche des semantischen Entwurfs sind, weil Qualität, entscheidender als die Quantität der schieren Anzahl der Varianten.

Die Regel, die Erstvarianten desselben Elements in jedem neuen Seitendrittel neu zu zählen — erwähntes GP 9 ‚STÖRen/-ung' einmal (bei fünffachem Vorkommen) in S 395 a und noch einmal (bei zweifachem Vorkommen) im nächsten Drittel —, gilt nicht für extrem hohe Häufigkeiten wie die der Wörter „Untersuchungsrichter" im 2. und „Frau", „Mädchen", „Auskunftgeber" im 3. „Prozeß"-Kapitel, „Schloß" im „Schloß" u. a. m. Sie werden nicht gezählt.

4.3. Die Grenzen der Variationsprägung sind teilquantifizierbar durch die Zahl der Erstvarianten pro Seitenteil. Die Obergrenze ist dabei gegeben, denn mehr als 3 bis 4 Variationsprägungen pro Zeile sind durchschnittlich nicht möglich. Die Untergrenze ist gesetzt, liegt daher strittig, bei 3, zuweilen 4 (gleichgültig wievielmal wiederholten) Erstvarianten pro Seitendrittel, wie z. B. für:

3 GV-Varianten in (leicht verschobenem) S 59 a: GV II 14 in ‚„Du lieber Himmel!'" (S 58, Zeile 30), GV 2.1 (nebst zweifelhaftem GV 1.1) in „glitt . . . vom Faß", GV II 7 in „sie umringenden Freunden".

4 GB-Varianten in S 58 a: GB 12.2.1 in „nahm aus der Ledertasche, die sie am Gürtel hängen hatte", GB 12.1 (und zweifelhaftes GB 12.2) in „nahm aus . . . ein Hölzchen", GB 12.3 (im semantischen Hintergrund schwaches GB 17.2) in „Hölzchen, verstopfte damit", GB 14.3 in „Guckloch".

Aber auch 3 GP-Varianten in S 369 c: GP 11 in viermal „müde", dreimal „Müdigkeit", GP 20.2 in „Arbeit schädigte", GP 12 in „unzerstörbare Ruhe".

5. Variationsgrade

Die Variationsprägung in den Romanen ist unterschiedlich groß. Um diese Unterschiede reproduzierbar zu machen, sind sie, wenngleich lose, mit der Zahl der Variationsprägungen (Erstvarianten eines Elements) pro Seitendrittel verknüpft. Dadurch, so sei unterstellt, bleibt zwar die Bewertung des Prägungsgrads im Fall einer bestimmten Seiteneinheit strittig, sie wird jedoch, über große Textpassagen hin geführt, zumindest im Bereich der großen Durchschnittszahlen stimmen, also pro Roman, womöglich schon Kapitel.

Grad	Prägungen pro Seitenteil	Bezeichnung
0	0—2	nicht, kaum geprägt
1	3—5	einfach geprägt, kleine Prägung
2	5—7	stark geprägt, große Prägung
3	7 und mehr	sehr stark geprägt, sehr große Prägung

Beachte: Die Seitendrittelnotierung teilt zuweilen große und sehr große Prägungen im 10—11-Zeilen-Bereich auf zwei Seitendrittel auf und läßt sie dort als kleine Prägungen erscheinen.

Die Bindung an die Zahl der Prägungen gilt in der Regel, nicht ausnahmslos.

Grad-3-Vorkommen einer Gruppe haben gegenüber den Grad-2-Vorkommen zusätzlich zur, manchmal jedoch auch *statt* der höheren Zahl der Prägungen die deutlichere Übereinstimmung zu den anderen Varianten dieser Gruppe und/oder sind besonders charakteristisch für die allgemeine Variation oder einen besonderen Variationstyp dieser Gruppe. GB etwa ist in A 51 bei nur 6 Prägungen (davon nur einmal gezähltes GB 13 in dreimal ,Kurbel drehen' und sehr ausgeprägtes GB 8 und 10 in ,Christkind' und ,Kind Karl') dennoch als sehr große Prägung notiert. Das Beispiel ist besonders charakteristisch für GB, auch für die Variation von Gruppen allgemein.

An der Untergrenze sind aus den gleichen Gründen in allerdings sehr seltenen Fällen (Promille-Anteil) 2 Prägungen pro Seitenteil unter Grad 1 notiert. So für GK in S 17 a bei GK 9 ,GEFALLEN' im Bereich S 16, Zeile 26, — S 17, Zeile 1, und GK 3.1 ,SCHMUTZ' im Zeilenbereich 7—9. Sonst sind Textteile mit nur 2 Prägungen nicht gezählt, so etwa nicht GB in A 15 c: zu unvollständiges GB 12.4.1 in ,besserer Anzug', GB 12.1 in ,Anzug flicken', GB 19.1 ,Veroneser Salami essen'.

6. Zur Überprüfbarkeit

Die Überprüfung des Befundes setzt die Möglichkeit voraus, Text- als Einzelwort-, genauer noch ,Substanzwortlektüre' zu betreiben, dabei zugleich, in diesem vorästhetischen Wortmaterialbereich, die Substantive, Adjektive, Verben und Adverbien auf ihre Wortfeldzugehörigkeit zu prüfen und mit den Elementengruppen zu vergleichen. Vier Schwierigkeiten stehen dem entgegen:

Der starke logisch-syntaktische, zugleich klanglich-rhythmische ,Sog' der Texte (infra 21 f.) erschwert die Wahrnehmung der Elemente, gar ihrer Nachbarschaftskonstanz, gewiß nicht minder als ein, wenn das Bild erlaubt ist, äußerst schnell fließendes Gewässer; man sieht den Untergrund nicht, mag er auch fast zutage liegen, das Wasser noch so klar sein. Praktisch bedeutet die Lexemlektüre, die Syntax zum Stillstand zu bringen.

Oft unterscheidet sich ein Gruppentext von den tatsächlichen Romantextvarianten dieser Gruppe wie in der Musik das einfache, unvariiert gespielte Thema von seiner fast bis zur Unkenntlichkeit entfaltenden Variation. Diese Unzulänglichkeit

254

hat ihren einen, den linguistischen Grund in einer nicht stets geglückten Lösung des Wortfeldproblems. In ihrem anderen Grunde aber ist sie mittelbar Beweis für die Notwendigkeit von Variationskunst und gegen die Möglichkeit, das, was variiert wird, gleich treffend direkt auszusagen. Was Dichter und Komponist zu Wort und Klang zu bringen haben, läßt sich ersichtlich nur im Durchgang durch eine Vielzahl Varianten sagen, nicht direkt. Man hätte, sollte man's versuchen, den Künstler selbst zu übertreffen, um Größenordnungen der Sagbarkeit.

Die Elementenvarianten sind in den Gruppentexten allgemein nicht vollzählig notiert. Aus Raumgründen war die Bestandsaufnahme aller, stellenweise fast ein Wörterbuchprojekt, nicht möglich.

Schwierigkeiten bereiten endlich Unzulänglichkeiten in der Wortfeldbestimmung, Elementenbenennung und Variantennotierung.

Eines ist vor aller Variation, sie sei Ton- oder Wortkunst, gleichermaßen wichtig: Die Erkennung und — man beachte dies — die Wiedererkennung eines Variierten ist direkt abhängig von der Zahl der gehörten und gelesenen Varianten; und diese Zahl ist um so höher, je stärker die Variation zerspielt. Ein erster Einblick in den Befund geschieht daher am besten durch Prüfung aller großen und sehr großen Prägungen, also der Variationsgrad-2- und 3-Vorkommen, einer mittelgroßen Gruppe in einem Roman.

ABKÜRZUNGEN UND ZEICHEN

1. *Sigel und Titel der Gruppen*

Gruppentitel nach dem für kennzeichnend erachteten Element in einer Gruppe:

GA =	Gruppe ABGANG
GB =	Gruppe BETTEN
GF =	Gruppe FRAU
GH =	Gruppe HELFEN
GK =	Gruppe KOCHEN
GN =	Gruppe ANFALL
GP =	Gruppe PAWLATSCHE
GT =	Gruppe TRANSPORT
GV =	Gruppe VERKEHR
GZ =	Gruppe ZIEL

2. *Zeichen der Gruppentexte*

Zeichen	Bedeutung	Beispiel
GROSSBUCHSTABEN:	Element	GB 12.1
GROSSBUCHSTABEN	Haupttypen der Variation	GB 13
Kleinbuchstaben	Nebentypen der Variation	GB 12.1
(Kleinbuchstaben)	Zusatztypen der Variation	GB 12.1
Nummerierung	als bevorzugt empfundene Reihenfolge der Elemente (bei einer Minderheit der Gruppenvarianten)	
Digitalzählung	Gruppierung (Komplex) innerhalb der Gruppe	GB 12. 1—4
	Gruppierung innerhalb des Komplexes	GB 12.4. 1—4
jede gezählte Einheit	1 Element	
+	bedingte Gruppenzugehörigkeit	
/	bzw.	
[ ]	Zusatz d. Verf.	

3. *Zeichen der Vorkommensnotierung*

Zahl	Seitenzahl des Romans
Buchstabe hinter der Zahl	a = 1., b = 2., c = 3. Seitendrittel
als Kleinbuchstabe	kleine Prägung (Grad 1)
als Großbuchstabe	große Prägung (Grad 2)
als Großbuchstabe kursiv	sehr große Prägung (Grad 3)

Zu den Sonderzeichen der Vorkommensnotierung pro Roman infra 283

256

DIE GRUPPEN

Gruppentexte und -vorkommen pro Gruppe pro Roman, notiert in Seitendritteln und drei Variationsgraden.

Nicht für die Texte im Anhang der Romanausgaben, außer für „Amerika" 335—355 und „Schloß" 540 f.

GA: Gruppe ABGANG

in der Variation oft nach GH

Text

1 dritter GEHT ENDLICH

2.1 ATEMNOT/nicht atembare Luft/vor Lachen/Weinen kaum/NICHT SPRECHEN können 2 weil AUS WEICHEM/schwachem HERZEN GEHOLFEN

3.1 VORSICHTIG/langsam 2 vielleicht ABSTÜRZEN/hinunterspringen/wahrscheinlich ZUSAMMENBRECHEN/umkommen/entnervt [u. ä.]

4.1 TÜR SCHNELL GESCHLOSSEN 2+ von MANN

5 SCHNELL FORT

6 unerwartete ENTDECKUNG/ÜBERRASCHUNG

Vorkommen für GA und GH

AMERIKA: 46Bc, 82ab, 83a, 109c, 110a, 111A, 187ab, 219b, 230b, 233b, 246c, 247ab, 309bc, 350a, 351a
zus. 20: einfach geprägt 18, stark 2, sehr stark 0

PROZESS: 90a, 91C, 92Ab, 130a, 131c, 136BC
zus. 8: einfach geprägt 4, stark 3, sehr stark 1

SCHLOSS: 21b, 22ab, 65c, 66a, 81c, 83b, 153b, 198b, 199a, 236b, 243c, 296a, 346b, 352a, 367c, 368c, 393a, 407bC, 452bc, 454bc
zus. 24: einfach geprägt 23, stark 1, sehr stark 0

GB: Gruppe BETTEN

Text

1.1+ LICHT/Oberlicht [= Fenster] /Augen (licht) 2+ TRÜBE/bleich/
grünlich/mild/nicht in ein gutes Licht stellen

2.1 zum BESSEREn HinSEHEN 2 ANGESTRENGT SEHEN/
Augen beschatten/mit Augen zwinkern/zucken 3+ NICHT ER-
KENNEN/nur erraten/ (zunächst) keine Einzelheiten unterscheiden

3+ IN ÖFFNUNG GEGENÜBER: IN offener TÜR/in offenem Fenster GEGENÜBER

4.1 GENAU BEOBACHTEN/prüfen/untersuchen/aufmerksam zuschauen
2+ Zuschauer VORGEBEUGT/gebückt/gelehnt 3 über Galerie-/
Marmor-/FensterBRÜSTUNG/BRUST

5 vor Zuschauer(n) mörderisches SPIEL/unterbrochener ERNST/sich
abSPIELender Vorgang

6. 1+ gehBEHINDERT 2 beim HINGEHEN/-laufen und ORDNUNG
SCHAFFEN

7. 1 rechts und links ZWEI GRÖSSERE/ÄLTERE/Kräftigere 2 PAAR/
Arm in Arm/eingehängt 3 AUF UND AB/HIN UND HER/kreuz
und quer GEHEN/sehen/reden 4 herbeiWINKEN 5 GESICHTer
NAHE vor/tief ÜBER

8 zwischen den zweien/in der Mitte KLEINERe, -r, -s/JÜNGERer/
Schwächerer

9 [‚groß' und ‚klein' unterschieden durch] STEHEN und LIEGEN/
sitzen

10 Liebes-/TodesAKT/Akte [= Dokument] 1 KLEINe, -n, -s hinunter
AUF DEN BODEN LEGEN/betten/Kleiner zu Boden sehend/fallend
2 dort sich winden/rollen/WÄLZEN/Walze/Faß 3 unSCHULDIG/
verdammt/verurteilt/ausgeliefert/hingegeben/ergeben

11 ÜBERragen/ÜBERLEGENheit

12.1 SPITZEs/SCHARFes: MESSER/Schwert/ (Näh-) Nadel/ [aber
auch:] Schlüssel [u. ä.] 2+ zum ZIEHEN 2.1 AN HÜFTE/Gürtel/in
(Westen-) Tasche GREIFEN 3 STOSSEN/stechen/treiben/DRÜCKEN/
bohren 4 LEIBES-/BrotLAIBESMITTE/"das Weiche" der Brot(schei-

ben) mitte/Schloß [= Türmitte] 4.1+[dort oft] an /als FestKLEIDungsstück: Jackett/Schürze/Weste/Bluse 4.2 ein-/aus-/entzweiSCHNEIDEN 4.3 ZWEISCHNEIDIG/beidseitig 4.4+ AUFFALLEN/beeindruckter Blick

13 HAND UND KREIS/Rand/rund/DREHEN/wenden/kurbeln/wirbeln

14.1 HERZ/BRUST 2+ OFFEN und TIEF 3 LOCH

15 ZITTERN/frösteln

16.1 Hände/ARME STRECKEN 2 HÄNDE HEBEN/falten/in Hände klatschen 3 FINGER zu Krallen SPREIZEN/strecken

17.1 HALS/GURGEL/OFFENER MUND 2 mit beiden Händen zuDRÜCKEN/festHALTEN/Mund stopfen/ersticken/husten 3 sich losREISSEN/-machen

18 LÄRM/Schreien/lautes Sprechen ERSCHWEREN/verhindern/unhörbar/flüstern

19.1 ROT: BLUT/ROT/rötlich/rote Zunge/GLÜHen/rohes Fleisch (essen/fressen/schlucken/schlingen) 2 RINGSherum im/am/ums GESICHT/an Brust/Leib

20.1 QUELLEN/fließen/strömen(de Tränen) 2 erTRINKEN/ (ver)saufen (Alkohol)

21 TON: Klang-/FarbTON/ (über)tönen/klingen

22 SCHWINDENDER SINN: vergehendes Gehör/erlöschende Stimme (verstummen) /brechende Augen (blind)

23 ENTSCHEIDUNG/Entschluß

24 ABSCHLIESSEN/beenden/vergehen/einschlafen/beGRABen (Gruft)/ entlassen (und auszahlen)

25 SCHAM/Schande/Befangenheit

26.1 wildes TIER: Hund/Katze/Ratte/Affe/Häschen/Pferd 2 mit ZÄHNEN/Lippen BEISSEN/KÜSSEN

27 GERUCH/Duft: Parfum/parfümiert/pfeffrig/dumpf/übel/bitter

28 verLOCKEN/verführen/nicht WIDERSTEHEN (können)

29 ver-/beIRREN/verwirren

Gruppe BETTEN, Forts.

Vorkommen

AMERIKA: 9A, 16*C*, 17Bc, 20B, 21A, 25c, 38aB, 41ac, 43C, 44a, 46b, 50a,
51*AB*, 53abc, 58B, 69c, 72b, 74A, 78bc, 79a*BC*, 80*ABc*, 81aC, 87b, 98aB, 100c,
101b, 104bc, 106b, 111ab, 115C, 117a, 121ab, 123c, 127*C*, 130b, 134a, 136C,
137c, 143c, 154c, 155c, 167*A*, 168*A*, 169c, 172*B*, 181a, 182b, 184B, 185A, 187a,
195C, 196c, 199c, 200a, 209a, 210bc, 226ab, 227C, 229ac, 230a, 231C, 232b, 233a,
235C, 236B, 241b, 244c, 247Ab, 250c, 253A, 257bc, 258*B*c, 259ab, 262*B*, 263AB,
266*AB*, 267*C*, 270a, 274a, 276bC, 277Ac, 282C, 283a, 285a, 287Bc, 288bC,
289*ABC*, 290a*BC*, 291a*BC*, 292a*B*, 293*C*, 294a, 295*A*, 296*BC*, 297a, 308a, 318b,
326C, 327*B*, 328c, 330a, 331C, 335b, 337ab, 341b, 344B, 346B, 347*B*, 348B
zus. 147: einfach geprägt 84, stark 36, sehr stark 27

PROZESS: 11a, 12b, 16aC, 18c, 19AC, 20*A*, 24a, 26B, 31c, 40b, 41b, 42*BC*, 47c,
48a, 51C, 52b, 61*C*, 62Abc, 63a, 66b, 71*C*, 72a, 78*B*, 82c, 83ab, 85B, 86b, 87a*B*,
90b, 91B, 100c, 101a, 102b, 103C, 106a, 107b*C*, 108Ab, 113B, 123C, 124BC, 131b,
132b, 133a*C*, 134ac, 135*AB*c, 150b, 154b, 157AC, 161c, 169*C*, 170a, 171c, 172bC,
173b, 175c, 177*A*, 210aB, 219c, 222b, 225b, 229a, 232bc, 233ab, 235c, 240b,
241Ab, 246*AB*, 270a, 271a*B*c, 272*AB*
zus. 94: einfach geprägt 57, stark 20, sehr stark 17

SCHLOSS: 5C, 12c, 18c, 20a, 25b, 26ac, 45a, 47b, 51b, 55bc, 56C, 58a, 59b, 62bc,
63*A*b, 64ab, 65a, 67C, 69a*B*c, 71A, 74a, 87b, 89c, 90A, 104b, 105a, 113Ab, 115BC,
116a, 123c, 130a, 139bc, 143B, 146ABC, 148c, 151b, 152C, 153ab, 155C, 158B,
159a*C*, 170c, 171b, 175Abc, 176b, 186c, 187b, 188A, 192*B*, 193b, 199b, 200a,
203AC, 204Bc, 208Ac, 209A, 211a, 221a, 225b, 227b, 228a, 230b, 232a, 248b,
253a, 257a, 262AB, 266bC, 269a, 273c, 274a, 282a, 289abc, 294c, 304b, 316a,
324B, 325b, 329A, 338Bc, 358c, 361aBc, 362a, 363A, 367c, 368aB, 371b, 373A,
383bc, 384a, 386c, 389a, 405b, 406c, 407b, 412c, 413a, 417b, 418a, 426A, 433a,
434B, 438bc, 442c, 448B, 541b
zus. 135: einfach geprägt 97, stark 35, sehr stark 3

GF: Gruppe FRAU

Text

1 JUNGe Frau/KLEINEs Mädchen SCHWACH/unwohl

2.1 NASSES: tränen-/schweißNASSes Gesicht/WASSER/Flüssigkeit/
Suppe 2 IN GEFÄSS: Kanne/Kübel/Topf FLIESSEN 3 AUS PUMPE/
Schöpflöffel/Lücke 4 Kopf/AUGEN verDREHEN

3.1 IN DER NÄHE von Tor/Tür SITZENder MANN/Männer
2 RAUCHen 3+ LESEN

4.1 + RECHTS UND LINKS 2 ZWEI TAUMELNde/SCHAUKELNde
Jungen/Parteien
5 ZWEIRÄDRIGer KARREN

6 zum Trocknen/Nähen bestimmte WÄSCHE

7.1 ein ANDERER MANN unten IN ECKE/Winkel 2 ARBEIT LEITEN
3+ NACH OBEN/zur Decke BLICKEN 4+ RUFEN/kreischen

8.1+ zu ihm HINGEHEN WOLLEN 2+ zunächst aber STEHENBLEI-
BEN

9 IM HOF OFFENEs FENSTER

10.1 KISTEn 2+ ABLADEN

11 BREITBEINIG

12 BLOSSFÜSSIG

13 fast BIS ZUM BODEN REICHEN

Vorkommen

AMERIKA: 248b*C*, 249a, 266*A*, 344*B*
zus. 5: einfach geprägt 2, stark 0, sehr stark 3

PROZESS: 48C, 61C, 62a, 107b, 108b, 169C, 170a,
zus. 7: einfach geprägt 4, stark 3, sehr stark 0

SCHLOSS: 19AC, 20abc, 54c, 306b
zus. 7: einfach geprägt 5, stark 2, sehr stark 0

GH: Gruppe HELFEN

in der Variation oft vor GA

Text

1.1 kein HARTES HERZ 2 GERN HELFEN 3 keine RUHE WOLLEN/
bekommen

2 SCHON IM GANG/in Gang einbiegen

3 viel LÄNGER GEBLIEBEN ALS GEWOLLT

4+ endlich AUFSTEHEN

5+ auf dem Weg ZUR TÜR

6 beim Ausgang STUMM STEHEN und WARTEN

7.1+ UNBEGREIFLICH 2 erst WEGWOLLEN, dann NICHT GEHEN

8.1 bisher NICHT BEMERKT, nun PLÖTZLICH ERKANNT 2 HIN-
TER DER TÜR die FREIheit/ins Freie/die Frau

9.1+ jetzt doch DURCH DIE TÜR 2+ auf der OBERSTEn STUFE
3 entscheidender UMSCHWUNG/scharfe WENDE 4 NEUE/unvermute-
te KRÄFTE

10 IN GROSSEN SPRÜNGEN/vollem Lauf/in Eile

11+ TREPPE HINUNTER/HINAUF

12.1 BEGRÜSSUNG/VerABSCHIEDung 2+ von (zwei) BEGLEITERn
3+ die WEIT/bis NAHE VORS GESICHT HINABGEBEUGT

Vorkommen

notiert zusammen mit GA

GK: Gruppe KOCHEN

Text

1.1 durch LÜCKEn/Loch 2+ BEOBACHTEN

2.1 mit HAKEN/langer HakenSTANGE/Lineal 2 LUKE/kleine Tür/ WINZIGes GuckFENSTER von kleinem Zimmer aufstoßen 3 ERFRISCHUNG BEREITEN: Luft(zug)/Licht/Trink-/Waschwasser/ ESSEN/Wurst/Zigarren

3.1 SCHMUTZ: Staub/Ruß/(Kamin-)Rauch/(Kerzen-)Wachs/TROPFENdes/EKELhaftes/SCHEUSSLICHkeit/PEINLICH/häßlich/UNERTRÄGLICHer Anblick 2+ Schmutz AUF HAND/Händen/HOSE/ GESICHT 3 HITZE: grelles Licht/SonnenHITZE/Wärme/BRENNEN/ fiebern/Heizen/(Wäsche trocknen)/KOCHEN/BADEN/(Nacktheit)/ (Schweiß)

4.1 MIT Schürzen-/TaschenTUCH REINIGEN/trocknen 2 damit Gesicht/Hand/Hose eines Mannes NICHT SCHMUTZIG/naß WIRD/ BLEIBT

5.1+ STÖREN 2 MITTEN IM beruflichen/gesellschaftlichen/Telefon-/ Geschäfts-/Parteien-/Geschlechts-/SchriftVERKEHR zwischen zweien 3+ der (dann doch) NICHT ZU SEHEN

6.1 GESCHWÄCHTe, -r ANGESTRENGT/mit aller Kraft WACH-/bei Bewußtsein BLEIBEN/nicht schlafen können 2 ANGEKLAGTER/ Sklave/Sträfling/Strafe 3 Frau/Mann als FREUND WILL HELFEN

7.1 AUF UNTERSTER/niedrig(st)er/OBERSTER Podium-/TreppenSTUFE/ auf Stufenleiter sein/SITZEN/ersten/letzten Ranges sein 2 NICHT/doch INS KrankenBETT 3+ sich AUSRUHEN/erholen

8 PLAGEN/lästig

9 AUF- UND GEFALLEN

10 KNIEn

11 SEUFZEN

12 TRAURIG/unglücklich/SCHMERZlich/trösten

264

Gruppe KOCHEN, Forts.

Vorkommen

AMERIKA: 12c, 16c, 88a, 90a, 136c, 138b, 172b, 186A, 187b, 231c, 252b, 255A*B*, 271c, 335b, 336ab, 337b, 339bc, 343*B*c, 344a*B*, 349bC
zus. 26: einfach geprägt 20, stark 3, sehr stark 3

PROZESS: 66c, 67A, 85c, 86aBC, 87c, 123a, 127b, 129a, 140b, 187AB, 216B, 233b
zus. 15: einfach geprägt 9, stark 6, sehr stark 0

SCHLOSS: 13c, 17a, 19c, 20b, 24b, 52c, 55c, 56a, 63A, 68b, 72b, 74a, 90c, 112c, 113a, 129c, 131B, 132b, 135c, 153A, 159c, 160A, 171b, 172a, 182b, 183a, 184A, 187c, 190bc, 191a, 193B, 194a, 199c, 204c, 213b, 215b, 235b, 237c, 238b, 245a, 275ac, 299A, 317C, 326c, 367b, 368bc, 369a, 370b, 384b, 395a, 417b, 422b, 423bc, 424c, 431c, 434a, 443a, 454C
zus.: 62: einfach geprägt 53, stark 9, sehr stark 0

GN: Gruppe ANFALL

Text

1.1 WEGEN AUS-/EINLASS STEHEN 2+ in LEERem RAUM/Korridor/Platz/Hof 3 NICHT WARTEN/NICHT WEITER WOLLEN

2+ LAUT/scharf SPRECHEN/rufen/schreien

3.1 BEGLEITER SCHWEIGEN 2 WEITERTREIBEN/-TRAGEN
3+ WIDERSTEHEN

4.1 DURCH Tür-/GassenÖFFNUNG 2+ JUNGES MÄDCHEN 3 AUS DUNKLEM zweitem RAUM/Vorzimmer/Gasse 4 STEIGEN/steigern 5 IN SEITENgasse [u. ä.] EINBIEGEN

5+ NUTZLOS/unnütz/wertlos

6.1 BEGLEITER MITZIEHEN 2+ deren FREUDE/Glück

7 PLÖTZLICH vorübergehend SCHWACH/krank/kraftlos WERDEN
8 hinter Mädchen IM HalbDUNKEL MANN/Männer/GESICHTer

9 Atemnot-/Herz-/SchwächeANFALL

10+ sich NIEDERSETZEN/-legen/anheimgeben

11.1 KRANKENWÄRTER/Pfleger nahe VOR GESICHT des Kranken
2 Stirn/Hand STREICHEN/streicheln

12+ Mann als ZUSCHAUER

Vorkommen

AMERIKA: 124c, 125a, 185a, 187c, 246c, 247B, 250c, 278b, 354b
zus. 9: einfach geprägt 8, stark 1, sehr stark 0

PROZESS: 84b, 85B, 121C, 123a, 268AB
zus. 6: einfach geprägt 2, stark 4, sehr stark 0

SCHLOSS: 22b, 23c, 45b, 46a, 136c, 330b, 332a, 371a, 412bc, 415b, 540c, 541a
zus. 13: einfach geprägt 13, stark 0, sehr stark 0

GP: Gruppe PAWLATSCHE

Text

1 DUNKEL: MitterNACHT/trüber Tag

2.1 ÄLTER/GRÖSSER: alter MANN (Frau) mit fleischigem Gesicht/
VATER (Mutter) 1.1+ RIESIG/schwer/groß/hoch 2 eigentlich
NICHT der (die) WIRKLICHe/ERWARTETe/verändert/anders/Ver-
wandlung/Verstellung

   3.1 EBEN/spät ANgeKOMMEN IM/ZU HAUSE 2 STÖHNEN/schnau-
   fen/fauchen/zischen/seufzen/gurgeln/brummen

   4.1 bald ESSEN/TRINKEN 2+ TrinkWASSER

   5.1 BEI TISCH/sich zu(m) Tisch setzen/IN BETT/auf Kanapee/Otto-
   mane sitzen/liegen/schlafen 2 BEI LICHT LESEN

   6.1 BESCHEID: Brief/Nachricht/Einfall/Neuigkeit/Mitteilung
   2+ miß-/UNVERSTANDEN/NICHT MITGETEILT/ungesagt/ungelesen/
   Geheimnis 3 demütig BITTEn 3.1+ SINNLOS/unvernünftig

   7 BESCHEID UNERWARTET/UNERWÜNSCHT/uninteressant/unge-
   wollt/unnötig

   8.1 JÜNGER/KLEINER: Kind/Sohn/junger Mann/Student 2+ ein
   SOLCHES NICHTS: Geringfügigkeit/Unwichtigkeit/Nichtigkeit/gar
   nichts/gleichgültig sein

   9 RUHESTÖRUNG: den Älteren aufregen/ÄRGERN/REIZEN/RUHE
   des Schlafs/Alters [u. ä.] STÖREN/unruhig/rücksichtslos/laut/frech/
   unfolgsam/trotzig/winseln/murmeln

10.1 des Älteren STARKE DROHUNG/WUT/BÖSEsein 2 an-/auf-
SCHREIen/-RUFen

11 RUHEBEDÜRFTIG/MÜDE [impliziert seit 3]

12 NachtRUHE verSCHAFFEN/beRUHIGen/STILLE

13 AUFSTEHEN vom Tisch/Bett

14 AUS DEM BETT/SCHLAF NEHMEN/reißen

15 KÖRPERLICHE GEWALTANWENDUNG: [zahlreiche Formen]

16 TRAGEN/(bei) TISCH (Essen/Geschirr auf-/ab-)TRAGEN/an TISCH rücken/drücken

17.1 ALLEIN HINAUS/nach DRAUSSEN 1.1 VOR DIE/der GE-SCHLOSSENEn TÜR 2+ auf/in VORRAUM: Pawlatsche/Loggia/ Säulenhalle/Vorbau/Balkon/Gang/Vorzimmer

18.1 IN Hemd/DÜNNEM Überrock/Schal [u. ä.] ZITTERN/FRÖSTELN 1.1 vor KÄLTE/ANGST/Schreck

19.1.1+ VON NEBENAN/-raum her 1.2+ KLOPFEN an Tür/Tisch/ Wand 2 AN ([halbdurchsichtige] Matt-) GlasTÜR/Türschloß DRÜK KEN/FASSEN/schlagen 2.1 KLIRRENdes Glas

20.1+ UNBEGREIFLICHen 2 SCHADEN/UNGLÜCK/Schlimmes AN-GERICHTET/LEID/Qual/Not angetan/Sorgen/Gefahr bereitet [impliziert seit 12]

21 (seit) drei STUNDEn WARTEN (in der Kälte)

22 AN BETT-/TürPFOSTEN/Geländer [u. ä.] LEHNEN

23 Auskunft-/RATGEBER/Freund/VERTRAUTER

24 HAKEN/Nagel

25 ELLBOGEN/Hand AUFGESTÜTZT/-gestemmt (auf Bett/Kanapee)

26.1 SCHON IMMER SO INTERESSIERT FÜR Technik/Gerichtssachen [u. ä.] 2 JETZT NOCH NICHTS KÖNNEN/wissen, aber SPÄ-TER/DEMNÄCHST mehr erfahren/WEITER-/AUSBILDEN ZU Ingenieur/Kanzleikraft [u. ä.]

27.1 AUTOMOBIL 2.1 GARTEN/Anlagen 2.2 KastanienBÄUME/ HERBSTBLÄTTERfarbe/Kräuter/Blumen 3 FREITREPPE 4 MÄD-CHEN/junge FRAU UNSICHER/UNGEWISS/schwankend/fließend/ weißlich/schwer oder schwach (zu) sehen

Vorkommen

AMERIKA: 10bC, 11a, 12bc, 13a, 15A, 16c, 17AB, 20c, 25ac, 27c, 37a, 39b, 41c, 56c, 67aB, 68ABc, 69ab, 70bC, 71c, 74bc, 75C, 82a, 83a, 90C, 91Abc, 92ab, 93Ac, 94bC, 95aBc, 96Abc, 98ac, 99AB, 100ab, 106b, 109b, 110Bc, 112B, 113c, 115Bc, 116B, 117BC, 118C, 119A, 120b, 128A, 139C, 140ab, 142B, (Kontrastvariante

148–154:) 148*A*, 149a, 151b, 152*A*b, 153*ABC*, 154*A*c, 155*BC*, 156a, 159b, 165c, *66B*c, 167*B*C, 168*A*, 170bc, 171b, 172*AB*, 173B, 174b, 176*C*, 177a, 179b, *180a*, *8*1A, *183c*, *192b*, 193*A*c, *194c*, *195*AB, 196a*C*, 197Ab, 199B, 200*B*c, 201*A*c, *0*3aB, 205B, 207B, 208a, 209*A*c, 224c, 225a, 227C, 234B, 237b, 251a, 254A*C*, *5*5*B*C, 256a*B*c, 257Ab, 258bc, 259*A*bc, 261a, 263c, 265*C*, 266c, 273*C*, 274*AB*, *7*6*B*c, 287b, 291b*C*, 292A, 293BC, 294*BC*, 295*A*B*C*, 296*A*, 297AC, 298AC, 300*A*, *0*2b, 304b, 317*C*, 326a, 339ab, 342b, 343a
us. 183: einfach geprägt 96, stark 33, sehr stark 54

ROZESS: 9b, 10abc, 13c, 14AC, 16a, 18Ab, 19b, 23a, 27c, 28C, 29Ab, 32a, *4B*C, 35*A*BC, 36a, 38Bc, 39a*B*c, 40ABC, 41c, 42c, 45c, 47ac, 48c, 49Bc, 50a, *2*b, 53a, 54b, 59Abc, 60ab, 61C, 63B, 64b, 69a, 70b*C*, 71a, 72A, 73*A*b, 74Bc, *5*AB, 76b, 78a, 81a, 82b, 86c, 88b, 91b, 93Bc, 94AB, 96AB*C*, 97ab*C*, 98abc, 99b, *0*0AB, 101b*C*, 103b, 108c, 110aBC, 114ab, 115*C*, 116*A*c, 117A, 119b, 121*C*, *2*2*A*b*C*, 123*A*Bc, 124*B*c, 126a, 127C, 128a, 129aBC, 130A, 137b, 138bc, 142c, *4*4a, 145ABC, 146bc, 147A, 155aBC, 156a, 157b, 158c, 159B, 162C, 163ab, *1*65ac, 166ac, 167c, 172b, 173bc, 174a, 175B, 176A, 178a, 179c, 180*C*, 181ab, *8*5B, 188A, 194c, 195*C*, 200b, 201bc, 205Abc, 207Bc, 208c, 211b, 212a, 213c, *1*5c, 216b, 217Bc, 218b, 219B, 220Ab, 223A, 225ab, 227c, 228a, 229Bc, 230Ac, *3*1b, 232C, 233c, 237c, 238Bc, 239B, 244B, 245a, 251ab, 254ab, 255a, 257*A*, *6*0a, 265b, 266c, 268ab, 269c
us. 205: einfach geprägt 128, stark 62, sehr stark 15

CHLOSS: 5c, 7A, 9c, 10c, 17b, 20a, 21a, 29b, 30c, 32a, 38c, 39b, 40abc, 42ab, *6*b, 48b, 50c, 54c, 59abc, 61a, 65c, 66a, 67b, 68c, 70*A*, 73a, 76c, 77b, 78bc, 81c, *2*c, 83bc, 87b, 91a*B*, 104C, 109a, 112*BC*, 113b, 116Bc, 119c, 120c, 121a, 129b, *3*0a, 131c, 132c, 138a, 139c, 146ab, 150bc, 151Ab, 155b, 169B, 170c, 171b, *7*3b, 174AC, 175*B*, 176abc, 177a*BC*, 178b, 179c, 182*B*, 184Ab, 185ac, 187ac, *8*8*A*, 189b, 190abc, 192bc, 193ab, 194*B*c, 195a, 197Ab, 198Bc, 199*A*b, 203a, *0*4aBC, 207Bc, 208ab, 209b*C*, 210bc, 211a, 212ab, 213ab, 214c, 215a, 217ac, *2*1bc, 222a, 224b, 225ab, 230c, 233ac, 235c, 236a, 239c, 240a, 242b, 243c, *4*4ab*C*, 245b, 251b, 255c, 256ab, 257b, 259b, 261c, 265c, 267c, 268b, *7*0b, 274c, 275aB, 279*A*Bc, 280aB, 281c, 285a, 289c, 292a, 297bc, 299Bc, 300c, *0*1ac, 304b*C*, 305Ac, 308b, 311c, 313ac, 316B, 317*B*c, 318AB, 319c, 321b, 327b, *2*9a, 330ab, 332ABc, 334b, 335C, 336b, 337*A*, 338*B*c, 339b, 340*A*, 342c, 343A, *4*4b, 345a, 346b, 348b*C*, 349a, 350a, 353ab, 354a, 361*B*, 362b, 366a, 367c, *6*8BC, 369ab, 370C, 371ab, 372abc, 373c, 374*A*bc, 375*A*bc, 381a, 382c, 383c, *8*4b, 386b, 390c, 391b*C*, 392Ac, 395a, 396bc, 399c, 401bc, 404a, 405C, 409b, *1*2Bc, 413aB, 417bc, 423a*B*C, 424aB, 427a, 435c, 436a, 437C, 438A, 439c, 446a, *4*8b, 449A, 450bc, 451a, 453c, 454b*C*, 455c, 456a, (457a + 540b = 540b:) 540*B*c, *4*1b
us. 288: einfach geprägt 224, stark 41, sehr stark 23

GT: Gruppe TRANSPORT

Text

1.1 KRANKER SAGT ZU zwei BEGLEITERn 2 er sei gar NICHT
   SO KRANK/wolle NICHT INS KRANKENHAUS/-BETT 3 WEI-
   NEN/schluchzen/Tränen (der Anstrengung)

2.1 MIT aller KRAFT 2 HOCHHEBEN

3+ ins Ohr FLÜSTERN

4.1 Begleiter wie KRANKENWÄRTER 2 STÜTZEN 3+ in Arme
   EINHÄNGEN 4 WARTEN/stehenbleiben mit RUHEBEDÜRFTIGem
   Kranken 5 nicht LOSLASSEN

5.1 Kranker WILL NICHT STEHENBLEIBEN 2+ WEITERGEHEN

6 SITZBÄNKE auf dem Gang/Parkweg/im Boot

7.1+ Flüssigkeit/Menschen-/WASSERmassen [Wasser: als ob/im Fluß]
   2+ erst RECHTS und   LINKS 3 dann VORN/IN DER unsichtbaren
   TIEFE des Ganges/unter der BRÜCKE

8.1 ein/kein MUSTERGÜLTIGER Neffe/Liftjunge/Angeklagter [u. ä.]
   2+ der fast GETRAGEN

9 GLEICHMASS der BegleiterSCHRITTE/RUDER

10 VERLASSEN/leer/öde

11.1+ MondSCHEIN/Dunst 2 in NATÜRLICHKEIT und RUHE

12 UNBEKANNTE GEGEND

13 KÜHLE/erFRISCHEnde NachtLUFT

14 ATEMLOS

15+ SCHWITZENdes/erhitztes Gesicht

16 POLIZIST

Gruppe TRANSPORT, Forts.

Vorkommen

AMERIKA: 46B, 125*B*, 188a, 205a, 207b, 225a, 231c, 246ac, 247b, 256c, 262b, 265c, 331c, 349bC, 352a
zus. 17: einfach geprägt 14, stark 2, sehr stark 1

PROZESS: 87bc, 89c, 90B, 91AB, 267a, 268A, 269bC, 270B
zus. 11: einfach geprägt 5, stark 6, sehr stark 0

SCHLOSS. 18c, 21b, 43c, 45C
zus. 4: einfach geprägt 3, stark 1, sehr stark 0

Text

1.1+ FLÄCHE: Wand/Platz/Boden/Weg/Pflaster/Brüstung/Zweig/Band/ [aber auch] Stock als 2 SCHIEF: leicht/sehr/stark geneigt/gelehnt/ schief/abfallend/an-, abSTEIGEND/steil/quer 2.1 und (deshalb)/oder GLATT: aus-, abGLEITEN/glatt/Schnee 3+ BEI ÖFFNUNG: vor/ hinter Tür/(Bühnen-)Öffnung/Tor/Bresche/Fenster 4+ ins/im IN-NEREn

2.1.1 AUF Straßen-/FahrBAHNMITTE 1.2+ VerkehrsHINDERNIS 2 MASSE [als Mischung/Summe/Gewicht] 3.1 SCHWARZ/dunkel/ unrein 3.2 WEISS/rein 3.3 ROT/Wunde 4 BEWEGT/BEWEGBAR: 4.1 NIEDRIG und HOCH [als äußere Form des Ganzen] 4.2 + BEWEGBAR der Beschaffenheit: brüchig/bröckelig/rissig/holprig/ flockig [u. v. m.]

3 in HAND geHALTENes KLEINES RUNDES: RAD/KREIS/Tür-knopf/Handteller/ [runde] Blume/geballte [= runde] Hand/[runde Taschen-] Uhr/[von Uhr' zu] Uhrkette/Kettchen

[Sondertypen zu GV 2 und 3:]

I. MENSCHENMASSE/-verMISCHUNG/VER-/ABWECHSLUNG/Ablösung/Vertre-tung, [oft] MIT EINEM/einer [als Einzelfigur und/oder Funktionsträger von] SCHWARZ/dunkel/braun/unrein/blind/ohne Augen

II. ROTE MASSE: WUNDE

[II.1 HÜFTE/RÜCKEN/Gesicht: =Wundtyp 1, zugleich Kern von GB]

II.1.1 IN Finger-/HANDteller-/= TürknopfGRÖSSE oder 1.2+ in/mit der Hand/ beiden Händen

II2 betasten/HALTEN 2.1 SCHARFes: LöwenZAHN als/HACKE für/MES-SER für oder von/GABEL für/KRATZENdes für/DEGEN an

II3 HÜFTE/HÜFTWUNDE/Rücken (an/hinter Rücken/im Hintergrund) /Kör-per/rotes Gesicht/BLUME

II4 von NACKTem und/oder unREIN-/unSCHÖNem JUNGEn (im Bett)/MÄD-CHEN als Hexe/Dirne/Jungfrau/Engel

II5+ ZUSCHAUER/Zuhörer/ Publikum/Passanten

[oft mit] II.1a SPRITZENDes/STRAHLENDes/WIRRes: Licht/Funken/Lärm/ von/aus GLÄNZENDen Laternen/Kanonen-/TrompetenROHREn/glänzen-dem Metall/aus Öffnung auf ZUSCHAUER

[II.2 KREIS: =Wundtyp 2]
II6+ DA plötzlich/endlich
II7+ RAND/Umrandung/Runde/Seiten
II8.1+ DUNKLER: blau oder 2+ HELLER: gold/gelb/weiß/blaß ALS
II9 KREIS/Mitte (mitten)/Lichtzone/-schacht
II10 SCHATTIERT: in vielen Schattierungen/Tönungen/bunt/farbig/kariert
II11 TIEF/HOCH: in der/die Tiefe/Höhe
II12 STOSSWEISE/unUNTERBROCHEN /immer wieder/immerfort drängen/
    fahren/rinnen/fließen/reiben
II13 SCHNÜREN/wickeln /spannen/winden/falten/binden
II14 GROSSer HIMMEL: Engel aus großer Höhe/großes Himmelbett/oben um
    Himmels willen/du lieber Himmel/zum Himmel/im Freien
II15 Zimmer-/Bett- /StraßenDECKE/Dach 1+ WEISS/hell

4 KAISER/Graf: 1 FEST: Kaiserschloß/-fest 2 ROCK: Kaiser-/
Schlafrock

5.1 STOSSWEISE/in REGEL-/GLEICHMÄSSIGen Zwischenräumen
/Stößen/stoßen 2 ordentlich GEREIHT 3 AUFRECHT stehen/
sich aufrichten/aufRAGEN

6.1+ LEUTE/Publikum 2 auf/in REISEFAHRZEUG/-anzug 3 GE-
RADE: schnurgerade/ geradeswegs fahren/gehen

7.1.1 PFERD/auf allen vieren 1.2 ein ÄUSSERSTEs an EILE/
KRAFT 1.3+ RÜCKSICHTSLOS/herrenlos/teuflisch/Bosheit/
Hexe/Wut 2 AUF FußSPITZEN: 2.1 auf Fußspitzen/Hufen ei-
len/jagen/tanzen/tänzeln 2.2 mit MarschMUSIK/GESCHREI: schreiender Gesang/Trommeln/Trompeten/Klavier/Glocken/klingender Wi-
derhall 2.3 sich HOCHSCHWINGEN/aufBÄUMEN 2.4 SPRINGEN/
stampfen: mit fliegenden Beinen/großen Schritten/hohen Sätzen/
Sprüngen 3.1+ VON FERN HER/in der Ferne/über das Pflaster in rasender Fahrt/im Galopp von ferne herankommen 3.2+ VON Gasse/
Galerie AUF Platz/Bühne/Straße/in Gasse EINBIEGEN 4 BREMSEN:
schon (weit) vor Einfahrt /Eingang/Öffnung/Bresche bremsen/[aku-
stisch:] verstummen/wieder zurückfahren/rutschen/schleifen/mit-
ziehen 5.1+ KIND/hilflos 5.2+ GROSSER/stark

8 sich AUFMERKSAM beschäftigen mit BEIN/OBERSCHENKEL

9.1+ AUSFAHREN 2 zu VERGNÜGUNG

10.1+ KLEINEr/JUNGEr/Sohn 2 ELEGANT

11 SPREIZEN/FLIEGEN: 1 Arme/Beine/Flügel/Röcke/Fahne ausgebreitet/gespreizt/ausgestreckt/ausgespannt/auf- und zugeweht 2 Flügel/fliegen/schweben 3 hinAUF UND hinAB-/auf- und abwärts

12.1+ OBEN/in der Höhe/Luft 2 AUF GANZER LÄNGE/BREITE/ weit und breit 3 HIN- UND HERrücken/sich hinziehen

13 GLASzimmer/-wand/großes breites Fenster/durchbrochene Wand/ Gitter

14 Ein-/ÜBERBLICK/hinuntersehen/AusSICHT

15.1 VERBERGEN/verdecken/verhüllen 2 GESICHT/Dasein HIN-TER Tuch/Stoff/Bart

16.1+ STILL/geräuschlos/leicht 2+ und DOCH RASCH

17.1 UNBEWUSST/UNBEMERKT/ohne zu fühlen/zu sehen/wie ohne Augen/MIT bis auf Spalt/Schlitz GESCHLOSSENEN AUGEN 2+ DURCH bis auf Spalt/Schlitz/Ritz geschlossene TÜR/Tor treten/ sehen

18 MASSE nach LINKS/hinten HOCH und rechts/vorn niedrig

19 UMDREHEN: 1 RÜCKEN ZUWENDEN/-drehen/-kehren oder 2 Kopf/Körper drehen/wenden

20.1 LAST/Schwere/Erschwerung tragen 2+ unNÖTIG/unÜBEL

21.1 VERHALTEN/Haltung/Benehmen 2+ GEZWUNGEN/unbegreiflich

22.1 UNANGENEHME BEGEGNUNG 2+ VERMIEDEN

Vorkommen

AMERIKA: 9b, 11b, 13b, 17B, 18AC, 19*AB*c, 20a*B*c, 25*BC*, 26a, 28c, 29b, 37C, 38b, 41C, 46b, 48c, 49*AB*, 50a, 51*A*, 53ac, 54c, 55c, 56*AB*c, 57*A*, 58*B*, 59A, 64c, 65*AB*c, 77c, 78B, 79Ab, 80A, 81c, 87b, 88a, 95a, 96a, 98*B*, 101bc, 104*C*, 105*A*, 108b, 109b, 117b, 121*C*, 122*A*B*C*, 123A, 124*AB*, 125a*B*, 127C, 128a, 131*B*, 134b, 139*B*, 146c, 163b, 164Abc, 168a, 169*A*c, 171*AB*c, 172a, 173bC, 174c, 175a*BC*, 176a, 181A, 182b, 183b, 185Ac, 186C, 188ac, 192*C*, 197b, 202B, 203c, 205*A*b, 210c, 220Ac, 221Ab*C*, 222a, 223*C*, 225B, 226b, 228BC, 230bC, 231abc, 232b,

233ab, 234b, 235*C*, 236a*B*C, 237A*B*, 238c, 242c, 244c, 245*ABC*, 246Ab*C*, 247c, 248bc, 249c, 251c, 252bc, 254*C*, 255a, 256abc, 259ab, 262*B*c, 263B, 264b, 265*C*, 266Abc, 267c, 271C, 274a, 276*A*bc, 277*BC*, 278*B*C, 279*A*b, 280B *C*, 281AC, 282*A*c, 283ab*C*, 284A*B*c, 285C, 286*ABC*, 287*AB*c, 288Ab*C*, 289A*B*, 290*ABC*, 291*A*B, 292Bc, 293*A*bc, 296b, 306C, 307*ABC*, 309ab, 311ac, 312c, 313ac, 314c, 319c, 320*A*bc, 325b*C*, 326AC, 327*B*, 329a, 330ABc, 331B*C*, 335c, 336Abc, 337a, 338c, 340a, 341a, 343b, 344B, 346B, 347*B*, 351bc, 352Ac, 353abc, 354ab, 355a

zus. 259: einfach geprägt 136, stark 55, sehr stark 68

PROZESS: 18bc, 19A, 20A, 23Abc, 24a, 26B, 27A, 29A, 36C, 41b, 44b, 47BC, 48c, 49b, 51ac, 52a*B*, 53ac, 54BC, 56c, 59C, 62aB*C*, 63a, 66b, 67A, 68b, 71*C*, 73a, 74bc, 75*A*, 78ab, 80Abc, 83a, 85B, 86B, 91aBc, 94b, 96b, 97a, 98aB, 100b, 103c, 105b, 106AC, 107Bc, 108ab, 112c, 113a, 116a, 117a, 118c, 120b, 123c, 124aBC, 125c, 129BC, 130b, 131bC, 132Bc, 133a*C*, 134ac, 135ABc, 140bc, 144b, 145ab, 147ab, 155A, 157ab, 158a, 159b, 161C, 162A, 166b, 167c, 168a, 169B*C*, 170ABc, 171a*BC*, 172*A*Bc, 173ab, 174*B*, 175bc, 176a, 177*A*, 178a, 180bc, 181c, 182b, 188A, 191a, 192c, 193a, 194bc, 195c, 196*B*, 197*B*, 198ab, 201ab, 202AC, 203a, 204a, 208c, 216Ab, 218C, 219aC, 220A, 223A, 226ab, 228aC, 230a, 232b, 240Bc, 241A, 245C, 246*ABC*, 247*A*C, 248B, 249abc, 250AB, 251bC, 252b, 253C, 254Ab, 255B, 257a, 266BC, 267BC, 268ab, 269c, 270*A*B, 271AbC, 272ab

zus. 198: einfach geprägt 116, stark 63, sehr stark 19

SCHLOSS: 8b, 12B, 14a*B*C, 15*B*C, 16*B*, 17aC, 18a, 20c, 23a, 25B, 26ac, 37a, 39b, 44*C*, 45*A*b, 46a, 47b, 50b, 52b, 55*C*, 56a, 59a*B*, 60C, 61ab, 63a, 67c, 69b, 70a, 90*A*, 98*B*, 116A, 117a, 126a, 130a, 131b, 132b, 145b, 146C, 148c, 149C, 150*A*b*C*, 152Ab, 155c, 156c, 159C, 170c, 171C, 175c, 178b, 187B, 189bc, 190b, 192a, 193B, 195b, 199b, 203Ac, 228c, 237B, 260ac, 269a, 273ab*C*, 274ac, 276AB*c*, 277ac, 297b, 306a, 313a, 314C, 315bC, 317C, 338b, 340a, 352bc, 353c, 370b, 372C, 380b, 382c, 383*B*C, 386b, 391B, 397a*B*, 398ac, 399aBc, 400Abc, 401*B*, 403a, 404a, 405b, 406ab*C*, 407*A*BC, 410B, 419C, 428b, 430a, 433AB, 434a, 438a, 448a, 455a, 456bc, 541a

zus. 138: einfach geprägt 89, stark 31, sehr stark 18

GZ: Gruppe ZIEL

Text

1 AM VorABEND/bis SPÄT in die Nacht AUFBLEIBEN

2.1 MORGENS sehr FRÜH und MÜDE/EILIG AUFSTEHEN 2+ halb ANKLEIDEN 3 NICHT FRÜHSTÜCKEN
3 zu/IN VorSTADTstraße

4 aus Trotz/Geldmangel (fast) nicht/doch MIT Untergrund-/Eisen-BAHN/WAGEN/Automobil FAHREN

5.1 GRAUE/DUNKLE HÄUSER 2 ARME LEUTE

6.1 darunter DAS gesuchte HAUS 2+ DUNKEL 3+ ungewöhnlich GROSS/ WEIT /HOCH/fünfstöckig

7.1 davor PLATZ/STRASSE/Gasse 2+ ganz LEER/VOLL von Leuten

8.1 KLEINKIND 2+ Auf ARM/BODEN 3+ WEINENd/schreiend

9.1+ Menschen/WASSER/Regen/Flüssigkeit 2+ STRÖMEN/fluten/ sich ergießen

10.1 EINgeTRETEN durch HausTOR/-tür 2+ HOCH/WEIT/GROSS 3+ halbGEÖFFNET

11.1 auf INNENHOF/-BAHN 2+ GESCHÄFT: Werkstätten/Warenmagazine/Stände/Buden

12.1 VERSCHIEDENE TreppenAUF-/EinGÄNGE 2 TREPPE/GANG FÜHRT WEITER HINAUF

13.1+ TÜR/Tor 2 am Ende/AUF DER ANDEREN SEITE VON HOF/Tor-/Durch-/RundGANG

[14- 17 SUCHEN/WARTEN:]

14 [Strecke I:] 1 unten AN, dann AUF TREPPE/GANG 1.1+ HOCH/ SCHMAL 2 zu ZIMMER/KANZEL UNBESTIMMTer/ UNBEKANNTer Lage 2.1+ ganz OBEN UNTER DACH/Über-DACHung

15.1 (gut eine) Stunde/stundenLANG WARTEN auf/SUCHEN nach 2+ GEHEIMem/FREMDem: unbekannten ZIMMERn/FremdWÖR-

TERn/fremdländischen GELDSTÜCKEN 3+ IN fremdem HAUS/ FremdwörterBUCH/ GeheimTASCHE

16.1 IM PATERRE/ersten/dritten STOCKWERK fragen/suchen NACH/gelangen ZU 2+ NEBENSÄCHLICH Tischler/Advokat/Maler/Italiener —HAUPTSÄCHLICH Richter an kleinem Tisch/Kanzleidirektor an kleinem Tisch/Vertrauensmann des Gerichts/Geistlichem des Gerichts 3 BERUFsangabe/NAMENnennung FALSCH/ STRITTIG/MERKWÜRDIG 3.1+ anschließende KLÄRUNG

17.1´ SUCHE/PLAN äußerst LÄSTIG/UNPRAKTISCH 2 weil nicht MITTELPUNKT unERWÜNSCHTER AUFMERKSAMKEIT von Mietern/Dienern/Beamten/Parteien 3 WEITERSUCHEN/-warten/ -gehen NUTZLOS 4 ABSICHT/Entschluß, Suche AUFZUGEBEN 5+ ÄRGERLICH/wütend 6+ FORTGEHEN/-legen 7 EINSICHT, daß ENTSCHLUSS SINNLOS 8+ WIEDER zu Tür/Buch ZURÜCK

18.1 IN Parterre/STOCKWERK EIN WENIG/ein Weilchen auf der Treppe stille STEHEN/stehenbleiben 2+ GERADE DAnn

19.1+ KINDer/KLEINe(s) Mädchen/Jungen 2 IN/mit Schürze/Tuch/ Haar [u. v. m., das] LANG und ganz/sehr WEISS/REIN/silbern 3+ LAUFEN IN/AUS ZIMMERn/WOHNUNGen 4.1 AUF STUFE/ABSATZ/VORSPRUNG: Podium/Treppenstufe/Tribünenbank/Torstein/ Balkon/Mauer/Büfett 4.2 SPIELEN/fröhlich/aufgeregt/lebhaft UND/ ODER KÄMPFEN/angreifen/siegen/Waffen 5+ GESCHREI/Lärm 6 RUNDe/Kugel/Kreis/ Ring/sehr dick/bucklig

20[Spalier I:] 1 AUF TreppenSTUFEn vorbei an/durch/zwischen SPALIER/(zwei) REIHEn von SPIELENden KINDERn/KLEINEn 2+ GEGENSATZ: kleine Jungen mit Gesichtern erwachsener Strolche/kleine Mädchen, deren Gesichter und Spalierbildung Mischung von Kindlichkeit und Verworfenheit/Kirchendiener als kindischer Alter/halbstumme Tenöre, deren einer beim Sprechen wie mit widerspenstigem Organismus kämpfender Stummer/Frauen als Engel, Männer als Teufel/auf Engelsjungen teuflisch aufpassen 3 SICH AN MAUER/GELÄNDER DRÜCKEN, um VORBEIzuLASSEN

21.1+ AUF STUFE/ABSATZ/VORSPRUNG 2+ AUS FREUDE/Vergnügen/AUTORITÄT 3 IN DIE HÄNDE KLATSCHEN/BEIFALL von/für/Hände falten VOR Autorität 4 MIT ELLBOGEN STOSSEN

22.1 ERSCHRECKT/bestürzt/überrascht/erstaunt 2 mit OFFENem MUND LACHEN/singen/schreien/atmen 3 MIT DER HAND glätten/heben/hüllen/wischen/streichen/ fahren über TUCH/Rock/Kleid/ Schürze/Gesicht 4 STOCKEN/STOLPERN

23 KÖRPERFEHLER dessen, der Weg sagt/zeigt/führt und/oder derer des Spaliers 1+ an/durch KOPF/GESICHT 2+ Ratte (Kralle)/zerfressen/ zerfleischt

24 [Führen I:] 1 jemandem weiter HINAUF/bis ZUR HÖHE/TIEFE FOLGEN 2 der NICKT/VORLÄUFT/SICH UMDREHT/LAUERT/ WEG FÜHRT/weist/zeigt 3+ MITZIEHEN

25 [Kleiner Raum I:] 1+ TreppenSTUFE/GANG HINAUF/oben auf/AM ENDE/RANDE von Treppe/Gang 2 VOR/IN gesuchtes richtiges KLEINes/-en Vor-/Wohn(liches)ZIMMER/GANG TRETEN 3+ dort KRANKer/halbbekleidet und halb aufgerichtet 4+ im/aus dem BETT

[26–29 FINDEN:]

26 [Strecke II:] 1 auf letzter Strecke unten AN, dann AUF TREPPE/GANG 1.1+ besonders SCHMAL 1.2+ in ganzer Länge ZU ÜBERSEHEN 2.1 OHNE ZU FRAGEN/OHNE ERLAUBNIS 2.2 ZUR ERSTEN (besten)/einzigen RICHTIGEN TÜR 3 ZU RAUM/ KANZEL 3.1+ SEHR KLEIN 4 OBEN UNTER DACH/ÜberDACHung/auf DECK 5 (von) oben/am anderen Ende ERÖFFNUNG/VERÖFFENTLICHUNG 5.1+ DURCH LÄUTEN/GERÄUSCH vieler Schritte/ [ausdrücklich nicht] Orgel/mächtige STIMME/NamenRUFEN/Berufsangabe 6 Ausruf ‚oh!'/Schrei von oben

27.1+ DA plötzlich ÜBERRASCHT/erschreckt/erstaunt 2.1+ JUNGEr: junge Frau/Mädchen/Junge(r Mann) 3 deren AUGEN GROSS und [auch deren Gesicht:] SCHWARZ/DUNKEL 2.2 und/oder ALTEN FREUND/alte Freundin/Bekannte(n)/[weiter zu] ALTE FRAU TREFFEN

[28—30 EINTRITT:]

28 beim AUF-/EINTRITT 1 UHR/GENAUE ZEITangabe 2 kurz
darauf/IN FÜNF MINUTEN ANKOMMEN 3+ zuSPÄT KOMMEN
4+ EINE STUNDE UND FÜNF MINUTEN GEWARTET 5 ausnahmsweise nicht ÜBELGENOMMEN 6 beim Eintritt EINER
OHNE BEGRÜSSUNG, ein ANDERER ZUR BEGRÜSSUNG knick-
sen/sich tief verneigen/verbeugen

29.1 ALS EINZIGEN/ersten/letzten EINTRETEN LASSEN 2 HIN-
TER ihm/ihnen/sich ABSCHLIESSEN 3 es DARF/KOMMT NIE-
MAND mehr HINEIN 4 zum GERICHT/HinRICHTEN: Untersu-
chung (Verhör)/Besprechung/Gespräch/Sitzung/Prüfung (der Papiere,
Kenntnisse))/Vorstellung/Bewirtung/ reichlichem Essen [=Gericht]/
[konträr:] ohne Untersuchung entlassen

[30—33 GROSSER RAUM:]

30.1 IN ZIMMER/Raum EINTRETEN 1.1+ Raum HOCH und mittel-
GROSS 2+ zwei-/drei-/VIELFENSTRIG 3+ ganz besetzt/VOLL/
LEER 4+ LÄRM/RUHE 5 Stille/Dämmer-/MONDLICHT 6 sich
VERLOREN/VERLASSEN fühlen/sein

31.1 ZUM EINGANG fort-/ZURÜCKGEHEN 2 dann (doch) WIE-
DER IN gleichen/anderen GROSSEN RAUM HINEIN

32 AufGESUCHTER Lanz-Richter/Advokat-Kanzleidirektor/Italiener-
Prediger [usf.] noch NICHT ZU SEHEN/ ZU SPRECHEN

33.1 UNTEN im Raum Mann/MÄNNER 2 in schwarzem Feiertags-
KLEID/GehROCK 2.1+ LANG, LOSE, FALTIG HINUNTERHÄN-
GEND

34 [Führen II:] 1.1 FOLGEN/SICH FÜHREN LASSEN von 1.2+
KIND(lichem Diener)/Junge/Mädchen 1.3 ‚KOMMEN SIE‘ 1.4+
WINKen 1.5 an/mit der HAND Weg ZEIGEND in RICHTUNG/zu
RICHTER 2 [Spalier II:] 2.1 GEDRÄNGE/sich drängen 2.2+
auf SCHMALem WEG 2.3+ ZWISCHEN Reihen von LEUTEN/
Rücken/Bänken/Lehnen

[35—39 AM ZIEL:]

35.1 STATT HAUPTtreppe [usf.] SEITEN-/NEBENtreppe/-kanzel/ -zimmer/-straße 2+ die UNBEKANNT und NICHT AUFGEFALLEN wäre, WENN NICHT 3 OBEN/ÜBER der Tür LICHT/Lampe

[36–37 OBEN im Haus/Raum/über der Treppe:]

36 [Kleiner Raum II:] 1 An DECKE/SÄULE/WAND ERHÖHTER PLATZ: Galerie/Thronsessel/Kanzel/ Balkon/Bild 1.1 GEGENSATZ: zwischen Galerie und Podium/STATT ganz einfachem Küchenvielfach vergoldeter Thronsessel/STATT großer, kunstvoll goldgrün geschmückter Haupt- ganz einfache Nebenkanzel 2+ für schlechter angezogene Leute (mit Polstern)/Richter im Talar STATT mit alter Pferdedecke/Gefängniskaplan STATT Prediger 3+ VOLL besetzt/AUSGEFÜLLT

37.1 SICH NICHT RÜHREN können/mit Mühe/keinen freien Platz finden 2+ NICHT AUFRECHT/ruhig/würdig 3.1+ sondern ÜBER BRÜSTUNG/GELÄNDER 3.2 DAUERND GEBÜCKT/VORGEBEUGT/dauernd WIE IM SPRUNG STEHEN/SITZEN 4 auf/an RÜCKEN/ARME/KOPF/HALS/eng gegen Tisch (ihn fast umwerfend) DRÜCKEN/ZIEHEN/STOSSEN/Gepäck AUF DER SCHULTER 5 DECKE/ÜberDACHung/ EinWÖLBUNG sehr TIEF/GESCHWEIFT/tief UNTER/auf DECKe 6 GOLD 7 starr/scharf GESENKTer BLICK/Finger

38 KREUZ: mit gekreuzten Beinen/Kreuze mit sich überquerenden Spitzen/sich bekreuzigen/kreuzen

39.1 WUND/QUAL/weh/Schmerz 2 antippen/leicht berühren

40 kleine Jungen/Bemerkung abSCHÜTTELN

41.1 FETZEN: Buch/Blatt/Papier/Heft/Brief 2+ WERTLOS/hin-/wegwerfen

42 MASCHINErie/Mechanismus/Apparat

43.1 UNGEZIEFER 2 entSCHLÜPFEN/HUSCHEN/schleichen

44 WIDERSTEHEN

45 STREICHEN/streicheln

Gruppe ZIEL, Forts.

Vorkommen

AMERIKA: 9bc, 10AB, 11B, 12bc, 13b, 16c, 17a*B*c, 18abc, 19a, 20ac, 21b, 27C,
30c, 37c, 38ab, 40a, 44bC, 45c, 46*A*, 48B, 49a, 51*A*, 53ac, 54A, 55a, 56B 57B,
59bc, 60a, 63a, 65*A*b, 67ab, 69b, 75c, 76A, 77C, 78ab, 79a, 80ab, 81c, 82AC, 83A,
84BC, 85ac, 86*A B C*, 87Ab, 89C, 90Bc, 91a, 94*C*, 97B, 98b, 100Ab, 101*A B*c, 102c,
103Ab, 104ac, 105ac, 106ab, 109C, 111b, 112B, 113a, 114c, 116a, 120C, 126b,
127A, 128c, 129a, 130ab, 131a, 132*B*, 133Abc, 134a*B*c, 135ab*C*, 136a, 137a,
138*B*, 139B, 148AB, 149c, 150a, 151b, 152ac, 153b, 156*B*, 158b, 161B, 163b,
165B, 166ac, 168a, 169A, 170b, 171a, 172*A*Bc, 173A*B C*, 174AB, 180b, 181a,
183ab, 185c, 187ac, 188a*B*c, 189*A*b, 191a, 192bc, 193a, 195B, 196a, 200ab, 201a,
202b, 203a, 205a*B*, 214a, 218C, 219a*C*, 220*A*Bc, 223bc, 224a, 225a, 226a, 227ab,
229b, 230Bc, 231abc, 232b, 233A, 234A, 235*B C*, 236BC, 237aB, 238c, 239b,
240b, 241*C*, 242*C*, 244A, 246BC, 247*A C*, 236*B C*, 249*B C*, 250b, 251a, 252b,
256ac, 261a, 262a*B*, 263*C*, 264b, 265a*C*, 266*B*, 268a, 274a, 276C, 277A*B*, 278a*B*,
279ac, 280b, 281A*B*C, 282A, 284*B*c, 285AC, 286*A B*, 287a, 290*B*c, 293b,
[Kontrastvarianten 306–331:] 306c, 307*A*Bc, 308abc, 309*A B*c, *310B*C, 311c,
312*A*C, 313Ac, 314*A*, 315a*C*, 316*B*, 317*A C*, 318*A*, 319*B*C, 320a*B*C, 321a*B*, 324B,
325*B C*, 326*A B*, 327B, 328*A*, 330bc, 331ab, 336a, 337a, 340c, 343b*C*, 344A,
345b, 347b, 349B, 351*A*b, 352a, 353c, 354a*B*c, 355a
zus. 307: einfach geprägt 176, stark 71, sehr stark 60

PROZESS: 9B, 10a, 11a, 12B, 13b*C*, 14A, 16Ac, 17a, 19Bc, 22c, 23a, 25bc, 26a*B*,
28C, 29a, 31a, 32abc, 34bc, 35b, 36C, 38c, 39ac, 40Abc, 41c, 42bc, 46c, 47bc,
48a*B*c, 49a*B C*, 50A*C*, 51*A B*C, 52a*B*c, 53A*C*, 54b, 55c, 60bc, 61c, 62ac, 63ab,
64B*C*, 65a, 67*C*, 69a, 70c, 73a, 74BC, 75A*B*C, 76B, 77ABc, 78b, 80abc, 81a, 83Bc,
84A, 87A, 89c, 90bc, 91bc, 92b, 94B, 96B, 97b*C*, 98A, 100b, 101c, 102A, 103Bc,
108B, 113a, 114a, 116c, 117ac, 120b, 121*B*C, 122*A B*c, 127a*C*, 128a, 130A*B*,
131b*C*, 132B, 135Abc, 137b, 140bc, 145b*C*, 155b, 156a, 159b, 166c, 167abc,
168C, 169B*C*, 170A*B*C, 171*A B*C, 172*A*b, 173b, 174a*B*c, 188b, 192c, 195C,
198a*B*C, 201b, 202a*B*C, 203Bc, 216a, 217a*B*, 218BC, 220AB, 223A, 226b, 228Ab,
229A, 232a*B*c, 238b, 239b, 240A, 241B, 243Abc, 244B*C*, 245*A*, 246Ab*C*,
247*A B*C, 248a*B*C, 249Abc, 250Ab*C*, 251b*C*, 252B, 253C, 254ab, 256A, 257b*C*,
265*A*b, 266BC, 267Ab, 268a*B*c, 270*B*, 271a, 272a
zus. 229: einfach geprägt 123, stark 77, sehr stark 29

SCHLOSS: 5Bc, 6a, 7Bc, 8c, 9c, 10c, 11c, 12C, 16*A*B, 17c, 18bc, 19AB, 20Abc,
21A, 22*B*, 23A, 24a, 25b, 26abc, 28C, 29a, 31a, 33c, 34*C*, 35A, 42b, 43b, 44c,
46B, 49bc, 50abc, 53a, 54*B*C, 55b, 59ab, 61A, 63a, 64C, 65*A*, 67C, 87*B*, 91ab, 99c,
107c, 110c, 113a, 127a, 129b*C*, 130a, 132a, 134c, 135c, 136C, 139C, 142c,
143Abc, 145c, 146*A*BC, 148c, 149a*B*C, 150A*C*, 151Ac, 152A, 153AB, 154b,
156ab, 157AB, 158*B*, 159C, 160a, 161b, 165a, 166a, 170c, 171ab, 173C, 175Abc,
182b, 184a, 185c, 187c, 188a, 189bc, 193*A*, 194a, 197A, 198B, 199ab, 204b,

Gruppe ZIEL, Forts.

207b, 208c, 209ab, 211ac, 233c, 234c, 238b, 240A, 243c, 244b, 259C, 260Abc, 262C, 264c, 265c, 266a, 267c, 268a, 276a, 277b, 278c, 294b*C*, 295aC, 296aB, 297b, 298b, 311b, 314b, 315b, 316B, 317*C*, 319c, 321b, 324b, 327b, 330b, 335C, 338bc, 345c, 346a*B*, 347a, 348bc, 349Ab, 350aB, 351Bc, 352a*BC*, 353bC, 354a, 355b, 358c, 359a, 361c, 366a, 368Ab, 369aB, 370Bc, 371b, 372ABC. 373*A*b, 374a, 376b, 378b, 383c, 386c, 389a, 391B, 393A, 394B, 395c, 397ab, 399bC, 401b, 406ac, 407aB*C*, 412bC, 413b, 415b, 421c, 422a, 423AC, 424a, 429c, 430b, 437abC, 438*A*B, 448b, 449a, 450c, 453c, 454BC, 455a, 456abc, 540c, 541b

zus. 250: einfach geprägt 166, stark 65, sehr stark 19

DIE ROMANE

Vorkommen aller Gruppen pro Roman,
notiert in Seitendritteln und drei Variationsgraden

ohne Texte im Anhang der Romanausgaben,
außer für „Amerika" 335–355 und „Schloß" 540f.

Sonderzeichen der Vorkommensnotierung

Zahl:	Seitenzahl des Romans
.	Grenze des Seitendrittels
/	Grenze der Seite
x	unbedrucktes Seitendrittel
—	nicht, kaum geprägtes Seitendrittel
Buchstaben hinter der Zahl	hier: Sigel der Gruppen, ohne „G"-Präfix
als Kleinbuchstaben	kleine Prägung (Grad 1)
als Großbuchstaben	große Prägung (Grad 2)
als Großbuchstaben *kursiv*	sehr große Prägung (Grad 3)

Beachte: Bei mehreren Gruppen im selben Seitendrittel Gruppensigel in alfabetischer Reihenfolge.

Muster: Lies „/ 10:Z. pZ. P/" als „Romanseite 10 : im 1. Seitendrittel große Prägung durch GZ, im 2. kleine durch GP und große durch GZ, im 3. große durch GP".

AMERIKA

Kapitel 1: 9: B.vz.z/10:Z.pZ.P/11:p. vZ.-/12:-.pz.kpz/13:p. vz.-/14:-.-.-/15:P.-.-/16:-.-.
*B*kpz/17:*Pz.B*PVZ.bz/18:Vz.z.Vz/19:*Vz. V.*v/20:vz.B*V.*pvz/21:B.z.-/22:-.-.-/23:-.
-.-/24:-.-.-/25:p.*V.*bpV/26:v.-.-/27:-.-.pZ/28:-.-.v/29:-.v.-/30:-.-.z/31:-.-.-/32:-.-.-/33:
-.-.-/34:-.-.-/35:-.-.-/36:-.-.-/37:p.-.Vz/38:bz.Bvz.-/39:-.p.-/40:z.-.-/41:b.-.bpV/42:-.-.-/
43:-.-.B/44:b.z.Z/45:-.-.z/46:Z.AbTv.a/47:-.x.x/

Kapitel 2: 48:x.Z.v/49:*Vz. V.*-/50:bv.-.-/51:*B*VZ.*B.*-/52:-.-.-/53:bvz.b. bvz/54:Z.-.
v/55:z.-.v/56:*V.V*Z.pv/57:*V.*Z.-/58:-.B*V.*-/59:*V.*z.z/60:z.-.-/61:-.-.-/62:-.-.-/63:z.-.
/63:z.-.-/64:-.-.v/65:*V*Z.*V*z.v/66:-.x.x/

Kapitel 3: 67:pz.Pz.-/68:*P.P.*p/69:p.pz.b/70:-.p.*P*/71:-.-.p/72:-.b.-/73:-.-.-/74:B.
p.p /75:-.-.*Pz*/76:Z.-.-/77:-.-.vZ/78:z.bVz.b /79:bVz.*Bv.B*/80:*B*Vz.*Bz*.b/81:b.-.
Bvz/82:apZ.a.Z/83:ap Z.-.-/84:-.Z.Z/85:z.-.z/86:Z.Z.Z/87:Z.bvz.-/88:kv.-.-/89:-.-.
Z/90:k.Z.Pz/91:*Pz*.p.p/92:p.p.-/93:P.-.p/94:-.p.*P*Z/95:pv.*P*.p/96:Pv.p.p/97:-.Z.-/
98:bp.B*V*z.p/99:*P.*P.-/100:pZ.pz.b/101:Z.bvZ.vz/102:-.-.z/103:Z.z.-/104:z.b.b*V*z/
105:*V*z.-.z/106:z.bpz.-/107:-.-.-/108:-.v.-/109:-.pv.aZ/110:a.P.p/111:Ab.bz.x/

Kapitel 4: 112:-.PZ.-/113:z.-.p/114:-.-.z/115:-.*P*.Bp/116:z.*P*.-/117:b.Pv.*P*/118:-.-.
P/119:*P*.-.-/120:-.p.Z/121:b.b.*V*/122:*V*.V.*V*/123:*V*.-.b/124:*V. V*.n/125:nv.*TV*.-/
126:-.z.-/127:Z.-.*B*V/128:Pv.-.z/129:z.-.-/130:z.bz.-/131:z.*V*.-/132:-.Z.-/133:Z.z.
z/134:bz.v*Z*.z/135:z.z.*Z.*/136:z.-.Bk/137:z.-.b/138:-.k.Z.-/139:-.*VZP*/140:p.p.-/141:
-.-.-/142:-.P.-/143:-.-.b/144:-.-.-/145:-.-.-/146:-.-.v/147:-.x.x/

Kapitel 5: 148:*PZ*.Z.-/149:p.-.z/150:z.-.-/151:-.pz.-/152:*Pz*.p.z/153:*P.Pz.P*/154:
P.-.bp/155:-.*P*.b*P*/156:p.Z.-/157:-.-.-/158:-.z.-/159:-.p.-/160:-.-.-/161:-.Z.-/162:-.-.-/
163:-.vz.-/164:V.v.v/165:-.Z.p/166:z.*P*.pz/167:*B.P.*P/168:*B*Pvz.-.-/169:*V*Z.-.bv/
170:-.pz.p/171:*V*z.p*V*.v/172:*Pv*Z.*B*k*PZ*.z/173:Z.Pv*Z*.VZ/174:Z.p*Z*.v/175:v.*V. V*/
176:v.-.*P*/177:p.-.-/178:-.-.-/179:-.p.-/180:p.z.-/181:b*P*Vz.x.x/

Kapitel 6: 182:-.bv.-/183:z.vz.p/184:-.B.-/185:BnV.-.vz/186:K.-.V/187:abz.ak.nz/
188:tvz.Z.vz/189:Z.z.-/190:-.-.-/191:z.-.-/192:-.pz.*V*z/193:*Pz*.-.p/194:-.-.p/195:P.
PZ.B/196:pz.-.b*P*/197:P.pv.-/198:-.-.-/199:-.P.b/200:bz.*Pz*.p/201:*Pz*.-.p/202:-.Vz.-/
203:pz.P.v /204:-.-.-/205:t*V*z.Pv*Z*.-/206:-.-.-/207:-.Pt.-/208:p.-.-/209:b*P*.-.p/210:-.
b.bv/211:-.-.-/212:-.-.-/213:-.-.-/214:z.-.-/215:-.-.-/216:-.-.-/217:-.-.-/218:-.-.Z/219:
z.a.Z/220:V*Z*.Z.v/221:V.v.*V*/222:v.-.-/223:-.z.*V*z/224:z.-.p/225:ptz.V.-/226:bz.bv.-/
227:z.z.BP/228:-. V.*V*/229:b.z.b /230:b.av*Z*.Vz/231:vz.vz.Bktvz/232:-.bvz.-/233:
bvZ.av.x/

Kapitel 7: 234:Z.Pv.-/235:-.Z.B*V*Z/236:v.B*V*Z. VZ/237:Vz.p*V*Z.-/238:-.-.vz/239:
-.z.-/240:-.z.-/241:-.b.Z/242:-.-.vZ/243:-.-.-/244:Z.-.bv/245:*V. V*.V/246:t*V*.vZ.ant
*V*Z/247:a*B*Z. abNt.v*Z*/248:-.fv*Z.F*v*Z*/249:f.*Z.*v*Z*/250:-.z.bn/251:pz.-.v/252:-.kvz.
v/253:B.-.-/254:P.-.*P*V/255:Kv.*KP*.P/256:pvz.Pv.ptvz/257:*P*.bp.b/258:-.*B*p.bp/259:
b*P*v.bpv.p/260:-.-.-/261:pz.-.-/262:z.*B*t*V*Z.v/263:B.*B*.V/264:-.vz.-/265:z.-.Pt*V*Z/
266:*BF*V.*B*v*Z*.pv/267:-.-.*B*v/268:z.-.-/269:-.-.-/270:b.-.-/271:-.-.*k*V/272:-.-.-/273:-.
-.*P*/274:b*P*vz.P.-/275:-.-.-/276:*V*.b*P*v.Bpv*Z*/277:B*Z. V*Z.b*V*/278:z.n*V*Z.*V*/279:*V*z.
v.z/280:-.*V*z.*V*/281:*V*Z.Z.*V*Z/282:*V*Z.-.Bv/283:bv.v.*V*/ 284:*V. V*Z.vz/285:bZ.-.*V*Z/

Forts. AMERIKA

286:*VZ. VZ. V*/287:*Vz*.Bp*V*.bv/288:V.bv.BV/289:*BV.B V*.B/290:b*V.B VZ*.B*Vz*/
291:b*V.B*pV.*BP*/292:bP.*BV*.v/293:*V.* Pvz.*BP*v/294:b.*P.P*/295:*BP*.P.*P*/296:P.*B*v.B/
297:bP.-.P/298:P.-.P/299:-.-.-/300:*P*.-.-/301:-.-.-/302:-.p.-/303:-.-.-/304:-.p.x/

Letztes Kapitel: 305:-.-.-/306:-.-.Vz/307:*VZ. VZ.*Vz/308:bz.z.z/309:vZ.avZ.az/
310:-.Z.Z/311:v.-.vz/312:Z.-.vZ/313:vZ.-.vz/314:Z.-.v/315:z.-.Z/316:-.Z.-/317:
Z.-.*PZ*/318:Z.b.-/319:-.Z.vZ/320:*Vz*.vZ/vZ/321:z.Z.-/322:-.-.-/323:-.-.-/324:-.Z.-/
325:-.vZ.VZ/326:pVZ.Z.BV/327:-.*B VZ*.-/328:Z.ᴕb/329:v.-.-/330:bV.Vz.vz/331:
z.Vz.Bt*V*/332:x.x.x/333:x.x/334:x.x.x/

Fragment I: 335:x.bk.v/336:kVz.kv.v/337:bvz.bk.-/338:-.-.v/339:p.kp.k/340:v.-.
z./341:v.b.-/342:-.p.-/343:p.*K*vz.kZ/344:kZ.B*FK*V.-/345:-.z.-/346:-.BV.-/347:-.
B*Vz*.-/348:-.B.x/

*Fragment II:*349:x.ktZ.KT/350:a.-.-/351:aZ.vz.v/352:tVz.-.v/353:v.v.vz/354:vz.
nvZ.z/355:vz.-.x/

PROZESS

Kapitel 1: 9:x.pZ.-/10:pz.p.p/11:bz.-.-/12:-.bZ.-/13:-.z.pZ/14:PZ.-.P/15:-.-.-/16:
bpZ.-.Bz/17:z.-.-/18:P.pv.bv/19:BV.pZ.Bz/20:*BV*.-.-/21:-.-.-/22:-.-.z/23:pVz.v.v/
24:bv.-.-/25:-.z.z/26:z.BVZ.-/27:V.-.p/28:-.-.PZ/29:PVz.p.-/30:-.-.-/31:z.-.b/32:pz.z.
z/33:-.-.-/34:-.*Pz*.Pz/35:*P*.Pz.P/36:p.-.VZ/37:-.-.-/38:-.P.pz/39:pz.*P*.pz/40:PZ.bPz.
Pz/41:-.bv.pz/42:-.*Bz*.*B*pz/43:x.x.x/

Kapitel 2: 44:x.v.-/45:-.-.p/46:-.-.z/47:p.Vz.bpVz/48:bz.Z.Fpvz/49:z.PvZ.pZ/50:
pZ.-.Z/51:vZ.Z.BvZ/52:vz.bp*VZ*.z/53:pvZ.-.vZ/54:-.pVz.V/55:-.-.z/56:-.-.v/57:-.-.
-/58:-.-.-/59:P.p.pV/60:p.pz.z/61:-.-.*B*FPz/62:Bfvz.bV.b*V*z/63:bvz.Pz.-/

Kapitel 3: 64:x.pZ.Z/65:z.-.-/66:-.bv.k/67:KV.-.Z/68:-.v.-/69:pz.-.-/70:-.p.*Pz*/71:
p.-.*B V*/72:bP.-.-/73:*Pvz*.p.-/74:-.PvZ. pvZ /75:P*VZ*.PZ.Z/76:-.pZ.-/77:Z.Z.z/78:pv.
Bvz.-/79:-.-.-/80:Vz.vz.vz/81:pz.-.-/82:-.p.b/83:bv.bZ.z/84:Z.n.-/85:-.BNV.k/86:
k.bKV.Kp/87:bZ.Bt.kt/88:-.p.-/89:-.-.tz/90:a.bTz.z/91:Tv.BpTVz.Avz/92:*A*az.
x/

Kapitel 4: 93:x.P.p/94:P.PvZ.-/95:-.-.-/96:P.PvZ.*P*/97:pv.pz.PZ/98:pvZ.pV.p/99:
-.p.-/100:P.Pvz.b/101:b.p.Pz/102:Z.b.x/

Kapitel 5: 103:x.pZ.Bvz/104:-.-.-/105:-.v.-/106:bV.-.V/107:-.bfV.*B*v/108:Bv.bfvZ.
p/109:-.-.-/110:p.P.P /111:-.x.x/

Kapitel 6: 112:x.-.v/113:vz.B.-/114:pz.p.-/115:-.-.*P*/116:*Pv*.-.pz/117:Pvz.-.z/118:
-.-.v/119:-.p.-/120:-.vz.-/121:-.Z.N*PZ*/122:*PZ*.pZ.Pz/123:kn*P*.P.Bpv/124:v.B*PV*.
BpV/125:-.-.v/126:p.-.-/127:z.k.PZ/128:pz.-.-/129:kp.PV.PV/130:aPZ.vZ.-/131:
-.bvz.a*VZ*/132:-.bVZ.v/133:bv.-.*B V*/134:bv.-.bv/135:*B*VZ.*B*Vz.bvz/136:-.A.A/

Kapitel 7: 137:x.pz.-/138:-.p.p/139:-.-.-/140:-.kvz.vz/141:-.-.-/142:-.-.p/143:-.-.-/
144:p.v.-/145:Pv.Pvz.PZ/146:-.p.p/147:Pv.v.-/148:-.-.-/149:-.-.-/150:-.b.-/151:-.-.
-/152:-.-.-/153:-.-.-/154:-.b.-/155:pV.Pz.P/156:pz.-.-/157:Bv.pv.B/158:v.-.p/159:
-.Pvz.-/160:-.-.-/161:-.-.bV/162:V.-.p/163:p.p.-/164:-.-.-/165:p.-.p/166:p.v.pz/167:
z.z.pvz/168:v.-.Z/169:-.VZ.*B*F*VZ*/170:bfVZ.VZ.v*Z*/171:vZ.*VZ*.b*VZ*/172:*VZ*.
bpVz.Bv/173:v.bpvz.p/174:pz.*VZ*.z/175:-.Pv.bv/176:Pv.-.-/177:*B V*.-.-/178:pv.-.-/
179:-.-.p/180:-.v.*Pv*/181:p.p.v/182:-.v.-/183:-.-.-/184:-.-.-/185:-.P.-/186:-.-.-/187:
K.K.-/188:PV.z.-/189:-.-.-/190:-.-.-/191:v.-.-/192:-.-.vz/193:v.-.-/194:-.v.pv/195:
-.-.*PvZ*/196:-.*V*.-/197:-.*V*.-/198:vz.vZ.Z/199:-.x.x/

Kapitel 8: 200:x.p.-/201:v.pvz.p/202:Vz.Z.VZ/203:v.Z.z/204:v.-.-/205:P.p.p/
206:-.-.-/207:-.P.p/208:-.-.pv/209:-.-.-/210:b.B.-/211:-.p.-/212:p.-.-/213:-.-.p/214:
-.-.-/215:-.-.p/216:Vz.Kpv.-/217:z.PZ.p/218:-.pZ.VZ/219:v.P.bV/220:PVZ.pZ.-/
221:-.-.-/222:-.b.-/223:PVZ.-.-/224:-.-.-/225:p.bp.-/226:v.vz.-/227:-.-.p/228:pvZ.
z.V/229:bZ.P.p/230:Pv.-.p/231:-.p.-/232:z.bvZ.bPz/233:b.bk.p/234:-.-.-/235:-.-.
b/236:-.-.-/

Kapitel 9: 237:x.-.p/238:-.Pz.p/239:-.Pz.-/240:Z.bV.v/241:BV.bZ.-/242:-.-.-/243:
Z.z.z/244:-.PZ.Z/245:pZ.-.V/246:*B VZ*.*B*Vz.*VZ*/247:*VZ*.Z.VZ/248:z.VZ.Z/249:
vZ.vz.vz/250:VZ.Vz.Z/251:p.pvz.*VZ*/252:-.vZ.-/253:-.-.VZ/254:pVz.pvz.-/255:

286

Forts. PROZESS

p.V.-/256:Z.-.-/257:Pv.z.Z/258:-.-.-/259:-.-.-/260:p.-.-/261:-.-.-/262:-.-.-/263:-.-.-/
264:-.-.-/265:Z.pz.-/

Kapitel 10: 266:x.VZ.pVZ/267:tZ.Vz.V/268:NpTvz.NpvZ.z/269:-.t.pTv/270:b*V*.
TVZ.-/271:bVz.*B*v.bV/272:Bvz.*B*v.x/

Kapitel 1: 5:x.Z.Bpz/6:z.-.-/7:P.Z.z/8:-.v.z/9:-.-.pz/10:-.-.pz/11:-.-.z/12:-.V.bZ/
13:-.-.k/14:v.*V.*V/15:-.*V. V*/16:Z.*VZ.*-/17:kv.p.Vz/18:v.z.btz/19:FZ.Z.Fk/20:bfpZ.
fkz.fvz/21:pZ.at.-/22:a.anZ.-/23:vZ.-.n/24:z.k.-/25:-.bVz.-/26:bvz.z.bvz/27:-.x.x/

Kapitel 2: 28:x.-.Z/29:z.p.-/30:-.-.p/31:z.-.-/32:p.-.-/33:-.-.z/34:-.-.Z/35:Z.-.-/36:
-.-.-/37:v.-.-/38:-.-.p/39:-.bp.-/40:p.p.p/41:-.-.-/42:p.pz.-/43:-.z.t/44:-.-.*Vz*/45:b*V*.
nv.T/46:nv.pZ.-/47:-.bv.-/48:-.p.-/49:-.z.z/50:z.vz.pz/51:-.b.-/52:-.v.k/53:z.x.x/

Kapitel 3: 54:x.Z.fpZ/55:-.bz.bk*V*/56:kv.-.B/57:-.-.-/58:b.-.-/59:pvz. bp*Vz*.p/60:
-.-.V/61:pvZ.v.-/62:-.b.b/63:*B*Kvz.b.-/64:b.b.Z/65:bZ.-.ap/66:ap.x.x/

Kapitel 4: 67:x.p.BvZ/68:-.k.p/69:b.*Bv*.b/70:*Pv*.-.-/71:B.-.-/72:-.k.-/73:p.-.-/74:bk.
-.-/75:-.-.-/76:-.-.p/77:-.p.-/78:-.p.p/79:-.-.-/80:-.-.-/81:-.-.ap/82:-.-.p/83:-.ap.p/84:
-.-.x/

Kapitel 5: 85:x.-.-/86:-.-.-/87:-.bpZ.-/88:-.-.-/89:-.-.b/90:B*V*.-.k/91:pz.*Pz.*-/92:-.-.-/
93:-.-.-/94:-.-.-/95:-.-.-/96:-.-.-/97:-.-.-/98:-.*V.*-/99:-.-.z/100:-.-.-/101:-.-.-/102:-.-.-/
103:-.-.-/ 104:-.b.P/105:b.-.-/106:-.-.-/107:-.-.z/108:-.-.-/109:p.-.-/110:-.-.z/111:x.
x.x/

Kapitel 6: 112:x.*P*.k*P*/113:Bkz.bp.-/114:-.-.-/115:-.B.B/116:bV.P.p/117:v.-.-/118:
-.-.-/119:-.-.p/120:-.-.p/121:p.-.-/122:-.-.-/123:-.-.b/124:-.-.-/125:-.-.-/126:v.-.-/127:
z.-.-/128:-.-.-/129:-.pz.kZ/130:bpvz.x.x/

Kapitel 7: 131:x.Kv.p/132:z.kv.p/133:-.-.-/134:-.-.z/135:-.-.kz/136:-.-.nZ/137:-.-.-/
138:p.-.-/139:-.b.bpZ/140:-.-.-/141:-.-.-/142:-.-.z/143:Z.Bz.z/144:-.-.x/

Kapitel 8: 145:x.v.z/146:BpZ.BpZ.BVZ/147:-.-.-/148:-.-.bvz/149:z.Z.VZ/150:
VZ.pv.p*VZ*/151:PZ.bp.z/152:*VZ*.v.B/153:bKZ.abZ.-/154:-.z.-/155:-.p.Bv/156:z.
z.v/157:Z.Z.x/

Kapitel 9: 158:x.BZ.-/159:b.-.*B*kVZ/160:Kz.-.-/161:-.z.-/162:-.-.-/163:-.-.-/164:-.-.
-/165:z.-.-/166:z.-.-/167:-.-.-/168:-.-.-/169:-.P.-/170:-.-.bpvz/171:z.bkpz.*V*/172:
k.x.x/

Kapitel 10: 173:x.p.Z/174:P.-.P/175:BZ.b*Pz*.bvz/176:p.bp.p/177:p.*P.P*/178:-.pv.
-/179:-.-.p/180:-.-.-/181:-.x.x/

Kapitel 11: 182:x.k*Pz*.-/183:k.-.-/184:KPz.p.-/185:p.-.pz/186:-.-.b/187:p.bV.kpz/
188:B*Pz*.-.x/

Kapitel 12: 189:x.pvz.vz/190:p.kpv.kp/191:k.-.-/192:v.*B*p.p/193:pZ.bKpV.-/194:
kz.*P*.p/195:p.v.-/196:-.-.-/197:*P*Z.p.-/

Kapitel 13: 198:x.a*PZ*.p/199:a*Pz*.bpvz.k/200:b.-.-/201:-.-.-/202:-.-.-/203:BpV.-.
Bv/204:p.BPz.bkP/205:-.-.-/206:-.-.-/207:-.Pz.p/208:Bp.p.bz/209:Bz.pz.P/210:-.
p.p/211:bpz.—.z/212:p.p.-/213:p.kp.-/214:-.-.p/215:p.k.-/216:-.-.-/217:p.-.p/218:
-.-.-/219:-.-.-/220:-.-.-/221:b.p.p/222:p.-.-/223:-.-.-/224:-.p.-/225:p.bp.-/226:-.-.-/
227:-.b.-/228:b.-.v/229:-.-.-/230:-.b.p/231:-.-.-/232:b.-.-/233:p.-.pz/234:-.-.z/235:
-.k.p/236:p.a.x/

288

Kapitel 14: 237:x.V.k/238:-.kz.-/239:-.-.p/240:pZ.-.-/241:-.-.-/242:-.p.-/243:-.-.
apz/244:p.pz.P/245:k.p.-/246:-.-.-/247:-.-.-/248:-.b.-/249:-.-.x/

Kapitel 15: 250:x.-.-/251:-.p.-/252:-.-.-/253:b.-.-/254:-.-.-/255:-.-.p/256:p.p.-/257:
b.p.-/258:-.-.-/259:-.p.Z/260:vZ.z.vz/261:-.-.p/262:B.B.Z/263:-.-.-/264:-.-.z/265:
-.-.pz/260:z.b.B/267:-.-.pz/268:z.p.-/269:bv.-.-/270:-.p.-/271:-.-.-/272:-.-.-/273:v.
v.bV/274:bv.-.pv/275:kp.P.k/276:Vz.V.v/277:v.z.v/278:-.-.z/279:P.P.p/280:p.P.-/
281:-.-.p/282:b.-.-/283:-.-.-/284:-.-.-/285:p.-.-/286:-.-.-/287:-.-.-/288:-.-.-/289:b.b.
bp/290:-.-.-/291:-.-.-/292:p.-.-/293:-.-.-/294:-.z.bZ/295:z.-.Z/296:az.Z.-/297:-.
pvz.p/298:-.z.-/299:K.P.p/300:-.-.p/301:p.-.p/302:-.-.-/303:-.-.-/304:-.bp.P/305:
P.-.p/306:v.f.-/307:-.-.-/308:-.p.-/309:-.-.-/310:-.-.-/311:-.z.p/312:-.-.-/313:pv.-.p/
314:-.z.V/315:-.vz.V/316:b.PZ.-/317:-.P.KpVZ/318:P.P.-/319:-.-.pz/320:-.-.-/321:
-.pz.-/322:-.-.-/323:-.-.-/324:-.Bz.-/325:-.b.-/326:-.-.k/327:-.pz.-/328:-.-.-/329:Bp.-.-/
330:p.npz.-/331:-.-.-/332:nP.P.p/333:-.-.-/334:-.p.-/335:-.-.PZ/336:-.p.-/337:P.-.x/

Kapitel 16: 338:x.BPvz.bpz/339:-.p.-/340:Pv.-.-/341:-.-.-/342:-.-.p/343:P.-.-/344:
-.p.-/345:p.-.z/346:z.apZ.-/347:z.x.x/

Kapitel 17: 348:x.pz.Pz/349:pZ.z.-/350:pz.Z.-/351:-.Z.z/352:az.vZ.vZ/353:p.pz.
vZ/354:pz.-.x/

Kapitel 18: 355:x.z.-/356:-.-.-/357:-.-.-/358:-.-.bz/359:z.-.-/360:-.-.-/361:b.BP.bz/
362:b.p.-/363:B.-.-/364:-.-.-/365:-.-.-/366:pz.-.-/367:-.k.abp/368:bZ.BkPz.akP/
369:kpz.pZ.-/370:-.kvZ.Pz/371:np.bpz.-/372:pZ.pZ.pVZ/373:B Z.z.p/374:Pz.p.
p/375:P.p.p/376:-.z.-/377:-.-.-/378:-.z.-/379:-.-.-/380:-.v.-/381:p.-.-/382:-.-.pv/383:
-.bV.bpVz/384:b.kp.-/385:-.-.-/386:-.pv.bz/387:-.-.-/388:-.-.-/389:bz.-.-/390:-.-.p/
391:-.pVZ.P/392:P.-.p/393:aZ.x.x/

Kapitel 19: 394:x.Z.-/395:kp.-.z/396:-.p.p/397:vz.Vz.-/398:v.-.v/399:v.Vz.pvZ/
400:V.v.v/401:-.pVz.p/402:-.-.-/403:v.-.-/404:pv.-.-/405:-.bv.P/406:vz.v.bVz/407:
Vz.abVZ.AVZ/408:-.-.-/409:-.p.-/410:-.V.-/411:-.-.-/412:-.nPz.bnpZ/413:bp.Pz.-/
414:-.-.-/415:-.nz.-/416:-.x.x/

Kapitel 20: 417:x.bkp.p/418:b.-.-/419:-.-.V/420:-.-.-/421:-.-.z/422:z.k.-/423:pZ.
kP.kPZ/424:pz.P.k/425:-.-.-/426:B.-.-/427:p.-.-/428:-.v.-/429:-.-.z/430:v.z.-/431:
-.-.k/432:-.-.-/433:bV.V.-/434:kv.B.-/435:-.-.p/436:p.-.-/437:z.z.PZ/438:PvZ.bZ.
b/439:-.-.p/440:-.-.-/441:-.-.-/442:-.b/443:k.-.-/444:-.-.-/445:-.-.-/446:p.-.-/447:
-.-.-/448:v.Bpz.-/449:Pz.-.-/450:-.p.pz/451:p.-.-/452:-.a.a/453:-.-.pz/454:-.apZ.
aKPZ/455:vz.-.p/456:pz.vz.vz/[457a und 540b = 540b:]540:x.P.npz/541:nv.bpz.x/

Tabelle 3:

STÄRKEGRADE DER VARIATIONSPRÄGUNG INSGESAMT
in Seitendritteln (und %) der geprägten Seiten pro Gruppe pro Roman

	AMERIKA				PROZESS				SCHLOSS				GESAMT			
	1	2	3	2+3	1	2	3	2+3	1	2	3	2+3	1	2	3	2+3
GA	18 (90 %)	2	—	2 (10 %)	4	3	1	4 (50 %)	23 (96 %)	1	—	1 (4 %)	45 (87 %)	6	1	7 (13 %)
GB	84 (57 %)	36	27	63 (43 %)	57	20	17	37 (39 %)	97 (72 %)	35	3	38 (28 %)	238 (63 %)	91	47	138 (37 %)
GF	2 (40 %)	—	3	3 (60 %)	4	3	—	3 (43 %)	5 (71 %)	2	—	2 (29 %)	11 (58 %)	5	3	8 (42 %)
GK	20 (77 %)	3	3	6 (23 %)	9	6	—	6 (40 %)	53 (85 %)	9	—	9 (15 %)	82 (80 %)	18	3	21 (20 %)
GN	8 (89 %)	1	—	1 (11 %)	2	4	—	4 (67 %)	13 (100 %)	—	—	—	23 (82 %)	5	—	5 (18 %)

Tabelle 3, Forts.

Grade:	AMERIKA				PROZESS				SCHLOSS				GESAMT			
	1	2	3	2+3	1	2	3	2+3	1	2	3	2+3	1	2	3	2+3
GP	96	33 (52 %)	54	87 (48 %)	128	62 (62 %)	15	77 (38 %)	224	41 (78 %)	23	64 (22 %)	448	136 (66 %)	92	228 (34 %)
GT	14	2 (82 %)	1	3 (18 %)	5	6 (45 %)	–	6 (55 %)	3	1 (75 %)	–	1 (25 %)	22	9 (69 %)	1	10 (31 %)
GV	136	55 (53 %)	68	123 (47 %)	116	63 (59 %)	19	82 (41 %)	88	31 (64 %)	18	49 (36 %)	340	149 (57 %)	105	254 (43 %)
GZ	176	71 (57 %)	60	131 (43 %)	123	77 (54 %)	29	106 (46 %)	166	65 (66 %)	19	84 (34 %)	465	213 (59 %)	108	321 (41 %)
GESAMT	554	203 (57 %)	216 (21 %)	419 (43 %) (22 %)	448	244 (58 %)	81 (31 %)	325 (42 %) (11 %)	672	185 (73 %)	63 (20 %)	248 (27 %) (7 %)	1674	632 (63 %)	360 (23 %)	992 (37 %) (14 %)

Tabelle 4: Variationsprägung in *Amerika*

Amerika

Kapitel	Seitendrittel	nichtgeprägt	geprägt		durch GA	GB	GF	GK	GN	GP	GT	GV	GZ	alle Gruppen
1	115	63	52	(45 %)	2	14	–	2	–	17	1	21	29	
2	54	25	29	(54 %)	–	7	–	–	–	1	–	19	15	
3	134	42	92	(69 %)	6	23	–	2	–	41	–	17	47	
4	106	46	60	(57 %)	–	11	–	2	2	15	1	16	26	
5	100	40	60	(60 %)	–	7	–	1	–	32	–	19	29	
6	155	69	86	(55 %)	5	20	–	3	2	26	5	33	45	
7	212	71	141	(67 %)	3	50	4	4	4	45	6	85	58	
Letztes	81	31	50	(62 %)	2	7	–	–	–	2	1	27	41	
Fragment I	40	15	25	(63 %)	–	8	1	10	–	4	–	12	8	
Fragment II	19	4	15	(78 %)	2	–	–	2	1	–	3	10	9	
Gesamt	1016	406	610	(60 %)	20	147	5	26	9	183	17	259	307	973

Prägung in % der geprägten Seiten: 3 % | 24 % | 1 % | 4 % | 1 % | 30 % | 3 % | 42 % | 50 % | 160 %
in % aller Seiten: 2 % | 14 % | – | 3 % | 1 % | 18 % | 2 % | 25 % | 30 %

Tabelle 5: Variationsprägung im *Prozeß*

Prozeß

Kapitel	Seitendrittel	geprägt	nichtgeprägt	durch GA	GB	GF	GK	GN	GP	GT	GV	GZ	alle Gruppen
1	101	58 (57 %)	43	–	15	–	–	–	33	–	13	37	
2	59	38 (64 %)	21	–	9	3	–	–	17	–	19	28	
3	85	56 (66 %)	29	4	13	–	7	2	19	6	19	31	
4	28	22 (79 %)	6	–	3	–	–	–	18	–	6	8	
5	24	13 (54 %)	11	–	6	2	–	–	5	–	8	3	
6	74	48 (65 %)	26	4	13	–	3	2	23	–	25	22	
7	186	87 (47 %)	99	–	13	2	3	–	41	–	51	33	
8	110	58 (53 %)	52	–	11	–	2	–	31	–	20	21	
9	86	47 (55 %)	39	–	›5	–	–	–	14	–	23	36	
10	19	17 (89 %)	2	–	6	–	–	2	4	5	14	10	
Gesamt	772	444 (58 %)	328	8	94	7	15	6	205	11	198	229	773
Prägung in % der geprägten Seiten:				2 %	21 %	2 %	3 %	1 %	46 %	3 %	45 %	52 %	174 %
in % aller Seiten:				1 %	12 %	1 %	2 %	1 %	27 %	1 %	26 %	30 %	

Schloß

Tabelle 6: Variationsprägung im *Schloß*

Kapitel	Seitendrittel	nichtgeprägt	geprägt	durch GA	GB	GF	GK	GN	GP	GT	GV	GZ	alle Gruppen
1	66	21	45 (68 %)	3	7	5	5	2	7	2	16	28	
2	75	39	36 (48 %)	–	3	3	1	2	13	2	9	16	
3	36	13	23 (64 %)	2	12	1	3	–	7	–	8	9	
4	52	32	20 (38 %)	2	6	–	3	–	12	–	3	1	
5	77	63	14 (18 %)	–	5	–	1	–	5	–	2	6	
6	54	35	19 (35 %)	–	7	–	3	–	10	–	4	5	
7	40	25	15 (38 %)	–	3	–	3	1	4	–	2	9	
8	37	9	28 (76 %)	1	9	–	1	–	7	–	11	20	
9	42	29	13 (31 %)	–	5	–	4	–	3	–	3	9	
10	24	9	15 (63 %)	–	4	–	–	–	12	–	2	4	
11	19	8	11 (58 %)	–	3	–	4	–	8	–	1	5	
12	26	8	18 (69 %)	–	2	–	5	–	13	–	6	5	
13	115	63	52 (45 %)	3	16	–	5	–	36	–	4	12	
14	37	24	13 (35 %)	1	1	–	3	–	8	–	1	4	
15	262	157	105 (40 %)	1	19	1	5	2	56	–	20	32	
16	27	15	12 (44 %)	1	2	–	–	–	9	–	2	6	
17	19	4	15 (79 %)	1	–	–	–	–	7	–	3	14	
18	114	63	51 (45 %)	3	16	–	6	1	31	–	8	25	
19	66	32	34 (52 %)	2	5	–	1	3	13	–	21	16	
20	123	67	56 (46 %)	4	10	–	9	2	27	–	12	24	
Gesamt	1311	716	595 (45 %)	24	135	7	62	13	288	4	138	250	921

Prägung in % der geprägten Seiten:

				4 %	23 %	1 %	10 %	2 %	48 %	1 %	23 %	42 %	155 %
in % aller Seiten:				3 %	19 %	1 %	9 %	2 %	40 %	1 %	19 %	35 %	

Tabelle 7: Variationsprägung insgesamt in Seitendritteln

Roman	Seitendrittel	nichtgeprägt	geprägt	durch GA	GB	GF	GK	GN	GP	GT	GV	GZ	alle Gruppen
Amerika	1016	406	610 (60 %)	20	147	5	26	9	183	17	259	307	973
Prozeß	772	328	444 (58 %)	8	94	7	15	6	205	11	198	229	773
Schloß	1311	716	595 (45 %)	24	135	7	62	13	288	4	138	250	921
Gesamt	3099	1450	1649 (53 %)	52	376	19	103	28	676	32	595	786	2667

Tabelle 8: Variationsprägung insgesamt in % der geprägten Seiten

Roman	geprägt	durch GA	GB	GF	GK	GN	GP	GT	GV	GZ	alle Gruppen
Amerika		3	24	1	4	1	30	3	42	50	160
Prozeß		2	21	2	3	1	46	3	45	52	174
Schloß		4	23	1	10	2	48	1	23	42	155
Durchschnitt		3	23	1	6	2	41	2	36	48	162

TABELLE 9:

1. Verhältnis der Leer- zu Vorkommenszonen (L + V = 100)
2. Anteil der Dichte- an Vorkommenszonen (D in % von V)

	AMERIKA	PROZESS	AMERIKA UND PROZESS	SCHLOSS
	L : V (D)			
GA :	98 : 2 (10 %)	99 : 1 (50 %)	99 : 1 (30 %)	97 : 3 (4 %)
GB :	86 : 14 (43 %)	88 : 12 (39 %)	87 : 13 (41 %)	81 : 19 (28 %)
GF :	99 : 1 (60 %)	99 : 1 (43 %)	99 : 1 (52 %)	99 : 1 (29 %)
GK :	97 : 3 (23 %)	98 : 2 (40 %)	98 : 2 (32 %)	91 : 9 (15 %)
GN :	99 : 1 (11 %)	99 : 1 (67 %)	99 : 1 (39 %)	98 : 2 (0 %)
GP :	82 : 18 (48 %)	73 : 27 (38 %)	78 : 22 (43 %)	60 : 40 (22 %)
GT :	98 : 2 (18 %)	99 : 1 (55 %)	99 : 1 (37 %)	99 : 1 (25 %)
GV :	75 : 25 (47 %)	74 : 26 (41 %)	75 : 25 (44 %)	81 : 19 (36 %)
GZ :	70 : 30 (43 %)	70 : 30 (46 %)	70 : 30 (45 %)	65 : 35 (34 %)
DURCHSCHNITTSGRUPPE :	89 : 11 (34 %)	89 : 11 (47 %)	89 : 11 (41 %)	86 : 14 (21 %)
GA + GF + GK + GN + GT	98 : 2 (24 %)	99 : 1 (51 %)	99 : 1 (38 %)	97 : 3 (15 %)
GB + GP + GV + GZ	78 : 22 (45 %)	76 : 24 (41 %)	77 : 23 (43 %)	72 : 28 (30 %)

ANHANG II

DAS ELEMENT ‚MASSE' (GV 2. 2.–2. 4)

Textproben zu Masse [=Mischung/Summe/Gewicht]:

Buchstabenkodierung:

S SCHWARZ/dunkel/unrein
W WEISS/rein
R ROT/Wunde

in den Variationstypen

a BAU/Haus/Mauer/Wand/Verschlag
b ERDE/Berg(werk) /Feld/Boden/Stein/Dreck/Mörtel/Ziegel
c HOLZ/Möbel/Tisch/Platte/Brett/Stück/Stock
d STOFF/Tuch/Papier
e GLAS/Fenster(scheibe) /Laterne
f SPEISE/Suppe
g WASSER/Öl/Flüssigkeit
h SCHNEE
i LICHT/FEUER
j LUFT/Wind
k GESANG/LÄRM/STIMMEN
l STAUB/GERÜCHE/FARBEN
m WÖRTER/Klagen/Fragen/Sprachen – GEFÜHLE/PLÄNE
n MENSCHEN
o TIERE
p BLUMEN/BÄUME/ZWEIGE
q FAHRZEUGE

mit den Eigenschaften

x NIEDRIG und HOCH der äußeren Form des Ganzen
y BEWEGBAR der Beschaffenheit, demgemäß unterschiedlich als:
brüchig/bröckelig/rissig/holprig/flockig/keilig/spitz/spritzig/wellig/schaumig/
zittrig/kugelig/klapprig/wackelig/locker/plapprig usf.

Zur späteren *Zahlenkodierung* s. Elemente 1–15 des GV-Sondertyps II.

Zur Nummerierung der Träume s. Anhang V (infra 323 ff.)

298

BRAUN   PFLASTER   HOLPRIG

Text 1: (T485: Traum 9) „Die kleine teuflische Lehrerin, die ich auch im Halbschlaf sah, wie sie jagend im Tanz, in einem kosakenmäßigen, aber schwebenden
Tanz, über einem leicht geneigten, dunkelbraun [S]im Dämmerlicht daliegen-
den holprigen [y] Backsteinpflaster [b] hinauf- und hinabflog [x]."

MENSCHENDRECK   FLOCKIG

Text 2: (T276: Traum 5) „Hinter dem Tor stieg eine sehr steile Wand [a] aufwärts [x], die mein Vater fast tanzend erstieg, die Beine flogen ihm dabei, . . .
ich kam nur mit der äußersten Mühe, auf allen Vieren, häufig wieder zurückrutschend, hinauf, als sei die Wand unter mir steiler geworden. Peinlich war
dabei auch, daß «die Wand» mit Menschendreck [b] bedeckt war, so daß mir
Flocken [y] davon vor allem auf der Brust hängenblieben. Ich sah sie mit geneigtem Gesicht an." (cf. Text 7)

In der Regel wird der Komplex auf gleichem Raum mehrfach
entfaltet, gehen die Variationstypen auseinander hervor, ineinander
über. So in den Verbindungen:

BLAU/SCHWARZ/DUNKEL	STEINMASSEN	SPITZ/KEILIG/
		RISSIG/HÜGLIG/
KÜHL	STRÖME	SCHAUMIG/WELLIG/
		SCHAUERN

Text 3: (A331) „Am ersten Tag fuhren sie durch ein hohes [x] Gebirge [b] . Bläu-
lich-schwarze [S] Steinmassen [b] gingen in spitzen Keilen [y] bis an den Zug
heran, man beugte sich aus dem Fenster und suchte vergebens ihre Gipfel, dunkle
[S] , schmale, zerrissene [y] Täler [x] öffneten sich, man beschrieb mit dem Finger
die Richtung, in der sie sich verloren, breite Bergströme [g] kamen, als große Wellen
[y] auf dem hügeligen [y] Untergrund [b] eilend und sich in tausend kleine Schaum-
wellen [y] treibend, sie stürzten sich unter die Brücken [x], über die der Zug fuhr,
und sie waren so nah, daß der Hauch ihrer Kühle [S] das Gesicht erschauern [y]
machte."

DUNSTIG/GLÄNZEND	LICHT/GLAS	WELLIG/ZITTRIG/
		BEWEGT
SCHLECHT	FELDER	BEBAUT
DUNKEL/RAUCHIG	HÄUSER	WAHLLOS HINGESTELLT

Text 4: (A124) „Aller Nebel war schon verschwunden, in der Ferne erglänzte [W]
ein hohes [x] Gebirge [b], das mit welligem Kamm [y] in noch ferneren Sonnendunst
[i und S] führte. An der Seite der Straße lagen schlecht[S] bebaute [y] Felder [b],
die sich um große Fabriken [a] hinzogen, die dunkel angeraucht [S] im freien
Lande standen. In den wahllos hingestellten [y] einzelnen Mietskasernen [a] zitter-
ten [y] die vielen Fenster [e] in der mannigfaltigsten Bewegung [y] und Beleuchtung [i]."

DUNKEL/SCHMUTZIG	BAU/BODEN/ERDE	GEBRECHLICH/DURCH-BROCHEN
GROB	WÄSCHE/DECKE/TUCH	ZUSAMMENGETRETEN/ZIPFLIG
KARTOFFEL	DICKE SUPPE	KUGLIG/GEWÄLZT

Text 5: (T90ff.: Traum 1) Im Bordell: „das Haus [a] so gebrechlich [y]", „ein typisches Bett", das „an der dunklen oder schmutzigen [S] Wand [a] steht, einen niedrigen [x] Aufbau [a] von Bettwäsche [d] hat und dessen Decke, eigentlich nur ein grobes [S] Leintuch [d], zusammengetreten [y] von den Füßen dessen, der hier geschlafen hat, in einem Zipfel hinunterhängt." Die „letzte Wand" war „durchbrochen [y] und ich wäre beim Weitergehn hinuntergefallen. Es ist sogar wahrscheinlicher, daß sie durchbrochen war, denn es lagen gegen den Rand des Fußbodens [b] die Dirnen [S]. Klar waren mir zwei, auf der Erde [b]"; „wie Max ohne Angst in diesem Lokal irgendwo links auf der Erde [b] saß und eine dicke Kartoffelsuppe [S und f] aß, aus der die Kartoffeln als große Kugeln [y] heraussahen, hauptsächlich eine. Er drückte sie mit dem Löffel ... in die Suppe hinein oder wälzte[y] sie bloß."

	BÜNDEL (PAPIERE)	ZITTRIG
BEGRABEND/TRAU-RIG	DURCHEINANDER (KLAGEN)	STRÖMEND/STRUDELND

Text 6: (A23f.,25f.) Der Heizer nahm „ein Bündelchen Papiere [d]" und „breitete auf dem Fensterbrett seine Beweismittel aus [y]. ... Er redete sich allerdings in Schweiß, die Papiere auf dem Fenster konnte er längst mit seinen zitternden Händen nicht mehr halten [y]; aus allen Himmelsrichtungen strömten [y] ihm Klagen über Schubal zu, von denen seiner Meinung nach jede einzelne genügt hätte, diesen Schubal vollständig zu begraben [S], aber was er dem Kapitän vorzeigen konnte, war nur ein trauriges [S] Durcheinanderstrudeln [m und y] aller insgesamt."

DUNKEL	GESELLSCHAFT	
SCHWARZ	HOLZPLATTE	
BRAUN (UNREIN)	DICKE SPEISE	FLÜSSIG/VERKOSTET

Text 7: (F228f.: Traum 7) „Die ganze [sc. Verlobungs-] Gesellschaft saß in einem halbdunklen [S] Zimmer an einem langen Holztisch [c], dessen schwarze [S] Platte [c] von keinem Tuch bedeckt war. Ich saß unten [x] am Tisch zwischen unbekannten Leuten, Du standest ... oben [x] .... Ich legte vor Verlangen nach Dir den Kopf auf den Tisch. ... Dann zerstreute [y] sich mir der Traum, ich merkte, wie das bedienende Dienstmädchen hinter dem Rücken der Gäste [GV II. 1] eine dickflüssige [y] Speise [f], die es in einem braunen [S] Töpfchen zu servieren hatte, verkostete [y] und den Löffel wieder in die Speise steckte [S]. Darüber geriet ich in die größte Wut".

zu ‚Kopf auf den Tisch [sc. aufs Schwarze] legen' cf. Text 2: ‚Gesicht neigen über';
besonders Text 8.

Text 7 bringt als Bild ‚Ich unten zwischen Leuten einer halbdunklen
[dunkel gekleideten?] Gesellschaft'; zu Text 2 hieß es weiter:

„Es zeigte sich, daß dieser Mann der Sekretär des Professors war, daß mein Vater
tatsächlich nur mit ihm gesprochen hatte und nicht mit dem Professor selbst, daß
er aber irgendwie, durch den Sekretär hindurch, die Vorzüge des Professors leibhaftig erkannt hatte."

Es sind Andeutungen der Verbindung MASSE und MENSCH:

GV I. MENSCHENMASSE/-verMISCHUNG/VER-/ABWECHSLUNG/
ABLÖSUNG/VERTRETUNG [oft] MIT EINEM/einer [als Einzelfigur
und/oder Funktionsträger von] SCHWARZ/dunkel/braun [u.ä.]

SCHWARZ	MASSE (einer)	AUFSTEHEN/VERSIN-KEN

Text 8: (T167: Traum 3) Licht spritzt „auf die Zuschauer nieder, die für den Blick
nicht zu entwirren sind und eine Masse [n], schwarz [S] wie Erde [b] bilden. Da
steht ein Herr aus dieser Masse auf [y], geht förmlich auf ihr näher zur Laterne hin,
. . . wieder zu seinem Platz zurück, in dem er versinkt [y]. Ich verwechsle [n] mich
mit ihm und neige das Gesicht ins Schwarze ."(cf. Texte 2, 7)

BRAUN	MISCHUNG (einer BRAUN)	SCHWINGEND

Text 9: (T491f.: Traum 1o) „Mein Vater ... schwingt sich [y] (im braunen [S] Schlafrock des Felix, die ganze Gestalt war eine Vermischung [n] beider) auf das Fenster
... . Ich packe ihn und halte ihn an den beiden Kettchen, durch welche die Schlafrockschnur gezogen ist." (cf.GVII'1)

	MENGE (einer BRAUN)	LOSGEBROCHEN/STRÖ-MEND
dunkel/glänzend	Licht/Wolken/Glas	zerstreut
schwarz	Pflaster/Grund	(holprig)/ausgehoben

Text 10: (T152ff.: Traum 2) „Die Beleuchtung [i] war von dunklen, herbstlichen
[S] Wolken bestimmt. Das Licht [i] der gedrückten Sonne [i] erglänzte [W] zerstreut [y] in dieser oder jener gemalten Fensterscheibe [e]." „Der Platz war stark

abfallend, das Pflaster [b] fast schwarz [S], ... eine Plankeneinzäunung, die man jetzt um die Grundaushebung [b und y] für das Hus-Denkmal aufgeführt hat. ... Die Revolution war so groß, mit riesigen, den Platz aufwärts und abwärts [x] geschickten Volksmengen [n], ... inzwischen war die Revolution losgebrochen [y] ... . Gerade strömten [y] viele Menschen an mir vorüber auf den Platz hinaus, meist Zuschauer ... . Unter ihnen war auch ein bekanntes Mädchen ...; neben ihr ging ein junger eleganter Mann mit einem gelbbraunen [S] kleinkarierten Ulster, die Rechte tief in der Tasche". (cf.GVII.1)

Das Element SCHWARZ erscheint häufig als ‚blind‘, ‚ohne Augen‘ (zwei Proben):

BLIND	GRUPPE (eine SCHWARZ)	AUFGEBROCHEN
morastig	Boden	
	Mauer	durchbrochen
schwarz (Mädchen)	Fleisch	vernarbt/zerfleischt

Text 11: (F166f.: Traum 6) „Vom Häuschen aus links war eine Glasveranda, in welcher der größte Teil [n] der blinden [S] Mädchen untergebracht war. Ich wußte, daß Du [sc. Felice] unter ihnen [n] seist und hatte den Kopf voll unklarer [S?] Pläne [m], ... überschritt die Planke, die vor der Tür über den morastigen [S und y] Boden [b] gelegt war." Mutter bevorzugte „ein Mädchen in schwarzem [S] Kleid mit rundem Gesicht, dessen eine Wange aber derartig tiefgehend vernarbt [y] war, als wäre sie einmal völlig zerfleischt [y] worden.[cf. GVII.1] ... Plötzlich hatte alle verhältnismäßige Ruhe ein Ende, vielleicht wurde zum Aufbruch [y] geblasen [cf. GVII.1], ... ich lief den Abhang hinunter, durch eine kleine eine Mauer [a] durchbrechende [y] Tür", derweil findet „die Gruppierung der blinden Mädchen [n]" statt.

zu 'Wange, zerfleischt, vernarbt' cf. T74 (blindes Kind)

DUNKEL	GEDRÄNGE (einer SCHWARZ)	
augenlos	Verwischtes	löchrig/wacklig/locker
	Unrat/Lehm	bröckelig

Text 12: (T328f.: Traum 8) „Auf einem ansteigenden Weg lag ... Unrat oder festgewordener Lehm [b], der gegen rechts hin durch Abbröckelung [y] immer niedriger [x] geworden war, während er links hoch [x] wie Palisaden eines Zaunes stand." Ich „sah auf einem Dreirad einen Mann von unten mir entgegenkommen und scheinbar geradeswegs gegen das Hindernis fahren. Es war ein Mann wie ohne Augen [S], zumindest sahen seine Augen wie verwischte Löcher [y] aus. Das Dreirad fuhr wacklig [y], fuhr zwar entsprechend unsicher und gelockert [y], aber doch geräuschlos". Wir „kamen an einem Leiterwagen vorüber, auf dem einige Leute gedrängt [n] standen, alle dunkel [S] gekleidet". Jemand kam, „der sich jetzt wie hinter einem schwarzen [S] ausgespannten Stoff verbirgt".

zu ‚verwischte Augenlöcher‘ und ‚hinter Stoff verborgen‘ cf. T125f. (Engländer)

Dem Element MASSE, speziell MENSCHENMASSE, verdankt man
die berühmten Schilderungen des amerikanischen Verkehrs- und Arbeitslebens. Vier Beispiele:

	MENSCHENMISCHUNG	VERZERRT/GESTREUT
dunstig	ungeheure Formen/Reihen	abgehackt
staubig	Mischung	vervielfältigt/wild
	Körper: Licht/Glas	verstreut/zerschlagen

Text 13: (A48f.) Karls Balkon gestattete „den Überblick über eine Straße, die zwischen zwei Reihen, förmlich abgehackter [y] Häuser [a] gerade, und darum wie
fliehend, in die Ferne sich verlief, wo aus vielem Dunst [S] die Formen einer Ka-
thedrale ungeheuer [a] sich erhoben [x]. Und morgens wie abends und in den Träumen der Nacht vollzog sich auf dieser Straße ein immer drängender Verkehr, der, von
oben gesehen, sich als eine aus immer neuen Anfängen ineinandergestreute [y] Mischung von verzerrten [y] menschlichen Figuren [n] und von Dächern der Fuhrwerke
aller Art [g] darstellte, von der aus sich noch eine neue, vervielfältigte, wildere [y]
Mischung von Lärm [k], Staub und Gerüchen [l] sich erhob, und alles dieses wurde
erfaßt und durchdrungen von einem mächtigen Licht [i], das immer wieder von der
Menge der Gegenstände [n und g] verstreut, fortgetragen und wieder eifrig herbeige-
bracht [y] wurde und das dem betörten Auge so körperlich [sic!] erschien, als werde
über dieser Straße eine alles bedeckende Glasscheibe [e] jeden Augenblick immer
wieder mit aller Kraft zerschlagen [y]“

	MENSCHENMAUERN	
	Untergrund	gerissen/klapprig
	Getümmel	strömend

Text 14: (A169) „Dann liefen sie fast, Karl mit ihrer Tasche in der Hand, zur nächsten Station der Untergrundbahn [b], die Fahrt verging im Nu, als werde der Zug
ohne jeden Widerstand nur hingerissen [y], schon waren sie ihm entstiegen, klapper-
ten [y] . . . die Stufen hinauf [x], die großen Plätze, von denen sternförmig die Straßen auseinanderflogen [y], erschienen und brachten ein Getümmel [g] in den von
allen Seiten geradlinig strömenden [y] Verkehr.“ Karl „rief über Menschenmauern
[n] sein noch immer etwas überspitztes [y], aus hundert Stimmen [k] leicht heraus-
zuhörendes Englisch hin“.

DUNKEL	MASSE (einer DUNKEL)	BEWEGT
	Element: Lärm/Wind	jagend
	einheitlich: Gesang	

Text 15: (A65) „Obwohl er am Abend [S] noch niemals durch die New Yorker Straßen gefahren war, und über Trottoir und Fahrbahn, alle Augenblicke die Richtung wechselnd [y], wie in einem Wirbelwind [j] der Lärm [k] jagte [y], nicht wie von Menschen verursacht, sondern wie ein fremdes Element [sic!], kümmerte sich Karl ... um nichts anderes als Herrn Pollunders dunkle [S] Weste, über die quer eine dunkle [S] Kette ruhig hing [cf. GVII. 1]. Durchquerte dann das Automobil, aus dunkleren [S], dumpf hallenden Gassen kommend, eine dieser, ganzen Plätzen gleichenden, großen Straßen, dann erschienen nach beiden Seiten hin in Perspektiven, denen niemand bis zum Ende folgen konnte, die Trottoirs angefüllt mit einer in winzigen Schritten sich bewegenden [y] Masse [n], deren Gesang einheitlicher war als der einer einzigen Menschenstimme [k]."

Als besonders typisches Beispiel des Arbeitslebens die Portierablösung im Hotel Occidental:

DUNKEL/DÜSTER	ABLÖSUNG (einerDUNKEL)(FORT–/) AUFTAUCHEN
	Durcheinander — wechselnd
	Ineinander — plapprig
am Boden	Gegenstände — geworfen
	Wasser — gegossen

Text 16: (A221ff.) „Unter diesen zehn Fragern [n], die immerfort wechselten [y], war oft ein Durcheinander von Sprachen [m], als sei jeder einzelne von einem anderen Lande abgesandt. Immer fragten einige gleichzeitig, immer redeten außerdem einzelne untereinander [y]. ... All diesem mußten nun die zwei Unterportiers standhalten. Bloßes Reden hätte für ihre Aufgabe nicht genügt, sie plapperten [y], besonders der eine, ein düsterer [S] Mann mit einem das ganze Gesicht umgebenden dunklen [S] Bart [cf. GVII. 2], gab die Auskunft ohne die geringste Unterbrechung [m]. ... Außerdem beirrte es, daß sich eine Auskunft so knapp an die andere anschloß und in sie überging [m], so daß oft noch ein Frager mit gespanntem Gesicht zuhorchte, da er glaubte, es gehe noch um seine Sache, um erst nach einem Weilchen zu merken, daß er schon erledigt war. ... Sehr interessant war die Ablösung [n]." Man klopft dem Unterportier „ auf die Schulter, der, obwohl er sich bisher um nichts, was hinter seinem Rücken [cf. GVII.1] vorging, gekümmert hatte, sofort verstand und seinen Platz freimachte [y], Das Ganze ging so rasch, daß es oft die Leute draußen überraschte und sie aus Schrecken über das so plötzlich vor ihnen auftauchende [y]

neue Gesicht fast zurückwichen. Die abgelösten zwei Männer streckten sich und begossen [y] dann über zwei bereitstehenden Waschbecken ihre heißen Köpfe [cf. GVII.1]",
während die Laufburschen noch damit zu tun hatten, ..die während ihrer Dienststunden auf den Boden [S] geworfenen [y] Gegenstände aufzuheben".

GV II. ROTE MASSE: WUNDE

Paradigma dieses Typs ist, aus doppeltem Grund, die Wunde im „Landarzt". Erstens weist sie sich deutlich als Variationstyp der MASSE aus, einmal durch wort- und grundformengleiche Übereinstimmungen mit dem Fund von Pferd und Knecht im Stall. Zweitens vereint sie die beiden oft gesonderten Aspekte der Wunde: GV II.1 'HÜFTE/RÜCKEN' und GV II.2 ‚KREIS'.

	Schneehaufen/-fülle	Gestöber
	Stalltür	brüchig/klappend
trüb	Licht	schwankend
Schwein/Vieh	Pferdefülle	kriechend/schiebend

Text 17.1: (E146f.) „starkes Schneegestöber [h und y] füllte den weiten Raum . . . , und immer mehr vom Schnee überhäuft [h], . . . stieß ich mit dem Fuß an die brüchige [y] Tür [c] des schon seit Jahren unbenützten Schweinestalles [S]. Sie öffnete sich und klappte in den Angeln auf und zu [y]. Wärme und Geruch wie von Pferden kam hervor. Eine trübe [S] Stallaterne [i] schwankte [y] drin an einem Seil. Ein Mann, zusammengekauert in dem niedrigen [x] Verschlag [a], zeigte sein offenes blauäugiges Gesicht. ‚Soll ich anspannen?' fragte er, auf allen Vieren hervorkriechend [y]. . . . ‚Holla, Bruder, holla, Schwester!' rief der Pferdeknecht, und zwei Pferde, mächtige flankenstarke Tiere [o], schoben sich [y] hintereinander, die Beine eng am Leib, die wohlgeformten Köpfe wie Kamele senkend [x], nur durch die Kraft der Wendungen ihres Rumpfes aus dem Türloch, das sie restlos ausfüllten [o]. Aber gleich standen sie aufrecht, hochbeinig [x]." Der Knecht ist ein „Vieh" [o], das Dienstmädchen heißt „Rosa" [R], ihm schlägt der Knecht die Zähne ins Gesicht, „rot [R] eingedrückt sind zwei Zahnreihen [2] in des Mädchens Wange [cf. GV II.1]." Zuschauer: „Ich" und „das Dienstmädchen."

Drehpunkt der Überleitung sind die Einheiten ‚Schwester und Bruder: Pferde/Menschen'; ‚Rosa: Mädchen/Wunde'; ‚im Stall Tiere (Schweine/ Pferde/Vieh) mit Köpfen, auf allen vieren, die Beine am Leib, durch Wendungen des Rumpfes hervorkriechend' bzw. ‚im Innern der Wunde Würmer mit Köpfchen, sich mit vielen Beinchen ans Licht windend'; zur Kodierung cf. GV II.1 und GV II.2:

Text 17.2: (E150ff.) Die „Schwester" des nackten (E148) Kranken [4], „ein schwer blutiges [R] Handtuch schwenkend [y], . . . und nun finde ich: ja, der Junge ist krank. In seiner rechten Seite, in der Hüftengegend [3] hat sich eine handtellergroße [1] Wunde [3] aufgetan. Rosa, in vielen Schattierungen [10], dunkel [S] in der Tiefe [11], hellwerdend [W] zu den Rändern [7 und 8], zartkörnig [y], mit ungleichmäßig sich aufsammelndem Blut [y], offen wie ein Bergwerk obertags [b]. So aus der Entfernung. In der Nähe zeigt sich noch eine Erschwerung. Wer kann das ansehen ohne leise zu pfeifen? Würmer [4 und o], an Stärke und Länge meinem kleinen Finger gleich [1], rosig aus eigenem und außerdem blutbespritzt [y], winden sich [13], im Innern der Wunde festgehalten, mit weißen [W] Köpfchen, mit vielen Beinchen ans Licht. Armer Junge, dir ist nicht zu helfen. Ich habe deine große Wunde aufgefunden: an dieser Blume [3] in deiner Seite gehst du zugrunde." — Der Junge ist „ganz geblendet [W] durch das Leben in seiner Wunde "; eine „schöne [4] Wunde", „im spitzen Winkel [y] mit der Hacke [2] geschaffen." — Zuschauer: „die Familie", „einige Gäste", „die Dorfältesten", „ein Schulchor mit dem Lehrer [5]".

GV II.1 HÜFTE/RÜCKEN [= Wundtyp 1]

1.1 IN FINGER-/HANDteller-/[=] TürknopfGRÖSSE oder 1.2+ in/mit der Hand/ beiden Händen

2 betasten/HALTEN 2.1 SCHARFes: LöwenZAHN als/HACKE für/MESSER für oder von/GABEL für/KRATZENdes für/DEGEN an

S DUNKEL/SCHMUTZIG/unrein/grob/steif
W HELL: blendend/gelb
R ROT (verselbständigt: rotes/wundes Gesicht)

3 HÜFTE/HÜFTWUNDE/Rücken (an/hinter Rücken/im Hintergrund) / Körper/ rotes Gesicht/BLUME

x NIEDRIG-HOCH/tief-flach: ungleichmäßig/von unten nach oben/klein-groß/ (hin) auf und (hin) ab
y BEWEGBAR: körnig/erdig/bespritzt/zerkratzt [cf. Besen/Katze]/gespant/strahlend/schimmernd

4 von NACKTem und/oder unREIN-/unSCHÖNem JUNGEn (im Bett) MÄDCHEN als Hexe/Dirne/ Jungfrau/Engel

5+ ZUSCHAUER/Zuhörer/Publikum/Passanten

Andeutungen, bezeichnenderweise immer in Nachbarschaft anderer Typen von MASSE, fanden sich schon in den bisherigen Proben, in oder in Verbindung mit: Text 2 als ‚Angst des Jungen, zum Arzt hineinzumüssen [4], dessen Sekretär ihm den Rücken zuwendet [3]'; Text 7 als ‚Mädchen, das hinter dem Rücken der Gäste [3] eine dicke (braune) Speise verunreinigt [4]'; Text 9 als ‚Sohn, der den Vater (mit beiden

Händen [1] von hinten [3]) an den Kettchen hält, durch die die Schnur des braunen Schlafrocks [in der Hüftgegend: 3] gezogen'; Text 10 als ‚Mädchen, neben dem ein junger Mann [4] im braunen Ulster, die Rechte tief in der Tasche [3?]'; Text 11 als ‚hinter kleinen blinden Jungen auf- und abgehen, zusehen, wie ein blinder Säugling aus- und eingewickelt wird'; Text 15 als ‚sich nur um die Kette über der Weste [3] kümmern'; Text 16 als ‚sich um nichts kümmern, was hinter seinem Rücken [3] vorgeht, den heißen Kopf [R] mit Wasser begießen'.

Dazu Beispiele, oft typisch verbunden — per Textnachbarschaft oder Figuren- und Sachbezug — mit GV II. 1a ‚SPRITZENDes/ STRAHLENDes/WIRRes: Licht/Funken/Lärm von/aus GLÄNZENDen Laternen/Kanonen-/TrompetenROHREn/glänzendem Metall/aus Öffnung auf ZUSCHAUER'.

UNREIN   WUNDE   AUFGEKRATZT

Text 18.1: (T166 :Traum 3) „Im Theater"; als Zuschauer „ein großes Gedränge" [5] :„Nun kommt ein Mädchen [4] an, das ich kenne . . . , sie steigt gerade an meinem Platz über die Lehne, ihr Rücken [3] ist, als sie hinübersteigt, ganz nackt, die Haut nicht sehr rein [4], über der rechten Hüfte [3] ist sogar eine aufgekratzte [y], blutunterlaufene Stelle [R], in der Größe eines Türknopfes [1]." (Im selben Traum, nach 24 Zeilen ɔ)

UNREIN   LICHT   GESPRITZT

Text 18.2: (T167) „Plötzlich, unreines [S] Petroleum oder eine schadhafte Stelle im Docht wird die Ursache sein, spritzt [y] das Licht [i] aus einer solchen Laterne [e] und Funken [i] gehn in breitem Stoße auf die Zuschauer [5] nieder, die für den Blick nicht zu entwirren sind". (dann Text 8)

SCHMUTZIG   SCHÜRZE/HÜFTE   BEGOSSEN

Text 19.1: (A18) „Sie kamen durch eine Abteilung der Küche, wo einige Mädchen in schmutzigen Schürzen [4] — sie begossen [y] sie absichtlich — Geschirr [e] in großen Bottichen reinigten. Der Heizer rief eine gewisse Line zu sich, legte den Arm um ihre Hüfte [3]". Sie „schlüpfte unter seinem Arm durch und lief davon. ‚Wo hast du denn den schönen Knaben [4] aufgegabelt [2] ? ' rief sie noch, wollte aber keine Antwort mehr. Man hörte das Lachen aller Mädchen, die ihre Arbeit unterbrochen [y] hatten." — Es ist „vor der großen Schiffsreinigung [S] . . . . Sie waren auch tatsächlich schon einigen Männern begegnet, die Besen [2] an der Schulter trugen". (cf „das Kratzen des Besens" A293) — (Nach 14 Zeilen:)

Text 19.2: (A19) „Große Schiffe kreuzten gegenseitig ihre Wege und gaben dem Wellenschlag [y] nur so weit nach, als es ihre Schwere erlaubte. Wenn man die Augen klein machte, schienen diese Schiffe vor lauter Schwere zu schwanken [y]. . . . Wahrscheinlich von Kriegsschiffen her erklangen Salutschüsse [i und y], die Kanonenrohre eines solchen . . . Schiffes, strahlend [y] mit dem Reflex ihres Stahlmantels, waren wie gehätschelt von der sicheren, glatten und doch nicht waagrechten [y] Fahrt. Die kleinen Schiffchen und Boote konnte man . . . beobachten, wie sie in Mengen [g] in die Öffnungen zwischen den Schiffen einliefen."

Zugleich als Beispiele für Kontrastvarianten zur ‚schwarzen Masse‘: die ‚weiße/reine Menschenmasse‘:

	RÜCKEN/HÜFTE	
	LÄRM	WIRR GEBLASEN
weiß	Hunderte	wehend/sich schwingend

Text 20: (A306f.,309,313) „Als er in Clayton ausstieg, hörte er gleich den Lärm vieler Trompeten. Es war ein wirrer [y] Lärm [k], die Trompeten waren nicht gegeneinander abgestimmt, es wurde rücksichtslos geblasen [y]. . . . Vor dem Eingang zum Rennplatz war ein langes, niedriges [x] Podium aufgebaut, auf dem Hunderte von Frauen, als Engel gekleidet [4], in weißen Tüchern [W] mit großen Flügeln am Rücken [3], auf langen goldglänzenden [W] Trompeten bliesen. . . . jede stand auf einem Postament, das aber nicht zu sehen war, denn die langen wehenden [y] Tücher der Engelkleidung hüllten es vollständig ein. . . . Damit keine Einförmigkeit entstehe, hatte man Postamente in der verschiedensten Größe verwendet; es gab ganz niedrige [x] Frauen, nicht weit über Lebensgröße, aber neben ihnen schwangen sich [y] andere Frauen in solche Höhe [x] hinauf, daß man sie beim leichtesten Windstoß in Gefahr glaubte. . . . Es gab nicht viele Zuhörer [5]." — „Karl sah auf dem anderen Ende des Podiums [sc. hinter den Engeln :3] einen unruhig auf und ab gehenden Mann". — „Er war ständig wieaus Höflichkeit ein wenig vorgebeugt, tänzelte, obwohl er sich nicht von der Stelle rührte, und spielte [2] mit seiner Uhrkette [3]." (cf. Texte 15, 25)

	HÜFTE	
GELB	LICHT	SCHIMMERND
jungfräulich	dichte Gruppe/Fülle	vielfach gespiegelt

Text 21: (T168 : Traum 4) „Die Mädchen im Wald in tausend Spiegeln oder eigentlich: Die Jungfrauen [W]. Ähnlich gruppiert [n] . . . wie auf Vorhängen der Theater [5], war rechts im Bild eine Gruppe dichter [n] beisammen, nach links hin saßen

und lagen sie auf einem riesigen Zweig [p] oder einem fliegenden Band oder schwebend [y] aus eigener Kraft in einer gegen den Himmel langsam ansteigenden [x] Kette. Und nun spiegelten sie sich [y] nicht nur gegen den Zuschauer [5] hin, sondern auch von ihm weg, wurden undeutlicher und vielfacher; was das Auge an Einzelheiten verlor, gewann es an Fülle [n]. Vorn aber stand ein von den Spiegelungen unbeeinflußtes nacktes Mädchen [4], auf ein Bein gestützt, mit vortretender Hüfte [3]. . . . nur fand ich eigentlich mit Wohlgefallen, daß zuviel wirkliche Nacktheit auch für den Tastsinn [2] an diesem Mädchen übriggeblieben war. Von einer durch sie verdeckten Stelle [sc. hinter ihr: 3] ging ein Schimmer [y] gelblich blassen [W] Lichtes [i] aus."

	HINTERGRUND	
GELB	BLUMEN	GEZAHNT
	LICHT	STRAHLEND

Text 22: (Br 232f.: Traum 11) „irgendeine löwenzahnähnliche [2] Blume [3] oder vielmehr einige von dieser Art hieltest [2] Du dem Publikum [5] entgegen; es waren vereinzelte große Exemplare, die eins über dem anderen, vom Podium bis zur Decke [x], dem Publikum entgegengehalten wurden; wie Du das allein mit Deinen zwei Händen [1] machen konntest, verstand ich nicht. Dann kam von irgendwo aus dem Hintergrund [3] . . . oder vielleicht aus den Blumen selbst ein Licht [i] und sie strahlten [y]."

Zur Verbindung von ‚Hüfte‘, ‘Feuer‘, ‘Messer‘:

| GROB/STEIF | HÜFTE/HOLZSTÜCK | GESPANT |
| | FEUER | |

Text 23: (F310) „Mit solchen Vorstellungen oder Wünschen gebe ich mich ab, wenn ich schlaflos im Bett [4] liege: Ein grobes [S] Holzstück [c] sein und von der Köchin gegen ihren Leib gestemmt werden, die aus der Seite dieses steifen [S] Holzstückes (also etwa in meiner Hüftengegend) [3] das Messer mit beiden Händen [2] heranziehend mit aller Kraft Spähne [y] zum Anmachen des Feuers [i] losschneidet."

Zur Verbindung von ‚Holzstück/-stock‘ und ‚Hüfte‘:

| | (HÜFTGEGEND) | |
| | STOCK/ZWEIG | GEBROCHEN |

Text 24: (Br 250: Traum 12) „ich nehme irgend ein Stöckchen [c] oder breche [y] auch nur einen Zweig [p] ab, stoße ihn schief gegen den Boden [b], setze mich auf ihn, wie die Hexen [4] auf den Besen [2], oder lehne mich auch nur an ihn, wie man

sich auf der Gasse an einen Spazierstock lehnt [3] — und das genügt, daß ich in langen flachen Sprüngen weithin fliege, bergauf, bergab [x], wie ich will."

	HÜFTE/ROTES GESICHT	
schwarz/blau	DEGEN/STOCK	dünn (= SPITZ)

Text 25: (A19ff.) „An einem runden Tisch saßen [x] drei Herren, der eine ein Schiffsoffizier in blauer [S] Schiffsuniform, die zwei anderen . . . in schwarzen [S] amerikanischen Uniformen. . . . Am Fenster saß an einem Schreibtisch, den Rücken der Türe zugewendet [3], ein kleinerer [x] Herr". In der Nähe des Fensters „standen [x] zwei Herren in halblautem Gespräch. Der eine lehnte neben dem Fenster, trug auch die Schiffsuniform [S] und spielte mit dem Griff [1] des Degens [2]. Derjenige, mit dem er sprach, war dem Fenster zugewendet [3] . . . . Er war in Zivil und hatte ein dünnes Bambusstöckchen [c], das, da er beide Hände [1] an den Hüften [3] festhielt [2], auch wie ein Degen abstand." — Der Diener läuft hinter Karl her, „als jage er ein Ungeziefer [4]". — Karl hätte „noch viel besser gesprochen, wenn er nicht durch das rote Gesicht [R] des Herrn mit dem Bambusstöckchen beirrt worden wäre."

Zur Verbindung ‚Hüfte' und ‚Rotes Gesicht':

	HÜFTE/(ROTES) GESICHT	KATZIG
dunkel	Baumwipfel/-fülle	sich wiegend

Text 26: (A78ff.) Karl „trat in das Zimmer. Ein überraschendes Dunkel [S] vor dem Fenster erklärte sich durch einen Baumwipfel [p], der sich dort in seinem vollen Umfang wiegte [y]. . . . Im Zimmer selbst, das vom Mondlicht noch nicht erreicht war, konnte man allerdings fast gar nichts unterscheiden [S]." Dann der Kampf: Karl „machte sich mit einer Wendung der Hüfte [3] los und umfaßte [2] sie. ‚Ach, Sie tun mir weh', sagte sie . . . , das erhitzte Gesicht [R] eng an seinem . . . , ‚Katze, tolle Katze [y]', konnte Karl gerade noch aus dem Durcheinander von Wut und Scham [m] rufen".

GV II. 2 KREIS [= Wundtyp 2]

6+	DA plötzlich/endlich
7+	RAND/Umrandung/Runde/Seiten
8	8. 1+ DUNKLER: blau oder 8. 2+ HELLER: gold/gelb/weiß/blaß ALS
9	KREIS/Mitte (mitten)/Lichtzone/-schacht
	S DUNKEL: blau/violett/befleckt/scheußlich
	W WEISS: grell/hell
	R ROT/Blut/wund

10   SCHATTIERT: in vielen Schattierungen/Tönungen/bunt/farbig/kariert
11   TIEF/HOCH: in der/die Tiefe/Höhe
12   STOSSWEISE/unUNTERBROCHEN: immer wieder/immerfort/ununter-
      brochen drängen/fahren/rinnen/fließen/reiben
13   SCHNÜREN/wickeln/spannen/winden/falten/binden
14   GROSSer HIMMEL: Engel aus großer Höhe/großes Himmelbett/oben um
      Himmels willen/zum Himmel/im Freien
15   Zimmer-/Bett-/StraßenDECKE/Dach 1+ WEISS/hell

Andeutungsweise schon in oder in Verbindung mit: Text 7 als ‚Feli-
ces Augen, dunkel, aber in der Mitte jedes Auges war ein Punkt, der
glänzte wie Feuer und Gold', Text 16 als ‚heißer Kopf mit einem das
ganze Gesicht umgebenden dunklen Bart', vielleicht Text 17.1 als ‚rot
eingedrückt zwei Zahnreihen in des Mädchens Wange'.

Paradigma des Typs ist eine Tagebuchskizze vom 25. Juni 1914:

WEISS/BLAU	LICHTMITTE	STRAHLEND
weiß	Mörtel	brüchig

Text 27: (T404ff.) In der „Dämmerung" [S], auf der „niedrigen [x] Brüstung": „Endlich, endlich [6] begann, wenn ich mich nicht täuschte, dieses so vielfach von mir er-
schütterte [y] Zimmer sich zu rühren. An den Rändern [7] der weißen [W], mit schwacher Gipsverzierung[y] umzogenen Decke [15] begann es. Kleine Mörtelstücke [b]
lösten sich los [y] und fielen wie zufällig, hie und da mit bestimmtem Schlag zu Boden[b]. . . . Die Bruchstellen [y] oben [x] hatten noch keinen Zusammenhang, aber
man konnte ihn sich immerhin schon irgendwie bilden. Aber ich ließ von solchen
Spielen ab, als sich jetzt dem Weiß ein bläuliches Violett [S] beizumischen [l] begann,
es ging von dem weiß bleibenden, ja geradezu weiß erstrahlenden [y] Mittelpunkt
[9] der Decke aus, in welchen knapp oben die armselige Glühlampe eingesteckt war.
Immer wieder in Stößen drängte sich [12] die Farbe, oder war es ein Licht [i], gegen
den sich jetzt verdunkelnden Rand [8.1] hin. Man achtete gar nicht mehr auf den fallenden Mörtel, der wie unter dem Druck eines sehr genau geführten Werkzeugs ab-
sprang [y]. Da drängten in das Violett von den Seiten her [7] gelbe, goldgelbe Farben
[8.2]. Die Zimmerdecke färbte sich aber nicht eigentlich, die Farben machten sie nur
irgendwie durchsichtig, über ihr schienen Dinge zu schweben, die durchbrechen [y]
wollten, man sah schon fast das Treiben dort in Umrissen[y], ein Arm streckte sich
aus, ein silbernes Schwert [2] schwebte auf und ab [x]. . . . Ich sprang auf den Tisch,
um alles vorzubereiten, riß die Glühlampe samt ihrem Messingstab heraus [y] und
schleuderte sie auf den Boden . . . . Kaum war ich fertig, brach die Decke wirklich
auf. Noch aus großer Höhe [ll], ich hatte sie schlecht eingeschätzt, senkte sich im

Halbdunkel [S] langsam ein Engel [4 und 14] in bläulich violetten [8.2] Tüchern, umwickelt mit goldenen Schnüren [13], auf großen, weißen, seidig glänzenden Flügeln herab, das Schwert im erhobenen Arm waagrecht ausgestreckt."

So in „Amerika", zunächst als ‚weiße Masse':

HELL	LICHTZONE	STRAHLEND
	Lärmmischung	

Text 28: (A139) Karl trat „ins Freie" [14], hörte „aus dem Saal den ungeschwächten Lärm, in den sich jetzt auch Klänge eines Blasorchesters mischten [k]. . . . Das Hotel war jetzt in allen seinen fünf Stockwerken beleuchtet [W] und machte die Straße davor in ihrer ganzen Breite hell [W]. Noch immer fuhren draußen, wenn auch schon in unterbrochener Folge [12], Automobile, rascher aus der Ferne her anwachsend als bei Tage, tasteten [2] mit den weißen [W] Strahlen [y] ihrer Laternen [e] den Boden [b] der Straße [15?] ab, kreuzten mit erblassenden [8.1] Lichtern die Lichtzone [9] des Hotels und eilten aufleuchtend [8.2] in das weitere Dunkel [8.1]."

Und in der Verbindung ‚weißer Kreis' und ‚Blut':

WEISS	SCHNEEKREIS	STÜRMISCH/(FLOCKIG)/
		STOLPRIG
	BLUT	GEHUSTET

Text 29: (A171f.) Therese und die Mutter „im Freien" [14] eilten „jede mit ihrem Bündel durch die Straßen [15?] . . . — es war ein Schneesturm [h, W und y] und nicht leicht vorwärtszukommen [cf. Text 2] . . . . Oft stolperte [y] Therese und fiel sogar . . . . Und diese Schneestürme in den langen, geraden New Yorker Straßen! Karl hatte noch keinen Winter in New York mitgemacht. Geht man gegen den Wind [j], und der dreht sich im Kreise [9], kann man keinen Augenblick die Augen öffnen [S, cf. ‚blind'], immerfort zerreibt [12] einem der Wind den Schnee auf dem Gesicht, man läuft, aber kommt nicht weiter, es ist etwas Verzweifeltes. Ein Kind ist dabei natürlich gegen die Erwachsenen [11] im Vorteil, es läuft unter dem Wind durch". — Die Mutter „hatte schon am Morgen zum Schrecken der Passanten [5] auf der Gasse viel Blut [R] gehustet [y]".

GRELL	LICHTRUNDE	STECHEND
	BLUT	FLIESSEND
(weiß)	Wäsche	

Text 30: (A167f.) Im Schlafsaal: „natürlich drehten sie eine passende elektrische Lampe auf, deren stechendes [y] Licht die Schlafenden, wenn sie ihm zugewendet waren, auffahren ließ. Man wälzte sich zwar noch ein wenig herum [3?], ... aber wie wollte man im Schlaf bleiben, wenn der nächste Nachbar in tiefer Nacht [S] aufstand, ... wenn er in dem am Kopfende des eigenen Bettes angebrachten Waschbecken laut und wassersprühend [g und y] sich wusch ... . Und man konnte sicher sein, wenn man in der Nacht, mitten aus dem Schlaf [9] durch großen Lärm [k] geweckt, aufsprang, auf dem Boden [b] neben seinem Bett [x] zwei Ringkämpfer zu finden und bei greller Beleuchtung [W] auf allen Betten in der Runde [7] aufrecht stehende [x] Sachverständige in Hemd und Unterhosen [8.2]. Einmal fiel ... einer der Kämpfer über den schlafenden Karl [4], und das erste, was Karl beim Öffnen der Augen erblickte, war das Blut [R], das dem Jungen aus der Nase rann [12] und ... das ganze Bettzeug [15] überfloß [y]."

Zur gleichen Verbindung von ‚Bett' und ‚Licht':

WEISS/BLENDEND	WÄSCHE/LICHT(MITTE)	LOSE/STRAHLEND
einfach	schwer: Holz	eckig

Text 31: (A104f.) Karl „sah dort Mack [4] in [9] einem großen Himmelbett [14] halb liegend sitzen, die Bettdecke [15] war lose über die Beine geworfen [y]. Der Baldachin aus blauer [8.1] Seide war die einzige, ein wenig mädchenhafte [4] Pracht des sonst einfachen, aus schwerem [S] Holz [c] eckig gezimmerten [y] Bettes. Auf dem Nachttischchen brannte nur eine Kerze, aber die Bettwäsche und Macks Hemd [d] waren so weiß, daß das über sie fallende Kerzenlicht in fast blendendem Widerschein von ihnen strahlte [y]; auch der Baldachin leuchtete, wenigstens am Rande [7], mit seiner leicht gewellten [y], nicht ganz fest gespannten [13] Seide. Gleich hinter Mack [3] versank aber das Bett und alles [x] in vollständigem Dunkel [S]."

Als ‚schwarze Masse':

RÖTLICH	ÖLKREIS	BESPRITZT
	RÜCKENMITTE	BEFLECKT
(schmutzig)	Anzug	faltig
(un-)rein/staubig	Boden	besprengt

Text 32: (A228) Karls „Anzug" [d], der „abgenützt, faltig [13], vor allem aber fleckig [y] war, was hauptsächlich auf die Rücksichtslosigkeit der Liftjungen zurückzuführen war, die jeden Tag, um den Saalboden [b] dem allgemeinen Befehl ge-

313

mäß glatt und staubfrei [W] zu erhalten, aus Faulheit keine eigentliche Reinigung [S] vornahmen, sondern mit irgendeinem Öl [g] den Boden besprengten [y] und damit gleichzeitig alle Kleider auf den Kleiderständern schändlich bespritzten [y]." Immer findet sich jemand, der „die Kleider nicht nur mit dem Öl bespritzte, sondern vollständig von oben bis unten begoß [y]. ... selbst auf Renells Kleid war mitten [9] auf dem Rücken [3] ein kreisrunder [9], rötlicher [R] Ölfleck".

Dazu A88:	Anzug	befleckt/betropft
schwarz/unrein	Bau	durchbrochen

„„Sie sind auch schon von der Kerze ganz betropft [y]', sagte der Diener und leuchtete mit der Kerze Karls Anzug [d] ab. ‚Das habe ich ja gar nicht bemerkt!' rief Karl, und es tat ihm sehr leid, da es ein schwarzer [S] Anzug war ... . Der Diener war gefällig genug, den Anzug zu reinigen [W], so gut es in der Eile ging; immer wieder [12] drehte sich Karl vor ihm herum [9?] und zeigte ihm noch hier und dort einen Fleck ... . ‚man hat zwar mit dem Umbau [a] schon angefangen, aber es geht sehr langsam. ... Jetzt sind da ein paar große Durchbrüche gemacht worden, die niemand vermauert [y], ... besonders hier in der Nähe der Kapelle", an deren „Brüstung" [11] Karl vorbeikam.

	LICHTSCHACHT	
dunkel	Massen: Bananen	schimmernd
scheußlich	Zeug	erbrochen

Text 33: (A181, 185) Karl „lehnte schwer am Geländer [7] neben seinem Aufzug, ... und sah in einen Lichtschacht [9] hinunter, der von den großen Fenstern der Vorratskammern umgeben [7] war, hinter denen hängende Massen von Bananen [f] im Dunkel [S] gerade noch schimmerten [y]." — Robinson „flüsterte unter Schlingbewegungen, die schon ganz deutlich waren: ‚Roßmann, mir ist sehr schlecht.' ‚Zum Teufel', entfuhr es Karl, und mit beiden Händen [1] schleppte [2] er ihn zum Geländer. Und schon ergoß [y] es sich aus Robinsons Mund in die Tiefe [11]. Hilflos strich er in den Pausen, die ihm seine Übelkeit ließ [12], blindlings [S] zu Karl hin. ... ‚Die Hunde, was haben sie mir dort für ein Zeug [f] eingegossen!' Karl hielt es vor Unruhe und Ekel bei ihm [4] nicht mehr aus und begann auf und ab zu gehen. ... Und unten brauchte nur jemand ... in die Vorratskammern zu gehen, staunend die Scheußlichkeit [S] im Lichtschacht zu bemerken und Karl telefonisch anzufragen, was denn um Himmels willen [14] da oben [11] los sei."

314

Die Texte 29, 30, 32 (und Zusatz) leiten bereits über zu den Belegen
der ‚roten Masse':

ROT   KREIS   VERSPRENGT/BESPRITZT

Text 34: (T91f.: Traum 1, s. Text 4) „Dann [6] erhob die Dirne [4] bei ruhenden
Beinen ihren Oberleib und wandte mir den Rücken zu [3], der zu meinem Schrecken
mit großen siegellackroten [R] Kreisen [9] mit erblassenden [8.2] Rändern [7] und
dazwischen versprengten [y] roten Spritzern [y] bedeckt war. Jetzt bemerkte ich,
daß ihr Körper [3] davon voll war, daß ich meinen Daumen auf ihren Schenkeln in
solchen Flecken [y] hielt und daß auch auf meinen Fingern diese roten Partikelchen
[y] wie von einem zerschlagenen [y] Siegel lagen."

Die Präsidentenloge in „Amerika" ist solcherart Wundbild:

DUNKEL/ROT   (MITTE)   SCHIMMERND
(braun) gebraten   Fleisch   knusprig/gegabelt
rot   Wein   strahlig

Text 35: (A326f.) Auf der „großen Zuschauertribüne" [5] im Freien sitzen die Aufgenommenen, darunter Karl, vor einer „großen, langen Bank, . . . mit dem Rücken
[3] zur Rennbahn, auf der nächst tieferen [x] Bank und wurden bewirtet. . . . großes
Geflügel, . . . mit vielen Gabeln [2] in dem knusprig [y] gebratenen [S] Fleisch [f],
wurde herumgetragen, . . . und in den Becher fiel der Strahl [y] des roten [R] Wei-
nes [f]". Karl hält das Bild der Loge in der Hand [1 und 2]: „Beim ersten Anblick
konnte man denken, es sei nicht eine Loge, sondern die Bühne [5], so weit geschwun-
gen ragte die Brüstung in den freien Raum. . . . Rings um die Loge [9], von den Seiten [7] und von der Höhe [11], kamen Strahlen [y] von Licht, weißes und doch mil-
des Licht [8.2] enthüllte förmlich den Vordergrund der Loge, während ihre Tiefe
[11] hinter rotem [R], unter vielen Tönungen [10] sich faltendem [13] Samt, der an
der ganzen Umrandung [7] niederfiel und durch Schnüre [13] gelenkt wurde, als eine
dunkle [S], rötlich schimmernde [y] Leere erschien."

Und schließlich, deutlich auf die „Landarzt"-Wunde verweisend, der Tod der Mutter:

	(INMITTEN)	FALLEND
	Bau	(halbfertig)
(rot?)	Ziegelhaufen	umgestoßen/rollend
unbrauchbar	Fetzenbündel	aufgeschnürt
roh	schwer: Brett	losgelöst / krachend

Text 36: (A171,174f.) Therese und die Mutter gelangten „zu jenem Bau [a], zu dem die Mutter für jenen Morgen bestellt war." Therese „setzte sich also auf einen Ziegelhaufen [b] und sah zu [5], wie die Mutter ihr Bündel [sc. mit ‚unbrauchbaren Fetzen' S und y] aufschnürte [13], einen bunten [10] Fetzen herausnahm und damit ihr Kopftuch umband [13]". Dann „stieg die Mutter eine Leiter hinauf . . . . Der Bau war noch nicht hoch [x], kaum bis zum Erdgeschoß [b] gediehen, wenn auch schon die hohen Gerüststangen für den weiteren Bau zum blauen [8.1] Himmel [14] ragten [11].
. . . Nun kam aber die Mutter auf ihrem Gang zu einem kleinen Ziegelhaufen, vor dem das Geländer [7] und wahrscheinlich auch der Weg aufhörte, aber sie hielt sich nicht daran, . . . stieß [12] den Ziegelhaufen um [y] und fiel über ihn hinweg [y] in die Tiefe [11]. Viele Ziegel rollten ihr nach [y] und schließlich . . . löste [y] sich irgendwo ein schweres [S] Brett [c] los und krachte [y] auf sie nieder [x]. Die letzte Erinnerung Thereses an ihre Mutter war, wie sie mit auseinandergestreckten Beinen dalag in dem karierten [10] Rock, . . . wie jenes auf ihr liegende rohe [S] Brett sie fast bedeckte [15]".

ANHANG III

DIE MASSE BRUNELDA

Zunächst: Brunelda ist Person gewordene Wunde. Im Text (Buchstaben- und Zahlenkodierung wie Anhang II):

Text 1: (A235ff.) „Roßmann!' rief da [6] eine Stimme aus der Höhe [11]. Es war Delamarche, der das vom Balkon des letzten Stockwerks rief. Er selbst war nur schon recht undeutlich gegen den weißlich blauen Himmel [14] zu sehen, hatte offenbar einen Schlafrock an und beobachtete mit einem Operngucker [5] die Straße. Neben ihm war ein roter Sonnenschirm aufgespannt [13], unter dem eine Frau zu sitzen schien. . . . Oben auf dem Balkon . . . erhob sich nun unter dem Sonnenschirm tatsächlich eine starke Frau in rotem, taillenlosen Kleid, nahm den Operngucker von der Brüstung und sah durch ihn auf die Leute hinunter [5]". – Bei Delamarches „großen Schritten enthüllte sich stets für einen Augenblick seine farbige [10] Unterkleidung. . . . Sein dunkles [S], glatt rasiertes [2?], peinlich reines [W], von roh [S] ausgearbeiteten Muskeln [y] gebildetes Gesicht sah stolz und respekteinflößend aus. Der grelle [W] Schein [i] seiner jetzt immer etwas zusammengezogenen Augen überraschte. Sein violetter [S] Schlafrock war zwar alt [S], fleckig [y] und für ihn zu groß [y], aber aus diesem häßlichen [S] Kleidungsstück bauschte [y] sich oben eine mächtige, dunkle [S] Krawatte aus schwerer [S] Seide."

Es ist Wundtyp 2 ,KREIS', Genauer:

Brunelda ist als ,starke rote Frau mit rotem Sonnenschirm' – das Element ,RUND' hier in: Brunelda, „riesig breit" (A263); zusammen mit ,RAND' doppelt in „Sonne",„Schirm" –, zudem umgeben von weißlich blauem Himmel, kongruent dem Wund- und Logenbild nach Element 8.2 (,dunkle Mitte, heller Rand'): wie Text 33 (Lichtschacht) in „Amerika" (Texte daraus im weitern: A-Text), extern Text 27 (Engel); in den Untertypen ,rote Mitte – blauer Rand (Himmel)' wie A-Text 36 (Tod der Mutter, deutlichste Kongruenz) und als ,rote Mitte – weiß/hell/ blasser Rand' wie A-Text 29 (Blut und Schneesturm), 30 (Blut und Bett) 35 (Präsidentenloge), extern Text 17.2 (Wunde im „Landarzt"), 34 (Wunden der Dirne).

Im gleichen Sinne:

Text 2: (A252f.) „Auf dem Kanapee lag die Frau. die früher vom Balkon hinuntergeschaut hatte. Ihr rotes Kleid hatte sich unten ein wenig verzogen und hing in einem großen Zipfel bis auf den Boden, man sah ihre Beine fast bis zu den Knien, sie trug dicke weiße Wollstrümpfe". (wie A347)

Und kontrastiv zur ‚roten' als ‚weiße Masse', speziell in Kontrast zu Element 8.2 als Element 8.1 (‚helle Mitte — dunkler, hier: roter Rand'):

WEISS	FESTE (MASSE) als Speise/Getränk	GESCHNÜRT

Text 3: (A262f.) B. „war vielleicht zu stark geschnürt [13] und konnte die paar Stufen gar nicht heraufkommen. Aber wie schön sie ausgesehen hat [4], Roßmann! Sie hat ein ganz weißes Kleid mit einem roten Sonnenschirm gehabt. Zum Ablecken war sie. Zum Austrinken war sie. ... sie war eben in der Nähe noch schöner und riesig breit infolge eines besonderen Mieders, ich kann es dir dann im Kasten zeigen, überall so fest; kurz, ich habe sie ein bißchen hinten [3] angerührt, aber ganz leicht, ... nur mit den Fingerspitzen angetippt [1 und 2]."

wie in A-Text 28 (Verkehr vor dem Hotel) und 31 (Macks Bett), extern Text 27 (Engel).

Im selben Text andeutungsweise Wundtyp 1 ‚HÜFTE/[hier] RÜCKEN' in „hinten ... mit den Fingerspitzen angetippt". In den Brunelda-Kapiteln wird aus dem Bild Aktion, wie ausführlich bei der „großen Waschung", in Übereinstimmung speziell mit der Verbindung zu ‚spritzendem Wasser' wie in A-Text 19.1 , analog ‚Feuer' in A-Text 19.2 und ‚Licht' extern in Text 18.2:

Text 4: (A335ff.) Die „Hand [1] des Delamarche hielt einen weit herumspritzenden [y] Badeschwamm, mit dem Brunelda [4] gewaschen [W] und gerieben wurde. ... ‚Ach!' schrie sie auf, und selbst der sonst unbeteiligte Karl zuckte zusammen. ‚Wie du mir weh tust! [2] Geh weg! Ich wasche mich lieber selbst, statt so zu leiden! Jetzt kann ich schon wieder den Arm nicht heben. Mir ist ganz übel, wie du mich drückst. Auf dem Rücken muß ich lauter Flecke haben [3]. ... Warte, ich werde mich von Robinson anschauen lassen oder von unserem Kleinen [5]. ... Robinson hatte sich zu Karl gesetzt und beide sahen schweigend zu den Kasten hin [5], über denen [x] hie und da die Köpfe Bruneldas oder Delamarches erschienen". „... ich sagte, daß du mich nicht wund drücken sollst".

Und in Verbindung zu Blut – hier in Wirklichkeit „Wasser" (A296) – , wie extern in Text 18.1 (Mädchen im Theater) und 17.2 (Wunde im „Landarzt"), Karls Kampf:

Text 5 (A290ff.) im „ärgsten Möbeldurcheinander [c]": Delamarche, der „blind [S] mit den Händen [1] fuchtelte und . . . mit den Fäusten [2] auf Karls Rücken [3] schlug, der sich . . . vor Schmerzen wand". Brunelda stand „in ihrer ganzen Breite in der Zimmermitte und verfolgte die Vorgänge mit leuchtenden Augen [5]." Delamarche „schleuderte ihn . . . so gewaltig gegen einen ein paar Schritte entfernten Schrank, daß Karl im ersten Augenblick meinte, die stechenden [2] Schmerzen im Rücken [3] und am Kopf, die ihm das Aufschlagen am Kasten verursachte, stammten unmittelbar von der Hand [2] des Delamarche. ‚Du Halunke!' hörte er den Delamarche in dem Dunkel [S], das vor seinen zitternden [y] Augen entstand, noch laut ausrufen."

Auch in den Brunelda-Kapiteln ist die Wunde gleich welchen Typs Variation der MASSE, deutlich, denn Brundelda ist auch die Masse in Person, dabei nicht nur, wie schon erhellt, die rote, weiße, nackte. Man vergleiche:

Ihr, der gewesenen „Sängerin" (A184, 263ff.) stundenlanges Schreien: Lärm wie in A-Text 13, 15 (beide: Verkehr), auch 16 (Auskunft im Hotel), besonders 20 (Frauen als Engel), weil in gleichem Widerspruch: wie hier die Sängerin nur schreit, so hatte dort auch Karl gedacht, „es sei eine grob gearbeitete Trompete, nur zum Lärmmachen bestimmt, aber nun zeigt es sich, daß es ein Instrument war, das fast jede Feinheit ausführen konnte."

Text 6: (A274) Von Lärm gestört, „setzt sie sich plötzlich [6] aufrecht, schlägt mit beiden Händen [1] auf das Kanapee, daß man sie vor Staub [1] nicht sieht [S] – seit wir hier sind, habe ich das Kanapee nicht ausgeklopft [y]; ich kann ja nicht, sie liegt doch immerfort darauf – und fängt schrecklich zu schreien an [1], wie ein Mann, und schreit so stundenlang [12]. Das Singen haben ihr die Nachbarn verboten, das Schreien aber kann ihr niemand verbieten, sie muß schreien . . . Einmal ist sie ohnmächtig geworden, und ich habe . . . den Studenten von nebenan holen müssen, der hat sie aus einer großen Flasche mit Flüssigkeit [g] bespritzt [y], es hat auch geholfen, aber diese Flüssigkeit hat einen unerträglichen [S] Geruch gehabt".

So auch Haar und Zunge:

Text 7: (A347) „Delamarche, der hinter ihr stand[3], kämmte mit tief hinabgebeugtem Gesicht ihr kurzes, wahrscheinlich sehr verfilztes [y] Haar. . . . Ungeduldig über die lange Dauer des Kämmens, fuhr Brunelda mit der dicken, roten Zunge zwischen den Lippen hin und her".

So, besonders deutlich, sie selbst, auf dem Transport ins „Unternehmen 25":

Text 8: (A 352 f.) Der Polizist „fragte Karl, was er denn in dem so sorgfältig verdeckten Wagen führe. So streng er aber Karl angesehen hatte, so mußte er doch lächeln, als er die Decke lüftete und das erhitzte, ängstliche Gesicht [cf. Texte 16, 25, 26] Bruneldas erblickte. ‚Wie?‘ sagte er. ‚Ich dachte, du hättest hier zehn Kartoffelsäcke, und jetzt ist es ein einziges Frauenzimmer? ..,. Zeigen Sie doch, Fräulein‘, sagte er, ‚das Schriftstück, das Sie bekommen haben.“ Karl „begann nun selbst zu suchen und zog es tatsächlich hinter Bruneldas Rücken [3] hervor. ... das waren wieder die bekannten Einmischungen [sic!] der Polizei.“ Später nach seiner „Last“ gefragt, antwortete Karl: „‚Es sind Äpfel.‘ ‚Soviel Äpfel!‘ sagte der Mann staunend und hörte nicht auf, diesen Ausruf zu wiederholen. ‚Das ist ja eine ganze Ernte‘“.
zur Variante ‚Schriftstück‘ des Wundtyps RÜCKEN cf. „In der Strafkolonie“.

Und Masse wie sie selbst ist ihre Umgebung:

Text 9.1: (A 252 f.) „Man trat in vollständiges Dunkel [S] ein. Der Vorhang [d] der Balkontüre, ein Fenster war nicht vorhanden, war bis zum Boden hinabgelassen und wenig durchscheinend, außerdem aber trug die Überfüllung des Zimmers mit Möbeln [c] und herumhängenden Kleidern [d] viel zu seiner Verdunkelung bei. Die Luft war dumpf, und man roch geradezu den Staub [1]“.

Text 9.2: (A 254) „Zwischen der Türe und den drei Schränken war ein großer Haufen von verschiedenartigsten Fenstervorhängen [d] hingeworfen [y]. Wenn man alle regelmäßig zusammengefaltet, die schweren [S] zu unterst [x] und weiter hinauf [x] die leichteren gelegt und schließlich die verschiedenen in den Haufen gesteckten [y] Bretter und Holzringe [c] herausgezogen hätte, so wäre es ein erträgliches Lager geworden, so war es nur eine schaukelnde und gleitende [y] Masse“.

Text 9.3: (A 338 f.) Karl „begann das große, von der Last der Schläfer während der langen Nacht noch immer zusammengepreßte Lager auseinanderzuwerfen [y], um dann jedes einzelne Stück dieser Masse ordentlich zusammenzulegen, was wohl schon seit Wochen nicht geschehen war [S].“

Text 9.4: (A 292 f.) Karl stieß „in der Zimmermitte auf hochgeschichtete, wenn auch stark gepreßte Kleider, Decken, Vorhänge, Polster und Teppiche [d]. Zuerst dachte er, es sei nur ein kleiner Haufen, ähnlich dem, den er am Abend auf dem Sofa gefunden hatte und der etwa auf die Erde [b] gerollt [y] war, aber zu seinem Staunen bemerkte er beim Weiterkriechen, daß da eine ganze Wagenladung solcher Sachen lag“.

So wird das Parfum gesucht (A 339 ff.), die Küche der Wirtin erblickt (344 ff.), das Frühstück zusammengestellt (346 f.), so wird gegessen (257 f., 260, 263 und 348).

ANHANG IV

TEXTVERGLEICH: KARLS WEG NACH RAMSES/K.s WEG ZUR HINRICHTUNG (zu GN und GT)

So heißt es von Karls „Weg nach Ramses":

„Vieles erinnerte Karl an seine Heimat und er wußte nicht, ob er gut daran tue, New York zu verlassen und in das Innere des Landes zu gehen. . . . Und so *blieb er stehen* [1] und *sagte zu seinen beiden Begleitern* [2], er habe *doch wieder Lust, in New York zu bleiben* [3]. Und als Delamarche *ihn einfach weitertreiben wollte* [4], *ließ er sich nicht treiben* [5] und sagte, daß er doch wohl noch das Recht habe, über sich zu entscheiden. . . . beide mußten ihn noch sehr bitten, ehe *er wieder weiterging* [6]. Und selbst dann wäre er noch nicht gegangen, wenn er sich nicht gesagt hätte, daß es für ihn vielleicht besser sei, an einen Ort zu kommen, wo die Möglichkeit der Rückkehr in die Heimat keine so leichte sei [7]. Gewiß werde er dort besser arbeiten und vorwärtskommen, da ihn keine *unnützen Gedanken* [8] hindern würden. Und *nun war er es, der die beiden anderen zog* [9], und *sie freuten sich so* [10] sehr über seinen Eifer, daß . . . Karl gar nicht recht verstand, womit er ihnen eigentlich diese *Freude* [10] verursache. *Sie kamen in eine ansteigende Gegend* [11] und, wenn sie hie und da *stehenblieben* [12], konnten sie beim Rückblick das Panorama New Yorks . . . sehen. *Die Brücke* [13] . .,. hing zart über den East River, und sie *erzitterte* [14], . . . *schien ganz ohne Verkehr zu sein* [15], und *unter ihr* [16] spannte sich das *unbelebte* [15], glatte *Wasserband* [17]. Alles in beiden Riesenstädten schien *leer* [15] und nutzlos aufgestellt. . . . *In der unsichtbaren Tiefe* [18] der Straßen ging wahrscheinlich das Leben fort nach seiner Art". (A 124 f.)

Kafkas Lektüre dieses Romans ist vor der „Prozeß"-Niederschrift (zweites Halbjahr 1914) zum letztenmal am 9./10. 1913 bezeugt (F 332), jedoch schreibt er Anfang Oktober 1914 am letzten „Amerika"-Kapitel. Hat er zu diesem Anlaß die übrigen noch einmal durchgesehen? Wiederholt er aus dem Gedächtnis? Jedenfalls heißt es von K. s. Weg zur Hinrichtung:

„Unter den Laternen versuchte K. öfters, . . . *seine Begleiter* [2] deutlicher zu sehen". „Als K. das bemerkte, *blieb er stehen* [1], infolgedessen blieben auch die andern stehen . .. ,Warum hat man gerade Sie geschickt!' rief er mehr, als er *fragte* [2]. . . . ,Ich gehe nicht weiter' [3] . . . Darauf brauchten die Herren nicht zu antworten, es genügte, daß sie . . . *K. von der Stelle wegzuheben versuchten* [4], aber *K. widerstand* [5]." „Da stieg vor ihnen . . . Fräulein Bürstner zum Platz empor. . . . die *Wertlosigkeit seines Widerstandes* [8] kam ihm gleich zum Bewußtsein. Es war nichts Heldenhaftes, wenn er widerstand, wenn er jetzt den

Herren Schwierigkeiten bereitete, wenn er jetzt in der Abwehr noch den letzten Schein des Lebens zu genießen versuchte [7]. *Er setzte sich in Gang* [6], und von der *Freude, die er dadurch den Herren machte* [10], ging noch etwas auf ihn selbst über. ,*Alle drei zogen nun* [9] in vollem Einverständnis über eine *Brücke* [13] im Mondschein . . . Das im Mondlicht glänzende und *zitternde* [14] *Wasser* [17] teilte sich um eine kleine Insel [sc. unbelebt 15] . . . *Unter ihnen* [16], jetzt *unsichtbar* [18], führten Kieswege . .,. ,Ich wollte ja gar nicht *stehenbleiben*' [12], sagte er zu seinen Begleitern, . . . dann gingen sie weiter. *Sie kamen durch einige ansteigende Gassen* [11]". (P 267 ff.)

ANHANG V

ZWÖLF HOMOGONE TRÄUME (zu GV)

1. Vorbemerkung:

Wir hatten beim Vergleich von Textpassagen in Kafkas Epik bemerkt, daß man semantische Konstanten extrahieren kann, die sprachinhaltlich Wortfeldern einer bestimmten Art, das heißt, einer bestimmten Abstraktionsrichtung und -höhe entsprechen. Offenbar ermöglicht erst die Bestimmung dieser besonderen Feldart die Entdeckung, daß von den etwa vierzig Traumaufzeichnungen bei Kafka zumindest zwölf nach Maßgabe der Feldart semantisch homogon sind. Denn in den bisherigen Untersuchungen zu Kafkas Träumen fehlt darauf jeder Hinweis.

Daß dieser Hinweis fehlt, hat freilich, soweit zu sehen, seinen Grund hauptsächlich außerhalb der Kafkaforschung. Bereits in der Psychologie, in Traumdeutung und Traumforschung, scheint die Methode nicht bekannt zu sein, eine hinreichend große Zahl von Traumberichten (ein und desselben Träumers) über einen hinreichend großen Zeitraum auf semantische Konstanz zu untersuchen und bei dieser Untersuchung zugleich *verschiedene* Wortfeldarten experimentell auf ihre Eignung hin zu prüfen. Die durchgesehenen psychologischen Handbücher und Monographien erwähnen die Methode nicht[462]). (infra 245).

Wofern das durchgesehene Schrifttum den tatsächlichen Wissensstand der Psychologie des Traums, soweit für unsre Zwecke relevant, im wesentlichen wiedergibt, rührt das Versäumnis letzten Endes daher, daß man zwar Träume immer nur als Traumberichte, immer als zur Sprache gebrachte untersucht, aber offenbar die Sprache nur als Mittel, nicht als Medium des untersuchten Gegenstandes betrachtet. Entsprechend greift man, auch in der quantitativen sog. Trauminhaltsforschung, ständig zu allein *psychisch* adäquaten Begriffsinhalten, statt — auch — den Weg über zudem weniger projektionsanfällige *sprachlich* adäquate Inhalte zu gehen.

Entsprechend fehlt denn auch der Hinweis darauf, daß man die Methode benutzen könnte im Versuch, aus sprachlich homogonen Traumberichten frühe Erlebnisse der Kindheit zu extrahieren, sich zumindest ihnen anzunähern. Wohl vermerkt man, wie etwa Angel Garma, daß häufig in Träumen vergessene Erfahrungen der Kindheit entdeckt werden können, die einen traumatischen Einfluß auf die seelische Entwicklung des Träumenden hatten (p. 128). Und W. Kemper belegt an seinem Beispiel vom „Kanarienvogel-Traum", daß und wie „hochexplosives frühes ‚Kindheitsmaterial' latent lückenlos im heutigen Traum wieder enthalten" ist (p. 34). Doch seit Sigmund Freud bedient man sich bei solchem Nachweis stets der zusätzlichen Informationen durch den Träumer selbst, es gilt wie eh und je, „vom Träumer selbst Hinweise zur Aufklärung zu erhalten" (Kemper, p. 39).

Selbstredend bleibt dahingestellt, ob die Methode des Vergleichs von Traum*berichten* unter *sprachlichem* Aspekt für die Psychologie einen zweiten, jedenfalls zusätzlichen Weg eröffnet, der unabhängig von der Mitwirkung des Träumers zu frühkindlichem Erleben führt. Fest steht aber, daß die Befragung der Person, dem Psychologen durchweg möglich, in der Literaturwissenschaft regelmäßig ausgeschlossen ist und daß daher der vorgeschlagene Weg bei der Beschäftigung mit Literatur manches Mal der einzige sein wird, der für Werk wie Leben zu den frühen, stärksten Quellen führt.

2. *Material:*

Zwölf Träume des Zeitraums Oktober 1911–Januar 1919 (chronologisch nummeriert), nebst, zum Vergleich, zwei Erzählungen:

1	T 90 ff.	„Traum von heute nacht" (Bordell)	9. Okt.	1911
2	T 152 ff.	„Vorgestern geträumt" (Revolution)	9. Nov.	1911
3	T 164 ff.	„Sonntag. Traum" (Vorstellung)	19. Nov.	1911
4	T 168	„Traum eines Bildes" (Jungfrauen)	20. Nov.	1911
5	T 276 f.	„Traum vor kurzem" (Arztbesuch)	6. Mai	1912
		DAS URTEIL	22./23. Sept.	1912
6	F 166 f.	„im zweiten Traum" (Blinde)	7./8. Dez.	1912
7	F 228 f.	„Traum" (Verlobung)	3./4. Jan.	1913
8	T 328 f.	„Traum" (Dreirad)	17. Nov.	1913
9	T 485	„im Halbschlaf" (Lehrerin)	3. Nov.	1915
10	T 491 f.	„Vor kurzem geträumt" (Vater)	19. April	1916
		EIN LANDARZT	Winter	1916/17
11	Br 232 f.	„geträumt" (Botanisches)	Anfang Feb.	1918
12	Br 250 f.	„Traum" (Stöckchen)	Jan.	1919
U	E 53 ff.	Das Urteil		
L	E 146 ff.	Ein Landarzt		
zu Traum 6 cf.		Traum T 74 (blindes Kind)	2. Okt.	1911
zu Traum 8 cf.		Skizze T 645 ff. (Dreirad)	11. Sept.	1911
		und Traum T 125 f. (Engländer)	29. Okt.	1911
zu Traum 12 cf.		Traum 309 f. (Ast)	21. Juli	1913

DIE GRUPPE ‚VERKEHR' ALS TRAUMEXTRAKT

Die Belege in Kafkas Wortwahl [in eckigen Klammern Wortwahl d. Verf.]:

1.1 FLÄCHE: Wand/Platz/Boden/Weg/Pflaster/Brüstung/Zweig/Band/[auch:] Stock als

1.2. SCHIEF und (deshalb)/oder GLATT: leicht/sehr stark: geneigt/gelehnt/ schief/abfallend/ansteigend/steil

1.3 BEI ÖFFNUNG: vor/hinter Tür/ (Bühnen-)Öffnung/Tor/Bresche/Fenster

1.4 ins/im INNEREn

1 [vor/hinter] Türen, dachbodenartig schiefe Wand; [vor] durchbrochener Wand, Kopf hängt über Fußbodenkante hinunter; Mündung der Treppe, auf der ein Verkehr/2 [vor/hinter] Bühne[nöffnung]: stark abfallender Platz/3 Bühne liegt tiefer als Zuschauerraum; man schaut, steigt hinunter/4 wie [im] Theater: gegen den Himmel langsam ansteigend: Zweig, Band, Kette/5 hinter Tor steigt sehr steile Wand aufwärts, unter mir steiler geworden/6 auf Abhang, Abhang hinunter, durch Tür; den jetzt ungemein steilen Weg hinauf/7 im Zimmer: Kopf auf Tischplatte legen, schief gegenüberstehen/8 [vor/hinter] Bresche: ansteigender Weg, Steigung/9 leicht geneigtes Pflaster/10 stark abfallende Fensterbrüstung/11 Blumen, eins über dem andern, vom Podium bis zur Decke/12 Stock, Zweig, schief gegen den Boden/U über Stufen wie über schiefe Fläche eilen, aus dem Tor springen E 67/L im Hof, Schnee, am Tor E 146

2.1.1 AUF Straßen-/FahrBAHNMITTE 2.1.2 VerkehrsHINDERNIS [zu 2.2 MASSE/MISCHUNG, 2.3 SCHWARZ/WEISS/ROT, 2.4 BEWEGBAR s. Anhang II]

1. wäre beim Weitergehn in Zimmerflucht wie in Durchgangszügen gefallen: Dirnen [mitten] auf dem Boden; Männer nahe der Treppe, auf der Verkehr stattfindet/2 Volksmengen auf dem Platz sollen Rückkehr mit Pferdewagen unmöglich machen/3 zwei dicke Säulen in der Mitte der Bühne/4-/5-/6 Häuschen inmitten großen Gutskomplexes; Mauer auf dem Abhang/7-/8 in der Mitte der Fahrbahn Hindernis/9-/10 Regiment auf dem [Prager] Graben/11-/12-/U kein gesellschaftlicher Verkehr; kein Hindernis, zurückzukehren, Beziehungen wieder aufzunehmen E 53 f.; alle Hindernisse eines Besuchs über den Haufen werfen 58; in der Mitte des Weges stocken 64; über die Fahrbahn 67; unendlicher Verkehr 68/L schon reisefertig auf dem Hof stehen, aber das Pferd fehlt 146

3 in HAND geHALTENes RUNDes: RAD/KREIS/Türknopf/Handteller/ [runde] Blume/Uhr [-kette, weiter zu:] Kettchen

1 mit Daumen, Fingern Kreise betasten/2 Wagen mit festgehaltenen Rädern/3 Türknopf [be-]kratzen/4 Tastsinn/5 mit der Hand darüber hinfahren/6 Gesetzbuch in der Hand halten/7-/8 Mann auf Dreirad fassen, halten, als Handhabe seines Fahrzeugs/9-/10 Vater packen, an Kettchen halten/11 Löwenzahnblumen mit [beiden] Händen halten/12-/U sich ein Blutkreuz in die Hand [sc. Handteller] schneiden E 62; mit der Uhrkette an der Brust spielen, sich daran festhalten 63/L Junge tastet nach mir hin 148, handtellergroße Wunde 151

4 KAISER 4.1 -schloß/-fest 4.2 -rock/Schlafrock

1-/2 Kaiserschloß, kaiserliches Fest; gelbbrauner kleinkarierter Ulster/3 Kaiserrock/
4-/5 sofaartig gepolsterter Kaiserrock/6-/7-/8-/9-/10 brauner Schlafrock/11-/12-/U
schwerer Schlafrock E 59/L-

5.1 STOSSWEISE: in regel-/gleichmäßigen Zwischenräumen/Stößen
5.2 ordentlich GEREIHT 5.3 AUFRECHT stehen/sich aufrichten

1 [im Zug fahren?], Schenkel der Dirne regelmäßig drücken/2 in großer Ordnung
versammelte Monumente, Plankeneinzäunung/3 durch Sesselreihe drängende Frau,
deren dunkelgelbes Gesicht aus dem Gedränge ragt; zwei Säulen; wie in Gassen auf
Kandelabern aufgesteckte schwach brennende Laternen; Funken in breitem
Stoße/4-/5 regelmäßig aufrechtstehende Schlagbäume/6 Postament; in Reih und
Glied aufgestellte Jungen/7 Felice steht aufrecht/8 hoch stehen wie die Palisaden
eines Zaunes/9-/10 ein Regiment [in Reih und Glied]/11-/12 [immer] wieder gegen
den Boden stoßen/U Häuser entlang des Flusses in einer Reihe E 53; Vater steht
aufrecht im Bett 63/L Pferde stehen aufrecht 147, stoßen Fenster auf, stecken jedes
den Kopf durch ein Fenster 149

6.1 LEUTE/Publikum 6.2 auf/in FAHRZEUG 6.3 GERADE: schnurgerade/gera-
dewegs fahren/gehen
1 in Durchgangszügen: von einem Waggon zum andern gehen, viele Leute, Anzahl
Männer/2 Zuschauer auf [gedrehtem] Bühnenboden; auf den Wagen: gestellte leben-
de Bilder/3 Leute, Zuschauer im Theater/4 Mädchen auf gegen den Himmel fliegendem Band, Zuschauer [wie im] Theater/5 ich mit Vater in der Elektrischen/
6-/7-/8 Mann auf Dreirad, fährt geradewegs gegen Hindernis; Leute auf Leiter-
wagen/9-/10-/11-/12 ich auf fliegendem Stöckchen, Zweig; Du siehst zu/U-/
ich [auf] dem Wagen fortgerissen, unmittelbar [zum] Hof meines Kranken"
E148, zehn Meilen weit 146, aber nur einen Augenblick

7 Pferd

7.1.1 PFERD/auf allen vieren 7.1.2. ein Äußerstes an EILE/KRAFT 7.1.3 RÜCK-
SICHTSLOS/herrenlos/teuflisch/Bosheit/Hexe/Wut

7.2 AUF SPITZEN: 7.2.1 auf Fußspitzen/Hufen eilen/jagen/tanzen/tän-
zeln 7.2.2 mit MarschMUSIK/GESCHREI: schreiender Gesang/Trommeln/Trom-
peten/Klavier 7.2.3 sich HOCHSCHWINGEN/ (auf-)bäumen 7.2.4 SPRINGEN: mit
fliegenden Beinen/großen Schritten/hohen Sätzen/Sprüngen

7.3 VON FERN HER, EINBIEGEN: über das Pflaster in rasender Fahrt/im Galopp
von ferne herankommen/von der Gasse/Galerie auf Platz/Bühne/Straße einbiegen

7.4 BREMSEN: schon (weit) vor Einfahrt/Eingang/Öffnung/Bresche bremsen/
[akustisch] verstummen/wieder zurückfahren/-rutschen/schleifen/mitziehen

7.5.1 KIND/hilflos 7.5.2 GROSSER/stark

1 auf Fußspitzen mit großen Schritten sehr rasch eilen; [anhalten, da sonst] beim Weitergehen hinuntergefallen/2 „Da kamen die Hofwagen von der Eisengasse her in so rasender Fahrt an, daß sie schon weit vor der Schloßeinfahrt bremsen mußten und mit festgehaltenen Rädern über das Pflaster schleiften. . . . Desto mehr wurde man sich des Schreckens bewußt, den ihre Eile bedeutete. Sie wurden von den Pferden, die sich vor der Einfahrt bäumten, wie ohne Bewußtsein im Bogen von der Eisengasse zum Schloß geschleppt."/3 „Nun soll ein singender Reiter aus der Ferne im Galopp sich nähern, ein Klavier täuscht das Hufeklappern vor, man hört den sich nähernden stürmischen Gesang, endlich sehe ich auch den Sänger, der, um dem Gesang das natürliche Anschwellen des eilend Herannahenden zu geben, die Galerie oben entlangläuft, zur Bühne. Noch ist er nicht bei der Bühne, auch mit dem Lied noch nicht zu Ende, und doch hat er das Äußerste an Eile und schreiendem Gesang hergegeben, auch das Klavier kann nicht mehr deutlicher die auf die Steine schlagenden Hufe nachahmen. Daher lassen beide ab und der Sänger kommt mit ruhigem Gesang heran, nur macht er sich so klein, daß nur sein Kopf über die Galeriebrüstung ragt, damit man ihn nicht so deutlich sieht."/4-/5 „. . . stieg eine sehr steile Wand aufwärts, die mein Vater fast tanzend erstieg, die Beine flogen ihm dabei, so leicht wurde es ihm. Es lag sicher auch einige Rücksichtslosigkeit darin, daß er mir gar nicht half, denn ich kam nur mit der äußersten Mühe, auf allen Vieren, häufig wieder zurückrutschend, hinauf" zum Eingang ins „Innere des Gebäudes"/6 durch Tür laufen, wie toll laufen/7 größte Wut; maßlose Reisen, maßlose Eile/8 „. . . sah auf einem Dreirad einen Mann von unten mir entgegenkommen und scheinbar geradewegs gegen das Hindernis fahren. . . . Ich faßte den Mann im letzten Augenblick, hielt ihn . . . und lenkte . . . in die Bresche, durch die ich gekommen war. Da fiel er gegen mich hin, ich war nun riesengroß . . ., zudem begann das Fahrzeug, als sei es nun herrenlos, zurückzufahren . . . und zog mich mit. . . . Von diesem Jungen . . . erwartete ich Hilfe, aber er wendete sich ab"./9 teuflische Lehrerin, jagend im kosakenmäßigen, schwebenden Tanz/10 „Aus der Herrengasse bog ein Regiment ein . . . . Mein Vater . . . schwingt sich . . . auf das Fenster . . . . Ich packe ihn und halte ihn an den beiden Kettchen, durch welche die Schlafrockschnur gezogen ist. Aus Bosheit streckt er sich noch weiter hinaus, ich spanne meine Kräfte auf das äußerste an, . . . um nicht vom Vater mitgezogen zu werden."/11-/12 wie Hexen in langen, flachen Sprüngen weithin fliegen, [bis] sich die Flugkraft erschöpft; wunderbare Güte, Geduld/U Mann, der sich verrannt hatte, dem man nicht helfen konnte; ihm kränkend raten, wieder nach Hause zu kommen, auf die Hilfe der Freunde zu vertrauen, von mißlungenen Versuchen abzulassen, zurückzukehren, ein altes Kind E 53 f.; ohne alle Rücksicht handeln, durch kleinen Gang in das Zimmer des Vaters gehen 58; Vater noch immer ein Riese 59; Decke mit [großer] Kraft werfen, zuviel Kraft 63; Sohn läuft, stockt aber in der Mitte des Weges, Vater wirft die Beine 64; [ist] noch immer der viel Stärkere; Arm vor Begeisterung schwingen 66; Sohn eigentlich ein unschuldiges Kind, noch eigentlicher ein teuflischer Mensch, sich aus dem Zimmer gejagt fühlen, mit einem Schlag stürzen, eilen, springen, sich über das Geländer schwingen 67/L Pferde 146 ff., auf allen vieren hervorkriechen, Kraft der Wendungen, hochbeinige Pferde; Mädchen eilt, schreit; ‚Du Vieh', schreie ich wütend, ‚willst du die Peitsche?',

12.1 OBEN/in der Höhe/Luft 12.2 AUF GANZER LÄNGE/BREITE/weit und breit 12.3 HIN- UND HERrücken/sich hinziehen

1 durch eine lange Häuserreihe in der Höhe des ersten bis zweiten Stockwerkes wie in Durchgangszügen gehen, Türen fallen gar nicht auf, riesige Zimmerflucht, doch nicht nur die Verschiedenheit der einzelnen Wohnungen, sondern auch der Häuser erkennen/2 oben auf der Galerie, Fenster in großer Höhe/3 auf der Galerie; hoch oben auf dem Vorhang; [oben] über die ganze Länge der Bank hin- und herrückende Hüte; die Galerie oben entlanglaufen/4 luftig gezogen wie auf Theatervorhängen in [von rechts nach links] gegen Himmel ansteigender Kette/5 Gedränge unzähliger aufrechter Schlagbäume/6 steilen Weg [bis] ganz oben hinauflaufen, entlang einer Mauer/7 weiter oben stehen/8-/9-/10 auf sehr breiter Fensterbrüstung/11-/12-/U im ersten Stock eines der Häuser, die entlang des Flusses in einer langen Reihe fast nur in Höhe und Färbung unterschieden, sich hinziehen E 53; Vater sitzt breit 59, steht aufrecht im Bett 63, sein hin und her bewegter Zeigefinger 65/L ich, der ich schon in allen Krankenstuben, weit und breit, gewesen 152

13 GLASzimmer/-wand (durchbrochen)/breites Fenster

1 letzte Wand der Häuserreihe aus Glas oder durchbrochen/2 Theater, Bühne/3 Theater, Bühne, der Vorhang geht auf, nicht [wieder] hinunter/4 Mädchen in tausend Spiegeln, wie auf Vorhängen der Theater/5 förmlich mit lauter Glaswänden umgebenes Zimmer/6 Mädchen in Glasveranda; eine Mauer durchbrechende Tür/7-/8 durch Abbröckelung Bresche im Unrat/9-/10 sehr breite Fensterbrüstung/11 [Vorlesung:] Podium, Publikum/12-/U-/L-

14 ÜBERBLICK/hinuntersehen/(Aus-)Sicht

1 in den Hof hinuntersehen/2 im Theater, oben auf der Galerie; den Kleinen Ring [in Prag] überblicken/3 [auf die Bühne] hinunterschauen, Aussicht, Gesicht neigen/4-/5 mit geneigtem Gesicht ansehen/6-/7 deine Augen [von] oben auf mich gerichtet/8 Mann von unten [herauf]kommen sehen/9-/10 von Fensterbrüstung auf [Prager] Graben sehen/11-/12-/U aus dem Fenster im ersten Stock [hinuntersehen] E 53; nicht mehr den Blick für alle die vielen Sachen haben 60; Vater steht im Bett, durchschaut den Sohn 63f./L aussichtslos 146; mit geneigtem Kopf ansehen, keinen Überblick haben 152

15.1 VERBERGEN/verdecken 15.2 Gesicht/Dasein HINTER Tuch/Stoff/Bart

1 mein förmlich gar nicht geltendes Durchgehen bei den Leuten in den Betten/2 ringsherum herabhängendes Tuch, das die Räder verdeckt/3 [im Theater, bevor] Vorhang aufgeht: Stück, Akt nur von Hörensagen kennen; Hüte verdecken die Aussicht/4 Vorhänge der Theater; durch Mädchen verdeckte Stelle/5 durch den Sekretär hindurch den [unsichtbaren] Professor leibhaftig erkennen/6 immer wieder zurückkehren, ohne Dich gesehen zu haben/7-/8 Mensch, der sich hinter schwarzem

Stoff verbirgt und dessen Verborgensein ich achten soll/9-/10-/11-/12-/U Vollbart verdeckt das Gesicht E53; Vater deckt sich zu, zieht Bettdecke noch besonders weit über die Schulter; Deckzeug besser um ihn legen 63; mit der Schürze das Gesicht verdecken 67/L-

16.1 STILL/geräuschlos/leicht 16.2 und DOCH RASCH

1 [Bildverbindung von ‚Haus zur Schlafenszeit' und ‚Durchgangszüge'?]; sehr rasch gehen, [doch] möglichst schonend und schwach auftreten/2 Fenster auf- und zugeweht, ohne daß man einen Laut hört/3 von schreiendem Gesang ablassen, mit ruhigem Gesang herankommen [?]/4-/5-/6 überall herrschende Stille, [dann] wie toll laufen/7-/8 geräuschlos, fast übertrieben still und leicht fahren/9-/10-/11-/12 fliegen, Maxens wunderbare Stille/U gejagt, eilend, Fall mit Leichtigkeit übertönt E67/L [Fahrt im Schnee] 148

17.1 UNBEWUSST/UNBEMERKT/ohne zu fühlen/zu sehen: wie ohne Augen/mit geschlossenen Augen 17.2 DURCH TÜR/TOR treten

1 Türen zwischen den Häusern fallen mir gar nicht auf; mein gar nicht geltendes Durchgehen [zur Schlafenszeit]/2 Wagen, von Pferden wie ohne Bewußtsein zur Einfahrt geschleppt/3 aus den ersten Bänken weggehen, offenbar [sic!] hinter die Bühne/4-/5 ohne es zu fühlen, durch das Tor eintreten/6 Blinde/7-/8 wie ohne Augen, scheinbar geradewegs gegen das Hindernis, durch die Bresche fahren/ 9-/10-/11-/12-/U Augenschwäche des Vaters E58; ‚Dafür hast du doch Augen!' 67/L [durchs Tor] fortgerissen, Augen und Ohren von einem zu allen Sinnen gleichmäßig dringenden Sausen erfüllt 148; am liebsten die Augen auskratzen 152

18 MASSE, nach LINKS hin HOCH (rechts niedrig)

1 an der Wand Aufbau von Bettwäsche seitwärts links von mir; links zur Rückwand, rechts zur Gasse sehen; links feste Wand, rechts [durchsichtige:] hinuntersehen; Dirne links neben [meiner]; irgendwo links auf der Erde dicke Kartoffelsuppe/2-/3 großes Gedränge in Winterkleidern neben, hinter mir/4 dichte Mädchengruppe, nach links ansteigend/5 Mann links hinter mir/6 größter Teil der Mädchen von [unserem] Häuschen aus links/7-/8 Unrat, links hoch, rechts niedrig/9-/10-/11-/12-/U Briefe ungelesen in der linken Hand zerknüllen [?] E66/L mich an die Seite der Wunde — in seiner rechten Seite 151 — legen 152

19 UMDREHEN 19.1 Rücken zuwenden/-drehen/-kehren 19.2 Kopf drehen

1 niemals den Kopf drehen; mir den Rücken zuwenden/2-/3 Rückenlehne der Bank der Bühne zugekehrt, Bühne erst nach einer Drehung sehen; Rücken des Mädchens, das an meinem Platz über die Lehne steigt/4-/5 nur den Rücken zuwenden/6 immer

wieder zurückkehren; ich hinter den in Reih und Glied aufgestellten Jungen/7 hinter dem Rücken der Gäste/8 sich von mir abwenden und zwischen die Leute drücken/9-/10 [Vater, den Rücken zum Sohn]/11-/12-/U Gesicht dem Fenster zukehren E58/L sich nach mir umwenden 147

20.1 LAST/Schwere/Erschwerung [zu 2.2] 20.2 unNÖTIG/unÜBEL

1-/2-/3-/4-/5-/6 riesiges Gesetzbuch in der Hand halten, sehr beschwerlich, als unnötige Last am liebsten wegwerfen/7-/8 Mann halten, der gegen mich fällt/9-/10 Vater packen, halten/11 große Blumen halten/12 eisernen Stock [halten,] verlieren; es schwer haben/U Vater, den Riesen, ins Bett tragen E59,63/L mich aus dem Wagen heben 148, mich wieder einmal unnötig bemüht 149; in der Nähe [der Wunde] zeigt sich noch eine Erschwerung 151, [die] so übel nicht 152; mich ins Bett tragen 152

21.1 VERHALTEN/Haltung/Benehmen 21.2 GEZWUNGEN/unbegreiflich

1 mein Durchgehen nur gezwungen/2-/3-/4-/5-/6 mein äußerliches Benehmen kann glücklicherweise den Eindruck, den ich auf dich mache, nicht beeinflussen/7 über [wuterregendes] Benehmen des Mädchens Klage führen/8 Mann nur in gezwungener Haltung halten/9-/10 Vater halten, ihn loslassen unmöglich/11 große Blumen halten: „wie du das allein mit Deinen zwei Händen machen konntest, verstand ich nicht."/12 mein unbegreifliches Verhalten/U Verhältnisse in der Heimat nicht mehr verstehen E54; Trauer über solches Ereignis in der Fremde ganz unvorstellbar 55; würde zur Hochzeit kommen, sich aber gezwungen fühlen 56/L-

22.1 UNANGENEHME BEGEGNUNG 22.2 VERMIEDEN

1. Mann, vor dem ich und Max Grund hatten, sich zu fürchten, statt schrecklicher Drohung seine lächerlich einfältige Frage/2-/3-/4-/5 Angst, zum Arzt hineinzumüssen; wird aber nicht verlangt/6-/7-/8 Junge wendet sich ab, drückt sich zwischen die Leute; Mensch verbirgt sich [vor mir]/9-/10-/11-/12-/U nicht zu Hochzeit kommen, würde sich geschädigt, unzufrieden fühlen E56/L meine Drohung mit der Peitsche nicht [wahrnehmen] übelnehmen 147

ANHANG VI

AKTIONENGRUPPE DER PROZESSKAPITEL 1 UND 3

Vorkommen: Kap. 1 (b) = P29, 32ab, 34b, 40bc,. 41ab, 42ab; *Kap.3* = 64bc, 65ac, 67ac, 69a, 70c, 72a, 73ab
zus. 8 Seiten

Abk.: K., *G*rubach, *B*ürstner, *L*anz, *D*ienerfrau, *S*tudent, *U*ntersuchungsrichter

Reihenfolge:

1b   3

1b	3	
1	1	K klopft an die Tür, tritt ins (Wohn-)Zimmer
2	2	K trifft die bekannte Frau G/D
3	21	diese G/D sitzt, mit (Strick-/Seiden-)Strümpfen beschäftigt
4	8	K sieht sich im Zimmer um
5	9	an Sitzungstagen unauf-/ausgeräumtes, jetzt wieder völlig eingerichtetes Wohnzimmer
6	22	Frau G/D hat Sitzungszimmer aufgeräumt, Mann K/U ist ihr dafür dankbar
7	16	K und die Frau G/D sitzen nun beide
8	17	Frau G/D gehört tagsüber den Mietern/den Beamten
9	19	der Frau G/D bleiben für ihr Privatleben nur die Abende
10	4	Frau G/D hat K nicht ganz verstanden
11	5	K. s Versuch, sich verständlich zu machen, wert-/nutzlos
12	6	K wendet sich, um wieder zu gehen
13	7	Frau G/D fragt K: ,Soll ich der B/dem U etwas melden/ ausrichten? '
14	3	Frau G/D öffnet Tür des menschenleeren Nebenzimmers, damit K hineinblickt, um sich zu überzeugen, daß B. s Zimmer in Ordnung/Sitzungszimmer leer, keine Sitzung K tritt nicht ein Frau schließt die Tür wieder
15	18	Frau G/D bittet K inständig, er möge sich kein falsches Urteil über sie bilden
16	27	K, allein, wartet auf eine Frau B/D, steht gereizt, ungeduldig auf, weil sie ihm zu lange bleibt — Unruhe verursachen
17	14	Frau B/D fordert K auf, sich zu setzen. K setzt sich
18	15	Frau B/D sieht K prüfend in die Augen
19	20	ein Mann L/U vom Nebenzimmer, wo er sich nachts aufhält, erschreckt ein Paar um Mitternacht, besonders die Frau B/D
20	12	Mann und Frau — K und B/die Nackten der Zeichnung — auf Ottomane/Kanapee
21	26	ein Mann K/S quält eine Frau B/D
22	23	er D/S holt sie B/D auf die andere Seite des Zimmers, vom anderen Mann L/K fort

23	13	Frau G/D ist von jemanden — K/den Beamten — abhängig
24	10	P41 K zu B: „Jeden Ihrer Vorschläge über eine Erklärung für unser Beisammensein nehme ich an, wenn es nur ein wenig zweckentsprechend ist . . . Mich müssen Sie dabei in keiner Weise schonen. Wollen Sie verbreitet haben, daß ich Sie überfallen habe, so wird Frau Grubach in diesem Sinne unterrichtet werden und wird es glauben" — vgl. mit P78: Die Dienerfrau hat „sogar die größte Schuld" am Verhältnis mit dem Studenten. Dagegen 65f und 73 ihre Klagen. Die Dienerfrau verhält sich (auf Vorschlag des Studenten?) so, wie Bürstner sich nach K. s Vorschlägen hätte verhalten sollen.
25	24	Frau B/D, beim auf sie einredenden Mann K/S stehend, sieht zusammengesunken vor sich hin
26	11	Frau B/D zieht K an der Hand hinter sich her in ein zweites Zimmer
27	28	K faßt nach der Frau B/D, die ihn abwehrt; beide wegen des anderen Mannes L/S zur Tür. K läuft hinter ihr her
28	25	Mann K/S küßt Frau B/D auf den Hals

TEXTVERGLEICH: ZWEI GZ-VARIANTEN IM PROZESS

1. Variante: „Prozeß"-Kapitel 2

K. war sehr ermüdet [2.1], da er wegen einer Stammtischfeierlichkeit bis spät in die Nacht [1] im Gasthaus geblieben war, er hätte fast verschlafen. Eilig, ohne Zeit zu haben, zu überlegen . . ., kleidete er sich an und lief, ohne zu frühstücken [2] in die ihm bezeichnete Vorstadt [3] . . .; es war irgendein Trotz, der K. davon abgehalten hatte, zu fahren, er hatte Abscheu vor jeder, selbst der geringsten fremden Hilfe in dieser Sache" [4]. Die „Juliusstraße" [7.1] enthielt „graue" [5.1] von armen Leuten [5.2] bewohnte Miethäuser. Jetzt waren „die meisten Fenster besetzt" ,auf der Straße „gingen Frauen"[7.2]. „Es war kurz nach neun [15.1]. Das Haus [6.1; 15.3] lag ziemlich weit, es war fast ungewöhnlich ausgedehnt [6.3], besonders die Toreinfahrt [10.1] war hoch und weit" [10.2]. K. „wandte sich der Treppe [14.1] zu, um zum Untersuchungszimmer [15.2] zu kommen, . . . außer dieser Treppe sah er im Hof noch drei verschiedene Treppenaufgänge [12.1] und überdies schien ein kleiner Durchgang [13.1] am Ende des Hofes noch in einen zweiten Hof zu führen [13.2]. Er ärgerte sich, daß man ihm die Lage des Zimmers nicht näher bezeichnet hatte" [14.2]. Schließlich „stieg er doch die Treppe hinauf" [14.1], „störte im Hinaufgehen viele Kinder [8.1, 2], die auf der Treppe [19.4.1] spielten [19.4.2] und ihn, wenn er durch ihre Reihe schritt [20.1], böse ansahen. . . . Knapp vor dem ersten Stockwerk mußte er sogar ein Weilchen warten [18.1], bis eine Spielkugel [19.6] ihren Weg vollendet hatte, zwei kleine Jungen [19.1] mit den verzwickten Gesichtern erwachsener Strolche [20.2] hielten ihn indessen an den Beinkleidern; hätte er sie abschütteln wollen [40], hätte er ihnen weh-tun müssen, und er fürchtete ihr Geschrei [8.3; 19.5]. Im ersten Stockwerk [16.1] begann die eigentliche Suche [15]. Da er doch nicht nach der Untersuchungs-kommission fragen konnte, erfand er einen Tischler Lanz [16.2] – der Name fiel ihm ein, weil der Hauptmann, der Neffe der Frau Grubach, so hieß [16.3] – . . ., um so die Möglichkeit zu bekommen, in die Zimmer hineinzusehen [15.2]. . . . fast alle Türen standen offen und die Kinder liefen ein und aus [19.1]. . . . Manche Frauen hielten Säuglinge im Arm [8.1, 2] . . . . Halbwüchsige, scheinbar nur mit Schürzen bekleidete Mädchen [19.1] liefen am fleißigsten hin und her. In allen Zimmern standen die Betten noch in Benützung, es lagen dort Kranke oder noch Schlafende oder Leute, die sich dort in Kleidern streckten" [25.3, 4]. „Viele glaubten, es liege K. sehr viel daran, den Tischler Lanz zu finden, dachten lange nach, . . . fragten bei Nachbarn oder begleiteten K. zu einer weit entfernten Tür" [17.2]. „Schließlich mußte K. kaum mehr selbst fragen, sondern wurde auf diese Weise durch die Stockwerke gezogen [24.3]. Er bedauerte seinen Plan, der ihm zuerst so praktisch erschienen war [17.1]. Vor dem fünften Stockwerk [12.2] entschloß er sich, die Suche aufzugeben [17.4], verabschiedete sich [17.3] von einem freundlichen, jungen Arbeiter, der ihn weiter hinaufführen wollte [24.1, 2], und ging hinunter [17.6]. Dann aber ärgerte [17.5] ihn wieder das Nutzlose [17.7] dieser ganzen Unternehmung, er ging nochmals zurück [17.8; 26.1] und klopfte an die erste Tür [26.2] des fünften Stockwerkes. [26.4] Das erste, was er in dem kleinen Zimmer sah [25.2; 26.3], war eine große Wanduhr, die schon zehn Uhr [15.1] zeigte [28.1]. ‚Wohnt ein Tischler Lanz hier?‘ fragte er. ‚Bitte‘, sagte eine junge Frau [27.2.1] mit schwarzen, leuchtenden Augen [27.3] ... und zeigte mit der nassen Hand auf die offene Tür [34.1.5] des Nebenzimmers [35.1]. ... Ein Gedränge der verschiedensten Leute [30.3] ... füllte ein mittelgroßes [30.1], zweifenstriges [30.2] Zimmer, das knapp an der Decke von einer Galerie umgeben [36.1] war, die gleichfalls vollständig besetzt [36.3] war und wo die Leute nur gebückt stehen konnten [37.3] und mit Kopf und Rücken [37.4] an die Decke [37.5] stießen.“ K. „trat wieder hinaus [31.1] und sagte zu der jungen Frau, die ihn wahrscheinlich falsch [16.3] verstanden hatte: ‚Ich habe nach einem Tischler, einem gewissen Lanz, gefragt‘ [32] ‚Ja‘, sagte die Frau, ‚gehen Sie, bitte, hinein!‘ K. hätte ihr vielleicht nicht gefolgt, wenn die Frau nicht auf ihn zugegangen wäre ... und gesagt hätte: ‚Nach ihnen muß ich schließen [29.1, 2], es darf niemand mehr hinein.‘ [29.3] ‚Sehr vernünftig‘, sagte K., ‚es ist aber jetzt schon zu voll.‘ [30.3] Dann ging er aber doch wieder hinein.“ [29.4; 31.2] Es „faßte eine Hand nach K. [34.1.5] Es war ein kleiner, rotbäckiger Junge. [34.1.2] ‚Kommen Sie, kommen Sie‘ [34.1.3], sagte er. K. ließ sich von ihm führen [34.1.1], es zeigte sich, daß in dem ... Gedränge doch ein schmaler Weg frei war, daß K. in den ersten Reihen rechts und links kaum ein ihm zugewendetes Gesicht sah, sondern nur die Rücken [34.2] von Leuten“ [33.1]. „Die meisten waren schwarz angezogen, in alten, lange und lose hinunterhängenden Feiertagsröcken.“ [33.2] „Am anderen Ende des Saales, zu dem K. geführt wurde [25.1], stand auf einem sehr niedrigen, gleichfalls überfüllten Podium [21.1; 36.1] ein kleiner Tisch, ... und hinter ihm, nahe am Rand des Podiums [25.1], saß ein ... Mann [16.2], der sich gerade mit einem hinter ihm Stehenden — dieser hatte den Ellbogen auf die Sessellehne gestützt [zu 21.4] und die Beine gekreuzt [38] — unter großem Gelächter unterhielt [21.2]. ... Dann zog er seine Uhr [28.1] und sah schnell nach K. hin. ‚Sie hätten vor einer Stunde und fünf Minuten erscheinen sollen‘ [28.4], sagte er. ... Sofort wurde auch das Murren stärker [30.4] und verlor sich .... Es war jetzt im Saal viel stiller“ [30.4]. Die „Leute auf der Galerie“ schienen „schlechter angezogen zu sein als die unten. Manche hatten Polster mitgebracht [36.2], die sie zwischen den Kopf und die Zimmerdecke [37.4,5] gelegt hatten, um sich nicht wundzudrücken.“ [39.1] K. verzichtete „auf die Verteidigung wegen seines angeblichen Zuspätkommens“ [28.3], wird nur „gestört durch die Stille [30.4] in der linken Saalhälfte“. „Irgend jemand sprang vom Podium hinunter, so daß für K. ein Platz frei wurde, auf den er hinaufstieg. Er stand eng an den Tisch gedrückt [37.4], das Gedränge hinter ihm war so groß [37.1], daß er ihm Widerstand [44] leisten mußte, wollte er nicht den Tisch ... hinunterstoßen“ [37.4]. Der Richter „wandte sich im Tone einer Feststellung an K., ‚Sie sind Zimmermaler?‘ [26.5] ‚Nein‘, sagte K., ‚sondern erster Prokurist einer großen Bank.‘“ [16.3]. Der Untersuchungsrichter greift nach seinem „Anmerkungsbuch“: „Es war schulheftartig, alt, durch vieles Blättern ganz aus der Form gebracht.“ K. wagt es, „das Heft ... an einem mittleren Blatte hochzuheben, so daß beiderseits die ... fleckigen,

gelbrandigen Blätter hinunterhingen [41.1]. ‚Das sind die Akten des Untersuchungsrichters', sagte er und ließ das Heft auf den Tisch hinunterfallen." [41.2]

2. Variante: „Prozeß"-Kapitel 9

K. kommt „schon um sieben Uhr ins Büro" [cf. Pensionsfrühstück erst um acht,
P9], „sehr müde [2], denn er hatte die halbe Nacht mit dem Studium einer
italienischen Grammatik verbracht" [1]. „Die Zeit, die ihm noch freiblieb,
verbrachte er damit, seltene Vokabeln [15.2] . . . aus dem Wörterbuch [15.3]
herauszuschreiben. Es war eine äußerst lästige Arbeit" [17.1]. „Diener", „Beamte",
„selbst Parteien": „das alles bewegte sich um K. als um seinen Mittelpunkt [17.2],
. . . . manchmal wurde er auf den Italiener, der ihm diese Anstrengung verursachte,
so wütend [17.5], daß er das Wörterbuch unter Papieren vergrub [17. 3,6], mit der
festen Absicht, sich nicht mehr vorzubereiten [17.4], dann aber sah er ein, daß er
doch nicht stumm mit dem Italiener vor den Kunstwerken im Dom auf und ab
gehen könne [17.7], und er zog mit noch größerer Wut das Wörterbuch wieder
hervor [17.8]." „Nun war es aber schon spät, es bestand schon fast die Gefahr, daß
er nicht rechtzeitig ankam [28.3]. Im Automobil fuhr er hin" [3;4]. Draußen war es
„kühl und dunkel [5.1], man würde im Dom [6.1] wenig sehen [6.2] . . . . Der
Domplatz [7.1] war ganz leer [7.2], K. erinnerte sich, daß es ihm schon als kleinem
Kind [8.1] aufgefallen war, daß in den Häusern dieses engen Platzes immer fast alle
Fenstervorhänge herabgelassen waren [5.1]. . . . Auch im Dom [10.1,2] schien es
leer [30.3] zu sein, es fiel natürlich niemandem ein, jetzt hierherzukommen [29.3].
K. durchlief beide Seitenschiffe [12.1], er traf nur ein altes Weib [27.2.2], das . . .
vor einem Marienbild [8.1,2?] kniete und es anblickte. Von weitem [13.2] sah er
dann noch einen hinkenden Diener in einer Mauertür [13.1] verschwinden. K. war
pünktlich gekommen, gerade bei seinem Eintritt hatte es zehn geschlagen [28.1],
der Italiener war noch nicht hier [32]. K. ging zum Haupteingang [12.1] zurück
[31.1], stand dort eine Zeitlang unentschlossen und machte dann im Regen einen
Rundgang [13.2] um den Dom, um nachzusehen, ob der Italiener nicht vielleicht
bei irgendeinem Seiteneingang [12.1; 13.1] warte. Er war nirgends zu finden" [32].
K. „ging wieder in den Dom" [31.2]. K ging „zu einer nahen Seitenkapelle
[25.2], stieg ein paar Stufen" [25.1], beleuchtet ·das Altarbild. „Das erste, was K. sah", war ein Ritter „am äußersten Rande [25.1] des Bildes", das „eine Grablegung Christi" [25.3] darstellt. Draußen war „gewiß
strömender Regen" [9.1]. In K.s „Nachbarschaft war die große Kanzel, auf ihrem
kleinen runden [19.6] Dach [14.2] waren . . . Kreuze angebracht, die einander mit
ihrer äußersten Spitze überquerten [38]. Die Außenwand der Brüstung und der
Übergang zur tragenden Säule war von grünem Laubwerk gebildet, in das kleine
Engel [19.1; zu 20.2] griffen, bald lebhaft [19.4.2; wegen nichterwähnter
Kanzeltreppe 20.1?], bald ruhend. K. trat vor die Kanzel [14.1] . . ., von dem
Dasein dieser Kanzel hatte er bisher gar nichts gewußt [14.2]. Da bemerkte er
[18.2] zufällig hinter der nächsten Bankreihe [20.1] einen Kirchendiener [33.1], der
dort in einem hängenden, faltigen, schwarzen Rock [33.2] stand", mit der Hand „in
irgendeiner unbestimmten [14.2] Richtung" [34.1.5] zeigt. „K. wartete noch ein
Weilchen [18.1], . . . drängte sich durch die nächste Bank, um zu dem Mann zu

kommen" [34.2]. Der „hinkte [23] davon. Mit einer ähnlichen Gangart, wie es dieses eilige Hinken war, hatte K. als Kind das Reiten auf Pferden nachzuahmen versucht [19.4.2]. ‚Ein kindischer Alter' [20.2;34.1.2], dachte K.", folgt „dem Alten[34.1.1] durch das ganze Seitenschiff fast bis zur Höhe des Hauptaltars" [14.1;24.1;25.1]. Nun „bemerkte er an einer Säule ... eine kleine Nebenkanzel [35.1], ganz einfach, aus kahlem, bleichem Stein [36.1]. Sie war so klein, daß sie aus der Ferne wie eine noch leere Nische erschien [26.3] .... Der Prediger konnte gewiß keinen vollen Schritt von der Brüstung zurücktreten [36.3]. Außerdem begann die steinerne Einwölbung der Kanzel ungewöhnlich tief und stieg ... derart geschweift in die Höhe [37.5], daß ein mittelgroßer Mann dort nicht aufrecht stehen konnte [37.2], sondern sich dauernd über die Brüstung vorbeugen mußte [37.3]. Das Ganze war wie zur Qual des Predigers bestimmt [39.1], es war unverständlich, wozu man diese Kanzel benötigte, da man doch die andere, große und so kunstvoll geschmückte [36.1] zur Verfügung hatte [35.1]. K. wäre auch diese kleine Kanzel gewiß nicht aufgefallen, wenn nicht [35.2] oben eine Lampe befestigt gewesen wäre [35.3] .... Sollte jetzt etwa eine Predigt stattfinden? In der leeren Kirche? K. sah an der Treppe hinab, die an die Säule sich anschmiegend zur Kanzel führte und so schmal war [26.1], als solle sie nicht für Menschen ... dienen. Aber unten an der Kanzel [26.1], K. lächelte vor Staunen, stand wirklich der Geistliche" [27.1], nickt „mit dem Kopf, worauf K. sich bekreuzigte" [38]. Und „wenn es schon eine Predigt sein sollte, warum wurde sie nicht von der Orgel eingeleitet? Aber die blieb still [26.5]"; „K. dachte daran, ob er sich jetzt nicht eiligst entfernen sollte", „auf den Italiener zu warten, war er längst nicht mehr verpflichtet, er sah auf seine Uhr, es war elf [15.1; 28.1] .... Konnte K. allein die Gemeinde darstellen [29.1]? ... ein Geistlicher war es zweifellos, ein junger Mann [27.2.1] mit glattem, dunklem [zu 27.3] Gesicht", jetzt oben auf der Kanzel, er „blickte, ohne den Kopf zu rühren [37.1], umher. K. ... lehnte mit den Ellbogen [zu 21.4] an der vordersten Kirchenbank [21.1]. ... Was für eine Stille herrschte jetzt [30.4] im Dom!" K. setzte sich „in Gang", ihm schien „die Größe des Doms gerade an der Grenze des für Menschen noch Erträglichen zu liegen" [6.3; 30.1.1], er „näherte sich dem freien Raum" vor dem „Ausgang" [31.1], „als er zum erstenmal die Stimme des Geistlichen hörte. ... er rief: Josef K.! [26.5] „K. stockte [22.4]", läuft „der Kanzel entgegen" [31.2] ⟨K. sei „‚der, den ich suche', sagte der Geistliche [16.1]. ‚Ich bin der Gefängniskaplan [16.3; 36.2)! ... Ich habe dich hierher rufen lassen, ... um mit dir zu sprechen.' ‚Ich wußte es nicht', sagte K. ‚Ich bin hierhergekommen, um einem Italiener den Dom zu zeigen.' ‚Laß das Nebensächliche' [16.2], sagte der Geistliche. ‚Was hältst du in der Hand? Ist es ein Gebetbuch? ' ... ‚es ist ein Album der städtischen Sehenswürdigkeiten.' [41.1] ‚Leg es aus der Hand', sagte der Geistliche. K. warf es so heftig weg, daß es aufklappte und mit zerdrückten Blättern ein Stück über den Boden schleifte [41.2]. ... Der Geistliche neigte den Kopf zur Brüstung [37.3], jetzt erst schien die Überdachung der Kanzel ihn niederzudrücken [37.4,5]. ... Keine Glasmalerei der großen Fenster [30.2] war imstande, die dunkle Wand ... zu unterbrechen."

ANHANG VIII

DIE AKTIONENGRUPPE ‚GESPRÄCHE' (PROZESS)

Vorkommen: Kap. 3 (a) = P64, Zeile 11 – P76, Z. 8; *Kap. 4; Kap. 6 (a)* = P113, Z. 1 – P117, Z. 11; *Kap. 8* = P201, Z. 17 – P234, Z. 19. Partikelreihenfolge wie Kap. 3.

Abk.: Gerichtsdiener, *K.*, *D*ienerfrau, *U*ntersuchungsrichter, *S*tudent; *A*nna, *G*rubach, *M*ontag, *B*ürstner, *L*anz, *d*ie Diener, *O*nkel, *E*rna, (Bank-) *S*tellvertreter; *L*eni, *H*uld, *B*lock, *GP* = Gesprächspartner

1   Diener(in) Ge/A/d/Le mit Meldung fortgeschickt (Kap. 3, 4: sonntags)
2   1. Mann K/K/O/K tritt mit rücksichtsloser, unhöflicher Eile ohne sonderliche Begrüßung (Kap. 3, 4, 8: ohne Grußwort) in 1. Zimmer ein (Kap. 4, 6, 8: Tür wird hinter ihm geschlossen)
3   ein Mann K/K/K/K kennt eine Frau D/G/E/Le, mit der er länger nicht verkehrt, gesprochen hat, weil er sich nicht um sie kümmert
4   des 1. Mannes K/K/O/K Gesprächspartner (GP) ist schon zur Stelle D/M/K/H, wartet schon auf ihn (Kap, 4, 6, 8)
5   1. Mann scheint nicht (ganz) verstanden zu werden von D/G/K/Le
6   jemand S/M/St? /Bl wird widerlich, unerträglich- wegschaffen
7   1. Mann kommt zu notwendigem/entscheidendem Gespräch unter vier Augen, das ungestört erst in 2. Zimmer (Sitzungs-, Eß-, Schlafzimmer)
8   Bedienung D/G/d/Le bringt jemandem K/K/K/H Gerichtsakt/Gericht/Akten Gericht (=Suppe)
9   GP D/M/K/H fordert 1. Mann auf, sich zu setzen
10   1. Mann setzt sich, ist im folgenden Gespräch unhöflich, rücksichtslos
11   GP sieht ihm von unten (Kap. 3,4, 8: scharf, beobachtend) ins Gesicht
12   Frau D/G/E/Le darf nicht ins Verhandlungszimmer, sozusagen verboten, weil sie stören würde. Anwesenheit nur im leeren Zimmer erlaubt
13   freundschaftliches Verhältnis, aber aufs Spiel gesetzt, im Begriff, es zu verscherzen: zwischen S-D/K-G/K-E? /K-Le
14   1. Mann war verärgert aufgestanden, setzt sich aber wieder (O erst in Kap. 6b)
15   eine Frau D/M/E/Le berichtet in guter Absicht einem Mann K/K/O/H über längere Verhandlung/Sitzung mit einem/über einen Angeklagten K/K/K/Bl
16   jemand D/G+B/K/Le nimmt zu sich ins Zimmer, läßt dort („nebenan") auch nachts wohnen, jemanden U/L + M/O/Bl, der leicht stört, mitten in oder um Mitternacht schreckenerregend neben jemandes D/B/K? /H Bett auftaucht (außer ‚Montag' in Kap. 4)
17   jemand U/L/E/Bl? ist ganz vergessen worden von jemandem D/B/K/K?
18   jemand D/L/E/K verrät (hoffentlich) nichts Nachteiliges über jemanden U/B/K/Bl an jemanden Ge/G/O/H

19	unnützes Geschenk (Strümpfe/Unterredung/Schokolade/Schriften) von U/B/K/H, von dem Beschenkte(r) D/K/E/Bl nichts Rechtes hat.
20	2. Mann S/L/St/Bl tritt zum 1. Mann und dessen GP hinzu
21	GP D/M/K/H und 2. Mann S/L/St/Bl: leises Zwiegespräch, wobei einer der beiden aufmerksam zuhört D/L? /St /Bl
22	jemand S/M/St/— hat einen Auftrag auszuführen
23	1. Mann ungehalten K/K/O/K, will kein Gespräch/will das Gespräch unter-/ abbrechen
24	2. Mann (mit GP) läßt sich nicht stören (erst, wenn Störung zur Provokation wird, Kap. 3, 8)
25	2. Mann (ver)beugt, (ver)neigt sich vor/über GP, den er höflich-ehrerbietig, d. h. auffallend anders als der 1. Mann behandelt
26	2. Mann S/L/-/Bl küßt GP(s Hand Kap. 4, 8; Hals Kap. 1, 3), woraufhin 1. Mann die beiden als Gruppe sieht, mit der er nichts mehr zu tun hat/haben will
27	1. Mann, neugierig, geht auf der Suche nach einer Frau D/B/Le (in Kap. 6b) /Le durch eine 1. zu 2. Tür, bleibt in offener Tür zu leerem Raum stehen
28	die Frau (Kap. 3: verschwindet) ist gerade verschwunden; des Mannes Wut/ Verbitterung

ANHANG IX

DIE AKTIONENGRUPPE ‚EINTRITT' (PROZESS)

PROZESSKAPITEL		1	2	6	7
	es ist 8 Uhr	morgens	K. + Begleiter[3]	abends	K. + Bucklige
1:	1. und 2. Gestalt kommen zu einer Tür	Franz/Willem		Onkel + K.	
	eine läutet/klopft	Franz/Willem	K./Begleiter	Onkel	Titorelli
	meist öffnet Frau[1]	Grubach/Anna	Dienerfrau	Leni	
2:	1. und 2. treten ein	Franz + Willem	K. (allein)	Onkel + K.	
a:	Tür danach geschlossen				
b:	1. und 2. weiter zum Nebenzimmer, dort 2. Tür	Franz + Willem	K. (allein)	Leni	
c:	in (2., meist von Frau geöffneter) Tür steht die 1. Gestalt	sonst Anna	„Frau"	Onkel	K.
3:	im (2.) Zimmer Mann im Bett. Man wendet sich an ihn, er richtet sich (halb) auf[2]	Franz	K.	Huld	Titorelli
4:	1. tritt ins Zimmer	K.	„jemand"	Onkel	K.
5:	2. tritt nicht gleichzeitig mit ihm auf	Franz	K.	K.[5]	Bucklige
6:	Frau darf nicht dabei sein, stört. Nach ihrem Verschwinden:	Willem	Student[4]		
7:	(Furcht, daß) sie horcht	Grubach	Dienerfrau	Leni	Bucklige

1) a, b, c sind in Kap. 2 versetzt zu 1, 2, 3, 4, 2, a, b, c, 5, 6, 7.
2) Titorelli ist soeben aufgestanden. Für die Kap. 1 und 7 gemeinsam die Art des Aufstehens.
3) Besonders der „junge, freundliche Arbeiter".
4) Im Systemzwang ist der Student in Kap. 2 analog Franz (Kap. 1), K. (Kap. 6), der Buckligen (Kap. 7), also der zweiten, der Begleiter-Gestalt. Das heißt, er ist per Analogie Fortsetzung des „jungen, freundlichen Arbeiters".
5) Für Huld existiert der zunächst gar nicht bemerkte K. nicht.

340

ANHANG X

AKTIONENGRUPPE: DIE PROZESS-DUBLETTE 6

Vorkommen: Kap. 6 (a) = P112, Zeile 1 – P117, Z. 11; *Kap. 6 (b)* = P121, Z. 13 – P125, Z. 23 und P127 f.

Abk.: K., Onkel, *D*iener, *E*rna, *L*eni, *H*uld, *St*ellvertreter *K*. s, *GP* = Gesprächspartner

6a	6b	
1	1	als O zur Tür hereinkam, war sein GP K/H gerade vollauf mit Schrift-/ beruflich-gesellschaftlichem Verkehr beschäftigt
2	2	O drängt mit rücksichtsloser Eile zwischen zwei Personen D/K und L ohne jede Begrüßung durch die Tür und eilt weiter zum Gespräch unter vier Augen mit GP K/H
3	15	K. erschrickt über O, obwohl er, auf dessen Verhalten vorbereitet, es so erwartet hatte
4	3	O begrüßt GP als alten Bekannten/Freund
5	11	O spricht von seiner Absicht eines vertraulichen Gesprächs über persönliche Angelegenheiten
6	16	mühsam schluckend betont O die Notwendigkeit des Gesprächs
7	17	GP K/H schickt daraufhin Bedienung D/L aus dem Zimmer
8	4	O setzt sich nicht auf einen Stuhl, sondern direkt zu und oberhalb seines GP auf Schreibtisch/Bett
9	5	anfallartige Schwäche des anscheinend entkräfteten GP, allerdings wird sie vorübergehen
10	13	Frau E/L berichtet brieflich/mündlich dem O über den — während des Berichts/Vortrags stumm anwesenden — GP K/H und dessen bedenklichen Zustand: Prozeß/Krankheit
11	19	Frau E/L muß draußen (zu lange) warten, weil Mann K/H, dann K, bei dem sie sein will, gerade mit einem anderen Mann — ungenannt/O, dann H — verhandelt
12	14	aufgrund seines bedenklichen Zustands ist GP K/H nicht in der Lage, sich mit den Angelegenheiten einer/eines anderen E/O bzw. K zu beschäftigen
13	20	Mann K/O sagt, daß Bedienung D/L wahrscheinlich draußen vor der Tür steht und horcht
14	6	ein(e) junge(r) dritte(r) S/L tritt hinzu, geht zum GP K/H des Onkels: es beginnt ein Gespräch, der O steht abseits
15	8	eine(r) K/L der beiden spricht leise mit dem anderen S/H
16	9	O, aufgestanden, geht rücksichtslos im Zimmer auf und ab, betrachtet Beisammensein der beiden anderen als lästige Unterbrechung

17	12	der/die dritte S/L, im Gegensatz zu O auffallend ruhig, läßt sich nicht stören, unterbrechen
18	7	er/sie (ver)neigt, (ver)beugt sich vor/über GP K/H
19	10	O, mit beiden Händen Vorhänge/L. s Röcke packend
20	18	der/die dritte S/L geht, schließt die Tür hinter sich; der O beschimpft ihn: „Hampelmann"/sie: „Hexe"

ANHANG XI

AKTIONENGRUPPE: DIE PROZESS-DUBLETTE 3

Vorkommen: Kap. 3 (a) = P64, Zeile 11 –P76,Z. 8; *Kap. 3 (b)* = P80, Z. 3 –P92, Ende

Abk.: K., Dienerfrau, Student, Untersuchungsrichter, Gerichtsdiener, Mädchen, Auskunftgeber

3a	3b	
1	1	K eilig durch Tür zu Dienerwohnung/Dachboden eintretend – nicht viel/keine Rücksicht
2	6	es wird zwischen K und der Frau D/M kein Grußwort gewechselt
3	5	K vor einer (für ihn 2.) Nebenzimmertür, die eine junge Frau D/M öffnet
4	2	klägliche Räumlichkeiten des Gerichts: Sitzungssaal/Dachboden
5	3	K sagt zu Dienstleuten D/G, daß er wieder gehen will
6	7	Frau D/M fragt nach K. s Wünschen
7	4	K hatte sich noch gar nicht in dem Raum umgesehen: Wohnzimmer/ „Raum" 84, in dem er sich befand
8	8	wer D/K das Gerichtswesen für widerlich (66/85) hält, wird später (74/91) fortgetragen, d. h. ins Bett gelegt (cf. GG 6)
9	13	Frau D/M reinigt, damit K. s Hand nicht schmutzig
10	14	K und Frau D/M – mitten im Geschlechts-/Parteienverkehr, der dann doch nicht zu sehen
11	15	Frau D/M will K helfen
12	10	Frau D/M lädt K zum Sitzen ein
13	17	Angeklagter K will sich auf Podiums-/Treppenstufe setzen
14	11	K setzt sich, hat Gesicht der Frau D/M nahe neben/vor sich
15	16	K steht auf, setzt sich aber wieder
16	19	Frau D/M bittet K, sich kein falsches Urteil zu bilden
17	20	Frau D/M berichtet K – und berichtigt K. s Eindrücke – vom Gericht, besondersvon einem bestimmten Beamten U/A
18	21	Frau D/M berichtet K von Geschenk: Strümpfe 71/„schönes Kleid" 88 f., von dem die/der Beschenkte D/A dann doch nichts hat, weil es für sie/ihn zu fein ist
19	9	Mann S/A kommt zur (2.) Tür, bleibt in Türöffnung stehen, schaut K und der Frau D/M zu, kommt erst später herein
20	25	Frau D/M sagt K leise ins Ohr, er möge nicht schlecht von jemandem D/A denken
21	18	jemand S/M wendet/neigt kurz den Kopf, sein Gesprächspartner D/K sieht stumm vor sich hin
22	12	jemand D/K ist den Leuten vom Gericht U und S/A und M hilflos ausgeliefert

23	26	K ist ein ungebärdiger, pflichtvergessener Angeklagter — Nachlässigkeit nach Ansicht von S/A
24	22	jemand K/A redet/lacht beleidigend, ein zweiter S/M versucht, es dem/ der dritten D/K zu erklären
25	23	zwei: K und S/M und A reden über eine(n) stumme(n) dritte(n) D/K wie über eine Sache
26	24	nach dieser/diesem dritten strecken die zwei anderen plötzlich ihre Hand aus; dann wird diese(r), völlig einverstanden, sich nicht wehrend, zur (1., Ausgangs-) Tür getragen
27	27	Wendepunkt, Umschwung: jemand S/K merkt/erkennt plötzlich
28	28	jemand S/K handelt mit vorher anscheinend nicht, dann plötzlich doch vorhandener, überraschender Kraft
29	29	K faßt nach den beiden anderen
30	33	das wegen K. s der Frau D/M drohende Verderben dadurch abgewendet, daß K einem Mann S einen Stoß versetzt/äußerst schnell die Tür schließt
31	30	K muß von ihnen (ab)lassen
32	32	Schauplatz: Treppe. K unten, Mann und Frau S und D/A und M oben, deren Atemnot und stummer (Abschieds)Gruß
33	34	K hatte zulassen müssen, daß der Körper D. s/K. s weggetragen wurde — Versagen, Niederlage — sich trotzdem nicht ängstigen
34	31	„auf einen Sprung gewinnen" (P131: K die Leni; hier:) der Student die Dienerfrau/K. die Freiheit)

ANHANG XII

GRUPPENREIHEN DER PROZESS-KAPITEL 3, 6, 10

Onkel, Mädchen, Leni, Bürstner, Huld, Auskunftgeber, (H:) ein, (hh:) beide Herren, Kanzleidirektor. x. für sonstige Repräsentanz

wegen Aus-, Einlaß stehen in sonst leerem Raum/Korridor/ Platz: nicht warten/nicht weiter wollen, scharf/laut schreien/ sprechen/rufen	K	O	K
durch Tür-/Gassenöffnung junges Mädchen aus dunklem zweiten Raum/Vorzimmer/aus Gasse	M	L	B
plötzlich vorübergehend (wie) krank/schwach/kraftlos hin-	K	H	K
ter Mädchen im (Halb-)Dunkel Mann (Männergesicht)	A	H	K
Atemnot-/Herz-/Schwächeanfall	K	H	K
sich anfallartig niedersetzen/-legen/anheimgeben	K	H	K
Pfleger/Krankenwärter nahe vor Gesicht des Kranken	M	L	hh
ein Mann als Zuschauer	A	K	Mensch
Luke öffnen, um Erfrischung zu bereiten — Schmutz	M		
eine Frau reinigt mit ihrem Tuch, damit Hand des	M		
Mannes nicht schmutzig	K		
mitten im Verkehr stören, der dann doch nicht zu sehen	K	O	
Frau will K. helfen	M	L	
Kranken ins/im Krankenzimmer/in Steinbruch gebettet	K	H	K
richtet sich mühsam auf, sinkt seufzend wieder zurück	K	H	K
eine(r) beim Betten über Kranken gebeugt, ein	M	L	h
anderer abseits hinter beiden auf und ab wippend/gehend	A	O	h
(wie) ein Kleiner zwischen zwei Größeren, die über ihm/	MA	LO	hh
ihn sich verständigen, verhandeln, wie über Abwesenden, Sache, oft mit Lächeln, Gelächter	K	H	K
Blick auf Körpermitte (Schürze/Weste):	K		K
beidseitig/zweischneidig tief einschneidende Schärfe/ Spitze/Enden/Messer	A		h
Kranker sagt	K		K
zu zwei Begleitern, er sei gar nicht (so) krank	MA		hh
Angeklagter auf der Stufe	K	x	
beleidigend: Lachen/Bemerkung	A	O	
Pflegerin, mit Krankem beschäftigt, neigt/wendet für	M	L	
einen Augenblick/nur den Kopf, um drittem etwas zu sagen	K	O	
dem Kranken wird ein Mann vorgestellt	K/A	H/K	
spöttische Bemerkung	A	L	

Kranker zu krank, um sich mit persönlichen Angelegen- heiten anderer zu befassen	K	H	
kein hartes Herz — gern helfen — schon im Gange	A	Hd	
viel länger geblieben als ursprünglich gewollt, endlich aufgestanden, auf dem Weg zur Tür	K	Kd	
in K. s Arme stützend eingehängte Begleiter (wie Kranken- wärter), bleiben stehen, warten (wie) mit ruhebedürftigem	MA		hh
Kranken, lassen ihn nicht los	K		K
K. will nicht stehenbleiben	K		K
Sitzbänke im Gang/im Park auf der Insel	x		x
K. kein/ein mustergültiger Angeklagter	K		K
K. fast getragen	K		K
Gleichmaß der Begleiterschritte	MA		hh
Wasser (als ob/im Fluß), erst rechts und links, dann vorn in der Tiefe des Ganges/unter der Brücke	x		x
zwei Personen vor/gebeugt über drittem, dieser			hh
hinunter auf den/ein wenig über dem Boden, festgedrückt, die Arme gestreckt, die Finger zu Krallen gespreizt, rings- herum Blut (spritzer)			K
gestochen, gestoßen		O	K
sagen, sein: verdammt		O	K
jemandes Gurgel		O	K
mit beiden Händen Mund/Gurgel zuhalten/-drücken: am Schreien hindern		K	h
drehen		O	h
schwindender Sinn: vergehendes Gehör/erlöschende Stimme/ brechende Augen	K	H	K
Lärm: als ob/Teller/assoziativ durch „Hund“?	x	x	?
von Frau geöffnete/ (vom Mann geschlossene)Tür (Ausgang)	M/K	L/K	?/h
K. s Scham/Befangenheit	K	K	K
dritter: beim Ausgang stumm gestanden und gewartet	K	Kd	
unbegreiflich: erst will er weg, dann geht er nicht			
bisher nicht bemerkt, plötzlich erkannt, hinter der Tür: die Freiheit/die Frau	K	K	
durch die Tür: entscheidender Umschwung/Wende	K	Kd	
des dritten neue, unvermutete Kräfte	K		
(Ver-)Abschied(ung)/Hinscheiden	K	d	K
von Begleitern, die bei der Tür zum Abschied (zu weit?)			
bis nahe vors Gesicht hinabgebeugt	MA		hh
dritter geht endlich, nachdem er sich verabschiedet	K	d	
Begleiter: Atemnot, nicht mehr atembare Luft, kaum/ nicht sprechen können, letztlich, weil aus weichem,	MA	HO	

346

schwachem Herzen geholfen

vielleicht abstürzen/wahrscheinlich zusammenbrechen	M	H
Tür schnell von einem Mann geschlossen	K	(h)
schnell fort	K	
Überraschung bereiten: der Körper/die Frau/der Onkel	K	LO
auf einen Sprung: die Freiheit/die Frau/K. festnageln	K	KO

LITERATURVERZEICHNIS

Werke   Sigel

KAFKA,Franz: Amerika. Roman. In: Franz Kafka, Gesammelte Werke, hg.   A
v. Max Brod. — Frankf./M.: S. Fischer 1966. (Lizenzausgabe von
Schocken Books New York).

KAFKA,Franz: Beschreibung eines Kampfes. Novellen, Skizzen, Aphoris-   B
men aus dem Nachlaß. 2. Ausg. In: Franz Kafka, Gesammelte
Schriften, hg. v. Max Brod. — New York: Schocken Books 1946.

KAFKA,Franz: Briefe 1902—1924. In: Gesammelte Werke, 1966.   Br

KAFKA,Franz: Erzählungen. In: Franz Kafka, Gesammelte Werke, 1967.   E

KAFKA ,Franz: Briefe an Felice und andere Korrespondenz aus der   F
Verlobungszeit, hg. v. Erich Heller und Jürgen Born. Mit einer
Einleitung von Erich Heller. In: Gesammelte Werke, 1967.

KAFKA,Franz: Hochzeitsvorbereitungen auf dem Lande und andere Prosa   H
aus dem Nachlaß. In: Gesammelte Werke, 1966.

JANOUCH,Gustav: Gespräche mit Kafka. Aufzeichnungen und Erinnerun-   J
gen. Erweiterte Ausg. — Frankf./M.: S. Fischer 1968.

KAFKA,Franz: Briefe an Milena, hg. und mit einem Nachwort versehen von   M
Willy Haas. In: Gesammelte Werke, 1965.

KAFKA,Franz: Der Prozeß. Roman. In: Gesammelte Werke, 1965.   P

KAFKA,Franz: Das Schloß. Roman. In: Gesammelte Werke, 1967.   S

KAFKA,Franz: Tagebücher 1910—1923. In: Gesammelte Werke, 1951.   T

Literatur

Stand der Kafkaliteratur: 1973

ADORNO, THEODOR W.: Aufzeichnungen zu Kafka. In: Th. W. Adorno: Prismen.
Kulturkritik und Gesellschaft. — Frankf./M.: Suhrkamp 1955. S. 302—342.

ALLEMANN, BEDA: Franz Kafka. Der Prozeß. In: Der deutsche Roman. Vom
Barock bis zur Gegenwart. Struktur und Geschichte. II. Hg. v. B. v. Wiese. —
Düsseldorf: Bagel 1963. S. 234—290.

—: (2) Kafka: Von den Gleichnissen. In: Zeitschrift für deutsche Philologie.
LXXXIII. 1964, Sonderh. S. 97—106.

ALTENHÖNER, FRIEDRICH: Der Traum und die Traumstruktur im Werk Franz
Kafkas. Münster, Phil. Diss. 1964.

ANDERS, GÜNTHER: Kafka pro und contra. Die Prozeß-Unterlagen. — München:
Beck [2] 1963.

ARNTZEN, HELMUT: Franz Kafka: Von den Gleichnissen. In: Zeitschrift für deutsche Philologie. LXXXIII. 1964, Sonderh. S. 106—112.

ASHER, J. A.: Turning-points in Kafka's stories. In: The Modern Language Review. LVII. 1963, 1. S. 47—52.

BATT, KURT: Neue Literatur zum Werk Franz Kafkas. In: Neue deutsche Literatur. X. 1962, 12. S. 29—35.

BAUMGARTNER, WALTER: Kafka und Strindberg. In: Nerthus. II. 1969. S. 9—51.

BECK, EVELYN TORTON: Kafkas ‚Durchbruch'. Der Einfluß des jiddischen Theaters auf sein Schaffen. In: Basis. I. 1970. S. 204—223.

—: (2) Kafka and the Yiddish Theatre. Its Impact on his Work. — Madison: Univ. of Wisconsin Pr. 1971.

BEIKEN, U. PETER: Perspektive und Sehweise bei Kafka. Stanford, Phil. Diss. 1971

BEISSNER, FRIEDRICH: Der Erzähler Franz Kafka. — Stuttgart: Kohlhammer 1952.

—: (2) Der Schacht von Babel. Aus Kafkas Tagebüchern. Ein Vortrag. — Stuttgart: Kohlhammer 1963.

BENJAMIN, WALTER: Illuminationen. Ausgewählte Schriften. — Frankf./M.: Suhrkamp 1961.

—: (2) Über Literatur. — Frankf./M.: Suhrkamp 1969. S. 154—202.

BENSE, MAX: Die Theorie Kafkas. — Köln, Berlin: Kiepenheuer & Witsch 1952.

—: (2) Metaphysische Positionen. In: Deutsche Literatur im 20. Jahrhundert. Strukturen und Gestalten. Hg. v. H. Friedmann u. O. Mann. Bd. I Strukturen. — Heidelberg: Rothe [4] 1961. S. 304—318.

—: (3) Aesthetica. Einführung in die neue Ästhetik. — Baden-Baden: Agis 1965.

—: (4) Literaturmetaphysik. Der Schriftsteller in der technischen Welt. — Stuttgart: Deutsche Verl.-Anstalt 1950.

BERENDSOHN, WALTER A.: August Strindberg und Franz Kafka. In: Deutsche Vierteljahrsschrift. XXXV. 1961, 4. S. 630—633.

BEZZEL, CHRISTOPH: Natur bei Kafka. Studien zur Ästhetik des poetischen Zeichens. — Nürnberg: Carl 1964. (= Erlanger Beiträge zur Sprach- und Kunstwissenschaft. XV.)

BILLETER, FRITZ: Das Dichterische bei Kafka und Kierkegaard. Ein typologischer Vergleich. — Wintherthur: Keller 1965.

BINDER, HARTMUT: Motiv und Gestaltung bei Franz Kafka. — Bonn: Bouvier 1966. (= Abhandlungen zur Kunst-, Musik- und Literaturwissenschaft. XXXVII.)

—: (2) Kafka und seine Schwester Ottla. Zur Biographie der Familiensituation des Dichters unter besonderer Berücksichtigung der Erzählungen ‚Die Verwandlung' und ‚Der Bau'. In: Jahrbuch der deutschen Schillergesellschaft. XII. 1968. S. 403—456.

—: (3) Kafkas Briefscherze. Sein Verhältnis zu Josef David. In: Jahrbuch der deutschen Schillergesellschaft. XIII. 1969. S. 536—559.

—: (4) Kafka und die Skulpturen. In: Jahrbuch der deutschen Schillergesellschaft. XVI. 1972. S. 623—647.

—: (5) „Der Jäger Gracchus". Zu Kafkas Schaffensweise und poetischer Topographie. In: Jahrbuch der deutschen Schillergesellschaft. XV. 1971. S. 375—440.

BLUM, GERALD S.: Psychodynamics: The science of unconscious mental forces. — Belmont, California: Wadsworth 1966. (= Basic Concepts in Psychology Series.)

BORN, JÜRGEN: Max Brod's Kafka. In: Books Abroad. XXXIII. 1959, 4. S. 389—396.

—: (2) Vom ‚Urteil' zum ‚Prozeß'. Zu Kafkas Leben und Schaffen in den Jahren 1912—1914. In: Zeitschrift für deutsche Philologie. LXXXVI. 1967, 2. S. 186—196.

—: (3) ‚Daß zwei in mir kämpfen . . .'. Zu einem Brief Kafkas an Felice Bauer. In: Literatur und Kritik. III. 1968, 22. S. 105—109.

—: (4) ‚Das Feuer zusammenhängender Stunden'. Zu Kafkas Metaphorik des dichterischen Schaffens. In: Das Nachleben der Romantik in der modernen deutschen Literatur. Die Vorträge des 2. Kolloquiums in Amherst/Mass. Hg. v. W. Paulsen. — Heidelberg: Stiehm 1969. S. 177—191.

BRAUN, GÜNTHER: Franz Kafkas Aphorismen: Humoristische Meditation der Existenz. In: Der Deutschunterricht. XVIII. 1966, 3. S. 107—118.

BROD, MAX: Ein Schwerthieb. In: Brod: Tod den Toten! — Stuttgart: Juncker 1906.

—: (2) Franz Kafka. Eine Biographie. — Frankf./M.: S. Fischer 1962.

—: (3) Streitbares Leben. 1884 — 1968. (Vom Autor überarb. u. erw. Neuausg.) — München, Berlin, Wien: Herbig 1969.

CANETTI, ELIAS: Der andere Prozeß. Kafkas Briefe an Felice. (Teil 1, 'n: Neue Rundschau. LXXIX. 1968, 2. S. 185—220.

—: (2) Der andere Prozeß. Kafkas Briefe an Felice. (Teil 2). In: Neue Rundschau. LXXIX. 1968, 4. S. 586—623.

CARROUGES, MICHEL: Kafka versus Kafka. — Alabama: Univ. of Alabama Pr. 1968.

ČERMÁK, JOSEF: Franz Kafkas Ironie. In: Philologica· Pragensia. VIII. 1965, 4. S. 391—400.

DEINERT, HERBERT: Franz Kafka — Ein Hungerkünstler. In: Wirkendes Wort. XIII. 1963, 2. S. 78—87.

—: (2) Kafka's parable ‚Before the law'. In: The Germanic Review. XXXIX. 1964, 3. S. 192—200.

DEMETZ, PETER: Korrigierte Kafka-Kritik. In: Merkur. XX. 1966, 9. S. 900—902.

DUCHÁČEK, OTTO: Über verschiedene Typen sprachlicher Felder und die Bedeutung ihrer Erforschung. In: Wortfeldforschung. Zur Geschichte und Theorie des sprachlichen Feldes. Hg. v. L. Schmidt. — Darmstadt: Wissenschaftl. Buchges. 1973. (= Wege der Forschung. CCL.) S. 336—350.

EBNER, JEANNIE: Ich bitte Sie, dem Franz manches zu Gute zu halten. In: Literatur und Kritik. XXXVI/XXXVII. 1969, 4. S. 429—436.

EDWARDS, BRIAN F. M.: The extent and development of autobiographical material in the works of Franz Kafka. — Edinburg, Phil. Diss. 1964.

EMRICH, WILHELM: Symbolinterpretation und Mythenforschung. Möglichkeiten und Grenzen eines neuen Goetheverständnisses. In: Euphorion. XLVII. 1953. S. 38–67.

—: (2) Die Symbolik von Faust II. Sinn und Vorformen. — Bonn: Athenäum [2]1957.

—: (3) Die Bilderwelt Franz Kafkas. In: Emrich: Protest und Verheißung. Studien zur klassischen und modernen Dichtung. — Frankf./M., Bonn: Athenäum 1960. S. 249–263.

—: (4) Franz Kafka. In: Deutsche Literatur im 20. Jahrhundert. Bd. II Gestalten. [cf. Bense 2] — Heidelberg: Rothe 1961. S. 190–208.

—: (5) Franz Kafka. — Frankf./M.: Athenäum [3]1964.

—: (6) Franz Kafka: Porträt. In: Emrich: Geist und Widergeist. Wahrheit und Lüge der Literatur. Studien. — Frankf./M.: Athenäum 1965. S. 287–299.

—: (7) ... und es wird kein Wort auf dem anderen bleiben ... In: Emrich: Polemik. Streitschriften, Pressefehden und kritische Essays um Prinzipien, Methoden und Maßstäbe der Literaturkritik. — Frankf./M.: Athenäum 1968. S. 85–89.

—: (8) Die Austreibung des Geistes aus der Literaturkritik. In: Emrich: Polemik [cf. Emrich 7]. S. 97 – 109.

—: (9) Franz Kafka: Die Sorge des Hausvaters. In: Emrich: Polemik [cf. Emrich 7]. S. 112–120.

FEUERLICHT, IGNACE: Kafka's chaplain. In: The German Quarterly. XXXIX. 1966, 2. S. 208–220.

—: (2) Omissions and contradictions in Kafka's ,Trial'. In: The German Quarterly. XL. 1967, 3. S. 339–350.

FICKERT, KURT J.: The window metaphor in Kafka's ,Trial'. In: Monatshefte. LVIII. 1966, 4. S. 345–352.

FIETZ, LOTHAR: Möglichkeiten und Grenzen einer Deutung von Kafkas Schloß-Roman. In: Deutsche Vierteljahrsschrift. XXXVII. 1963, 1. S. 71–77.

FISCHER, ERNST: Franz Kafka. In: Fischer: Von Grillparzer zu Kafka. Sechs Essays. — Wien: Globus 1962. S. 279–328.

FLITNER, A. (Hg.): Das Kinderspiel. Texte. — München: Piper 1973. (= Erziehung in Wissenschaft und Praxis. XX).

FOULKES, A. P.: The reluctant pessimist. A study of Franz Kafka. — The Hague, Paris: Mouton 1967.

—: (2) Franz Kafka: Dichtungstheorie und Romanpraxis. In: Deutsche Romantheorien. Beiträge zu einer historischen Poetik des Romans in Deutschland. Hg. u. eingel. v. R. Grimm. — Frankf./M.: Athenäum 1968. S. 321–343.

FRAIBERG, SELMA: Kafka and the dream. In: Partisan Review. XXIII. 1956. S. 47–69.

FREY, EBERHARD: Franz Kafkas Erzählstil. Eine Demonstration neuer stilanalytischer Methoden in Kafkas Erzählung ,Ein Hungerkünstler'. — Bern: Lang 1970. (= Europäische Hochschulschriften. I, 31.)

FÜLLEBORN, ULRICH: Zum Verhältnis von Perspektivismus und Parabolik in der Dichtung Kafkas. In: Wissenschaft als Dialog. Studien zur Literatur und Kunst seit der Jahrhundertwende. Hg. v. Renate v. Heydebrand u. K. G. Just. — Stuttgart: Metzler 1969. S. 289—312.

GAIER, ULRICH: ‚Chorus of lies‘: — on interpreting Kafka. In: German Life & Letters. XXII. 1968/69. S. 283—296.

GECKELER, HORST: Strukturelle Semantik und Wortfeldtheorie. — München: Fink 1971.

GERHARDT, MARLIS: Die Sprache Kafkas. Eine semiotische Untersuchung. — Stuttgart, Phil. Diss. 1968.

GLINZ, HANS: Methoden zur Objektivierung des Verstehens von Texten, gezeigt an Kafkas ‚Kinder auf der Landstraße‘. In: Jahrbuch für Internationale Germanistik. I. 1969, 1. S. 75—107.

GUNVALDSEN, KAARE: The plot of Kafka’s ‚Trial‘. In: Monatshefte. LVI. 1964, 1. S. 1—14.

GUTH, HANS P.: Symbol and contextual restraint: Kafka’s ‚Country doctor‘. In: Publications of the Modern Language Association of America. LXXX. 1965, 4, I. S. 427—431.

HAIKER, EMMY: Die früheste Kindheitserinnerung. In: Wiener Archiv für Psychologie, Psychiatrie und Neurologie. VI. 1956, 1. S. 19—27.

HAMBURGER, MICHAEL: Robert Musil, Robert Walser, Franz Kafka. In: Hamburger: Vernunft und Rebellion. Aufsätze zur Gesellschaftskritik in der deutschen Literatur. — München: Hanser 1969. S. 139—168.

HASSELBLATT, DIETER: Zauber und Logik. Eine Kafka-Studie. — Köln: Wissenschaft und Politik 1964.

HEIDINGER, MAURICE MARVIN: „Intrinsic“ Kafka Criticism in America (1949—1963). — Indiana, Phil. Diss. 1965.

HEINZ, HEIDE: Hermann Melvilles Erzählung ‚Bartleby‘ im Vergleich zu Franz Kafkas Roman ‚Der Prozeß‘. In: Saarbrücker Beiträge zur Ästhetik. Hg. v. R. Malter u. A. Brandstetter. — Saarbrücken: Buchhandlung der Saarbrücker Zeitung in Komm. 1966. S. 59—66.

HELLER, ERICH: Die Welt Franz Kafkas. In: Heller: Studien zur modernen Literatur. — Frankf./M.: Suhrkamp 1963. S. 7—52.

HELLER, PETER: Dialectics and nihilism. Essays on Lessing, Nietzsche, Mann, and Kafka. — Amherst: The University of Massachusetts Pr. 1966. S. 227—306.

HENEL, INGEBORG: Die Türhüterlegende und ihre Bedeutung für Kafkas ‚Prozeß‘. In: Deutsche Vierteljahrsschrift. XXXVII. 1963, 1. S. 50—70.

—: (2) Die Deutbarkeit von Kafkas Werken. In: Zeitschrift für deutsche Philologie. LXXXVI. 1967, 2. S. 250—266.

HERMSDORF, KLAUS: Kafka. Welbild und Roman. — Berlin: Rütten & Loening 1961.

HILLMANN, HEINZ: Franz Kafka. In: Deutsche Dichter der Moderne. Ihr Leben und Werk. Hg. v. B. v. Wiese. — Berlin: E. Schmidt 1965. S. 258—279.

HODIN, JOSEF PAUL: Kafka und Goethe. Zur Problematik unseres Zeitalters. — London, Hamburg: Odysseus 1969.

HÖRMANN, HANS: Psychologie der Sprache. Verb. Neudr. – Berlin, Heidelberg, New York: Springer 1970.

IDE, HEINZ: Franz Kafka, ,Der Prozeß'. Interpretation des ersten Kapitels. In: Jahrbuch der Wittheit zu Bremen. VI. 1962. S. 19–57.

JAFFE, ADRIAN H.: The process of Kafka's Trial. – Michigan State Univ. Pr. 1967.

JAHN, WOLFGANG: Kafka und die Anfänge des Kinos. In: Jahrbuch der deutschen Schillergesellschaft. VI. 1962. S. 353–368.

–: (2) Kafkas Handschrift zum ,Verschollenen' (,Amerika'). Ein vorläufiger Textbericht. In: Jahrbuch der deutschen Schillergesellschaft. IX. 1965. S. 541–552.

–: (3) Kafkas Roman ,Der Verschollene' (,Amerika'). – Stuttgart: Metzler 1965. (= Germanistische Abhandlungen. XI.)

KAFKA-SYMPOSION. Hg. v. J. Born (u. a.). – Berlin: Wagenbach 1965.

KAISER, GERHARD: Franz Kafkas ,Prozeß'. Versuch einer Interpretation. In: Euphorion. LII. 1958, 3. S. 23–49.

KANDLER, GÜNTHER: Die „Lücke" im sprachlichen Weltbild. Zur Synthese von „Psychologismus" und „Soziologismus". In: Wortfeldforschung [cf. O. Ducháček]. S. 351–370.

KASSEL, NORBERT: Das Groteske bei Franz Kafka. – München: Fink 1969.

KOBS, JÖRGEN: Kafka. Untersuchungen zu Bewußtsein und Sprache seiner Gestalten. Hg. v. Ursula Brech. – Bad Homburg: Athenäum 1970.

KOMLOVSZKI, TIBOR: Kafkas Schloß und das Fortuna-Schloß des Comenius. (Anmerkungen zur Vorgeschichte des Kafkaschen Weltbildes.) In: Acta Litteraria Academiae Scientiarum Hungaricae. X. 1968. S. 83–93.

KOWAL, MICHAEL: Kafka and the emigrés: A chapter in the history of Kafka criticism. In: The Germanic Review. XLI. 1966, 4. S. 291–301.

KRAFT, HERBERT: Kafka: Wirklichkeit und Perspektive. – Bebenhausen: L. Rotsch 1972. (= Thesen und Analysen. II.)

KUDSZUS, WINFRIED: Erzählhaltung und Zeitverschiebung in Kafkas ,Prozeß' und ,Schloß'. In: Deutsche Vierteljahrsschrift. XXXVIII. 1964, 2. S. 192–207.

KURZ SJ, PAUL KONRAD: Verhängte Existenz. Franz Kafkas Erzählung ,Ein Landarzt'. In: Stimmen der Zeit. XCI. 1965, 6. S. 432–450.

KURZWEIL, BARUCH BENEDIKT: Franz Kafka – jüdische Existenz ohne Glauben. In: Neue Rundschau. LXXVII. 1966, 3. S. 418–436.

LACHMANN, EDUARD: Das Türhütergleichnis in Kafkas ,Prozeß'. In: Germanistische Abhandlungen. – Innsbruck: Sprachwissenschaftl. Inst. d. Univ. Innsbruck in Komm. 1959. (= Innsbrucker Beiträge zur Kulturwissenschaft. VI.) S. 265–270.

LADENDORF, HEINZ: Kafka und die Kunstgeschichte. II. In: Wallraf-Richartz-Jahrbuch. XXV. 1963. S. 227–262.

LÄMMERT, EBERHARD: Bauformen des Erzählens. – Stuttgart: Metzler 1955.

LEOPOLD, KEITH: Breaks in perspective in Franz Kafka's ,Der Prozeß'. In: The German Quarterly. XXXVI. 1963, 1. S. 31–38.

LÉVI-STRAUSS, CLAUDE: Le totémisme aujourd'hui. — Paris: Presses Universitaires de France 1962.

LÖFFLER, PETER: Regie. In: Das Atlantisbuch des Theaters. Hg. v. M. Hürlimann. — Zürich, Freiburg i. Br.: Atlantis 1966. S. 325—330.

MARGETTS, JOHN: Satzsyntaktisches Spiel mit der Sprache: zu Franz Kafkas ,Auf der Galerie'. In: Colloquia Germanica. 1970, 1. S. 76—82.

MARSON, ERIC L.: Die ,Prozeß'-Ausgaben: Versuch eines textkritischen Vergleichs. In: Deutsche Vierteljahrsschrift. XLII. 1968, 5 (Sonderh.). S. 760—772.

MARSON, ERIC, and K. LEOPOLD: Kafka, Freud, and ,Ein Landarzt'. In: The German Quarterly. XXXVII. 1964, 2. S. 146—160.

MARTINI, FRITZ: Das Wagnis der Sprache. — Stuttgart: Klett [2] 1956.

—: (2) Ein Manuskript Franz Kafkas: ,Der Dorfschullehrer'. In: Jahrbuch der deutschen Schillergesellschaft. II. 1958. S. 266—300.

METZGER, WOLFGANG: Die Entwicklung der Erkenntnisprozesse. In: Handbuch der Psychologie [LERSCH]. 3. Bd. Entwicklungspsychologie. Hg. v. H. Thomae. 2. unveränd. Aufl. — Göttingen: Verlag für Psychologie C. J. Hogrefe 1959 und 1972. S. 404—441.

MUSCHG, WALTER: Der unbekannte Kafka. In: Muschg: Von Trakl zu Brecht. Dichter des Expressionismus. — München: Piper 1961. S. 149—173.

—: (2) Über Franz Kafka. In: Muschg: Pamphlet und Bekenntnis. Aufsätze und Reden. Ausgew. u. hg. v. P. A. Bloch in Zus.-arb. m. E. Muschg-Zollikofer. — Olten, Freiburg i. Br.: Walter 1968. S. 101—107.

—: (3) Franz Kafka. Der Künstler. In: Muschg: Gestalten und Figuren. (Auswahl v. E. Muschg-Zollikofer). — Bern, München: Francke 1968. S. 103—126.

NAUMANN, DIETRICH: Kafkas Auslegungen. In: Literatur und Geistesgeschichte. Festgabe für Heinz Otto Burger. Hg. v. R. Grimm und C. Wiedemann. — Berlin: E. Schmidt 1968. S. 280—307.

NEUMANN, GERHARD: Umkehrung und Ablenkung: Franz Kafkas ,Gleitendes Paradox'. In: Deutsche Vierteljahrsschrift. XLII. 1968, 5 (Sonderh.). S. 702—744.

OERTER, ROLF: Moderne Entwicklungspsychologie. — Donauwörth: L. Auer [9] 1971.

PASLEY, J. M.: Franz Kafka: ,Ein Besuch im Bergwerk'. In: German Life and Letters. XVIII. 1964/65, 1. S. 40—46.

—: (2) Die Sorge des Hausvaters. In: Akzente. XIII. 1966, 4. S. 303—309.

PETERS, HEINRIKE: Die Wahrheit im Werk Franz Kafkas. — Tübingen, Phil. Diss. 1967.

PFEIFFER, JOHANNES: Dichterische Wirklichkeit und ,weltanschauliche' Wahrheit, erläutert an Novellen von Hans Grimm, Thomas Mann und Franz Kafka. In: Pfeiffer: Die Dichterische Wirklichkeit. Versuche über Wesen und Wahrheit der Dichtung. — Hamburg: Meiner 1962. S. 94—113.

PHILIPPI, KLAUS-PETER: Reflexion und Wirklichkeit. Untersuchungen zu Kafkas Roman ,Das Schloß'. — Tübingen: Niemeyer 1966. (= Studien zur deutschen Literatur. V.)

—: (2) ,Parabolisches Erzählen'. Anmerkungen zu Form und möglicher Geschichte. In: Deutsche Vierteljahrsschrift. XLIII. 1969, 2. S. 297—332.

PLATZER COLLINS, H.: Kafka's ,Double-Figure' as a literary device. In: Monatshefte. LV. 1963, 1. S. 7—12.

POLITZER, HEINZ: The puzzle of Kafka's prosecuting attorney. In: Publications of the Modern Language Association of America. LXXV. 1960, 4, I. S. 432—438.

—: (2) Franz Kafka's language. In: Modern Fiction Studies. VIII. 1962, 1. S. 16—22.

—: (3) Franz Kafka, der Künstler. — Gütersloh: S. Fischer 1965.

—: (4) Der Turm und das Tier aus dem Abgrund. Zur Bildsprache der österreichischen Dichtung bei Grillparzer, Hofmannsthal und Kafka. In: Grillparzer-Forum Forchtenstein. Vorträge, Forschungen, Berichte. — Heidelberg: Stiehm 1968. S. 24—42.

—: (5) Wer hat Angst vor dem bösen Franz? Kafka erscheint im Osten. In: Politzer: Das Schweigen der Sirenen. Studien zur deutschen und österreichischen Literatur. — Stuttgart: Metzler 1968. S. 42—69.

—: (6) Franz Kafkas vollendeter Roman. Zur Typologie seiner Briefe an Felice Bauer. In: Nachleben der Romantik [cf. Born 4]. S. 192—211.

PONGS, HERMANN: Franz Kafka. Dichter des Labyrinths. — Heidelberg: Rothe 1960.

RAABE, P.: Franz Kafka und der Expressionismus. In: Zeitschrift für deutsche Philologie. LXXXVI. 1967, 2. S. 161—175.

RATTNER, JOSEF: Kafka und das Vater-Problem. Ein Beitrag zum tiefenpsychologischen Problem der Kindererziehung. Interpretation von Kafkas ,Brief an den Vater'. — München, Basel: Reinhardt 1964.

REED, T. J.: Kafka und Schopenhauer. Philosophisches Denken und dichterisches Bild. In: Euphorion. LIX. 1965, 1/2. S. 160—172.

REISS, H. S.: Bild und Symbol in ,Wilhelm Meisters Wanderjahren'. In: Studium Generale. VI. 1953, 6. S. 340—348.

RICHTER, HELMUT: Franz Kafka. Werk und Entwurf. — Berlin: Rütten & Loening 1962. (= Neue Beiträge zur Literaturwissenschaft. XIV.)

—: (2) Entwurf und Fragment — Zur Interpretation von Kafkas ,Prozeß'. In: Zeitschrift für deutsche Philologie. LXXXIV. 1965, Sonderh. S. 47—73.

ROBERT, MARTHE: Das Alte im Neuen. Von Don Quichotte zu Franz Kafka. — München: Hanser 1968. (= Literatur als Kunst. Eine Schriftenreihe, hg. v. W. Höllerer)

ROHNER, WOLFGANG: Franz Kafka. — Mühlacker: Stieglitz-Verl. Händle 1967.

RÜSSEL, ARNULF: Spiel und Arbeit in der menschlichen Entwicklung. In: Handbuch der Psychologie [LERSCH]. Bd. 3. Entwicklungspsychologie. Hg. v. H. Thomae. — Göttingen: Verl. f. Psychol. 1958. S. 502—534.

—: Das Kinderspiel. — München: C. H. Beck'sche Verl.Buchh. 1953.

RYAN, JUDITH: Die zwei Fassungen der ,Beschreibung eines Kampfes'. Zur Entwicklung von Kafkas Erzähltechnik. In: Jahrbuch der deutschen Schillergesellschaft. XIV. 1970. S. 546—572.

RYAN, LAWRENCE: „Zum letztenmal Psychologie!" Zur psychologischen Deutbarkeit der Werke Franz Kafkas. In: Psychologie in der Literaturwissenschaft. Viertes Amherster Kolloquium zur modernen deutschen Literatur. 1970. Hg. v. W. Paulsen. – Heidelberg: Stiehm 1971. S. 157–173.

SCHAUFELBERGER, FRITZ: Franz Kafka. In: Der Deutschunterricht. XV. 1963, 3. S. 32–43.

SCHILLEMEIT, JOST: Welt im Werk Franz Kafkas. In: Deutsche Vierteljahrsschrift. XXXVIII. 1964, 2. S. 168–191.

–: (2) Zum Wirklichkeitsproblem der Kafka-Interpretation. In: Deutsche Vierteljahrsschrift. XL. 1966, 4. S. 577–596.

SCHUBIGER, JÜRG: Franz Kafka. Die Verwandlung. Eine Interpretation. – Zürich: Atlantis 1969. (= Zürcher Beiträge zur deutschen Literatur- und Geistesgeschichte. XXXIV.)

SCHWARZ, HANS: Zwölf Thesen zur Feldtheorie. In: Wortfeldforschung [cf. O. Ducháček]. S. 336–350.

SEIDLER, INGO: Das Urteil: „Freud natürlich"? Zum Problem der Multivalenz bei Kafka. In: Psychologie in der Literaturwissenschaft [cf. L. Ryan]. S. 174–190.

SEIDLER, MANFRED: Strukturanalysen der Romane ‚Der Prozeß' und ‚Das Schloß' von Franz Kafka. – Bonn, Phil. Diss. 1953.

SOKEL, WALTER H.: Franz Kafka – Tragik und Ironie. Zur Struktur seiner Kunst. – München, Wien: Langen, Müller 1964.

–: (2) Franz Kafka. – New York, London: Columbia Univ. Pr. 1966. (= Columbia essays on modern writers. XIX.)

–: (3) Das Verhältnis der Erzählperspektive zu Erzählgeschehen und Sinngehalt in ‚Vor dem Gesetz', ‚Schakale und Araber' und ‚Der Prozeß'. In: Zeitschrift für deutsche Philologie. LXXXVI. 1967, 2. S. 267–300.

SPARKS, KIMBERLEY: Drei schwarze Kaninchen: Zu einer Deutung der Zimmerherren in Kafkas ‚Die Verwandlung'. In: Zeitschrift für deutsche Philologie. LXXXIV. 1965, Sonderh. S. 73–82.

SPILKA, MARK: Dickens and Kafka – a mutual interpretation. – Bloomington: Indiana Univ. Pr. 1963.

SPITZ, RENÉ A.: Die Urhöhle. Zur Genese der Wahrnehmung und ihrer Rolle in der psychoanalytischen Theorie. In: Studien zur Entwicklung des Denkens im Kindesalter. Hg. v. H. Bonn u. K. Rohsmanith. – Darmstadt: Wissenschaftl. Buchges. 1972. (= Wege der Forschung. LXIX.) S. 141–176.

STEINER, GEORGE: K. In: Steiner: Language and Silence. Essays 1958–1966. – London: Faber and Faber 1967. S. 141–149.

STRAUSS, GEORG: Zur Deutung Franz Kafkas. In: Strauss: Irrlichter und Leitgestirne. Essays über Probleme der Kunst. – Zürich, Stuttgart: Classen 1966. S. 74–88.

STRICH, FRITZ: Franz Kafka und das Judentum. In: Strich: Kunst und Leben. Vorträge und Abhandlungen zur deutschen Literatur. – Bern: Francke 1960. S. 139–151.

THALMANN, JÖRG: Wege zu Kafka. Eine Interpretation des Amerika-Romans. — Frauenfeld u. Stuttgart: Huber 1966.

TINDALL, WILLIAM YORK: The Literary Symbol. — Bloomington: Indiana Univ. Pr. 1962.

TRAMER, FRIEDRICH: August Strindberg und Franz Kafka. In: Deutsche Vierteljahrsschrift. XXXIV. 1960, 2. S. 249—256.

UTITZ, EMIL: Erinnerungen an Franz Kafka. In: Klaus Wagenbach: Franz Kafka. Eine Biographie seiner Jugend. [cf. Wagenbach 1] S. 267—269.

UYTTERSPROT, H.: Zur Struktur von Kafkas Romanen. In: Revue des langues vivantes. II. 1954/55, 5. S. 367—382.

WAGENBACH, KLAUS: Franz Kafka. Eine Biographie seiner Jugend 1883—1912. — Bern: Francke 1958.

—: (2) Franz Kafka. In Selbstzeugnissen und Bilddokumenten. — Reinbek bei Hamburg: Rowohlt Taschenbuch 1964.

WALSER, MARTIN: Beschreibung einer Form. Versuch über Franz Kafka. — München: Hanser 1968. (= Literatur als Kunst. Eine Schriftenreihe, hg. v. W. Höllerer)

WEINBERG, KURT: Kafkas Dichtungen. Die Travestien des Mythos. — Bern: Francke 1963.

WELLEK, RENÉ, und AUSTIN WARREN: Theorie der Literatur. — Frankf./M.: Athenäum Fischer 1972.

WELTSCH, FELIX: Religion und Humor im Leben und Werk Franz Kafkas. — Berlin: 1957.

—: (2) Franz Kafkas Geschichtsbewußtsein. In: Deutsches Judentum. Aufstieg und Krise. Gestalten, Ideen, Werke. Hg. v. R. Weltsch. — Stuttgart: Deutsche Verl.-Anstalt 1963. S. 271—288.

WHITE, JOHN J.: Franz Kafka's ‚Das Urteil' — an interpretation. In: Deutsche Vierteljahrsschrift. XXXVIII. 1964, 2. S. 208—229.

WIESE, BENNO VON: Franz Kafka, die Selbstdeutung einer modernen dichterischen Existenz. In: v. Wiese: Zwischen Utopie und Wirklichkeit. Studien zur deutschen Literatur. — Düsseldorf: Bagel 1963. S. 232—253.

—: (2) Franz Kafka. Die Verwandlung. In: v. Wiese: Die deutsche Novelle von Goethe bis Kafka. Interpretationen II. — Düsseldorf: Bagel 1965. S. 319—345.

WINKELMAN, JOHN: Kafka's ‚Forschungen eines Hundes'. In: Monatshefte. LIX. 1967, 3. S. 204—216.

ZIOLKOWSKI, THEODORE: Franz Kafka: The Trial. In: Ziolkowski: Dimensions of the modern novel. German texts and European contexts. — Princeton, N. J.: Univ. Pr. 1969. S. 37—67.

BEGRIFFS- UND SACHREGISTER

(Die Spezialbegriffe dieser Untersuchungen kursiv)

Abbau 190, 219f., 222—224
Addition, Additionszwang 37, 61, 111, 113
Adhäsion 20, 37, 60
  erlebnisbedingte 81, 130
Aktionengruppen 145, 151f., 187, 332f., 338—344
Anfang 28, 217, 219—222, 225, 227f.
Aporie der Forschung 1f., 4f., 8f, 124
Bewußtseinsfeindlichkeit der Elemente 21, 111, 144, 186, 216f., 227, 229f.
Changeant, changieren 156, 158, 166, 188
Charakter 76, 92, 96, 100, 118
Diachronie 138, 155, 188, 217, 226
Dialektik 193, 195, 198, 200, 202f., 210f., 215, 231—236
Divergenz 157, 163, 188f.
Dominanz 31—35, 60, 225
Dublette 115, 156, 165, 170
Durchbruch 77 (u. Anm.), 103f.
Eindruck, Eindrucksmenge, Einzeleindruck 68, 76, 80f., 89f., 92, 100, 122f., 125, 127—131, 215f., 242, 245

Einheit ‚Werk und Leben' 1, 89—91, 119—123, 142f., 191, 237, 239—244
Einsamkeit 66, 86f., 97, 141, 244
Element
  biographisch (s. a. Wunde) 64—92, 102—104, 111f., 124—131, 231, 242f.
  gewinnstrategisch 8ff., 14

heuristisch 10, 124, 127, 131, 237
  als sehr kleine Größe 112, 114, 122, 129f., 184f., 233
  noetisch 193—217, 231—236
  perzeptiv (s. a. Bewußtseinsfeindlichkeit der Elemente) 60, 130, 144, 186
  als Sprachbinnenraum 39, 42, 63, 82, 102
  sprachinhaltlich 14—21, 42—60, 124—126, 185f., 231, 323f.
  systemtheoretisch (als kleinstmögliche/-nötige Größe) 9f., 50
  als Variable 23—38, 60, 80—82
Elementvorkommen
  Leerzone 45, 51, 53, 55
  Vorkommenszone 45f., 51, 53f.
  Normalzone 45
  Dichtezone 20f., 45—48, 51, 56
  L-V-Verhältnis 45, 47, 250
  isolierte, a. Streuvorkommen 45f., 134, 248
Eltern-, Vaterbindung 84—86, 100, 102, 104, 120, 122, 128, 131, 240, 244
Ende (= Werkende) 23, 89, 102, 114, 136, 217f., 220—227, 230f.
Engramm 76, 124—130
Entfremdung 177f.
Episches Theater 163, 182f., 189
Erlebnis 63, 67—86, 89—92, 96, 100, 105, 111—114, 117 (Anm.), 120, 122f., 125, 127—134, 142, 184, 215, 242—244
Erlebnisform des 20. Jahrhunderts 86, 186

PERSONENREGISTER

Adorno, Theodor W. 13, 23, 39, 57, 66, 82, 102f., 131, 139, 159, 162, 182, 190, 200, 206, 208, 217f., 237, 240
Alexander d. Gr. 98f.
Allemann, Beda 4, 28, 107, 138, 144, 159, 196–200, 218
Altenhöner, Friedrich 64, 66
Anders, Günther 115f., 207, 222
Arntzen, Helmut 4, 199
Asher, John A. 66

Batt, Kurt 113, 135
Baumgartner, Walter 66, 85
Beck, Evelyn Torton 160–162
Beicken, Peter U. 3, 205
Beißner, Friedrich 3, 58, 66, 105, 193, 195
Bauer, Felice 36, 64f., 78, 87f., 94f., 103f., 105, 120, 141f., 214
Benjamin, Walter 63, 82, 139f., 159, 161f., 188
Bense, Max 13, 23, 38, 67, 142f., 153, 190, 202, 220
Berendsohn, Walter A. 66
Bezzel, Christoph 206f., 208, 215
Billeter, Fritz 101, 113, 199, 202, 206, 224
Binder, Hartmut 13, 39, 63, 82, 88, 98, 105, 110, 120f., 132f., 160, 162, 181, 218
Bloch, Grete 88
Blöcker, Günter 119
Blum, Gerald S. 175
Bonime, Walter 245
Born, Jürgen 79, 105, 113
Bousfield, W. A. 128
Braun, Günther 39
Broch, Hermann 113

Brod, Max 22, 68, 77, 83, 85, 88, 94–96, 98f., 104f., 108, 120, 132, 135, 139, 142, 159, 167, 194, 226

Canetti, Elias 87f., 122, 154
Carrouges, Michel 226
Čermák, Josef 135
Cervantes, Miguel de 88f., 91, 163

Deinert, Herbert 113, 137, 196
Demetz, Peter 136, 241
Dilthey, Wilhelm 8, 119
Döblin, Alfred 66, 163
Ducháček, Otto 47f.
Dürrenmatt, Friedrich 106
Dymant, Dora 96, 226

Ebner, Jeannie 91
Eder, Gernot 233
Edwards, Brian F. M. 123
Emrich, Wilhelm 28, 36, 58, 89f., 112, 135, 140, 154, 194f., 199, 203f., 207–210, 215–218, 222f., 230, 237–241
Erke, Heiner 245

Feuerlicht, Ignace 67, 150, 161, 203
Fickert, Kurt J. 154
Fietz, Lothar 3, 230
Fischer, Ernst 103, 112, 135
Flitner, Andreas 178
Foulkes, A. Peter 66, 104f., 150
Fraiberg, Selma 67f., 92, 127
Freud, Anna 245
Freud, Sigmund 102, 121, 245, 324
Frey, Eberhard 6
Fülleborn, Ulrich 3, 136, 199, 205
Fürst, Norbert 198

WERK- UND AUTORENREGISTER

(Die Originaltitel Kafkas kursiv)

GRUPPENREGISTER

Abhandlungen zur Kunst-, Musik- und Literaturwissenschaft

BOUVIER VERLAG HERBERT GRUNDMANN · BONN